suhrkamp taschenbuch
wissenschaft 554

Ernst Bloch
Werkausgabe Band 5

Kapitel 1 – 32

Ernst Bloch
Das Prinzip Hoffnung

In fünf Teilen
Kapitel 1 – 32

Suhrkamp

Dieser Band ist text- und seitenidentisch mit
Ernst Bloch Gesamtausgabe Band 5
Das Prinzip Hoffnung Kapitel 1 – 32
© Suhrkamp Verlag Frankfurt am Main 1959
Geschrieben 1938 – 1947 in den USA
Durchgesehen 1953 und 1959

CIP-Kurztitelaufnahme der Deutschen Bibliothek
Bloch, Ernst:
Werkausgabe / Ernst Bloch. – Frankfurt am Main:
Suhrkamp
ISBN 3-518-09949-3
NE: Bloch, Ernst: [Sammlung]
Bd. 5. Das Prinzip Hoffnung: in 5 Teilen. –
Kap. 1 – 32. – 1. Aufl. – 1985.
(Suhrkamp-Taschenbuch Wissenschaft; 554)
ISBN 3-518-28154-2
NE: GT

suhrkamp taschenbuch wissenschaft 554
Erste Auflage 1985
© Suhrkamp Verlag Frankfurt am Main 1959
Suhrkamp Taschenbuch Verlag
Alle Rechte vorbehalten, insbesondere das
des öffentlichen Vortrags, der Übertragung
durch Rundfunk und Fernsehen
sowie der Übersetzung, auch einzelner Teile.
Druck: Ebner, Ulm
Printed in Germany
Umschlag nach Entwürfen von
Willy Fleckhaus und Rolf Staudt

2 3 4 5 6 – 90 89 88 87 86

INHALT

DRITTER TEIL (ÜBERGANG)

WUNSCHBILDER IM SPIEGEL

(AUSLAGE, MÄRCHEN, REISE, FILM, SCHAUBÜHNE)

X

GRUNDRISSE EINER BESSEREN WELT

(HEILKUNST, GESELLSCHAFTSSYSTEME, TECHNIK,
ARCHITEKTUR, GEOGRAPHIE, PERSPEKTIVE
IN KUNST UND WEISHEIT)

FÜNFTER TEIL (IDENTITÄT)

WUNSCHBILDER DES ERFÜLLTEN AUGENBLICKS

(MORAL, MUSIK, TODESBILDER, RELIGION, MORGENLAND NATUR, HÖCHSTES GUT)

DAS PRINZIP HOFFNUNG

Wer sind wir? Wo kommen wir her? Wohin gehen wir? Was erwarten wir? Was erwartet uns?

Viele fühlen sich nur als verwirrt. Der Boden wankt, sie wissen nicht warum und von was. Dieser ihr Zustand ist Angst, wird er bestimmter, so ist er Furcht.

Einmal zog einer weit hinaus, das Fürchten zu lernen. Das gelang in der eben vergangenen Zeit leichter und näher, diese Kunst ward entsetzlich beherrscht. Doch nun wird, die Urheber der Furcht abgerechnet, ein uns gemäßeres Gefühl fällig.

Es kommt darauf an, das Hoffen zu lernen. Seine Arbeit entsagt nicht, sie ist ins Gelingen verliebt statt ins Scheitern. Hoffen, über dem Fürchten gelegen, ist weder passiv wie dieses, noch gar in ein Nichts gesperrt. Der Affekt des Hoffens geht aus sich heraus, macht die Menschen weit, statt sie zu verengen, kann gar nicht genug von dem wissen, was sie inwendig gezielt macht, was ihnen auswendig verbündet sein mag. Die Arbeit dieses Affekts verlangt Menschen, die sich ins Werdende tätig hineinwerfen, zu dem sie selber gehören. Sie erträgt kein Hundeleben, das sich ins Seiende nur passiv geworfen fühlt, in undurchschautes, gar jämmerlich anerkanntes. Die Arbeit gegen die Lebensangst und die Umtriebe der Furcht ist die gegen ihre Urheber, ihre großenteils sehr aufzeigbaren, und sie sucht in der Welt selber, was der Welt hilft; es ist findbar. Wie reich wurde allzeit davon geträumt, vom besseren Leben geträumt, das möglich wäre. Das Leben aller Menschen ist von Tagträumen durchzogen, darin ist ein Teil lediglich schale, auch entnervende Flucht, auch Beute für Betrüger, aber ein anderer Teil reizt auf, läßt mit dem schlecht Vorhandenen sich nicht abfinden, läßt eben nicht entsagen. Dieser andere Teil hat das Hoffen im Kern, und er ist lehrbar. Er kann aus dem ungeregelten Tagtraum wie aus dessen schlauem Mißbrauch herausgeholt werden, ist ohne Dunst aktivierbar. Kein Mensch lebte je ohne Tagträume, es kommt aber darauf an, sie immer weiter zu kennen und dadurch unbetrüglich, hilfreich, aufs Rechte gezielt zu halten. Möchten die Tagträume noch voller werden, denn das bedeutet, daß sie sich genau um den nüchternen Blick bereichern; nicht im Sinn der

Verstockung, sondern des Hellwerdens. Nicht im Sinn des bloß betrachtenden Verstands, der die Dinge nimmt, wie sie gerade sind und stehen, sondern des beteiligten, der sie nimmt, wie sie gehen, also auch besser gehen können. Möchten die Tagträume also wirklich voller werden, das ist, heller, unbeliebter, bekannter, begriffener und mit dem Lauf der Dinge vermittelter. Damit der Weizen, der reifen will, befördert und abgeholt werden kann.

Denken heißt Überschreiten. So jedoch, daß Vorhandenes nicht unterschlagen, nicht überschlagen wird. Weder in seiner Not, noch gar in der Bewegung aus ihr heraus. Weder in den Ursachen der Not, noch gar im Ansatz der Wende, der darin heranreift. Deshalb geht wirkliches Überschreiten auch nie ins bloß Luftleere eines Vor-uns, bloß schwärmend, bloß abstrakt ausmalend. Sondern es begreift das Neue als eines, das im bewegt Vorhandenen vermittelt ist, ob es gleich, um freigelegt zu werden, aufs Äußerste den Willen zu ihm verlangt. Wirkliches Überschreiten kennt und aktiviert die in der Geschichte angelegte, dialektisch verlaufende Tendenz. Primär lebt jeder Mensch, indem er strebt, zukünftig, Vergangenes kommt erst später, und echte Gegenwart ist fast überhaupt noch nicht da. Das Zukünftige enthält das Gefürchtete oder das Erhoffte; der menschlichen Intention nach, also ohne Vereitlung, enthält es nur das Erhoffte. Funktion und Inhalt der Hoffnung werden unaufhörlich erlebt, und sie wurden in Zeiten aufsteigender Gesellschaft unaufhörlich betätigt und ausgebreitet. Einzig in Zeiten einer niedergehenden alten Gesellschaft, wie der heutigen im Westen, läuft eine gewisse partielle und vergängliche Intention nur abwärts. Dann stellt sich bei denen, die aus dem Niedergang nicht herausfinden, Furcht vor die Hoffnung und gegen sie. Dann gibt sich Furcht als subjektivistische, Nihilismus als objektivistische Maske des Krisenphänomens: des erduldeten, aber nicht durchschauten, des beweinten, aber nicht gewendeten. Die Wendung ist auf dem bürgerlichen Boden, gar in seinem gekommenen und bezogenen Abgrund, ohnehin unmöglich, selbst dann, wenn sie, was keineswegs der Fall, gewollt wäre. Ja das bürgerliche Interesse möchte gerade jedes andere, ihm entgegengesetzte, in das eigene Scheitern hineinziehen; so macht es, um das neue Leben zu ermatten, die eigene Agonie scheinbar grundsätzlich, scheinbar ontologisch. Die Auswegslosigkeit des bürgerlichen Seins wird als die der menschlichen Situation überhaupt, des Seins schlechthin ausgedehnt. Auf die Dauer freilich vergebens: das bürgerlich Leergewordene ist so ephemer wie die Klasse, die sich darin einzig noch ausspricht, und so haltungslos wie das Scheinsein der eigenen schlechten Unmittelbarkeit, dem sie verschworen ist. Die Hoffnungslosigkeit ist selber, im zeitlichen wie sachlichen Sinn, das Unaushaltbarste, das ganz und gar den menschlichen Bedürfnissen Unerträgliche. Weshalb sogar der Betrug, damit er wirkt, mit schmeichelhaft und verdorben erregter Hoffnung arbeiten muß. Weshalb gerade wieder die Hoffnung, doch mit Einsperrung auf bloße Inwendigkeit oder mit Vertröstung aufs Jenseits, von allen Kanzeln gepredigt wird. Weshalb selbst die letzten Miseren der westlichen Philosophie ihre Philosophie der Misere nicht mehr ohne Lombardierung eines Übersteigens, Überschreitens vorzubringen imstande sind. Das heißt, nicht mehr anders, als daß der Mensch wesenhaft von der Zukunft her bestimmt, jedoch mit dem zynisch-interessierten Bedeuten, dem aus der eigenen Klassenlage hypostasierten, daß die Zukunft das Ladenschild der Nacht-Bar zur — Zukunftslosigkeit sei und die Bestimmung der Menschen das Nichts. Nun: mögen die Toten ihre Toten begraben; der beginnende Tag hört noch in der Verzögerung, die ihm die überständige Nacht zuzieht, auf anderes als auf das verwesend schwüle, wesenlos nihilistische Grabgeläute. Solange der Mensch im Argen liegt, sind privates wie öffentliches Dasein von Tagträumen durchzogen; von Träumen eines besseren Lebens als des ihm bisher gewordenen. Im Unechten, wieviel mehr erst im Echten, ist jede menschliche Intention auf diesen Grund aufgetragen. Und noch wo der Grund, wie so oft bisher, bald voller Sandbänke, bald voller Chimären täuschen mag, kann er nur durch objektive Tendenz-, subjektive Intentionsforschung in einem denunziert und gegebenenfalls bereinigt werden. Corruptio optimi pessima: die schwindelhafte Hoffnung ist einer der größten Übeltäter, auch Entnerver des Menschengeschlechts, die konkret echte sein ernstester Wohltäter. Wissend-konkrete Hoffnung also bricht subjektiv am stärksten in die Furcht ein, leitet objektiv am tüchtigsten auf die ursächliche Abstellung der Furcht-Inhalte hin. Mit der kundigen Unzufriedenheit zusammen, die zur Hoffnung gehört, weil sie beide aus dem Nein zum Mangel entspringen.

Denken heißt Überschreiten. Freilich, das Überschreiten fand bisher nicht allzu scharf sein Denken. Oder wenn es gefunden war, so waren zu viel schlechte Augen da, die die Sache nicht sahen. Fauler Ersatz, gängig-kopierende Stellvertretung, die Schweinsblase eines reaktionären, aber auch schematisierenden Zeitgeistes, sie verdrängten das

Entdeckte. Im Bewußtwerden des konkreten Überschreitens bezeichnet Marx die Wende. Aber um sie her haften zäh eingelebte Denkgewohnheiten an eine Welt ohne Front. Hier liegt nicht nur der Mensch, hier liegt auch die Einsicht in seine Hoffnung im Argen. Das Intendieren ist nicht in seinem allemal antizipierenden Klang gehört, die objektive Tendenz nicht in ihrer allemal antizipatorischen Mächtigkeit erkannt. Das Desiderium, die einzig ehrliche Eigenschaft aller Menschen, ist unerforscht. Das Noch-Nicht-Bewußte, Noch-Nicht-Gewordene, obwohl es den Sinn aller Menschen und den Horizont alles Seins erfüllt, ist nicht einmal als Wort, geschweige als Begriff durchgedrungen. Dies blühende Fragengebiet liegt in der bisherigen Philosophie fast sprachlos da. Träumen nach vorwärts, wie Lenin sagt, wurde nicht reflektiert, wurde nur mehr sporadisch gestreift, kam nicht zu dem ihm angemessenen Begriff. Erwarten und Erwartetes, im Subjekt hier, im Objekt dort, das Heraufziehende insgesamt hat bis zu Marx keinen Weltaspekt erregt, worin es Platz findet, gar zentralen. Das ungeheure utopische Vorkommen in der Welt ist explizite fast unerhellt. Von allen Seltsamkeiten des Nichtwissens ist diese eine der auffälligsten. M. Terentius Varro soll in seinem ersten Versuch einer lateinischen Grammatik das Futurum vergessen haben; philosophisch ist es bis heute noch nicht ganz adäquat bemerkt. Das macht: ein überwiegend statisches Denken nannte, ja verstand diese Beschaffenheit nicht, und immer wieder schließt es das ihm Gewordene fertig ab. Ist als betrachtendes Wissen per definitionem einzig eines von Betrachtbarem, nämlich der Vergangenheit, und über dem Ungewordenen wölbt es abgeschlossene Forminhalte aus der Gewordenheit. Folgerichtig ist diese Welt, auch wo sie geschichtlich erfaßt wird, eine Welt der Wiederholung oder des großen Immer-Wieder; sie ist ein Palast der Verhängnisse, wie Leibniz das nannte, ohne es zu durchbrechen. Geschehen wird Geschichte, Erkenntnis Wiedererinnerung, Festlichkeit das Begehen eines Gewesenen. So hielten es alle bisherigen Philosophen, mit ihrer als fertig-seiend gesetzten Form, Idee oder Substanz, auch beim postulierenden Kant, selbst beim dialektischen Hegel. Das physische wie metaphysische Bedürfnis hat sich dadurch den Appetit verdorben, besonders wurden ihm die Wege nach der ausstehenden, gewiß nicht nur buchmäßigen Sättigung verlegt. Die Hoffnung, mit ihrem positiven Korrelat: der noch unabgeschlossenen Daseinsbestimmtheit, über jeder res finita, kommt derart in der Geschichte der Wissenschaften nicht vor, weder als psychisches noch als kosmisches Wesen und am wenigsten als Funktionär des nie Gewesenen, des möglich Neuen. Darum: besonders ausgedehnt ist in *diesem Buch* der Versuch gemacht, an die Hoffnung, als eine Weltstelle, die bewohnt ist wie das beste Kulturland und unerforscht wie die Antarktis, Philosophie zu bringen. Im Zusammenhang, dem kritischen, weiter durchgeführten, mit dem Inhalt der bisher erschienenen Bücher des Autors, den »Spuren«, besonders dem »Geist der Utopie«, dem »Thomas Münzer«, der »Erbschaft dieser Zeit«, dem »Subjekt-Objekt«. Sehnsucht, Erwartung, Hoffnung also brauchen ihre Hermeneutik, die Dämmerung des Vor-uns verlangt ihren spezifischen Begriff, das Novum verlangt seinen Frontbegriff. Und all das im Dienst des Zwecks, daß durch das vermittelte Reich der Möglichkeit endlich die Heerstraße zum notwendig Gemeinten kritisch gelegt werde, unabgebrochen orientiert bleibe. *Docta spes, begriffene Hoffnung*, erhellt so den Begriff eines Prinzips in der Welt, der diese nicht mehr verläßt. Schon deshalb nicht, weil dieses Prinzip seit je in ihrem Prozeß darin war, philosophisch so lange ausgekreist. Indem es überhaupt keine bewußte Herstellung der Geschichte gibt, auf deren tendenzkundigem Weg das Ziel nicht ebenso alles wäre, ist der im guten Sinn des Worts: utopischprinzipielle Begriff, als der der Hoffnung und ihrer menschenwürdigen Inhalte, hier ein schlechthin zentraler. Ja, das damit Bezeichnete liegt dem adäquat werdenden Bewußtsein jeder Sache im Horizont, im aufgegangenen, weiter aufgehenden. Erwartung, Hoffnung, Intention auf noch ungewordene Möglichkeit, das ist nicht nur ein Grundzug des menschlichen Bewußtseins, sondern, konkret berichtigt und erfaßt, eine Grundbestimmung innerhalb der objektiven Wirklichkeit insgesamt. Es gibt seit Marx keine überhaupt mögliche Wahrheitsforschung und keinen Realismus der Entscheidung mehr, der die subjektiven und objektiven Hoffnungs-Inhalte der Welt wird umgehen können; es sei denn bei Strafe der Trivialität oder der Sackgasse. *Philosophie wird Gewissen des Morgen, Parteilichkeit für die Zukunft, Wissen der Hoffnung haben, oder sie wird kein Wissen mehr haben.* Und die neue Philosophie, wie sie durch Marx eröffnet wurde, ist dasselbe wie die Philosophie des Neuen, dieses uns alle erwartenden, vernichtenden oder erfüllenden Wesens. Ihr Bewußtsein ist das Offene der Gefahr und des in seinen Bedingungen herbeizuführenden Siegs. Ihr Raum ist die objektiv-reale Möglichkeit innerhalb des Prozesses, in der Bahn des Gegenstands selbst, worin das von den Menschen radikal Intendierte noch nirgends besorgt, aber auch noch nirgends vereitelt ist. Ihr mit allen Kräften zu betreibendes Anliegen bleibt das wahrhaft Hoffende im Subjekt, wahrhaft Erhoffbare im Objekt: Funktion und Inhalt dieses zentralen Dings für uns gilt es zu erforschen.

Das gute Neue ist niemals so ganz neu. Es wirkt weit über die Tagträume hinaus, von denen das Leben durchzogen, die gestaltende Kunst erfüllt ist. Utopisch Gewolltes leitet sämtliche Freiheitsbewegungen, und auch alle Christen kennen es in ihrer Art, mit schlafendem Gewissen oder mit Betroffenheit, aus den Exodus- und messianischen Partien der Bibel. Auch hat das Ineinander von Haben und Nicht-Haben, wie es die Sehnsucht, die Hoffnung ausmacht und den Trieb, nach Hause zu gelangen, in großer Philosophie immerhin gewühlt. Nicht nur im Platonischen Eros, auch in dem weittragenden Begriff der Aristotelischen Materie als der Möglichkeit zum Wesen, und im Leibnizschen Begriff der Tendenz. Unvermittelt wirkt Hoffnung in den Kantischen Postulaten des moralischen Bewußtseins, welthaft vermittelt wirkt sie in der historischen Dialektik Hegels. Jedoch trotz all dieser Aufklärungs-Patrouillen und selbst Expeditionen in terram utopicam ist an ihnen allen ein Abgebrochenes, eben ein durch Betrachtung Abgebrochenes. Fast am stärksten bei Hegel, der am weitesten ausgefahren war: das Gewesene überwältigt das Heraufkommende, die Sammlung der Gewordenheiten hindert völlig die Kategorien Zukunft, Front, Novum. Also konnte das utopische Prinzip nicht zum Durchbruch gelangen, weder in der archaisch-mythischen Welt, trotz Exodus aus ihr, noch in der urban-rationalistischen, trotz explosiver Dialektik. Der Grund hierzu bleibt allemal der, daß sowohl die archaisch-mythische wie die urban-rationalistische Geistesart betrachtend-idealistisch ist, folglich als nur passiv-betrachtende eine gewordene Welt, eine abgeschlossene, voraussetzt, einschließlich der hinüberprojizierten Überwelt, in der sich Gewordenes widerspiegelt. Die Vollkommenheitsgötter hier, die Ideen oder Ideale dort sind in ihrem illusionären Sein genau so res finitae wie die sogenannten Tatsachen des Diesseits in ihrem empirischen Sein. Zukunft der echten, prozeßhaft offenen Art ist also jeder bloßen Betrachtung verschlossen und fremd. Nur ein auf Verändern der Welt gerichtetes, das Verändernwollen informierendes Denken betrifft die Zukunft (den unabgeschlossenen Entstehungsraum vor uns) nicht als Verlegenheit und die Vergangenheit nicht als Bann. Entscheidend ist daher: nur Wissen als bewußte Theorie-Praxis betrifft Werdendes und darin Entscheid-

6

bares, betrachtendes Wissen dagegen kann sich per definitionem nur auf Gewordenes beziehen. Der unmittelbare Ausdruck dieses Zugs zum Gewesenen, Bezugs zum Gewordenen ist im Mythos das Sichversenken, ist der Drang zum Unvordenklichen, auch das beständige Übergewicht des eigentlich Heidnischen, nämlich des Astralmythischen, als der festen Umwölbung alles Geschehens. Der methodische Ausdruck der gleichen Vergangenheitsbindung, Zukunftsfremdheit ist im Rationalismus die Platonische Anamnesis oder die Lehre, daß alles Wissen lediglich Wiedererinnerung sei. Wiedererinnerung an die vor der Geburt geschauten Ideen, an rundum Urvergangenes oder geschichtslos Ewiges. Wonach Wesenheit schlechthin mit Ge-wesenheit zusammenfällt und die Eule der Minerva allemal erst nach einbrechender Dämmerung, wenn eine Gestalt des Lebens alt geworden, ihren Flug beginnt. Auch Hegels Dialektik, in ihrem letzthinnigen »Kreis aus Kreisen«, ist derart vom Phantom Anamnesis gehemmt und ins Antiquarium gebannt. Erst Marx setzte statt dessen das Pathos des Veränderns, als den Beginn einer Theorie, die sich nicht auf Schauung und Auslegung resigniert. Die starren Scheidungen zwischen Zukunft und Vergangenheit stürzen so selber ein, ungewordene Zukunft wird in der Vergangenheit sichtbar, gerächte und beerbte, vermittelte und erfüllte Vergangenheit in der Zukunft. Isoliert gefaßte und so festgehaltene Vergangenheit ist eine bloße Warenkategorie, das ist ein verdinglichtes Factum ohne Bewußtsein seines Fieri und seines fortlaufenden Prozesses. Wahre Handlung in der Gegenwart selber geschieht aber einzig in der Totalität dieses rückwärts wie vorwärts unabgeschlossenen Prozesses, materialistische Dialektik wird das Instrument zur Beherrschung dieses Prozesses, zum vermittelt-beherrschten Novum. Dafür ist die Ratio des noch fortschrittlich gewesenen bürgerlichen Zeitalters das nächste Erbe (minus der standortgebundenen Ideologie und der wachsenden Entleerung von Inhalten). Aber diese Ratio ist nicht das einzige Erbe, vielmehr, auch die vorhergehenden Gesellschaften und selbst mancher Mythos in ihnen (wieder minus bloßer Ideologie und erst recht minus vorwissenschaftlich erhaltenem Aberglauben) geben einer Philosophie, die die bürgerliche Erkenntnisschranke überwunden hat, gegebenenfalls fortschrittliches Erbmaterial ab, wenn auch, wie sich von selbst versteht, besonders aufzuklärendes, kritisch anzueignendes, umzufunktionierendes. Man denke etwa an die Rolle des Zwecks (Wohin, Wozu) in vorkapitalistischen Weltbildern oder auch an die Bedeutung der Qualität in ihrem nicht-mechanischen Naturbegriff. Man denke an den Mythos des Prometheus, den Marx den vornehmsten Heiligen im philosophischen Kalender nennt. Man denke an den Mythos vom Goldenen Zeitalter und an dessen Zukunfts-Verlegung im messianischen Bewußtsein so vieler unterdrückter Klassen und Völker. Die marxistische Philosophie als diejenige, welche sich endlich adäquat zum Werden und zum Heraufkommenden verhält, kennt auch die ganze Vergangenheit in schöpferischer Breite, weil sie überhaupt keine Vergangenheit außer der noch lebendigen, noch nicht abgegoltenen kennt. Marxistische Philosophie ist die der Zukunft, also auch der Zukunft in der Vergangenheit; so ist sie, in diesem versammelten Frontbewußtsein, lebendige, dem Geschehen vertraute, dem Novum verschworene Theorie-Praxis der begriffenen Tendenz. Und entscheidend bleibt: das Licht, in dessen Schein das prozeßhaft-unabgeschlossene Totum abgebildet und befördert wird, heißt *docta spes, dialektisch-materialistisch begriffene Hoffnung.* Das Grundthema der Philosophie, die bleibt und ist, indem sie wird, ist die noch ungewordene, noch ungelungene Heimat, wie sie im dialektisch-materialistischen Kampf des Neuen mit dem Alten sich herausbildet, heraufbildet.

Dem wird hier weiter ein Zeichen gesetzt. Ein Zeichen nach vorwärts, das überholen, nicht nachtraben läßt. Seine Bedeutung heißt Noch-Nicht, und es gilt, sich auf sie zu verstehen. Dem gemäß, was Lenin in einer allmählich viel gelobten, doch nicht ebenso fleißig beherzigten Stelle bedeutet hat:

»›Wovon wir träumen müssen?‹ ich habe diese Worte niedergeschrieben und bin erschrocken. Ich stellte mir vor, ich sitze auf einer ›Vereinigungskonferenz‹, und mir gegenüber sitzen die Redakteure und Mitarbeiter des ›Rabotscheje Djelo‹. Und nun steht Genosse Martynow auf und wendet sich drohend an mich: ›Gestatten Sie, daß ich Sie frage: hat eine autonome Redaktion noch das Recht, ohne vorherige Befragung der Parteikomitees zu träumen?‹ Und nach ihm steht Genosse Kritschewski auf und fährt (den Genossen Martynow philosophisch vertiefend, der schon längst den Genossen Plechanow vertieft hat) noch drohender fort: ›Ich gehe weiter. Ich frage, ob ein Marxist überhaupt das Recht hat zu träumen, wenn er nicht vergißt, daß sich die Menschheit nach Marx immer nur Aufgaben stellt, die sie lösen kann, und daß die Taktik ein Prozeß des Wachstums der Aufgaben ist, die zusammen mit der Partei wachsen?‹

Bei dem bloßen Gedanken an diese drohenden Fragen überläuft es mich eiskalt, und ich überlege nur, wo ich mich verstecken könnte. Ich will versuchen, mich hinter Pissarew zu verstecken.

›Ein Zwiespalt gleicht dem anderen nicht‹, schrieb Pissarew über den Zwiespalt zwischen Traum und Wirklichkeit. ›Meine Träume können den natürlichen Gang der Ereignisse überholen, oder sie können ganz auf Abwege geraten, auf Wege, die der natürliche Gang der Ereignisse nie beschreiten kann. Im ersten Falle ist das Träumen ganz unschädlich; es kann sogar die Tatkraft des arbeitenden Menschen fördern und stärken ... Solche Träume haben nichts an sich, was die Schaffenskraft beeinträchtigt oder lähmt. Sogar ganz im Gegenteil. Wäre der Mensch aller Fähigkeiten bar, in dieser Weise zu träumen, könnte er nicht dann und wann vorauseilen, um in seiner Phantasie als einheitliches und vollendetes Bild das Werk zu erblicken, das eben erst unter seinen Händen zu entstehen beginnt, dann kann ich mir absolut nicht vorstellen, welcher Beweggrund den Menschen zwingen würde, weitläufige und anstrengende Arbeiten auf dem Gebiete der Kunst, der Wissenschaft und des praktischen Lebens in Angriff zu nehmen und zu Ende zu führen ... Der Zwiespalt zwischen Traum und Wirklichkeit ist nicht schädlich, wenn nur der Träumende ernstlich an seinen Traum glaubt, wenn er das Leben aufmerksam beobachtet, seine Beobachtungen mit seinen Luftschlössern vergleicht und überhaupt gewissenhaft an der Realisierung seines Traumgebildes arbeitet. Gibt es nur irgendeinen Berührungspunkt zwischen Traum und Leben, dann ist alles in bester Ordnung.‹

Träume solcher Art gibt es leider in unserer Bewegung allzu wenig. Und schuld daran sind hauptsächlich diejenigen, die sich damit brüsten, wie nüchtern sie seien und wie ›nahe‹ sie dem ›Konkreten‹ stünden, und das sind die Vertreter der legalen Kritik und der nicht legalen Nachtrabpolitik‹ « (Lenin, Was tun?, Ausgewählte Werke, 1946, I, S. 315).

Dem Träumen nach vorwärts werde so ein weiteres Zeichen gesetzt. Vorliegendes Buch handelt von nichts anderem als vom Hoffen über den gewordenen Tag hinaus. Das Thema der fünf Teile dieses Werks (geschrieben 1938–47, durchgesehen 1953 und 1959) sind die Träume vom besseren Leben. Ihre unvermittelten, vor allem aber ihre vermittelbaren Züge und Inhalte werden in Breite aufgenommen, erforscht, geprüft. Und der Weg geht über die kleinen Wachträume zu den starken, über die schwankenden und mißbrauchbaren zu den strengen, über die wechselnden Luftschlösser zum Einen, das aussteht und nottut. Begonnen also wird mit Tagträumen durchschnittlicher Art, leicht und frei ausgewählt von der Jugend bis ins Alter. Sie füllen den ersten Teil: *Bericht*, den Mann auf der Straße betreffend und die ungeregelten Wünsche. Es folgt sofort, alles Weitere fundierend und tragend, der zweite und grundlegende Teil: Die Untersuchung des antizipierenden Bewußtseins. Dieser Teil ist, aus Gründen, aus *Grundlegung* der Sache selber, in vielen seiner Partien keine mühelose Lektüre, sondern von mählich wachsender Schwierigkeit. Doch wird sie dem dadurch kundig werdenden, immer tiefer hineingeführten Leser ebenso eine abnehmende. Auch erleichtert das Interesse des Gegenstands die Mühe seiner Aneignung, so wie das Licht droben zum Bergsteigen gehört und das Bergsteigen zur ergiebigen Aussicht. Der Haupttrieb Hunger muß hier herausgearbeitet werden, wie er zur verneinten Entbehrung, also zum wichtigsten Erwartungsaffekt: Hoffnung weitergeht. Ein Hauptgeschäft ist in diesem Teil die *Entdeckung und unverwechselbare Notierung des »Noch-Nicht-Bewußten«*. Das ist: eines relativ noch Unbewußten nach seiner anderen, vorwärts, nicht rückwärts gelegenen Seite. Nach der Seite eines heraufdämmernd Neuen, nie bisher bewußt gewesenen, nicht etwa eines Vergessenen, als gewesen Erinnerbaren, verdrängt oder archaisch ins Unterbewußtsein Gesunkenen. Von Leibnizens Entdeckung des Unterbewußten über die romantische Psychologie der Nacht und Urvergangenheit bis zur Psycho-Analyse Freuds war bisher wesentlich nur die »Dämmerung nach rückwärts« bezeichnet und untersucht worden. Man glaubte entdeckt zu haben: alles Gegenwärtige ist mit Gedächtnis beladen, mit Vergangenheit im Keller des Nicht-Mehr-Bewußten. Man hat nicht entdeckt: es gibt im Gegenwärtigen, ja im Erinnerten selber einen Auftrieb und eine Abgebrochenheit, ein Brüten und eine Vorwegnahme von Noch-Nicht-Gewordenem; und dieses Abgebrochen-Angebrochene geschieht nicht im Keller des Bewußtseins, sondern an seiner Front. So geht es hier um die psychischen Vorgänge des Heraufkommens, wie sie vor allem für die Jugend, für Wendezeiten, für die Abenteuer der Produktivität so charakteristisch sind, für alle Phänomene mithin, worin Ungewordenes steckt und sich artikulieren will. Das Antizipierende wirkt derart im Feld der Hoffnung; diese also wird *nicht nur als Affekt* genommen, als Gegensatz zur Furcht (denn auch die Furcht kann ja antizipieren), sondern *wesentlicher als Richtungsakt kognitiver Art* (und hier ist dann der

Gegensatz nicht Furcht, sondern Erinnerung). Die Vorstellung und Gedanken der so bezeichneten Zukunftsintention sind utopisch, das aber wieder nicht in einem engen, gar nur aufs Schlechte hin bestimmten Sinn dieses Worts (affekthaft unbesonnene Ausmalerei, Spielform abstrakter Art), sondern eben im neu vertretbaren Sinn des Traums nach vorwärts, der Antizipation überhaupt. Wobei also die Kategorie des Utopischen außer dem üblichen, berechtigt abwertenden Sinn den anderen, keinesfalls notwendig abstrakten oder weltfremden, vielmehr zentral weltzugewandten besitzt: den natürlichen Gang der Ereignisse zu überholen. So verstanden ist das Thema dieses zweiten Teils die utopische Funktion und ihre Inhalte. Die Ausführung untersucht das Verhältnis dieser Funktion zur Ideologie, zu Archetypen, zu Idealen, zu Symbolen, zu den Kategorien Front und Novum, Nichts und Heimat, zum Urproblem des Jetzt und Hier. Hierbei muß, gegen allen schal-statischen Nihilismus, beherzigt werden: auch das Nichts ist eine utopische Kategorie, wenn auch eine extrem gegen-utopische. Weit davon entfernt, nichtend zugrunde zu liegen oder ein ebensolcher Hintergrund zu sein (dergestalt, daß der Tag des Seins zwischen zwei ausgemachten Nächten liege), ist das Nichts — genau so wie das positive Utopikum: die Heimat oder das Alles — lediglich als objektive Möglichkeit »vorhanden«. Es geht im Prozeß der Welt um, aber sitzt ihm nicht auf; beide: Nichts wie Alles — sind als utopische Charaktere, als drohende oder erfüllende Resultatsbestimmungen in der Welt noch keineswegs entschieden. Und ebenso ist das Jetzt und Hier, dies immer wieder Anfangende in der Nähe, eine utopische Kategorie, ja die zentralste; ist sie doch, zum Unterschied vom vernichtenden Umgang eines Nichts, vom aufleuchtenden eines Alles, noch nicht einmal in Zeit und Raum eingetreten. Vielmehr gären die Inhalte dieser unmittelbarsten Nähe noch gänzlich im Dunkel des gelebten Augenblicks als des wirklichen Weltknotens, Welträtsels. Das utopische Bewußtsein will weit hinaussehen, aber letzthin doch nur dazu, um das ganz nahe Dunkel des gerade gelebten Augenblicks zu durchdringen, worin alles Seiende so treibt wie sich verborgen ist. Mit anderen Worten, man braucht das stärkste Fernrohr, das des geschliffenen utopischen Bewußtseins, um gerade die nächste Nähe zu durchdringen. Als die unmittelbarste Unmittelbarkeit, in der der Kern des Sich-Befindens und Da-Seins noch liegt, in der zugleich der ganze Knoten des Weltgeheimnisses steckt. Das ist kein Geheimnis, das etwa nur für den unzulänglichen Verstand bestünde, während die Sache an und für sich selbst völlig klarer oder in sich ruhender Inhalt wäre, sondern es ist jenes Realgeheimnis, das sich die Weltsache noch selber ist und zu dessen Lösung sie überhaupt im Prozeß und unterwegs ist. Das Noch-Nicht-Bewußte im Menschen gehört so durchaus zum Noch-Nicht-Gewordenen, Noch-Nicht-Herausgebrachten, Herausmanifestierten in der Welt. Noch-Nicht-Bewußtes kommuniziert und wechselwirkt mit dem Noch-Nicht-Gewordenen, spezieller mit dem Heraufkommenden in Geschichte und Welt. Wobei die Untersuchung des antizipierenden Bewußtseins grundsätzlich dazu zu dienen hat, daß die eigentlichen, nun folgenden Spiegelbilder, gar Abbildungen des erwünscht, des antizipiert besseren Lebens psychisch-materiell verständlich werden. Vom Antizipierenden also soll Kenntnis gewonnen werden, auf der Grundlage einer Ontologie des Noch-Nicht. Soviel hier über den zweiten Teil, über die darin begonnene subjekt-objekthafte Funktionsanalyse der Hoffnung.

Zurück nun zu den einzelnen Wünschen, so tauchen wieder erst die bedenklichen auf. Statt der ungeregelten kleinen Wunschbilder des Berichts werden nun die bürgerlich gegängelten, geleiteten sichtbar. Als derart geleitete können ihre Bilder auch niedergehalten und mißbraucht werden, in Rosa und blutig. Der dritte Teil: *Übergang* zeigt *Wunschbilder im Spiegel*, in einem verschönenden, der oft nur wiedergibt, wie die herrschende Klasse das von den Schwachen Gewünschte wünscht. Doch reinigt sich der Fall völlig, sobald der Spiegel vom Volk stammt, wie ganz sichtbar und wunderbar im Märchen. Die gespiegelten, so oft genormten Wünsche erfüllen im Buch diesen Teil; ihnen allen ist ein Trieb zum Bunten als vermeintlich oder echt Besserem gemeinsam. Reiz der Verkleidung, beleuchtete *Auslage* gehören hierher, aber dann die *Märchenwelt*, die geschönte Ferne in der *Reise*, der *Tanz*, die Traumfabrik *Film*, das Exempel *Theater*. Dergleichen macht entweder besseres Leben vor, so in der Vergnügungsindustrie, oder malt ein essentiell gezeigtes wirklich vor. Geht aber nun das Vormalen zum freien und gedachten Entwurf über, dann erst befindet man sich unter den eigentlichen, nämlich den *Plan- oder Grundriß-Utopien*. Sie erfüllen den vierten Teil: *Konstruktion*, mit historisch reichem, nicht nur historisch bleibendem Inhalt. Er breitet sich aus in den ärztlichen und den sozialen, den technischen, architektonischen und geographischen Utopien, in den Wunschlandschaften der Malerei und Dichtung. So treten die Wunschbilder der *Gesundheit* hervor, die fundamentalen der

Gesellschaft ohne Not, die Wunder der *Technik* und die Luftschlösser in so viel vorhandenen der *Architektur*. Es erscheinen Eldorado-Eden in den *geographischen Entdeckungsreisen*, die Landschaften einer uns adäquater gebildeten Umwelt in *Malerei* und *Poesie*, die Perspektiven eines Überhaupt in *Weisheit*. Das alles ist voll Überholungen, baut implizit oder explizit an der Strecke und dem Zielbild einer vollkommeneren Welt, an durchgeformteren und wesenhafteren Erscheinungen, als sie empirisch bereits geworden sind. Viel beliebiges und abstraktes Fluchtwesen gibt es auch hier, doch die großen Kunstwerke zeigen wesentlich einen reell bezogenen Vor-Schein ihrer vollendet herausgebildeten Sache selbst. Wechselnd ist darin der Blick aufs vorgestaltete, aufs ästhetisch-religiös experimentierte Wesen, doch jeder Versuch dieser Art experimentiert ein Überholendes, ein Vollkommenes, wie die Erde es noch nicht trägt. Der Blick darauf ist verschieden konkret, der jeweiligen Klassenschranke entsprechend, doch gehen die utopischen Grundziele des jeweiligen sogenannten Kunstwollens in den sogenannten Stilen, diese »Überschüsse« über Ideologie, mit ihrer Gesellschaft nicht gleichfalls immer unter. Ägyptischer Bau ist das Werdenwollen wie Stein, mit Todeskristall als gemeinter Vollkommenheit; gotischer Bau ist das Werdenwollen wie der Weinstock Christi, mit dem Lebensbaum als gemeinter Vollkommenheit. Und so zeigt sich die gesamte Kunst mit Erscheinungen gefüllt, die zu Vollkommenheitssymbolen, zu einem utopisch wesenhaften Ende getrieben werden. Allerdings war es bisher nur bei den Sozialutopien selbstverständlich, daß sie — utopisch sind: erstens, weil sie so heißen, und zweitens, weil das Wort Wolkenkuckucksheim meist im Zusammenhang mit ihnen, und nicht nur mit den abstrakten unter ihnen, gebraucht worden ist. Wodurch, wie bemerkt, der Begriff Utopie sowohl ungemäß verengert, nämlich auf Staatsromane beschränkt wurde, wie vor allem auch, durch die überwiegende Abstraktheit dieser Staatsromane, eben jene abstrakte Spielform erhielt, die erst der Fortschritt des Sozialismus von diesen Utopien zur Wissenschaft weggehoben, aufgehoben hat. Immerhin kam, mit allen Bedenklichkeiten, das Wort Utopie, das von Thomas Morus gebildete, wenn auch nicht der philosophisch weit umfangreichere *Begriff* Utopie hier vor. Hingegen wurde an anderen, etwa technischen Wunschbildern und Plänen wenig utopisch Bedenkenswertes bemerkt. Trotz Francis Bacons »Nova Atlantis« wurde in der Technik kein Grenzland mit eigenem Pionierstatus und eigenen, in die Natur gesetzten Hoffnungsinhalten ausgezeichnet. Noch weniger sah man es in der Architektur, als in Bauten, die einen schöneren Raum bilden, nachbilden, vorbilden. Und desgleichen blieb Utopisches erstaunlicherweise in den Situationen und Landschaften der Malerei und Poesie unentdeckt, in deren Verstiegenheiten wie besonders in deren weit hinein- und hinausschauenden Möglichkeits-Realismen. Und doch ist in allen diesen Sphären, inhaltlich abgewandelt, utopische Funktion am Werk, schwärmerisch in den geringeren Gebilden, präzis und realistisch sui generis in den großen. Eben die Fülle der menschlichen Phantasie, samt ihrem Korrelat in der Welt (sobald Phantasie eine sachverständig-konkrete wird), kann anders als durch utopische Funktion gar nicht erforscht und inventarisiert werden; so wenig wie sie ohne dialektischen Materialismus geprüft werden kann. Der spezifische Vor-Schein, den Kunst zeigt, gleicht einem Laboratorium, worin Vorgänge, Figuren und Charaktere bis zu ihrem typisch-charakteristischen Ende getrieben werden, zu einem Abgrund oder einer Seligkeit des Endes; dieses jedem Kunstwerk eingeschriebene Wesentlichsehen von Charakteren und Situationen, das man nach seiner sinnfälligsten Art das Shakespearesche, nach seiner terminisiertesten das Dantesche nennen kann, setzt die Möglichkeit über der bereits vorhandenen Wirklichkeit voraus. Hier überall zielen prospektive Akte und Imaginationen, ziehen subjektive, doch gegebenenfalls auch objektive Traumstraßen aus dem Gewordenen zu dem Gelungenen, zur symbolhaft umkreisten Gelungenheit. Dergestalt hat der Begriff des Noch-Nicht und der ausgestaltenden Intention daraufhin in den Sozialutopien nicht mehr sein einziges, gar erschöpfendes Exempel; so wichtig auch die Sozialutopien, von allem anderen abgesehen, für die kritische Kenntnisnahme eines ausgeführten Antizipierens geworden sind. Doch Utopisches auf die Thomas Morus-Weise zu beschränken oder auch nur schlechthin zu orientieren, das wäre, als wollte man die Elektrizität auf den Bernstein reduzieren, von dem sie ihren griechischen Namen hat und an dem sie zuerst bemerkt worden ist. Ja, Utopisches fällt mit dem Staatsroman so wenig zusammen, daß die ganze Totalität *Philosophie* notwendig wird (eine zuweilen fast vergessene Totalität), um dem mit Utopie Bezeichneten inhaltlich gerecht zu werden. Daher die Breite der im Teil: *Konstruktion* versammelten Antizipationen, Wunschbilder, Hoffnungsinhalte. Daher — vor wie hinter den Staatsmärchen — die angegebene Notierung und Interpretation medizinischer, technischer, architektonischer,

14

geographischer Utopien, auch der eigentlichen Wunsch-Landschaften in Malerei, Oper, Dichtung. Daher schließlich ist hier der Ort zur Darstellung der mannigfachen Hoffnungs-Landschaft und der spezifischen Perspektiven darauf im Eingedenken der philosophischen Weisheit. Das trotz überwiegendem Pathos des Gewesenen in den bisherigen Philosophien; — die fast stets intendierte Richtung: Erscheinung — Wesen zeigt trotzdem deutlich einen utopischen Pol. Die Reihe all dieser Ausgestaltungen, sozial, ästhetisch, philosophisch Kultur des »wahren Seins« betreffend, endet sinngemäß, auf den immer entscheidenden Boden niedergehend, in den Fragen eines Lebens der erfüllenden, von Ausbeutung befreiten Arbeit, aber auch eines Lebens jenseits der Arbeit, das ist im *Wunschproblem der Muße*.

Der letzte Wille ist der, wahrhaft gegenwärtig zu sein. So daß der gelebte Augenblick uns und wir ihm gehören und »Verweile doch« zu ihm gesagt werden könnte. Der Mensch will endlich als er selber in das Jetzt und Hier, will ohne Aufschub und Ferne in sein volles Leben. Der echte utopische Wille ist durchaus kein unendliches Streben, vielmehr: er will das bloß Unmittelbare und derart so Unbesessene des Sich-Befindens und Da-Seins als endlich vermittelt, erhellt und erfüllt, als glücklich-adäquat erfüllt. Das ist der utopische Grenzinhalt, der im »Verweile doch, du bist so schön« des Faustplans gedacht ist. Die objektiven Hoffnungsbilder der Konstruktion drängen so unweigerlich zu denen der erfüllten Menschen selber und ihrer mit ihnen voll vermittelten Umwelt, also Heimat. Die Aufnahme dieser Intentionen versucht der fünfte, letzte Teil: *Identität*. Es erscheinen als Versuche, menschenähnlich zu werden, die verschiedenen moralischen *Leitbilder* und die, so oft antithetischen, *Leittafeln* des rechten Lebens. Die gedichteten Figuren *menschlicher Grenzüberschreitung* treten dann vor: Don Giovanni, Odysseus, Faust, dieser genau nach dem vollkommenen Augenblick unterwegs, in weltdurcherfahrender Utopie; Don Quichotte warnt und fordert, in Traum-Monomanie, Traum-Tiefe. Als Ruf und Zug sehr unmittelbarer, sehr fernhintreffender Ausdruckslinien geht die *Musik* auf, die Kunst der zum Singen und Tönen gebrachten stärksten Intensität, des utopischen Humanum in der Welt. Und dann: die *Hoffnungsbilder gegen den Tod* sind versammelt, gegen diesen härtesten Gegenschlag zur Utopie; er ist deshalb ihr unvergeßbarer Erwecker. Er vorzüglich ist ein Umgang jenes Nichts, das vom utopischen Zug ins Sein verschlungen wird; es gibt kein Werden und keinen Sieg, in welche die Vernichtung des Schlechten nicht aktiv verschlungen wird. Mythisch, gegen Tod und Schicksal, kulminieren all die Frohbotschaften, welche die Phantasie der *Religion* ausmachen, die völlig illusionären und die mit humanem Kern, letzthin bezogen auf Erlösung vom Übel, auf Freiheit zum »Reich«. Es folgt, gerade was diesseitige Intention auf solche Heimatwerdung angeht, das Zukunftsproblem im tragenden, umfassenden *Raum* der Heimat: der *Natur*. Zentralpunkt hier überall bleibt das Problem des Wünschenswerten schlechthin oder des *höchsten Guts*. Dessen Utopie des Einen Notwendigen, obgleich gerade sie noch so völlig in Ahnung steht wie das Gegenwärtigsein der Menschen selber, regiert alle übrigen. Wären freilich nur erst die minder hohen Güter erreicht und zugänglich, auf dem Weg der abgeschafften gemeinen Not. Auf dem Weg, der zuvor zu den Schätzen führt, die von Rost und Motten gefressen werden, und dann erst zu denen, die verweilen. Dieser Weg ist und bleibt der des Sozialismus, er ist die Praxis der konkreten Utopie. Alles an den Hoffnungsbildern Nicht-Illusionäre, Real-Mögliche geht zu Marx, arbeitet — wie immer jeweils variiert, situationsgemäß rationiert — in der sozialistischen Weltveränderung. Die Baukunst der Hoffnung wird dadurch wirklich eine an den Menschen, die sie bisher nur als Traum und hohen, auch allzu hohem Vor-Schein sahen, und eine an der neuen Erde. Die Träume vom besseren Leben, in ihnen war immer schon eine Glückswerdung erfragt, die erst der Marxismus eröffnen kann. Dies gibt auch pädagogisch-inhaltlich einen neuen Zugang zu schöpferischem Marxismus und von neuen Prämissen her, subjektiver und objektiver Art.

Das so Gemeinte will hier breit bezeichnet sein. An Geringem wie Großem, tunlichst geprüft, mit dem Willen, das Wirkliche darin frei-zusetzen. Damit nach Maßgabe der realen Möglichkeit das in realer Möglichkeit Seiende, real noch Ausstehende (alles andere ist Spreu des bloßen Meinens und Narrenparadies) zum positiven Sein gerate. Dieses ist letzthin eine große Einfachheit oder das Eine, was nottut. Eine Enzyklopädie der Hoffnungen enthält öfter Wiederholungen, doch nirgends Überschneidungen, und was erstere angeht, so gilt hier Voltaires Satz, er werde sich so oft wiederholen, bis man ihn verstanden habe. Der Satz gilt desto mehr, als die Wiederholungen des Buchs tunlichst stets auf neuer Ebene geschehen, folglich unterdessen sowohl etwas erfahren haben, wie sie das identisch Gezielte immer neu erfahren lassen mögen. Die Richtung aufs Eine, was nottut, lebte auch in den bisherigen Philosophien; wie wären sie sonst Liebe zur Weisheit gewesen? Und wie hätte es sonst große Philosophie gegeben, das ist, aufs Eigentliche, Wesenhafte unablässig und total bezogene? Wie gar materialistisch große, mit der Fähigkeit zu wirklicher Abbildung des zusammenhängend Wesentlichen? Mit dem Grundzug auf Erklärung der Welt aus sich selbst (und der Gewißheit des Vertrauens, sie so erklären zu können), auf diesseitiges Glück (und der Gewißheit des Vertrauens, es zu finden)? Aber die bisherigen Freunde der Weisheit, auch die materialistischen, haben bis Marx das Eigentliche bereits als ontisch-vorhanden, ja als statisch-abgeschlossen gesetzt: vom Wasser des einfachen Thales bis zur An-und-für-sich-Idee des absoluten Hegel. Es war letzthin immer wieder die Decke der Platonischen Anamnesis über dem dialektisch-offenen Eros, welche die bisherige Philosophie einschließlich Hegels vom Ernst der Front und des Novum abgehalten, kontemplativ-antiquarisch abgeschlossen hat. So brach die Perspektive ab, so entspannte Erinnerung die Hoffnung. So kam die Hoffnung gerade auch an der Erinnerung nicht auf (an der Zukunft in der Vergangenheit). So kam die Erinnerung auch an der Hoffnung nicht auf (an der historisch vermittelten, Historie ausschüttenden, konkreten Utopie). So schien man bereits hinter die Tendenz des Seins gekommen, das ist, hinter ihr angekommen zu sein. So schien der Realprozeß der Welt schon selber hinter sich gekommen, angekommen, stillgelegt zu sein. Das Bildend-Abbildende des Wahren, Wirklichen ist aber nirgends so abbrechbar, als wäre der in der Welt anhängige Prozeß bereits entschieden. Erst mit der Verabschiedung des geschlossen-statischen Seinsbegriffs geht die wirkliche Dimension der Hoffnung auf. Die Welt ist vielmehr voll Anlage zu etwas, Tendenz auf etwas, Latenz von etwas, und das so intendierte Etwas heißt Erfüllung des Intendierenden. Heißt eine uns adäquatere Welt, ohne unwürdige Schmerzen, Angst, Selbstentfremdung, Nichts. Diese Tendenz aber steht im Fluß als einem, der gerade das Novum vor sich hat. Das Wohin des Wirklichen zeigt erst im Novum seine gründlichste Gegenstandsbestimmtheit, und sie ruft den Menschen, an dem das Novum seine Arme hat. Marxistisches Wissen bedeutet: die schweren Vorgänge des Heraufkommens treten in Begriff und Praxis. Im Problemgebiet Novum liegt an sich selber die Fülle noch weißer Felder des Wissens; die Weltweisheit wird daran wieder jung und originär. Versteht sich das Sein aus seinem Woher, so daraus nur als einem ebenso tendenzhaften, noch unabgeschlossenen Wohin. *Das*

Sein, das das Bewußtsein bedingt, wie das Bewußtsein, das das Sein bearbeitet, versteht sich letzthin nur aus dem und in dem, woher und wonach es tendiert. Wesen ist nicht Ge-wesenheit; konträr: das Wesen der Welt liegt selber an der Front.

ERSTER TEIL

(Bericht)

KLEINE TAGTRÄUME

Ich rege mich. Von früh auf sucht man. Ist ganz und gar begehr-
lich, schreit. Hat nicht, was man will.

Aber wir lernen auch zu warten. Denn was ein Kind wünscht,
kommt selten rechtzeitig. Ja man wartet sogar auf das Wünschen
selber, bis es deutlicher wird. Ein Kind greift nach allem, um zu
finden, was es meint. Wirft alles wieder weg, ist ruhelos neugierig
und weiß nicht, worauf. Aber schon hier lebt das Frische, Andere,
wovon man träumt. Knaben zerstören, was ihnen geschenkt wird,
sie suchen nach mehr, packen es aus. Keiner könnte es nennen und
hat es je erhalten. So rinnt das Unsere, ist noch nicht da.

Später greift man tüchtiger zu. Wünscht sich dorthin, wo es be-
nannter hergeht. Das Kind will Schaffner werden oder Zuckerbäcker. Sucht lange Fahrt, weit weg, jeden Tag Kuchen. Das sieht
nach etwas Rechtem aus.

Auch an Tieren träumt man sich groß. An kleinen besonders,
sie ängstigen weniger, sie laufen in die Hand. Oder können mit
Netzen gefangen werden, fernes Wünschen wird dadurch tätig.
Der Zuckerbäcker geht zum Jäger über, im merkwürdig gefüllten
Freien. Grün und blau läuft die Eidechse, ein unfaßlich Buntes
fliegt als Schmetterling. Auch die Steine leben, sind hierbei nicht
flüchtig, mit ihnen läßt sich spielen, sie spielen mit. »Ich mag alles

so«, sagte ein Kind und meinte die Marmel, die weggerollt war, dann aber auf das Kind wartete. Spielen ist Verwandeln, obzwar im Sicheren, das wiederkehrt. Wunschgemäß verändert Spielen das Kind selbst, seine Freunde, all seine Dinge zu fremd vertrautem Vorrat, der Boden des Spielzimmers selber wird ein Wald voll wilder Tiere oder ein See, mit jedem Stuhl als Boot. Doch eben Angst bricht aus, läuft das Gewohnte zu weit weg oder kehrt es nicht mühelos ins alte Gesicht wieder zurück. »Sieh, der Knopf ist eine Hexe«, rief ein spielendes Kind schreiend, rührte den Knopf auch später nicht mehr an. Er war nicht zu mehr geworden, als was das Kind gewünscht hatte, aber er war es auf zu lange geworden. Der häusliche Stall darf sich noch nirgends zu weit in den Traum strecken. Er muß als Ort erhalten bleiben, den die Eidechse noch nicht beschädigt, der Schmetterling noch nicht bedroht. Von ihm her werden am liebsten also Fensterblicke gespielt und gesammelt, tief und kurz ins Andere hinein. Das bunte Tier ist selber ein buntes Fenster, dahinter liegt die gewünschte Ferne. Es ist bald nicht anders wie die Briefmarke, die von fremden Ländern erzählt. Es ist wie die Muschel, in der das Meer rauscht, wenn man sie nahe genug ans Ohr hält. Der Junge zieht aus, sammelt überall ein zu ihm Hergeschicktes. Das mag zugleich Zeuge sein für die Dinge, die zu sehen der Junge zu früh ins Bett muß. In seinem Blick auf einen farbigen Stein keimt schon viel, was er später für sich wünscht.

VERSTECK UND SCHÖNE FREMDE

Unter sich

Dabei die Lust, selbst unsichtbar zu sein. Ein Winkel wird gesucht, er schützt und verbirgt. Wohlig geht es in der Enge zu, deutlich aber läßt in ihr sich tun, was man will. Eine Frau erzählt: »Ich wünschte mich unter den Schrank, dort wollte ich leben und mit dem Hund spielen.« Ein Mann erzählt: »Wir bauten uns als Knaben einen Stand zwischen den Ästen, der von unten nicht gesehen werden konnte. Saß man oben, wurde gar noch die Leiter hochgezogen und jede Verbindung mit dem Boden unterbrochen, dann fühlten wir uns vollkommen glücklich.« Darin malt sich das eigene Zimmer vor, das freie Leben, das kommt.

Daheim schon unterwegs

Der versteckte Knabe brennt auch, auf scheue Weise, durch. Er sucht das Weite, obwohl er sich einkapselt, er hat sich nur, während er ausreißt, um und um mit Wand bewaffnet. Desto besser sogar, wenn das Versteck sich bewegt, das heißt, wenn es aus Lebendigem besteht. Das ist hier: aus verfemten oder fremdartigen Menschen, mit denen man zieht, unter denen man nicht vermutet wird. Nicht immer setzen Schüler alles hintan im Vergleich mit dem Bestreben, ihren Eltern und Lehrern Freude zu bereiten, doch die Eltern und Lehrer verstehen zuverlässig, zu betrüben. Das Leid in der Schule kann widerlicher sein als später irgendein anderes, das des Gefangenen ausgenommen. Daher der dem Gefangenen verwandte Wunsch, auszubrechen; da das Draußen noch undeutlich ist, wird es wunderlich. Eine Frau erzählt: »Ich wünschte mir als Mädchen ständig, daß Einbrecher kämen. Denen wollte ich alles zeigen, Silber, Bargeld, Wäsche, alles sollten sie mitnehmen, zum Dank dafür auch mich.« Ein Mann erzählt: »Als ich zum erstenmal einen Dudelsack hörte, lief ich ihm nach wie allem, was sonderbar ist. Aber ich kehrte nicht nach einiger Weile um, wie sonst bei den Merkwürdigkeiten, die auf der Straße ziehen, dem Scherenschleifer, der Heilsarmee und so fort, sondern ich folgte vor die Stadt hinaus, die Landstraße weiter, in die Dörfer, die ich kannte, in die Dörfer, die ich nicht kannte. Und es zog nicht nur der phantastische Mann, es verführte der sausende Geist, von dem ich glaubte, daß er im Dudelsack stecke, und der ich schließlich selber wurde.« So wird die Enge mit sieben oder acht Jahren weit, das Fremdeste trägt sich in ihr zu (wenn die Leiter vom Boden hochgezogen). Nur erst das Versteck freilich will hier verlegt werden, der Knabe in ihm reißt mit Freunden nur unsichtbar aus. Verschleppt sich selbst auf schnaubendem Roß, mit wehender Feder in die Sicherheit des Abenteuers. Die Nacht steckt voll Schenken und Schlössern, in jedem sind Felle, Waffen, brausende Kaminfeuer, Männer wie Bäume, keine Uhr.

Bezeichnend für die gesprenkelte Lust am Versteck wirken zu
dieser Zeit auch Zeichnungen auf Löschblättern im Schulheft.
Eine stachlige Sicherheit wird aufs Papier gebracht, ein Haus,
eine Stadt, eine Festung am Meer, mit Kanonen gespickt. Inseln
sind ihr vorgelagert, sie weisen den Feind von der Seeseite ab;
auf der Landseite aber liegt ein dreifacher Gürtel von Forts. Diese
bewachen die Straße, sie ist die einzige, die in die Traumfestung
führt, und ist unterminiert. So ruht die Meerstadt, unsichtbar
von Schule und Haus, unansprechbar, mit Augen wie im Schlummer. Doch eben: die Festung war nicht bloß als uneinnehmbar
gezeichnet, auch als machtvoll, als ausstrahlend; fernhin wirkt
sie über den Rand des Papiers, ins Unbekannte. Das eigene Leben
war hoch oben durch Zinnen geschützt und gerändert, sie konnten aber jederzeit bestiegen werden, zum Ausblick. Diese Verbindung von Enge und schöner Fremde geht auch nachher nicht unter.
Soll heißen: das Wunschland ist von dieser Zeit her eine Insel.

5   FLUCHT UND DIE RÜCKKEHR DES SIEGERS

Träumt einer, so bleibt er niemals auf der Stelle stehen. Er bewegt sich fast beliebig von dem Ort oder Zustand weg, worin er
sich gerade befindet. Ums dreizehnte Jahr wird das mitreisende
Ich entdeckt, daher wachsen um diese Zeit die Träume vom besseren Leben besonders üppig. Sie bewegen den gärenden Tag,
überfliegen Schule und Haus, nehmen mit sich, was uns gut und
teuer ist. Sind Vorreiter auf der Flucht und machen für unsere
deutlicher werdenden Wünsche ein erstes Quartier. Die Kunst
wird geübt, sich über das zu unterhalten, was man bis jetzt noch
nicht erlebt hat. Auch der durchschnittliche Kopf erzählt sich in
dieser Zeit Geschichten vor, leichte Fabeln, worin es ihm wohl-
ergeht. Er spinnt die Geschichten auf dem Schulweg aus oder
auf dem Spaziergang mit Freunden, und immer steht der Erzählende, wie auf einem gestellten Bild, in der Mitte. Haß gegen den
Durchschnitt erfüllt in dieser Zeit fast alle, auch wenn sie selber
nicht weit vom Stamm gefallen sein sollten. Die junge Gans will
sich verbessern, der junge Flegel spuckt auf häuslichen Muff.

Mädchen arbeiten an ihrem Vornamen herum wie an ihrer Frisur, sie machen ihn pikanter, als er ist, und erlangen dadurch den Start für ein geträumtes Anderssein. Jünglinge treiben auf ein edleres Leben, als es gegebenenfalls der Vater führt, auf ungeheuerliche Taten zu. Das Glück wird versucht, es schmeckt verboten und macht alles neu.

Ab zu Schiff

Nicht immer, mindestens nicht deutlich, arbeiten geschlechtliche Reize mit. Mädchen bewahren lange eine erworbene Scheu, Knaben ehren an sich selber eine gewisse trockene Kühle. Oft verhindern Hochmut und Selbstverliebtheit, der Liebe einen besonders ausgeträumten Platz zu geben. Der Rechte oder die Rechte scheinen nicht da oder nur im eigenen Geschlecht zu sein, oft sind sie nicht einmal im Wünschen da. So wird das Luftschloß auf dieser Stufe selten zum Lustschloß, der Harem und die Traumfrau kommen erst später. Auch erhalten sich in der trockenen Phantasie ziemlich lange infantile Bildungen; ihre Einsamkeit gerade erfüllt das Fluchtmotiv. Eine Frau erzählt von dieser Zeit: »Ich wollte Malerin werden, träumte mich in ein orientalisches Schloß auf einem Berg, lebte dort allein mit meinem unehelichen Kind, das hatte ich von einem sehr distinguierten Mann.« Ein Mann, nach seiner fünfzehnjährigen Fabel befragt, erzählt folgendes: »Ich wollte aufs Meer und ersann mir dazu ein Kriegsschiff ohnegleichen. Es hieß Argo, machte so viele Knoten die Stunde, daß es an allen Küsten der Erde fast allgegenwärtig war. Ich war der Herr der Argo, mit dem Titel und Rang eines Fürstadmirals, herrschte über alle Kaiser und Könige, verteilte die Erdkarte neu, kraft der elektrischen Kanonen, setzte vor allem die geliebte Türkei wieder in ihre alten Grenzen ein. Einmal im Jahr kam die Flugnacht, das Schiff verließ das Wasser, landete auf dem höchsten Berg der Erde. Dort bewirtete ich meine Freunde, ließ sie durch ein besonders gelegenes Fenster in die Zukunft sehen, übte die Geheimnisse des grünen Strahls. Dieser Strahl leuchtet kurz nach Untergang der Sonne auf dem Stillen Ozean; und ich wußte ihn so zu handhaben, daß man mit ihm alle untergegangenen Reiche erblicken konnte.« Das sind noch bürgerliche Ausschweifungen juveniler Art; bei proletarischen Jugendlichen dieses Alters sind sie weit gedämpfter, auch bereits erzogener und reeller. Doch wenn hier die Inhalte auch nachgelassen haben, so phantastisch zu sein, ist der Zug zu ihnen ein märchenhafter geblieben, scharf übers Gegebene hinaus. Klar, solche Fabeleien steigen nicht nur aus den Tiefen des Gemüts, sondern ebenso aus Zeitungen, aus dem Abenteuerbuch und seinen herrlich lakkierten Bildern. Aus Buden auf dem Jahrmarkt, wo Ketten rasseln und gesprengt werden, wo sich das Lied an den Abendstern singt und der Halbmond strahlt. Argo, Türkei und dergleichen kommen von daher, auch die roh- oder rauh-abenteuerliche Farbe, worin diese Gebilde strahlen. Das urtümliche Schiffsbild bezeichnet den Willen zur Ausreise, den Traum von fahrender Rache und exotischem Sieg. Argo (und das Auswechselbare, das fast jede individuelle Erfahrung an ihre Stelle setzen kann) ist eine Art Arche für die hauptsächlichsten Wünsche dieser Zeit: für die Trumpfwünsche. Der Wille zerbricht das Haus, worin er sich langweilt und worin das Beste verboten ist. So baut er in der endlosen Geschichte sein Bergschloß an den Wolken oder die Ritterburg als Schiff.

Die funkelnde Schale

Dann erst melden sich süß gewordene Lüste, schäumen sogleich. Die Liebe läßt keinen allein ins geträumte Schloß oder auf die See. Einsamkeit wird nicht mehr gesucht und ausgefabelt, sondern ist unerträglich, sie ist das Unerträgliche des siebzehnjährig beginnenden Lebens schlechthin. Wenn daher das wirklich richtige Mädchen zu lange ausbleibt, erscheint das Mädchen, das wir uns denken, ausdenken, irgendwo. Ungeheuerlich wird dann die Qual des Versäumthabens: jedes Fest, woran man nicht teilnahm, bietet Platz für ausgemalte Wunschbilder, und der Jüngling glaubt, gerade am versäumten Abend sei eines von ihnen auf die Erde niedergestiegen. Nun ist es zu spät, ihm zu begegnen; denn das Mädchen, auch wenn man es finden sollte, kommt gegen die überstarke Malerei seines Bildes nicht auf. Doch auch bei glücklichen Begegnungen spielt die erotische Verzauberung, sie kleidet das Mädchen in ihren Traum. Die Straße oder Stadt, worin die

Geliebte wohnt, vergoldet sich, wird zum Fest. Der Name der Geliebten strahlt auf die Steine, Ziegel und Gitter aus, ihr Haus liegt allemal unter unsichtbaren Palmen. Der eigenen Kräfte ist man ungewiß, weil ihrer zu viele sind und sie einander stören. Daher ist der junge Mensch meist hin und her gerissen zwischen äußerster Niedergeschlagenheit (bis zu der Frage, ob man es überhaupt verdiene, auf der Welt zu sein) und ausgleichender Überhebung. Verlegenheit und Frechheit hängen hier zusammen; der Jugendliche, der nicht zum Durchschnitt gehört oder der ihn haßt, fühlt sich als kleiner Gott, und da die anderen sich keine Mühe geben, ihn zu beweisen, tut er es selbst. Er will als Erster durchs Ziel, will übertreffen; das Ziel kann ein ganz äußerliches sein, es steht für ein unbekanntes. Was bei Kindern die feine Haut oder das Glück der langen Beine, der harten Muskeln war, das wird bei jungen Mädchen Stolz auf die sogenannten Herrenbekanntschaften, bei Jünglingen die Eitelkeit, mit dem schönsten Fräulein der Stadt oder des Viertels gesehen zu werden. Tiefer geht das Unbestimmte oder seiner selbst Ungewisse, indem Verschmähtwerden niemals so bitter, Gewähltwerden (Platz an der Spitze) niemals so überschwenglich empfunden wird wie in der Pubertätszeit. Die Jugend wird sich hier selbst zur Geißel oder zum Lorbeer, es gibt keine Mitte; jenseits der Einsamkeit, der so heftig geflohenen, gibt es nur Niederlage, die die Geltungsansprüche, Zukunftsansprüche widerlegt, oder Sieg, der sie beweist. Die Unreife an sich ist eine Einladung zum Auftrumpfen, dieses ist nicht leer wie in späteren Jahren, sondern eher vexatorisch, versucherisch zu sich selbst. Schwankt derart alles und will gestellt, festgestellt werden, so erst recht das Lebenslicht, das künftige Lebensbild, das von der Jugend erwartet wird. Gewiß ist nur, daß es keine Kleinigkeiten enthalten soll und daß keine andere Jahreszeit darin gilt als der Frühling. Der junge Mensch quält sich mit dem Vorgenuß dieser Zukunft, er will mit einem Mal die ganze herausfordern, auch mit Stürmen, Leid, Ungewitter, sofern sie nur Leben ist, wirkliches, bisher nicht gewordenes. Und mit der eigenen Jugend fängt die Welt an: nichts ist einem Jüngling merkwürdiger, als sich die Brautzeit seiner Eltern vorzustellen, und nichts vertrackter, als sich selbst im Alter vorzustellen, mit Kindern, die nun selber seine eigene Brautzeit haben und seinen eigenen – scheinbar unübertrefflichen – Frühling. In dieser Jugendzeit zeigt sich auch: eigentlich verbindend und Freundschaft stiftend ist nur die gemeinsame Erwartung einer gemeinsamen Zukunft; das eint so sachlich wie in späteren Jahren die Arbeitsgemeinschaft. Ist die gemeinsame Zukunft weggefallen, dann zieht von der Jugendfreundschaft (wenn sie nichts als solche war) der Lebensgeist ab; daher ist nichts schaler und gezwungener als das Wiedersehen früherer Schulkameraden nach langen Jahren. Sie sind wie die Lehrer geworden, wie die Erwachsenen von damals, wie alles, wogegen man sich verschworen hatte. Solche Reunion wirkt, als seien die jugendlichen Gesichter und Träume nicht bloß, wie selbstverständlich, verschwunden, sondern als seien sie verraten worden. Aus diesem ungemäßen Chok geht aber hervor, wieviel Hochtrieb und Rütlischwur, wieviel Bergluft über richtigen Siebzehnjährigen noch war und ist. Auch die Bergluft aber ist voller Böen, sie nimmt an dem hin und her jagenden Windwechsel des unbestimmtesten aller Lebensalter teil. Das auch intellektuell: nur wenige junge Menschen erfreuen sich einer jener unausweichlichen Begabungen, die den Beruf zur Berufung machen und so die Wahl ersparen. So viele junge Mädchen möchten zwar zum Film, fast jeder junge Mann hat eine Rosine im Kopf, die auf dem Markt der üblichen Berufe nicht gehandelt wird. Indes das sind mehr allgemeine Wünsche und Richtungen, sie werden zum Glück nicht lange weiterverfolgt, sie ermangeln des begabten Details. Ja auch dort, wo ein – in diesen Jahren häufiger – Drang zur produzierenden Aussage treibt, zur malenden, musikalischen oder schreibenden, überrascht es, daß bei der Ausführung noch alles schrumpft. Jugendliche dieser Art kennen das: wie ein Feuer in einem brennt, wie die Kunst so nahe liegt, aber will man das Wesen fassen, so wird es trocken, ja schrumpft so, daß nicht eine Seite damit zu füllen ist. Rede ist in dieser Zeit verbreitet und leicht, Schreibe schwer, und kommt sie zustande, so erscheint gerade dem Überströmenden die Frucht »wie eine gedörrte Pflaume, verhutzelt und verkohlt«. Bettina von Arnim, die das sagt, und die ihr Leben lang über dies Jugendliche nicht hinauskam, hat daher meist Briefe zur Aussage gewählt. Eine andere Form ist das Tagebuch, das nicht ohne Grund verschwiegen genannte oder als verschwiegen mitgeteilte. Mancher Erwachsene hat an solchen Aufzeichnungen, wenn er sie gemacht hat, und wenn er sie eitel-treu erhalten hat, einen Pegel, um zu sehen, wie weit sein Wasserstand gesunken ist. Liebe, Schwermut, Bilderkeime und Denklarven, alles wird hier gefischt und bleibt im Anfang. Doch das Lebenslicht, nichts Abgestandenes enthaltend, glänzt vexatorisch, versucherisch zu sich selbst. So wirkt diese Zeit unglücklich und selig zugleich; das Frühlingsgefühl enthält später noch beides. Allgemein aber ist die Lust zum Mut, zu Farbe, Weite, Höhe; der rechte Jüngling entsteht aus einem Willen, der in diesen Jahren immer noch ein ritterlicher ist. Daher der Traum von Abenteuern, die zu bestehen sind, von Schönheit, die entdeckt, von Größe, die erkämpft zu werden begehrt.

Weil das eigene Leben noch weit liegt, wird jede Ferne verschönt. Der Wunsch reißt nicht nur zu ihr hin, sondern er reißt nun ohne Versteck in sie aus, desto heftiger, je enger die eigene Lage ist. Als Zeichen kann schon die Ferne genügen, die der abendliche Schnellzug in die kleinsten Städte bringt, die Ferne der Hauptstadt, von der Provinz her gesehen. Auf diese Art bildet sich ein liederlich-kühnes, fahrlässig-schönes Wunschbild aus, ohne Verwandte, weit fort von ihnen. Innen ist die ausgedehnte Seele, worin die Sehnsucht arbeitet, draußen ein geträumtes Stadtbild, das sie erfüllen könnte. Wenn einer der stärksten Wünsche der menschlichen Natur und einer, der am häufigsten verletzt wird, dieser ist, wichtig zu sein, so verbindet er sich überdies besonders stark mit dem Wunsch nach importanter Umgebung. Begabte Mädchen wünschen in diese durchzubrennen; München zog so an um 1900, Paris weit länger. Hingerissen betritt der Student die große Stadt, sie ist ihm außer dem sichtbaren Glanz mit lauter ungeduldigen Hoffnungen bevölkert. Hier glaubt er den Grund und Hintergrund zu einem endlich gemäßen Dasein zu haben; die Häuser, die Plätze, die Bühnen wirken utopisch erleuchtet. Im Café, an einem stolzen kleinen Tisch, sind die Auserwählten versammelt, welche Verse schreiben, ein Himmel voller Baßgeigen wartet auf den, der sie spielt, an die Fenster klopft der Ruhm. Nicht erstaunlich, daß mit dem Wunschbild des Triumphs auch jenes des Trumpfs wiederkehrt oder im erotischen Glanz mit eingeschlossen ist. War das Elternhaus nicht nur eng, sondern auch schlecht, dann ist die ausgemalte Heimkehr des Siegers eine besonders beliebte und träumerisch weit verbreitete Genugtuung, so überbietend, daß sie den früheren Jammer fast als Folie begrüßt. Die berühmte Schauspielerin kehrt zurück, scheu stehen die Eltern und Nachbarn beiseite, leutselig verzeiht sie, was man ihr angetan. Der gedrückte Junge von damals kommt vierspännig wieder, das schöne reiche Mädchen zur Seite, das er sich als Frau erobert hat; er ist nun nicht mehr unverstanden, kommt als Schlachtenlenker oder als großer Künstler, kommt auf jeden Fall mit beschämender Pracht. Sein ist die Prinzessin, anmutig, stolz und mild, mit Duft von hoch droben, und um sie wallt der silberne Reiseschleier, all das ist Liebchens gewonnene Herrlichkeit, all das wie Nizza daheim. Das sind besonders unreife Wunschträume, doch sie finden sich heute noch im westlichen Glanzbild dieser Jahre enthalten. Begierig, kundig, eingedenk, teilhaftig, mächtig, voll, diese Worte regieren den Genitiv und die bürgerlichen Jugendwünsche. Der oft berufene Silberstreif am bürgerlichen Himmel wurde freilich zum Blutstreif; für die Dummen oder Betäubten hieß der starke Mann ihrer selbst Hitler. Doch nie schien das Grau eines jungen Durchschnittsmanns ohne kapriziöse Gestalten; der Wunsch selber legt sie in den Arm. In dieser Zeit, zwischen dem März und Juni des Lebens, gibt es keine Pause, entweder Liebe füllt sie aus oder der Blick auf eine Art stürmische Würde.

6   REIFERE WÜNSCHE UND IHRE BILDER

Diese brauchen nicht weniger unruhig zu sein. Denn das Wünschen nimmt späterhin nicht ab, es verringert sich nur das Gewünschte. Der älter gewordene Trieb zielt näher, er kennt sich aus, er richtet sich diesseitig ein. Nicht aber, als nähme er dadurch das Leben hin, wie es ihm geworden ist; gerade das kleinbürgerlich Gewordene ist halb und schal. Wichtiges fehlt nach wie vor, also hört der Traum nicht auf, sich in die Lücken einzusetzen. Wohl nimmt Geschlagenes ebenfalls Platz, oft senkt sich der Flug. Gemeines kommt hervor, das nicht mehr die glatten roten Backen hat, sondern ist ausgekocht. Aber der Träumende glaubt endlich erfahren zu haben, was das Leben ihm bieten sollte.

Die lahmen Gäule

Zunächst geht sein Wunsch rückwärts, er macht etwas wieder gut. Der Traum malt aus, was wäre, wenn eine Dummheit unterlassen, eine Klugheit nicht unterlassen worden wäre. Die lahmen Gäule und die guten Einfälle kommen zuletzt; das ist der Treppenwitz. Er quält, weil er die Gelegenheit verpaßt hat, also wird das Versäumte nachträglich in der Einbildung getätigt, gesagt. Diese Einbildung ist reumütig und sehnsüchtig zugleich, die Reue macht sie zu einem Wunschtraum, der Vergangenes verbessert. Im Wunschtraum des Treppenwitzes werden Ohrfeigen ausgeteilt, zu denen der Träumende im Augenblick, wo sie fällig waren, nicht den Mut besaß. Der Wunschtraum des Treppenwitzes macht Verluste gut, indem er bis zu jenem Zeitpunkt zurückgeht, wo es noch möglich war, sie zu vermeiden. Er kostet, mit bitterem Genuß, Gewinne aus, die zuverlässig erzielt worden wären, wenn man rechtzeitig ins Geschäft eingestiegen wäre. Man hat die falsche Marke gesoffen – wie schön wählt man im Traum oder im Bericht, den man nicht nur anderen vormacht, die richtige. Oder die Quelle des Flußlaufs, auf dem die Felle davongeschwommen sind, wird als Wasserhahn gedacht; man dreht ihn nachträglich zu, als sei alles so gut wie gut. Reue ist ein Gefühl, das die bürgerliche Welt fast nur noch im Geschäftsleben kennt, also spielt der von Reue erfüllte Traum meistens um verlorenes Geld. Doch dazwischen eben hat unter Kleinbürgern immer noch die Heldenpose Platz, jenen, den sie zur rechten Zeit nicht eingenommen hat, und das donnernde Wort, das nur damals nicht geblitzt hat. Der Traum spielt das Erwünschte auf, wie es hätte sein können, das Rechte, wie es hätte sein sollen. Alles Aufschneiden gehört hierher, auch aller dumme Stolz schlägt in diese Kerbe, und das Gedächtnis, daß die Sache anders war, gibt eitel-wunschgerecht nach.

Nicht so fern von hier sind die mannigfachen Träume, die heimzuzahlen belieben. Sie sind besonders wohlschmeckend, die Rache ist süß, als bloß vorgestellte aber auch schäbig. Die meisten Menschen sind zu feig zum Bösen, zu schwach zum Guten; das Böse, das sie nicht oder noch nicht tun können, genießen sie im Rachetraum voraus. Besonders das Kleinbürgertum liebt seit alters die Faust im Sack; es paßt zu ihr, daß sie den Falschen schlägt, da sie vorzüglich in der Richtung des geringsten Widerstandes herausfährt. Aus der Nacht der langen Messer ist Hitler gestiegen, aus dem Traum dieser Nacht wurde er von den Herren gerufen, als er ihnen nützlich wurde. Der nazistische Rachetraum ist auch subjektiv verdrückt, nicht aufsässig; ist dumpfe Wut, nicht revolutionäre. Was gar den sogenannten eisernen Besen angeht, den Haß gegen das sittenlose Leben der Krummnasen und der Oberen, so verriet damit mittelständische Tugend, wie immer in solchen Fällen, nur ihren eigensten Traum. Wie sie, mit ihrer Rache, nicht die Ausbeutung haßt, sondern nur dieses, nicht selbst ein Ausbeuter zu sein, so haßt die Tugend nicht das Lotterbett der Reichen, sondern nur dieses, daß es ihr persönlich, ganz speziell, nicht geworden ist. Darauf zielten seit je die Schlagzeilen der Blätter, die gern erröten, der Schmutz- und Schundpresse. »Die Wahrheit, heute neu: Die Suppenhühner im Warenhaus Wertheim – Der Harem in der Tiergartenvilla, aufsehenerregende Enthüllungen.« Es sind aber nur Enthüllungen über das Ärgernis des Spießers selbst, sowohl was den Rebbach Wertheims wie was die jüdische Geilheit angeht. Daher die sofortige Neigung, sich an die Stelle des vernichteten Wertheim zu setzen, nach einer Heimzahlung, die in der angeblich gehaßten Mißwirtschaft nur das Subjekt austauscht, das sie ausübt. Das Tückisch-Brutale hierbei, das gleich Uringeruch durchdringend Ekelhafte an dieser Wunschart hat seit je den Pöbel bezeichnet. Er ist käuflich und sinnlos gefährlich, folglich kann er von denen, die die Mittel haben und die an den faschistischen Pogromen wahrhaft sachlich interessiert sind, verblendet und gebraucht werden. Der Anstifter, das Wesen der Messernächte war selbstredend das Großkapital, doch der rasende Kleinbürger war die erstaunliche, die gräßlich verführbare Erscheinung dieses Wesens. Von ihr ging der Schrecken aus, er ist das noch lange nicht ausgeschiedene Gift im Average man on the street, wie man den Kleinbürger jetzt auf amerikanisch nennt. Seine Rachewünsche sind verfault und blind; wehe, wenn sie umgerührt werden. Ein Glück nur, daß der Pöbel ebenso treulos ist; auch wird er besonders gern wieder Faust im Sack, wenn das Verbrechen keine Freinacht mehr von oben herab erhält.

Kurz vor Torschluß

Wie wird nun das häufigste Leben, nämlich das still alltägliche, umgeträumt? Wir verlassen die rachsüchtigen Wünsche, es gibt außer ihnen auch warme, harmlos närrische und bunte. Im allgemeinen begnügt sich der kleine Mann, der nicht klassenbewußte, damit, das Seine nur etwas umzustellen. Er verändert nichts, aber er gießt das Waschwasser seines bisherigen, als so unzureichend empfundenen Daseins vorübergehend aus. Seine Wachträume bleiben privat, sie sind – besonders gern – sexuelle, sodann geschäftliche und moussieren in beidem. Einsame Spaziergänge geben diesen Bildern Platz, selbstverfaßte Romane beginnen sich auszuspinnen, das Ich betreffend. Sie sind nicht mehr jung, nicht mehr voll Übermann, Traumschiff, Fürstadmiral. Doch sie sind genügend abenteuerlich, um das häusliche Setzei mit Bratkartoffeln bis zur Unkenntlichkeit zu garnieren. Der Schüchterne oder mäßig Verheiratete genießt die Vergnügungen eines vollendeten Liebhabers, erhitzte Einbildung bewirtet doppelt und dreifach, unerschöpfliche Kräfte stehen zu Gebot. Es gibt sogenannte Scherzkarten, worauf ein nacktes Weib als Gummiballon erscheint: ohne Gewicht, allseits drehbar, beliebig gebrauchsfähig; höheren Sinns widerstandslos ist so die Kalypso des entbehrenden Babbits halluziniert. Meist sind es mehrere, ein Gemisch aus freier Liebe und Harem, voll abgerichteter Frauen. Mit auswechselbaren Stellungen und Gruppen, die einen geschändet, die anderen zusehend; ein Traumwald aus heißen Augen und gespreizten Beinen. Normalerweise ist der vorgestellte Harem mit jenen Frauen besetzt, die der gesittete, oft auch impotente Wüstling im Leben nicht erlangt hat. Doch macht freilich die Ausschweifung allein nicht satt, auch die der so üppig gereiften Wünsche nicht. Denn der Mann ist nicht nur für die Liebe geschaffen, daher wird der Wachtraum des Spießers auch praktisch.

Jüngere Kräfte müßten heran, also ist man im Wunsch diese Kräfte selber, erfahren überdies. In aufblühenden Gemeinwesen ist noch etwas zu machen, also faßt der träumende Spaziergänger sich spekulativen Mut. Längst hat er in seinem Traum das gutgehende Geschäft an der Ecke gekauft, erweitert, auf die Höhe der Zeit gebracht; längst ist er Stadtrat geworden, ein Mann, vor dem mancher, der ihm jetzt kaum dankt, den Hut zieht. Längst ist das Geschäft wieder verkauft, die große Welt nimmt ihn auf, wie der Film sie zeigt, das Jagdschloß im Wald, die Burg am Meer, die eigene Jacht. Das alles fast wie in der Pubertät, nur eben mit Geld versehen statt mit Idealen; vor der allzeit wachen, doch gesetzt gewordenen Sehnsucht erhebt sich eine Gruppe kaufbarer Annehmlichkeiten, genau imaginierter, nur unbesessener. In diesem Wald kann man anders als in dem der Jugend zu Ende gehen; hinter dem tropischen Meer, durch das die Jacht pflügt, steht das Strandkasino, wo gejeut wird. Doch hören die privaten Träume reiferer Art, wie sichtbar, nicht auf, bald närrisch, bald exotisch zu sein. Obwohl sie mehr Vergangenes als Zukünftiges durchbilden, mehr Bekanntes und nur dem Träumer nicht Zugefallenes als trotzige Ahnung. Nahender Torschluß, sexueller wie der der geschäftlichen Leistungsfähigkeit, tut das Seine; zumal es mit dem: »Freie Bahn dem Tüchtigen« in der Welt, die diese Parole ausgab, in der kapitalistischen, ohnehin zu Ende ist. Der kleine Mann, der Kleinbürger, proletarisiert, aber ohne proletarisches Bewußtsein, er träumt daher bedeutend mehr Schlösser, die im Monde liegen, als der besitzende Bürger, der weiß, was er hat. Letzterer spintisiert eher in der Schwimmrichtung des bereits Erreichten, der kleine Mann dagegen findet um sich nur Stränge, und er haut über sie. Wenn auch, solange kein Rattenfänger zur Hand ist, oder aber solange er die Verhältnisse seines Mißvergnügens nicht durchschaut, nur in der stillen Einbildung. Er übt sie in Bildern, die aus dem Kursaal des Lebens, den er nie betreten hat, ihm entgegenschimmern.

Die meisten Leute auf der Straße sehen aus, als ob sie an etwas ganz anderes dächten. Das andere ist überwiegend Geld, doch auch dasjenige, in das es umgesetzt werden könnte. Sonst wäre es nicht so leicht, mit Schmuck zu locken, mit schöner Gestalt zu reizen. Es gäbe nicht den Flaneur, nicht die beständige Neigung jedermanns, sich in ihn zu verwandeln. Derart ist auch die Geschäftsstraße überträumt, nicht nur der mehr ländliche Spaziergang oder das Leben und Treiben in der Vorstadt. Eine Frau steht vor dem Schaufenster, sie blickt auf Eidechsenschuhe mit sämisch Lederbesatz, ein Mann geht vorüber, blickt auf die Frau, und so hat jeder von beiden ein Stück aus dem Wunschland. Glück genug ist in der Welt, nur nicht für mich: das sagt sich überall der so umhergehende Wunsch. Damit beweist er freilich zugleich, daß er aus der Welt nur etwas herausbrechen, nicht, daß er sie ändern will. Der Angestellte, der Kleinbürger, von dem hier die Rede, diese zwar keineswegs gleichmäßige, aber wachsend gleichmäßig gemachte Schicht, begnügt sich damit, die Bedürfnisse zu haben, die durch die auf sie gestimmte Auslage erweckt werden. Das eint alle bürgerlichen Träume und macht sie, selbst bei fernerer Ausschweifung, bis an die überblaue Küste im Reisebüro und darüber hinaus, doch wieder rationiert; so daß sie das Gegebene nicht sprengen. Die Menschen dieser Art Wünsche leben über ihre eigenen Verhältnisse, doch niemals über die allgemein vorhandenen Verhältnisse. Gilt das für den Angestellten, in mittleren Jahren und mit dem bis jetzt so wolkigen Bewußtsein des Mittelstandes, so hat der Großbürger, dessen Verhältnisse ihm ausreichen, in seinen kühnsten Träumen erst recht keinen Anlaß, Vorhandenes zu sprengen. Er hat es am leichtesten, Ideale der Jugend aufzugeben, seinen Willen nur an Erreichbares zu setzen. Seinen tüchtigen Mann zu stellen, dick im Erwerbsleben stehend, das wirklich eines ist, voll gewinnversprechender Pläne, aber im ganzen ohne das, was er, meist verächtlich, utopisch nennt. Da der Reiche, zum Unterschied vom Gehaltsempfänger, sich jeden Wunsch zu Gemüt führen kann, hat er sozusagen gar keinen bestimmten, das heißt, lang gehegten und so ausgebildeten. Und doch, so sehr hier auf Speisekarten jeder Art nur die linke

Seite studiert wird, nicht, wie beim Angestellten, die rechte, wo der Preis steht, so bewirkt doch gerade dieser Überfluß, daß ein ganz spezifischer Erzeuger reiferer, sich gesetzt habender Wünsche auftritt: statt der Not die Langeweile. Keine Geschwindigkeit, kein Luxus, keine noch so blaue Küste helfen, dem zu entfliehen; sogar Aufregungen des Spiels werden auf die Dauer schal. Im Abgrund des Besitzes wogt dieser Nebel der Langeweile, und die Höhe, weil sie keine ist, erhebt sich nicht darüber. Die Wünsche, die sich trotzdem darüber erheben, sind einzig die des dringend ersehnten Kitzels, des snobistischen Flattergeistes, der Mode und ihres Wechsels, vorausgesetzt, daß dieser nicht zu grell ist. Wohl wird auch für die Massen immer frische Fasson hergestellt, damit Umsatz sei (der durch schundige Herstellung allein noch nicht gesichert ist); aber der Anreiz kam zuerst von oben und ist älter als die Umsatzfreude. Der Reiche, der sonst nichts ist und kann, der Reiche freilich in einer immer selteneren Weise, in der des Großrentiers, sieht darauf, daß ihm die Langeweile wenigstens interessant gemacht wird. Schon Xerxes setzte einen Preis auf die Erfindung eines neuen Vergnügens; in modernerer Form biegt der Fluchtversuch aus dem Fett in den Snobismus ein. Oder auch in den Spleen: ein reicher Engländer reiste durch alle Länder, wo Spitzbögen vorkommen, um sie zu photographieren. So enden die bürgerlichen Wünsche, wenigstens die des privaten Lebens, für die kleinen Leute derart, daß sie aus dem vorhandenen Kuchen, bei unveränderter Bäckerei, sich auch ihr Teil schneiden wollen, wie es in Brechts »Dreigroschenoper« heißt; bei den Reichen enden sie notgedrungen wunderlich, das ist, immer mehr aufgeputscht in immer mehr Nichtigkeit.

Gelegenheit, freundlich zu sein

Auch dem nichtbürgerlichen Träumer gefällt manches von dem, was die anderen haben. Aber wesentlich stellt er sich ein Leben ohne Ausbeutung vor, dieses muß gewonnen werden. Er ist nicht die festgeklebte Muschel, welche warten muß, was der Zufall ihr zuführt, er überholt das Gegebene, wie in Handlungen so in Träumen. Das glückliche Dasein, das er antizipiert, liegt hinter einem Rauch, hinter dem Rauch einer gewaltigen Veränderung.

Die Welt, welche dann erscheint, ist ebenfalls verändert, kein Babbit hat darin Platz oder streckt sich behaglich ins Faule, ins Faulige, das er ist. Nicht, als sei die Behaglichkeit selbst zweifelhaft oder auf ihre bürgerliche Gestalt begrenzt. Jedem sein Huhn im Topf und zwei Autos im Stall, das ist auch ein revolutionärer Traum, nicht bloß ein französischer oder amerikanischer oder »allgemein menschlicher«. Aber die Valeurs des behaglichen Glücks verschieben sich in den Aussichten des revolutionären Wunschtraums schon deshalb, weil Glück nicht mehr aus dem Unglück des anderen entsteht und sich daran mißt. Weil der Nebenmensch nicht mehr die Schranke der eigenen Freiheit ist, sondern das, woran sie sich verwirklicht. Statt der Freiheit des Erwerbs leuchtet die Freiheit vom Erwerb, statt der vorgestellten Gaunerfreuden im Wirtschaftskampf der vorgestellte Sieg im proletarischen Klassenkampf. Und noch über diesem leuchten der ferne Friede, die ferne Gelegenheit, mit allen Menschen solidarisch, zu allen freundlich zu sein, als Gelegenheit, um derentwillen der Kampf im fernen Ziel geht. Die Bewegung, in der das alles noch liegt, bewirkt freilich, daß die nicht-bürgerlichen Träume im einzelnen noch bedeutend undeutlicher sind als jene, die nur in die vorhandene Auslage zu greifen haben. Kein Warenhaus schickt ihnen die Liste zu, kein Gönner, der von oben her verwirklicht, lebt für sie. Dafür eignet ihnen nicht nur ein unvergleichlich höherer Rang, sondern auch eine Erwartung des Unbekannten, eine Planbildung des Unverwirklichten, die das bürgerliche Wunschbild der reiferen Jahre überhaupt nicht mehr besitzt.

WAS IM ALTER ZU WÜNSCHEN ÜBRIGBLEIBT   7

Wir lernen im Alter vergessen. Aufreizende Wünsche treten zurück, obzwar ihre Bilder bleiben. Sie malen Flucht vor, wie einst im März: der Backfisch und das gefährliche Alter, der geschniegelte Halbwüchsige und der alte Geck können sich in einer wirren Lust zum neuen Leben berühren. Immerhin, der Lockung wird nicht mehr so willig nachgegeben. Läßt der Wunsch nicht nach, so die Kraft, die ihn sich zu erfüllen zutraut. Läßt die Kraft nicht nach, so die enttäuschte Gabe, vorauszumalen. Insofern also, oft nur insofern, nimmt die Unruhe ab.

Wein und Beutel

Dafür mehren sich die verständigen Ängste, sie wollen vermieden werden. Der Leib erholt sich nicht mehr so rasch wie früher, jede Mühe verdoppelt sich. Die Arbeit geht nicht mehr so flink von der Hand, wirtschaftliche Ungewißheit drückt schwerer als vorher. Die Bedürfnisse als Sucht, diejenigen, deren Befriedigung nicht erfreut, aber deren Ausfall schmerzt, nehmen zwar ab. Doch dafür mehrt sich das Verlangen nach Bequemlichkeit, und unbequem kann einem mürrischen Alten alles werden, auch das Gewohnte, wieviel mehr erst das Neue. Der Jüngling ist mit der üblichen Umwelt zerfallen und bekriegt sie, der Mann setzt an sie seine Kraft, oft mit Verlust seiner Träume, ja seines besser gewesenen Bewußtseins, aber der Ältere, der Greis, wenn er an der Welt sich ärgert, kämpft nicht wie der Jüngling gegen sie an, sondern steht in Gefahr, verdrießlich gegen sie zu werden, maulend streitbar. Wenigstens dort, wo die alte Person sauer wird, wo sie sich auf Geiz und Selbstsucht schlechthin zusammenzieht. Wünschbarer als je erscheint im bourgeoisen Alter das Geld, sowohl aus dem neurotischen Haltetrieb zusammengekrallter Hände, denen ein Mittel völlig zum Zweck wird, wie freilich auch aus der Lebensangst eines invaliden Wesens. Wein und Beutel bleiben dem trivialen Alter als das ihm bleibend Erwünschte, und nicht immer nur dem trivialen. Wein, Weib und Gesang, diese Verbindung löst sich, die Flasche hält länger vor. Fiducit, fröhlicher Bruder; deshalb wirkt auch ein alter Trinker schöner als ein alter Liebhaber.

Heraufbeschworene Jugend; Gegenwunsch: Ernte

Auch der junge Mensch, er sogar besonders, wünscht lange zu leben. Aber selten ist darin der Wunsch enthalten, ein Alter zu sein, er wird wenig geübt. Ein Jüngling kann sich als Mann vorstellen, aber kaum als Greis; der Morgen deutet auf Mittag, nicht auf Abend. An sich ist es merkwürdig, daß das Altwerden, sofern es sich auf den Verlust eines früheren, eines mit Recht oder Unrecht als schöner empfundenen Zustands bezieht, erst um die Fünfzig herum so recht empfunden wird. Gibt es für den Jüngling, der das Kind hinter sich läßt, keinen Verlust? Keinen für den Mann, wenn er aus der Jugendblüte heraustritt, wenn der Trieb verholzt? Stirbt nicht schon das Kind im geschlechtsreifen Mädchen und Jüngling, im Ich und seiner Verantwortung, wie sie nun hervortritt? Die Mutter fühlt das, wenn der erste Bartanflug ihres Sohnes kitzelt und sticht, der Jüngling selber fühlt es, wenn das Leben als Spiel völlig versinkt, wenn dem wachsenden Körper die kleinen Dinge und Verstecke unzugänglich werden. Und Wehmut ist sogar herkömmlich beim Übergang ins erste Mannesalter, dort wo Burschenherrlichkeit verschwindet, Philisterium beginnt. Jedoch der Einschnitt des Alters ist deutlicher als jeder frühere und brutaler negativ; Verlieren schlechthin scheint sich zusammenzudrängen. Die Zeugungsfähigkeit nimmt ab, die Gebärfähigkeit hört völlig auf, der Schmelz verschwindet, der Sommer geht zu Ende. Und merkt es der Bejahrte selber nicht, daß er es ist, so merken es die anderen, an der Wirkung sieht er die Ursache, ganz gleich, wie jung er sich zu fühlen gedrungen ist. Den meisten Alten ist es sehr belehrend, wenn ein Mädchen zum erstenmal vor ihnen aufsteht, um Platz zu machen; diese Höflichkeit wirkt nur durchaus nicht als Plus, das das Alter ihnen zugezogen hat, sie wirkt fatal. Und selbst den alten Gecken, der sonst durch Oberflächlichkeit, die leichteste Jugendgabe, sich betrügen will, überrascht die Wahrnehmung, wie kurz das Leben ist. Ein längst Vergangenes kann im Alter so nahe aussehen wie ferne Berge kurz vor dem Regen. Fast ungläubig wird diese Wahrnehmung auch vom gediegenen Greis hingenommen; ein Gestern erst scheint es zu sein, daß die Jugend ringsum gleichaltrig war. Zweifellos also: das spezifische Altersgefühl, das um die Fünfzig herum, zuweilen schon früher, einsetzt, wird durch die vorher erlebten und eben keineswegs so scharf erlebten *Stufenwechsel* wenig präpariert, wird mit einigem Recht als ein nicht Bekanntes wahrgenommen. Der Grund liegt im Undeutlichen oder im nicht deutlich Gemachten des Gewinns, den das Alter bringt, bei allem brutal Negativen, das damit verbunden sein kann und zuletzt verbunden ist. Daher wird der Gruß des Alters überwiegend nur als einer des Abschieds empfunden, nämlich mit dem Tod am dünnen Ende. Dieser, in jedem Lebensalter möglich, aber fürs höhere Alter unvermeidlich, gibt der Ebbe überhaupt keine Aussicht mehr auf eine erlebbare Flut; und das macht den Stufenwechsel, wenn er Alter heißt, dermaßen dezidiert. Macht ihn zum Unterschied von den früheren, unter neuem Laub versteckten, so unverwechselbar; gleich als ob der Abschiedsschmerz, den der Jüngling, der Mann beim Austritt aus dem Kindes-, dem Jugendalter gefühlt und ebenso nicht gefühlt haben mag, hier nachgeholt und zum eigenen Herbst noch hinzuaddiert würde. Daher zeigt auch ein nicht triviales Alter Rückkehrwünsche zu einer Jugend, die damals doch an Ort und Stelle eher als etwas empfunden werden konnte, das noch mangelhaft war, nämlich unfaßliche Blüte und noch keine faßliche, begrenzte, bilanzreife Frucht. Gerade ein arbeitender Alter, der also nicht in seiner Winterhöhle an den Tatzen der Erinnerung saugt, wird mindestens die viele Zeit zurückwünschen, die er mit zwanzig Jahren vor sich hatte. Den Zauber der langen Hintergründe wird er zurückwünschen, den das Leben damals noch für ihn besaß und der mit abnehmender Zukunft (mit den Jahren, die »gezählt« werden können) allerdings abnimmt. So lebt im normalen Alter doch die Resignation, die die Jugend nur als halbechte und vorübergehende kennt, als echte und gesammelte. Kein bloßer Abschied von einem Lebensabschnitt wird hier bezeichnet, mit verwehenden Träumen, vereitelten Erfüllungen, sondern Abschied vom langen Leben selbst.

Es bleibt trotzdem seltsam, daß ein Druck des Alterns so stark hervortreten kann. Und bezeichnenderweise tritt er ja nicht bei allen Menschen und auch nicht zu allen Zeiten gleich stark, gleich ungehemmt hervor. Vielmehr muß zur organischen Ebbe auch noch eine psychische Leere hinzukommen, mindestens, wie bemerkt, das Undeutliche oder nicht deutlich Gemachte des Gewinns, den das Alter bringt. Ganz summarisch kann deshalb gesagt werden: zum bloßen Leiden am Alter, sofern es nur einigermaßen ein gesundes ist, aufgebaut auf einem tüchtigen Leben, gehören ein Tropf, der es erfährt, und eine spätbürgerliche Gesellschaft, die sich verzweifelt auf Jugend schminkt. Wenn's aus ist, sagt ein Sprichwort, wird es offenbar, ob's Wachslicht oder Talglicht war: also ist nicht das Alter selber daran schuld, wenn die Gestalt, die es aus Schein und Erscheinung hebt, nur noch häßlich ist. Und Gesellschaften, die nicht wie die heute untergehende bürgerliche vor jedem Blick aufs Ende zurückscheuten, besaßen und sahen im Alter eine blühende Frucht, eine sehr wünschbare und begrüßenswerte. So im spartanischen Rat der Alten, im Senat des noch republikanischen Rom, gar im Neuen sozialistischer Erfahrung. Da bleibt allemal anderes Schicksal zu hören als das untergehende, ist bedeutend mehr geblieben als »die Ehre und dies alternde Haupt«; denn eine blühende Gesellschaft fürchtet nicht, wie die untergehende, im Altsein ihr Spiegelbild, sondern begrüßt darin ihre Türmer. Insgesamt zeigt das Alter, wie jede frühere Lebensstufe, durchaus möglichen, spezifischen Gewinn, einen, der den Abschied von der vorhergehenden Lebensstufe gleichfalls kompensiert. Altwerden bezeichnet also nicht nur eine wünschenswerte Zeitstrecke, auf der möglichst viel erlebt worden ist, möglichst viel in seinem Ausgang erfahren werden kann. Altwerden kann auch ein Wunschbild dem Zustand nach bezeichnen: das Wunschbild Überblick, gegebenenfalls Ernte. Derart sagte Voltaire, für Unwissende sei das Alter wie der Winter, für Gelehrte sei es Weinlese und Kelter. Das schließt Jugend nicht aus, sondern nachreifend ein; der Rückkehrwunsch zu ihr verliert gerade sein Leid kraft dieser gereiften Fühlung mit dem Anrückenden, er kompensiert, ja erfüllt sich mit erlangtem Halt, mit Einfachheit und Bedeutung. Im allgemeinen werden derart die Spätjahre eines Menschen desto mehr Jugend enthalten, dem unkopierten Sinne nach, je mehr Sammlung bereits in seiner Jugend war; die Lebensabschnitte, also auch das Alter verlieren dann ihre isolierte Schärfe. Das gesunde Wunschbild des Alters und im Alter ist das der durchgeformten Reife; das Geben ist ihr bequemer als das Nehmen.

Abend und Haus

So gesammelt sein zu können, das verlangt, daß kein Lärm ist. Ein letzter Wunsch geht durch alle Wünsche des Alters hindurch, ein oft nicht unbedenklicher, der nach Ruhe. Er kann genau so quälend, selbst gierig sein wie die frühere Jagd nach Zerstreuung. Auch das sexuelle Aufflackern, besonders bei Frauen sehr oft an Vorpubertät erinnernd, wird dadurch durchkreuzt. Selbst das gegebenenfalls produktive Wesen, das der Jugend so sehr verwandte, mit ihr so vertraute, braucht mehr als früher (oder noch mehr) Freiheit von Störung. Und jeder Alte wünscht die Erlaubnis, vom Leben erschöpft zu sein; steht er selbst im Weltgetümmel, so doch zu einem Teil, als stünde er darin nicht. Die Eitelkeit ist das letzte Kleid, das der Mensch auszieht, aber selbst sie pflegt nur ein komischer Alter auf Kosten der Stille zu strapazieren. Wunderbar verschönt sich gerade im Nichtphilisterium des Alters das Bild dieser Stille, des Lands statt der Stadt, der Entronnenheit, wo die nassen Kleider trocknen, ohne Vielgeschäftigkeit. Der Wunsch nach Ruhe dämpft in bedeutenderen Fällen sogar die Reue über früher begangene Unterlassungen und Irrtümer; auf die Länge erschienen dem alten Goethe Fehlschläge seines Lebens fast gleichgültig, wo nicht gut geworden. Ausgeschlagenes Glück, gar unvollendete Arbeit peinigen noch, aber in der Erinnerung nimmt mindestens letztere, mit Recht oder Unrecht, fast Form an. All diese freundlichen Spätwünsche und Spätgefühle erhellen sich aus Jacob Grimms Rede über das Alter, die er selber im fünfundsiebzigsten Jahr gehalten hat. Diese Rede ist, durchaus mehr nolens als volens, von dem dankbaren Bewußtsein getragen, Altwerden sei ein Glück. Körperliche Behinderungen empfindlicher Art werden hier im allgemeinen Ruhewunsch gemildert, ja seinem Inhalt zugeschlagen. Sogar mögliche Taubheit hat nach Grimm das Gute, daß überflüssige Rede, unnützes Geschwätz nicht mehr unterbrechen, Abnahme des Augenlichts bewirke, daß viele störende Einzelheiten verschwinden; Grimm erinnert an den blinden Seher. Und er beschreibt den Genuß, den der einsame Spaziergang dem Greis gewährt, wie denn überhaupt das Gefühl für Natur steige. Der Mensch ist in ihr mit sich allein, die geschwätzige Unterhaltung der Nährpflanzen verstummt, die Welt wird am Abend dunkel, aber das Wasser wird hell, die letzte Neige des Lebens wird der Beschaulichkeit geweiht. Vergangene Not wird nicht mehr empfunden, vergangenes Glück windstill, durch Erinnerung erneuert, die Meißelschläge des Lebens haben eine wesentliche Gestalt herausgearbeitet, und Wesentliches ist ihr besser als je erblickbar. Indes freilich: auch diese Art Abtrennung von anderen Lebensaltern, betont durch Ruhewunsch und eine Art lustwandelnden Stillstands, ist nach Zeiten verschieden. Das Biedermeier ist längst dahin, das die alte Seele, auch in manch weniger reinen Gestalten als der Jacob Grimms, einkehren ließ in die eigene Brust und sie sich bewirten ließ an der langen Table d'hôte der Erinnerungen. Die spätkapitalistische Welt hält für die Alten am wenigsten eine Bank der guten Hoffnung. Durch die Schrumpfung oder Fragwürdigkeit der Sparguthaben ist die Winterruhe auch dem Mittelstand sehr gestört. Nur die sozialistische Gesellschaft kann den Alterswunsch nach Muße erfüllen, jedoch auch hier ist diese, freilich mit positivem Sinn, eine andere als früher, indem der Unterschied der Generationen nicht mehr so scharf trennt. Das jetzige Leben ist viel schärfer politisch tranchiert, und es läßt sich nicht mehr sagen, daß das Alter, trotz seiner Bedächtigkeit, schlechthin reaktionär, die Jugend, trotz ihrer Frische, schlechthin fortschreitend sei. Häufig liegt der Fall umgekehrt, und der Alterswunsch nach Ruhe fällt in einer Zeit, wo es, um ein Symptom herauszugreifen, immer noch faschistische Jugendbünde gibt, mit dem Kopf im Nacken, nicht überall mit dem nach ewiggestriger Beharrung zusammen. Leichter als je ist es dem Alter geworden, an zwei Enden zu brennen, nämlich mit Mut und Erfahrung zugleich, mit neuem Bewußtsein und mit dem des gekannten Erbes. Der Altgewordene, der, in abendlicher Kühle auf der Bank vor seiner Haustür sitzend, das verbrachte Leben überschlägt und sonst nichts, dieser Zug des Grimmschen Wunschbildes ist wirtschaftlich wie inhaltlich außer Kurs gekommen. Nicht aber außer Kurs ist der tüchtige Wunsch, der dem nach Stille so angemessene, daß der Leerlauf des Lebens ringsum aufhöre. Gerade Liebe zur Stille kann so der kapitalistischen Hetze ferner stehen als eine Jugend, die die Hetze mit Leben verwechselt. Hier hat das Alter (mit dem die bürgerliche Welt nichts mehr anfangen kann) das Recht, – altertümlich zu sein. Vornehm zu sein, eine Haltung gebend, Worte gebrauchend, überblickende Blicke sendend, die nicht aus dem jeweiligen Tag und nicht für ihn sind. Zeiten verkörpernd, worin noch nicht alles Betrieb war, vor allem: worin er wieder aufhören wird. Das ermöglicht eine

auffallende und doch verständliche Verbindung manches Alten
von heute, sofern er weise wurde, mit einer neuen Zeit, der Zeit
ohne die kessen, patenten, strammen Wölfe, also der sozialistischen Zeit. Wunsch und Vermögen, ohne gemeine Hast zu sein,
das Wichtige zu sehen, das Unwichtige zu vergessen: dergleichen ist eigentliches *Leben* im Alter.

8   DAS ZEICHEN, DAS WENDET

Es ist schal, gestört zu werden. Aber merkwürdig leicht lassen
wir uns durch Neues unterbrechen, durch Unerwartetes. Als sei
keine Stelle des Lebens so gut, daß sie nicht jederzeit verlassen
werden könnte. Die Lust am Anderssein entführt, oft betrügt
sie. Doch aus dem Gewohnten treibt sie allemal hinaus.

Ein Neues soll kommen, das mit sich nimmt. Die meisten reizt
schon der leere Unterschied zum Bisher, die Frische, gleichviel
zunächst, was ihr Inhalt ist. Hier bringt es bereits Genuß, daß
etwas geschieht, es soll nur kein Unglück für uns selbst enthalten. Im niedersten Fall verführt der Klatsch, die Nachricht von
fremdem Streit. Doch auch die Zeitung lebt großenteils von dem
Bedürfnis nach Ungewohntem, das jeweils Neueste ist ihr Reiz.
Nichts ist daher gleichgültiger, auch so unverdient gleichgültig,
wie ein Blatt, das einen, gar mehrere Tage alt ist. Die heutige
Zeitung wird überschätzt, die gestrige unterschätzt, der Stachel
der Überraschung ist aus ihr herausgezogen. All dies gemeine
oder mittelmäßige Bedürfen setzt Langeweile voraus, die vertrieben werden soll, bringt aber zugleich ein Höheres in Bewegung; es läuft letzthin einer erwünschten, einer befreienden
Nachricht entgegen. An ihr ist der Inhalt durchaus nicht gleichgültig, sondern er macht das Neue zum Erwarteten, endlich
Angelangten, Gelungenen. Das Neue wird als Bruder begrüßt,
aus der Gegend hergereist, wo die Sonne aufgeht. Der sensationelle Wunsch ist bei weichgeschaffenen, platten Seelen selber
platt und belügbar, bei kräftigen, blickfähigen gründlich. Er will,
daß der Mensch nicht schief liege, daß er mit seinem Ort und
seiner Arbeit zusammenstimme. Daß diese Arbeit ihn nicht mit

44

Almosen beschicke, sondern das alte Lied vom Entbehren endlich aufhöre.

Nach dorthin wird gehört, kräftig ausgesehen. Der Wille, um
den es sich handelt, stammt aus dem Mangel und verschwindet
nicht, bis der Mangel ausgetilgt ist. So fuhren wir als Kinder auf,
nicht immer im Schreck, sobald draußen die Klingel ging. Ihr
Laut zerreißt die stille, dumpfe Stube, besonders gegen Abend.
Vielleicht kommt nun ein dunkel Gemeintes, dieses, was wir
suchen, was uns wieder sucht. Sein Geschenk verwandelt und
bessert alles; es bringt eine neue Zeit. Der Laut dieser Klingel
bleibt in jedem Ohr, er verbindet sich mit jedem guten Ruf von
draußen. Mit dem großen Wecken, das da ist und kommt; die
Erwartung allein bringt es freilich nicht. Aber sie läßt den Klang,
wenn sie auf ihn und auf das, was er bedeutet, gut ausgerichtet
ist, auch nicht überhören. Sie läßt sich nicht auf die Dauer betrügen, denn die Lüge hält nicht vor. Und ebensowenig kann jene
feinere, das ist, fast noch abgefeimtere Lüge auf die Dauer betrügen, die pharisäisch greint und verleumdet, weil das sozialistische Neue mit Macht geschieht und nicht mit Geschwätz, mit
der sauren Arbeit der Bewährung und nicht mit abtrünnigen
Flausen. Die Sucht nach dem Besseren bleibt, auch wenn das Bessere noch so lange verhindert wird. Tritt das Gewünschte ein, so
überrascht es ohnehin.

ZWEITER TEIL

(Grundlegung)

DAS ANTIZIPIERENDE BEWUSSTSEIN

Wer treibt in uns an? Wir regen uns, sind warm und scharf. Was lebt, ist erregt, und zwar zuerst durch sich selbst. Es atmet, solange es ist, und reizt uns auf. Um immer wieder zu kochen, von unten her.

Daß man lebt, ist nicht zu empfinden. Das Daß, das uns als lebendig setzt, kommt selber nicht hervor. Es liegt tief unten, dort, wo wir anfangen, leibhaft zu sein. Dieser Stoß in uns ist gemeint, wenn man sagt, der Mensch lebe nicht, um zu leben, sondern »weil« er lebt. Keiner hat sich diesen drängenden Zustand ausgesucht, er ist mit uns, seit wir sind und indem wir sind. Leer und daher gierig, strebend und daher unruhig geht es in unserem unmittelbaren Sein her. Aber all dies empfindet sich nicht, es muß dazu erst aus sich herausgehen. Dann spürt es sich als »Drang«, als ganz vagen und unbestimmten. Vom Daß des Drängens kommt kein Lebender los, so müde er auch davon geworden sein mag. Dieser Durst meldet sich stets und nennt sich nicht.

NACKTES STREBEN UND WÜNSCHEN, NICHT GESÄTTIGT

Aus dem bloßen Innern greift etwas hervor. Das Drängen äußert sich *zunächst* als »Streben«, begehrend irgendwohin. Wird das Streben *gefühlt*, so ist es »Sehnen«, der einzige bei allen Menschen ehrliche Zustand. Das Sehnen selber ist nicht weniger vage und allgemein als der Drang, doch es ist deutlich wenigstens nach außen gerichtet. Es wühlt nicht wie das Drängen, sondern schweift, das freilich gleichfalls ruhelos schlechthin, süchtig. Und verbohrt es sich dabei in sich, so bleibt das Sehnen bloße allgemeine Sucht.

Als blind und leer schweifende kann diese sich gar nicht dorthin begeben, wo sie gestillt würde.

Dazu muß das Sehnen erst auf etwas deutlich hintreiben. Als so bestimmtes hört es auf, nach allen Richtungen zugleich auszuschlagen. Es wird ein »Suchen«, das hat und nicht hat, was es sucht, wird ein gezieltes Treiben. Dessen Hintreiben teilt sich ab je nach dem Etwas, auf das es gerichtet ist, wird also der oder jener einzeln benennbare »Trieb«. Unter diesem Begriff, einem zweifellos reaktionär oft verdumpften und verdinglichten, ist das gleiche wie »Bedürfnis« zu verstehen. Aber da das Wort Bedürfnis nicht ebenso das gezielte Treiben in sich anklingen läßt, mögen das Wort und der undumpf verstandene Begriff Trieb erhalten bleiben. Allemal sucht dieser ein Hohles, ein Mangelndes im Streben und Sehnen, etwas, das fehlt, durch ein äußeres Etwas zu füllen. Das verschiedene Etwas, als Brot vor allem oder als Weib oder als Macht und so fort, teilt eben das gezielte Hintreiben jeweils in die mehreren Triebe ab. Daher auch: wenn das gefühlte Streben nur allgemeine Sehnsucht ist, so ist der *gefühlte Trieb* nun das Besondere von jeweils einzelnen »Leidenschaften«, »Affekten«. Das Etwas macht, daß der Trieb, wenn er daran gesättigt ist, abnehmen, ja vorübergehend aufhören kann, zum Unterschied von der unersättlich fortlaufenden Sucht. Das Ziel also, worauf der Trieb geht, ist zugleich dasjenige, woran er (sofern und soweit es zur Hand ist) gestillt wird. Das Tier bezieht sich auf das Ziel in der Art seiner jeweiligen Begierde selbst, der Mensch malt es sich auch noch aus.

Daher kann der Mensch nicht nur begehren, sondern wünschen. Letzteres ist weiter, setzt mehr Farbe an als das Begehren. Denn das »Wünschen« ist auf eine Vorstellung hin gespannt, in der die Begierde das Ihre sich ausmalen läßt. Das Begehren ist gewiß viel älter als das Vorstellen des Etwas, das begehrt wird. Doch eben indem das Begehren zum Wünschen übergeht, legt es sich die mehr oder minder bestimmte Vorstellung seines Etwas zu, und zwar als eines *besseren* Etwas. Das Verlangen des Wunsches steigt gerade mit der Vorstellung des Besseren, gar Vollkommenen seines erfüllenden Etwas. So daß zwar nicht fürs Begehren, wohl aber fürs Verlangen des Wunsches gesagt werden darf: Wünschen geht, wenn auch aus Vorstellungen nicht hervor, so doch erst mit ihnen auf. Es wird durch sie zugleich weiter aufgereizt, im selben Maß wie das Ausgemalte, Vorgemalte Erfüllung verspricht. Wo also die Vorstellung eines Besseren, schließlich wohl Vollkommenen, da findet Wünschen statt, gegebenenfalls ungeduldiges, forderndes. Die bloße Vorstellung wird so zu einem *Wunschbild*, sie ist mit dem Cachet versehen: So sollte es sein. Aber hierbei ist das Wünschen, so heftig es auch sei, vom eigentlichen »Wollen« durch seine passive, dem Sehnen noch verwandte Art unterschieden. Im Wünschen liegt noch nichts von Arbeit oder Tätigkeit, alles Wollen dagegen ist ein Tunwollen. Man kann wünschen, daß morgen schönes Wetter sei, obwohl man nicht das mindeste dazu tun kann. Wünsche können sogar völlig unvernünftig sein, sie können darauf gehen, daß X oder Y noch am Leben seien; es ist gegebenenfalls sinnvoll, das zu wünschen, aber sinnlos, es zu wollen. Daher bleibt der Wunsch auch dort, wo der Wille nichts mehr ändern kann. Der Reumütige wünscht, daß er eine Handlung nicht vollbracht hätte, er kann dies nicht eben wollen. Auch der Mutlose, der Zauderer, der oft Enttäuschte, der Willensschwache, sie haben Wünsche, sogar besonders starke, ohne daß sie zum Tunwollen bewegen. Ferner läßt sich Verschiedenes wünschen, die Wahl ist hier eine Qual, aber nur eines davon läßt sich wollen; der Wollende dagegen hat bereits vorgezogen, er weiß, was er lieber will, die Wahl liegt hinter ihm. Das Wünschen kann unentschlossen sein, trotz der bestimmten Zielvorstellung, auf die es hingespannt ist; das Wollen dagegen ist notwendig aktives Fortgehen zu diesem Ziel, geht nach außen, hat sich mit lauter als wirklich gegebenen Dingen zu messen. Wobei der Weg, den das ums Wollen vermehrte, damit gehärtete Wünschen einschlägt, selber unerwünscht, nämlich rauh oder bitter sein kann. Dennoch läßt sich letzthin nichts anderes wollen als Gewünschtes: der interessierte Wunsch ist die »Triebweise«, »Trieb-Weise«, die Wollen auslöst, ihm das zu Wollende vorsingt. Gibt es daher Wünschen ohne Wollen, nämlich lahmes, untätiges, sich in der Einbildung erschöpfendes oder unmögliches, so doch kein Wollen, dem kein Wünschen vorherginge. Und desto stärker wird das Wollen sein, je lebhafter seine mit dem Wünschen gemeinsame Zielvorstellung zu einem Wunschbild gestaltet worden ist. Wünsche tun nichts, aber sie

malen und behalten besonders treu, was getan werden müßte.
Das Mädchen, das sich glänzend und umworben fühlen möchte,
der Mann, der von künftigen Taten träumt, tragen Armut oder
Alltag wie eine vorläufige Hülle. Sie fällt dadurch nicht ab, doch
der Mensch wächst dadurch auch weniger leicht in sie hinein.
Bloße Begierde und ihr Trieb halten sich zunächst an das, was sie
haben, aber das ausmalende Wünschen in ihnen meint mehr. So
hält es sich ungenügsam, das ist, nichts Vorhandenes tut ihm
recht Genüge. Trieb als bestimmtes Streben, als Begierde nach
etwas, bleibt in all dem lebendig.

11

DER MENSCH
ALS ZIEMLICH UMFÄNGLICHES TRIEBWESEN

Der einzelne Leib

Der Trieb muß jemanden hinter sich haben. Wer ist aber der
Reizbare, der sucht? Wer bewegt sich in der lebendigen Bewegung, wer treibt im Tier, wer wünscht im Menschen? Es geht
hier sicher nicht überall ichhaft her; denn ein Trieb »überkommt«
uns. Das bedeutet aber nicht, daß überhaupt kein einzelnes, in
sich geschlossenes Sein da wäre, das die Triebe trägt, spürt und
durch ihre Befriedigung Unlustgefühle abführt. Sondern dies Sein
ist zunächst der lebendige einzelne Körper; er als reizbewegter,
reizüberfüllter hat die Triebe, sie schweben nicht allgemein. Und
frißt das Tier, so wird sein eigener Leib befriedigt, sonst nichts.

Kein Trieb ohne Leib dahinter

Gewiß, was sich als Leib fühlt, ist selber recht allgemein. Er »befindet« sich nur, als wohl oder übel; das aber ist kein sehr deutlicher
Befund. Wogegen jeder Trieb bestimmt als ein Wer aufzutreten
scheint und so, als zöge er den Leib hinter sich her. Als hätte
nicht der Leib den Trieb, sondern der Trieb den Leib und bestimmte ihn, färbte ihn jeweils, rot vor Wut, gelb vor Neid, grün
vor Ärger, wie ein Stück Tuch. Dazu nun noch die lange Dauer

und scheinbar subjektlose Erscheinung, welche die Triebe im sogenannten Instinkt besitzen. Die eben ausgekrochenen Kücken picken sogleich nach Körnern, in vorbestimmter Bahn, worin sie das Ihre auf zweckmäßigste Weise erreichen. Die Bahn ist vom Kleinhirn gesteuert, dann freilich, nach Pawlows Entdeckungen, als verändernd steuerbare von der Großhirnrinde und der durch sie verändert erfahrenen Umgebung; das vorzüglich bei höheren Tieren. Doch der sogenannte Instinkt wirkt fälschlich wie ein sich selber peilender Trieb, und auch Menschen kennen ihn, besonders Frauen, wenn nicht in der Liebe, so in der mütterlichen Sorge. Hier hat es in der Tat den Anschein, als ob Triebe selbständig lebten und den Leib beherrschten, um von der Seele zu schweigen. Auch weniger zweckgemäße Triebe geben sich zuweilen als unabhängig, machen den Menschen zu ihrer Beute. So bei den Neurotikern, wo eine isolierte, fast autark erscheinende Triebrichtung nicht nur den Leib, sondern das bewußte Ich überwältigt und ihm als ein Fremdes gegenübersteht. So auch bei Gesunden im Augenblick, wo sie von einem Triebgefühl »übermannt« werden, als wäre der Affekt ein Herr an sich. Dann läßt sich sagen: nicht das Mädchen ging aus Liebesgram ins Wasser, sondern der Liebesgram ging mit dem Mädchen ins Wasser. Aber trotzdem, trotz diesem vielfach subjektlosen Anschein: nichts im Leib läßt Triebe zu ihren eigenen Trägern machen. Baut der Vogel sein Nest, findet die Schwalbe das Nest vom vorigen Jahr, so arbeitet in solch rätselhaften Vorgängen zwar noch kein Ich, doch auch kein selbständiger Trieb, der gleichsam ohne Körper auskäme. Auch der Triebinstinkt gehört zum Haushalt des einzelnen Körpers und wird nur soweit verwendet, als er dazu gehört, als der Leib das Seine treibt, fliehend, was ihm schadet, suchend, was ihn erhält. Deshalb gibt es auch mehrere Triebfedern, je nachdem, nicht nur eine einzige und alles betreibende. Durchgehend vorhanden ist nur der Körper, der sich erhalten will, deshalb ißt, trinkt, liebt, überwältigt und so allein in den Trieben treibt, in den noch so vielfältigen, auch durch das auftretende Ich und seine Beziehungen verwandelten.

Besonders der Mensch trägt allemal mehrere Triebe mit sich. Denn er bewahrt nicht nur die meisten tierischen, er erzeugt auch neue; das heißt, nicht nur sein Körper, auch sein Ich ist affekthaft. Der bewußte Mensch ist das am schwersten zu sättigende Tier; er ist – in der Befriedigung seiner Wünsche – das Umwege machende Tier. Fehlt ihm das zum Leben Notwendige, so spürt er den Mangel wie kaum ein anderes Wesen: Hungervisionen tauchen auf. Hat er das Notwendige, so tauchen mit dem Genuß neue Begierden auf, die anders, doch nicht weniger quälen als vorher nackter Mangel. Die Reichen und Übersättigten (doch nicht nur sie) leiden gegebenenfalls am sonderbaren Kitzel des Ichweißnichtwas; der Luxus vor allem (der scheinbar doch alles erfüllt) ist ein unersättlicher Treiber. Xerxes setzte einen Preis auf die Erfindung eines neuen Vergnügens; da war nicht nur Langeweile im Spiel, sondern ein unbekannter Trieb, mindestens als Schrei danach, der ebenfalls gestillt sein wollte. Gar im Lauf der Geschichte und ihren wechselnden Formen, sich mehrenden Ausmaßen der Bedarfsdeckung bleibt kaum eine Triebart sich gleich, und keine stellt sich als fertig dar. Mit den neuen Gegenständen erwachen verändert ausgerichtete Süchte und Leidenschaften, von denen gestern keiner etwas gespürt hatte. Der ohnehin erst erworbene Erwerbstrieb etwa hat sich in einem Umfang gesteigert, der vorkapitalistischen Zeiten ganz fremd war; sogar die sexuelle Libido wird vielfach von ihm durchkreuzt. Ziemlich neu ist auch der Rekordtrieb in der spätkapitalistischen Gesellschaft, gar die leere technische Sucht nach immer größerer Geschwindigkeit; letztere Sucht ist erst durch die motorisierten Fahrzeuge gebildet worden. Vor allem aber muß das Monopolkapital einen abstrakten Rekordtrieb zum Zweck der Anpeitscherei steigern; denn sonst wäre der Maximalprofit nicht so rasch aus den Arbeitern auspreßbar. Und wie fast rasend neuartig wiederum ist der faschistische Todestrieb beschaffen, verglichen etwa mit dem sentimentalen der Wertherzeit, auch dem romantisch-nachthaften; welch anderer sozialer Auftrag heizt ihn an, richtet ihn aus. Er wird prämiiert teils für den Schlachtentod im imperialistischen Krieg, teils für die Aussichtslosigkeit des spätbürgerlichen Daseins insgesamt. Dafür ging der religiöse Trieb zurück, wenn man dieses weithin mit Überbau versehene Wesen so nennen kann, der Auftrieb nach oben, der Eros zum Wechsellosen. Und wo er auf verkommene oder betrogene Weise aufgereizt wurde, so in verschiedenen faschistischen Verführungen, ist der vorige Auftrieb kaum noch einer geblieben, ja in den Boden gesunken, in Blut und Boden. Kurz, es erhellt: der Mensch ist ein ebenso wandelbares wie umfängliches Triebwesen, ein Haufe von *wechselnden* Wünschen und meist von schlecht geordneten. Und eine bleibende Triebfeder, ein einziger Grundtrieb, sofern er nicht verselbständigt wird und dergestalt in der Luft hängt, will sich schwer fassen lassen. Die hauptsächliche Triebfeder wird nicht einmal an Menschen der gleichen Zeit und Klasse sichtbar, etwa indem man ihr scheinbar rein inneres Uhrwerk psychoanalytisch auseinanderlegt. Es gibt sicher mehrere Grundtriebe; bald tritt der eine, bald der andere stärker hervor, bald wirken sie zugleich, wie entgegengesetzte Winde um ein Schiff, und sie bleiben nicht einmal sich selber ähnlich. Der Mensch will sein Glück machen, dies Wort sieht gewiß recht alt aus und ist auch zweifellos ganz anders verläßlich als die Übelrede vom ewigen Raubtiertrieb, aber fragt man: welches Glück und für was, dann beginnen gerade hier die Fragen und Finessen allemal. Es wäre auch zu merkwürdig, wenn in der Klassengeschichte, wo immer wieder neue Zielvorstellungen des Strebens auftauchten, gerade das gezielte Treiben der Triebe einsinnig, fest und fertig vor sich ginge.

12

VERSCHIEDENE AUFFASSUNGEN
VOM MENSCHLICHEN GRUNDTRIEB

Der geschlechtliche Trieb

Aber nach etwas muß der Leib zuerst und besonders streben. Was ist immerhin die hauptsächliche Triebfeder unseres Sinnens und Trachtens, des gegenwärtig vorliegenden? Freud setzt, wie bekannt, den geschlechtlichen Trieb als ersten und als stärksten.

Libido regiert danach das Leben, sie ist zeitlich wie inhaltlich grundlegend. Bereits das Saugen des Säuglings soll mit geschlechtlicher Lust verbunden sein und großenteils um dieser Lust willen geschehen. Auch der Hunger soll sexuellem Trieb untergeordnet sein, die Sättigung wird sexuelle Entspannung. Die Beziehung zum eigenen Leib und nachher zu äußeren Gegenständen, erst recht zu Personen der Umgebung erscheint derart überall als primär sexuell. Nur ist Libido nicht der einzige Antrieb bei Freud geblieben, wenigstens nicht Libido im Sinne der positiven Lust. Der spätere Freud pointierte daneben eine Strebung zur negativen Lust, nämlich den Todestrieb. Der kreatürliche Wille ist dann auch dem Tod zugeordnet, der ihm bevorsteht, nicht nur der Begattung. Wie die Mehrzeller von Anfang auf den Tod zutreiben und letaler Abbau schon in der Jugend einsetzt, etwa in der Verengerung der Gefäße, so geht auch ein eigener Trieb dem Vorgang des Sterbens, dem Kaltwerden entgegen. Es ist der Vernichtungs- und Angriffstrieb; Freud wollte ihn als eigenen, wenn auch allemal libidinös gefärbten, an den sadistischen Begierden kenntlich machen. Der Lärm des Lebens, der von der Liebe ausgeht, werde von der gleichen Libido auch wieder stumm gemacht oder zerstört. Der Wunsch zur Zerstörung äußere sich dem eigenen Leib gegenüber in der Freude an karger Zucht, in den mannigfachen asketischen Neigungen. Fremden Leibern und Gegenständen gegenüber äußere sich der Todestrieb als Grausamkeit, als unleugbarer Rausch der nun auf andere schlagenden Vernichtung. Daß aber auch der Todestrieb libidinös ist, darauf soll die durchgängige Verbindung von Grausamkeit mit sexueller Lust, vor allem auch das Gefühl des Liebestods hinweisen. Der Kern jedenfalls ist und bleibt hier geschlechtlich, von daher wird sein Mensch bewegt.

Ichtrieb und Verdrängung

Nur nachträglich kommt noch eine andere und engere Kraft hinzu. Freilich ist dies Enge, auch Scharfe im Menschen wichtig; denn es ist sein Ich. Freud weist immer wieder, nicht ohne Rückzüge, darauf hin, daß er außer dem geschlechtlichen und dem ihm verwandten Todestrieb einen rein menschlichen ausgezeichnet hat. Denn gäbe es nur Libido, sonst nichts, so könnten in uns weder Konflikte noch Neurosen entstehen. Neben dem »dunklen Es« des Leibes und seiner Triebe steht nach Freud aber das Ich. Den sexuellen Kräften stehen die Ichtriebe gegenüber; ja, die gesamte Psychoanalyse, sagt Freud, »hat sich auf der scharfen Sonderung der sexuellen Triebe von den Ichtrieben aufgebaut«. Das Ich bejaht, verneint und zensiert die Triebe, an ihm hängt das Bewußtsein, es ist die Macht, welche unser seelisches Leben zusammenhängend macht. Es ist die Macht, »welche zur Nacht-zeit schlafen geht und dann immer noch die Traumzensur hand-habt«. Der Ichtrieb verdrängt, was ihm an den Sexualtrieben und ihren Inhalten nicht in die Linie paßt (wovon sogleich). Derart ist unser Seelenleben dualistisch, trotz der Libido, die hier alles begonnen; es bewegt sich »zwischen dem zusammenhängenden Ich und dem von ihm abgespaltenen Verdrängten«. Diese Span-nung eben führt, wenn sie zum Gegensatz führt, zum pathogenen Konflikt, als einem zwischen den Ichtrieben und den Sexual-trieben. Vom Ich gehen »die *Verdrängungen* aus, durch welche gewisse seelische Strebungen nicht nur vom Bewußtsein, sondern auch von den anderen Arten der Geltung und Betätigung aus-geschlossen werden. Dies durch die Verdrängung Beseitigte stellt sich in der Analyse dem Ich gegenüber, und es wird der Analyse die Aufgabe gestellt, die Widerstände aufzuheben, die das Ich gegen die Beschäftigung mit dem Verdrängten äußert.« Das Ich besorgt die Abfuhr der Unlustgefühle durch Trieberfüllung, aber es besorgt diese Erfüllung auf seine Weise, nämlich zensierend, moralisierend und vor allem mit Rücksicht auf das Erreichbare, auf die »Realität«. Dies Moralisierende, soll heißen: an die Usan-cen von Freuds bürgerlicher Umwelt Angepaßte, ist nach Freud die erworbene Linie des Ichtriebs. Dadurch entsteht sogar eine Durchbrechung der Libido, also des Lustprinzips, das sonst alle Triebvorgänge bestimmt; der erwachsene, oder besser aber, der von Freud bürgerlich gesehene bürgerlich individuelle Mensch läuft sich an der »Realität«, wie Freud seine bürgerliche Umwelt nennt (der Warenwelt und ihrer Ideologie), die dionysischen Hörner ab. »Das so erzogene Ich ist ›verständig‹ geworden, es läßt sich nicht mehr vom Lustprinzip beherrschen, sondern folgt dem Realitätsprinzip, das im Grund auch Lust erzielen will, aber

durch die Rücksicht auf die Realität gesicherte, wenn auch auf-
geschobene und verringerte Lust.« Und doch wäre das Ich, wäre
selbst die »Realität« oder bürgerliche Außenwelt zur Zensur,
auch zur Sublimierung der libidinösen Triebe noch nicht ausreichend, gäbe es daneben, darüber nicht außerdem das »Über-
Ich« oder »Ich-Ideal«. Das Über-Ich ist der andere Inhalt des
Ichs; es repräsentiert nach Freud unsere Elternbeziehung; es
schafft alle Ersatzbildungen der Pietät. Das Ich vertritt die Rechte
der Außenwelt, das Über-Ich aber ist »der Anwalt der Innenwelt«, der »Ursprung des Gewissens und des Schuldgefühls« (als
der Spannungen zwischen den Ansprüchen des Gewissens und
den Leistungen des Ichs); es ist der »Keim, aus dem sich alle
Religionen gebildet haben«. Indem das Über-Ich Vater und Mutter vertritt, beobachtet, bedroht und lenkt es das Ich wie früher
die Eltern das Kind; so gibt es dem Ich ein Leitbild und ist der
Quell der Idealbildung. Doch eben wegen der nachwirkenden
Elterninstanz lebt im Über-Ich leicht ein Drohendes; das Gewissen ist streng, das Pflichtgefühl finster, auch bewahrt das Über-
Ich, von seiner Elternseite her, sehr oft die Überlieferungen und
Ideale der Vergangenheit. Demungeachtet schlägt es um das
wache Ich herum einen Bogen zur Libido, als dem gemeinsam
Dunklen, im Dunklen geeinten Es der Innenwelt. All das kommt
zur ursprünglichen Libido hinzu, wenigstens beim späteren Freud;
so besteht ein außerordentlicher Trieb-Überbau. Freilich einer,
der durch Analyse doch wieder, großenteils, abgebaut werden
soll und der, was die Inhalte des Über-Ichs angeht (zu denen
doch nicht nur Religion, sondern beispielsweise auch Postulate
der Weltveränderung gehören), in bezug auf die Außenwelt
ausschließlich aus »Illusionen« bestehen soll. Die Innenwelt selbst,
die im Über-Ich ihren Anwalt findet, bleibt zu guter Letzt aber
allemal die der Libido oder der verdrängten Triebe, des »unbewußten Es« im Menschen. Das Es dieser Libido ist und bleibt
nach Freud das den Leib erfüllende, das uns rings umgebende
unbewußte Triebreich, nach seiner animalischen wie nach seiner
Über-Ich-Seite. Es bewirkt, »daß wir ›gelebt‹ werden von unbekannten, unbeherrschbaren Mächten« (soll heißen: von der bei
Freud zum Libido-Es gemachten Fremdherrschaft der kapitalistischen Produktionsweise). Die Psychoanalyse dagegen ist »ein

Werkzeug, welches dem Ich die fortschreitende Eroberung des Es ermöglichen soll«. Dadurch freilich wird wieder nur der libidinöse Grundtrieb frei, das heißt, er ist weder in den Verdrängungen verringert noch in den Bindungen des Ich-Ideals überboten. Freud will zwar das Verdrängte, das Unbewußte darin rationell ans Licht bringen, also den heuchlerischen, auch neurotisierenden Muff verringern. Aber was dann kommen soll, ist lediglich ein Tag innerhalb der privaten Libido und dem »Unbehagen« einer Kultur, der angeblich nichts als psychoanalytische Zugluft fehlt.

Verdrängung, Komplex, Unbewußtes und die Sublimierung

So bleibt hier der geschlechtliche Trieb, wenn nicht ein und alles, immerhin grundlegend. Das anständige Mädchen wird ihn bloß nicht wahrhaben wollen, das sittsame Ich unterdrückt den Sexus. Dadurch gärt und drängt er aber erst recht, er kann sich im vorhandenen oder erlaubten Leben nicht abreagieren. Der Sexus und seine Wünsche werden von den bürgerlichen Menschen, wie Freud sie vorfand, in ein dickes Gewebe von Verschwiegenheit, von Heuchelei und Lüge eingehüllt. Denn eben: die Libido unterliegt im Individuum selbst, nicht nur im gesellschaftlichen Cant, einer moralisierenden Zensur, die unser wahres Wesen nicht über die Schwelle des Bewußtseins treten läßt. Diese Zensur riegelt ab, sie verdrängt den sexuellen Antrieb, sie verleumdet ihn, sobald die Verdrängung nicht ganz gelingt, sie sperrt sich gegen seine Erkenntnis. Hierbei bleibt für Freud die Libido wie der einzige Grundtrieb, so auch der wesentliche Inhalt des menschlichen Daseins; denn das Ich ist, wie bemerkt, doch nur Kontrollinstanz. Es prüft das von der Libido eingebrachte Gepäck, es zwingt die Libido, sich zu verstellen, gegebenenfalls sich ins Geistige zu »sublimieren«, aber das Ich selber ist unproduktiv. Indem die moralisierende Zensur verdrängt, beseitigt sie allerdings das Verdrängte nur an der Oberfläche. Die unerfüllten, gar totgeschwiegenen Wünsche sinken im Vorgang der *Verdrängung* lediglich ins mehr oder minder Unbewußte herab. Dort faulen sie, bilden neurotische Spannungen und Komplexe, ohne daß dem Leidenden die Ursache bekannt wäre. Die bloß vergessene, nicht verschwundene sexuelle Affektuierung arbeitet in allerhand Verkleidungen weiter, Freud suchte den libidinösen Stachel bereits in den Psychopathien des Alltags aufzuweisen, im Versprechen, Vergreifen, in Fehlleistungen der scheinbar zufälligsten, bedeutungslosesten Art. Nicht abreagierte Triebe, unvollendete Erlebnisse, vergessene Wunden und Enttäuschungen brennen fort; sie sind aus dem Ichbewußtsein, doch nicht aus der Seele verschwunden. Von ihnen her stammt die scheinbar grundlose Empfindlichkeit, die überbetonte Reaktion, die zwangsneurotische Handlung, schließlich die sinnlos verselbständigte, inhaltlos gewordene Affektgruppe: der *Komplex*. Alle Gespenster oder auch nur Freudschen Gespenster tauchen hier auf: der Penisneid, der Kastrations-, der Ödipuskomplex und was mehr. Sämtlichen Komplexen liegt nach Freud eine sexuelle Irritierung zugrunde, sie seien fixiert an ein infantiles, vergessenes Trauma. Aus Erlebnissen der Kindheit stamme der Kastrationskomplex, stamme der sogenannte Ödipuskomplex des Vaterhasses (obwohl Ödipus selbst, wie Chesterton einmal sagt, der einzige Mensch war, der zuverlässig keinen Ödipuskomplex hatte; denn er wußte bis zuletzt nicht, daß Laertes, den er erschlug, sein Vater, Jokaste, die er heiratete, seine Mutter war). All dies seltsam Benannte, seltsamer Hochgedonnerte sei nun gänzlich aus »unterbrochenen, irgendwie gestörten Vorgängen, die unbewußt bleiben mußten, hervorgegangen«. Wenn es daher gelänge, in den Keller des Verdrängten mit Bewußtsein hinabzusteigen, die unbewußten Vorbedingungen der neurotischen Symptome bewußt zu machen, so würde der Neurotiker geheilt, das heißt, sein Ich bekäme gegen sein Es das Heft in die Hand. Der Mensch, der die Ursache seiner Komplexe weiß, heile sich selbst; freilich könne nur Psychoanalyse ihm zu diesem Wissen verhelfen. Mühselige Tiefenbohrung, Achtung auf scheinbar nebensächliche, besonders auf nebensächlich gemachte Instanzen, aber auch auf Mißtrauen gegen viel zu schön klingende Ideologien (wie »Heiligkeit« der Mutterschaft und dergleichen) – all diese Detektivkunst sei notwendig, um den Inhalt des neurotischen Symptoms zu erkennen und dem Patienten ins Bewußtsein zu rufen. Hauptstraße hierzu, via regia, soll bekanntlich die Traumdeutung sein, und zwar die Deutung der nächtlichen Träume als solcher, worin das zensierende Ich schläft, die harte Außenwelt unwahrnehmbar geworden ist. Jeder Traum ist bei Freud die Erfüllung einer unbewußten Wunschphantasie; aus der Symbolik, worin sie im Traum sich einkleidet, gilt es, das wunschhaft Angemeldete analytisch zu entziffern. Überall setzt der Neurotiker dieser Entzifferung einen charakteristischen Widerstand entgegen: das Vergessene will vergessen und sein Symptom verkleidet bleiben. Aber es ist hier schon wichtig zu bemerken: der Widerstand gegen das Bewußtwerden liegt nach Freud lediglich im Willen des Patienten, nicht etwa im Material des Unbewußten selbst, das heißt *jenes Unbewußten,* das Freud statuiert und das – außer der Groteske seiner wesentlich nur libidinösen Inhalte – wesentlich ein Produkt oder mindestens ein Zufluchtsort der Verdrängung ist. Verdrängung selbst ist dieses Sinns ein Vorgang, »durch welchen ein bewußtseinsfähiger Akt, also einer, der dem System Vorbewußtsein angehört, unbewußt gemacht, also in das System Unbewußtsein zurückgeschoben wird. Und ebenso nennen wir es Verdrängung, wenn der unbewußte seelische Akt überhaupt nicht ins nächste vorbewußte System zugelassen, sondern an der Schwelle von der Zensur zurückgewiesen wird«. Die bewußt gemachte Libido zeigt so überhaupt keine andere Tür als die ins wiederbetretene und aufgespulte Ehemals. Psychoanalyse will ab ovo subkortikale Erinnerung sein, einsam, abgekapselt und, wie sie selber sagt, unterirdisch, acherontisch.

Das Unbewußte ist bei Freud darum eines, in das lediglich etwas zurückgeschoben werden kann. Oder das bestenfalls, als Es, das Bewußtsein wie einen abgeschlossenen Ring umgibt: ein stammesgeschichtliches Erbwesen rundherum um den bewußten Menschen. »Mit Hilfe des Über-Ich schöpft das Ich in einer für uns noch dunklen Weise aus den im Es angehäuften Erfahrungen der Vorzeit.« Das Unbewußte der Psychoanalyse ist mithin, wie erkennbar, *niemals ein Noch-Nicht-Bewußtes,* ein Element der Progressionen; es besteht vielmehr aus Regressionen. Demgemäß macht auch das Bewußtwerden dieses Unbewußten nur Gewesenes kenntlich; das heißt: *im Freudschen Unbewußtsein ist nichts Neues.* Das wurde noch klarer, als C. G. Jung, der psychoanalytische Faschist, die Libido und ihre unbewußten Inhalte gänzlich auf Urzeitliches reduzierte. Im Unbewußten sollen danach

ausschließlich stammesgeschichtliche Urerinnerungen oder Ur-
phantasien wohnen, fälschlich »Archetypen« genannt; auch alle
Wunschbilder gehen in diese Nacht zurück, meinen lediglich Vorzeit. Jung hält die Nacht sogar für so bunt, daß das Bewußtsein
vor ihr verbleicht; er setzt es, als Verächter des Lichts, herab.
Freud hält demgegenüber zwar das aufhellende Bewußtsein auf-
recht, doch ein solches eben, das selber vom Ring des Es, vom
fixen Unbewußtsein einer fixen Libido umgeben ist. Auch die
noch so produktiven Kunstbildungen führen aus diesem Fixum
nicht heraus; sie sind lediglich *Sublimierungen* der in sich be-
schlossenen Libido: Phantasie ist Ersatz für Trieberfüllung. »Die
zu lösende Aufgabe ist dann«, sagt Freud, »die Triebziele solcher
Art zu verlegen, daß sie von der Versagung der Außenwelt nicht
getroffen werden können.« Der Sexualtrieb kann zur Caritas ver-
feinert werden, zur Hingebung ans Wohl des Nächsten, schließlich der Menschheit. Höher sublimierte Libido macht die Freude
des Künstlers an seinem Schaffen aus, aber auch den Genuß und
die (Ersatz-)Befriedigung des Nichtkünstlers am Kunstwerk.
Gibt dieses doch lauter Wunscherfüllung gestaltet-ungehemmter
Art: Weiber, Hochzeit, Helden und noch die schöne, die tragische Leiche. Gibt dem Mann im Parkett, was dem Mann im
Leben fehlt, gibt Goldstoff wie ein schöner Traum in der Nacht.
Der Betrachter oder Miterleber reagiert dergestalt seine Wünsche ab, so daß er kein Leid mehr an ihnen hat. Aber jede
»Katharsis« dieser Art bleibt vorübergehend, ja scheinhaft: die
Kunst arbeitet nach Freud ausschließlich mit den Illusionen, die
die unbefriedigte Libido sich vormachen läßt. Wie weit und
mechanistisch ist hier Freud von Pawlows Einsicht entfernt, daß
gerade die höheren psychischen Prozesse, mit dauerndem Einfluß der von ihnen erfaßten Veränderungen der Umwelt, auf die
affekthaften und die organischen wirken; daß sie keineswegs nur
Abhängige, gar an sich wesenlose Ersatzweisen sind. Bei Freud
aber bleiben einzig nur sexuelle Libido, ihr Konflikt mit den
Ichtrieben und der Bewußtseinskeller insgesamt, aus dem dann
die Illusionen steigen.

Aber auch im noch so dumpf gefaßten Leib lebt der geschlechtliche Trieb nicht allezeit, nicht allein. Daher wurde Freud, nachdem er die Bahn genommen hatte, von einigen seiner Schüler
bekanntlich widersprochen. Diese Schüler beeilten sich, entweder
eine ganz andere Triebkraft auszuzeichnen oder aber die Libido
zu bronzieren. Das erste versuchte Alfred Adler, der Urheber
der sogenannten Individualpsychologie, das zweite (mit mythi-
scher Patina) C. G. Jung. So wurde, wie Freud beiden vorwirft,
»das auf allen lastende Problem der Sexualität mit einem Hieb
beseitigt«. Immerhin, es schien beseitigbar, im System anderer
Triebfedern, es ist nicht ausgemacht ein und alles. Adler setzt,
kapitalistisch schlechthin, über einer bisexuellen Grundlage den
Willen zur Macht als menschlichen Grundtrieb: der Mensch will
primär herrschen und überwältigen. Er will von unten nach oben
gelangen, will oben liegen, von der weiblichen Linie in ihm zur
männlichen übertreten, sich als Sieger individuell bestätigt fühlen. Eitelkeit, Ehrgeiz, »männlicher Protest« sind danach die
Affekte, worin dieser Grundtrieb am sichtbarsten erscheint, ver-
letzte Eitelkeit, gescheiterter Ehrgeiz sind der Quell der meisten
Neurosen. Sexus ist selber nur ein Mittel fürs Endziel, die Macht-
gewinnung: »Diesem Leitgedanken ordnen sich auch Libido,
Sexualtrieb und Perversionsneigung, wo immer sie hergekom-
sein mögen, ein« (Adler, Der nervöse Charakter, 1922, S. 5). Am
Anfang der Entwicklung zur Neurose steht drohend das Gefühl
der Unsicherheit und Minderwertigkeit; unerfüllter Machttrieb
erzeugt den Minderwertigkeitskomplex. Aber wie über einer
Wunde sich die Haut verdickt, gleichsam als Schutzvorkehrung
gegen künftige Schädigung, und wie bei Ausfall einer Niere sich
die Funktion der anderen Niere verstärkt, so werden vom Ich
auch seelische Minderwertigkeiten überkompensiert. Teils durch
Masken und Fiktionen: Wille zur Macht wird dann Wille zum
Schein; teils aber auch durch erhöhte Leistungen: Wille zur Macht
hält sich dann schadlos, gegebenenfalls in einer schönen, einer
Phantasiewelt. Man sieht freilich nicht, woher sie hier ihren Stoff
nehmen mag; denn der an sich notwendig kahle Wille zur Macht
kann ja nicht inhaltlich sublimiert werden. Wesentlich bleibt in

diesem Willen trotzdem Zielsetzung, eben gemäß dem Vorn-liegenwollen; sie tritt an die Stelle bloßer angeborener Getrie-benheit von unten her, also der Freudschen sexuellen Libido. Der Einzelmensch baut sich selber auf, mittels eines Leitbilds oder auch nur mittels Schauspielerei und Fiktion: »Die peinlich emp-fundene Unsicherheit wird auf ihr kleinstes Maß reduziert und dieses in sein krasses Gegenteil, in seinen Gegensatz verkehrt, der als fiktives Ziel zum Leitpunkt aller Wünsche, Phantasien und Bestrebungen gemacht wird.« So formt der Mensch – ein anderes als der Einzelmensch kommt in dieser Individualpsycho-logie nicht vor – seinen Charakter: »Um den Weg zur Höhe nicht zu verfehlen, um die Sicherung vollkommen zu machen, zeichnet er konstant wirkende Leitlinien in Form der Charakterzüge in die weiten chaotischen Felder seiner Seele.« Grundsätzlich wird so bei Adler alles Persönliche von Anfang an gemacht und ge-züchtet, durch einen zwar weithin unbewußten, doch keineswegs mehr naiven Zweckwillen. Grundsätzlich regiere so die causa finalis, ordne das biologische Moment dem kapitalistisch inter-essierten Ziel unter, welches auf Sicherung der Persönlichkeit, auf Erhöhung des Persönlichkeitsgefühls abgestellt ist. Indem Adler derart aus der Libido das Geschlecht austreibt, die indi-viduelle Macht einsetzt, ist seine Triebbestimmung den immer verschärfter kapitalistischen Weg von Schopenhauer zu Nietz-sche gegangen und reflektiert diesen Weg ideologisch-psycho-analytisch. Freuds Libidobegriff berührte sich mit dem »Willen zum Leben« in Schopenhauers Philosophie; Schopenhauer hatte eben die Geschlechtsteile als »Brennpunkte des Willens« be-zeichnet. Adlers »Wille zur Macht« dagegen deckt sich wörtlich, zum Teil auch inhaltlich mit Nietzsches Grundtrieb-Bestimmung aus seiner letzten Periode; insofern hat hier Nietzsche über Scho-penhauer, also der imperialistische Ellbogen über den rentier-haften Lust-Unlust-Leib in der Psychoanalyse gesiegt. Der Konkurrenzkampf, der für geschlechtliche Sorgen kaum mehr Zeit übrigläßt, pointiert die Strebsamkeit statt der Geilheit; der heiße Tag des Geschäftsmannes überdeckt so die heiße Nacht des Lebemanns und seiner Libido.

Doch blieb auch das nicht, denn immer weniger Menschen zog der unwirtlich gewordene Tag an. Immer stärker wuchs dem

Kleinbürger der Wunsch, sich nach rückwärts in ein verantwortungsloses, aber auch mehr oder minder wildes Dunkel entspannen zu lassen. Vor allem verlor der Weg zur sogenannten Höhe im gleichen Maß, wie die freien Unternehmer monopolkapitalistisch abnahmen, an Interesse und Aussicht. Anziehender wurde der Weg in eine sogenannte Tiefe, in eine, worin die Augen übergehen, statt daß sie ein Ziel visieren. C. G. Jung, der faschistisch schäumende Psychoanalytiker, setzte infolgedessen statt des Machttriebs den Rauschtrieb. Wie der Sexus an dieser dionysisch allgemeinen Libido nur ein Teil ist, so auch der Wille zur Macht, ja letzterer eben wird gänzlich zum Schlachtrausch verwandelt, zu dieser keineswegs individuell zielstrebigen Betäubung. Libido also wird bei Jung eine archaisch ungeschiedene Ur-Einheit aller Triebe oder »Eros« schlechthin: so reicht sie vom Essen bis zum Abendmahl, vom Coitus bis zur unio mystica, vom schäumenden Maul des Schamanen, gar Berserkers, bis zur Verzückung des Fra Angelico. Auch hier mithin siegt Nietzsche über Schopenhauer, doch er siegt als Bejahung eines Mescalin-Dionysos über die Verneinung des Willens zum Leben. Folgerichtig wird auch das Unbewußte an dieser mystifizierten Libido nicht bekämpft und ins heutige Bewußtsein aufzulösen versucht wie bei Freud. Vielmehr stammt die Neurose, besonders die der modernen, allzu zivilisierten und bewußten Menschen, nach Jung gerade daraus, daß die Menschen aus dem unbewußt Wachsenden, aus der Welt des »urtümlichen Fühldenkens« zu weit ausgetreten sind. Hier berührt sich Jung nicht nur mit dem faschisierten Dionysos, sondern zum Teil mit der vitalistischen Philosophie Bergsons. Bergson hatte bereits, in freilich noch sezessionistisch-liberaler Weise, die Intuition gegen den Verstand ausgespielt, die schöpferische Unruhe gegen geschlossene Ordnung und starre Geometrie. Aber weit mehr als mit Bergsons »Elan vital« berührt sich der Faschist Jung mit den romantisch-reaktionären Ausbiegungen, die Bergsons Vitalismus gefunden hat; so bei sentimentalen Penis-Dichtern wie D. H. Lawrence, bei kompletten Tarzan-Philosophen wie Ludwig Klages. Bergsons Elan vital war noch nach vorwärts gerichtet; er entsprach dem »Jugendstil« oder »Sezessionismus« der neunziger Jahre, er enthielt Freiheitsparolen, keine der rückläufigen Gebundenheit. D. H.

Lawrence dagegen, und Jung mit ihm, singt die Wildnisse der urtümlichen Liebeszeit, aus der der Mensch zu seinem Unglück ausgetreten ist; er sucht den nächtlichen Mond im Fleisch, die bewußtlose Sonne im Blut. Und Klages spielt abstrakterweise auf demselben Stierhorn; er ruft nicht bloß, wie die früheren Romantiker, zum Mittelalter zurück, sondern zum Diluvium, ebendorthin, wo auch Jungs unpersönliche, pandämonische Libido wohnt. Es gebe, lehrt Jung, zwar Ichs und Individuen, aber das reiche in der Seele nicht tief; gar die Persönlichkeit sei nur eine Maske oder sozial gespielte Rolle. Was in der Persönlichkeit und als diese wirkt, soll vielmehr Vitaldruck sein, aus viel tieferen, viel älteren Schichten, aus magisch-kollektiven wie etwa der Rasse. Die individuelle Person sei auf ihrem Boden kollektiv, führe dahin wieder zurück: »Da das Individuum nicht nur Einzelwesen ist, sondern auch kollektive Beziehungen zu seiner Existenz voraussetzt, so führt auch der Prozeß der Individuation nicht in die Vereinzelung, sondern in einen intensiveren und allgemeineren Kollektivzusammenhang« (Jung, Psychologische Typen, 1921, S. 637). Wettbewerb und freie Konkurrenz, die bei Adler noch zur Überbietung stachelten und zu immer schärferer Individualpsychologie, gehen hier in der »Volksgemeinschaft« unter und in »Psychosynthese«, das ist eben: in archaisch-kollektiver Regression. Unpersönlich, ja unmenschlich Unbewußtes geht auf, weit hinter der jeweiligen individuellen Erfahrung, wo nicht hinter den archaischen Resten bloßer Menschheitserinnerung. Urerinnerungen sollen danach lebendig sein aus der Zeit unserer tierischen Vorfahren, also noch weit hinter dem Diluvium; Jung greift dafür den Begriff der »Engramme« auf, den Semon in die Biologie eingeführt hat, den Begriff eines Gedächtnisses der organischen Materie insgesamt und ihrer Gedächtnisspuren. Die sind in Libido als ur-animalischer Plan eingeformt, sie halten aber auch das Unbewußte schlechthin im archaisch Urgewesenen. Also löst gerade die Psychosynthese nicht in den Tag auf und in äußerliche Teile, sondern »besinnt« sich und geht mit dem neurotisch oder sonst gegebenen Symbol zurück in die ihm angestammte Nacht: »Genau wie die Analyse (das kausalreduktive Verfahren) das Symbol in seine Komponenten sondert, verdichtet das synthetische

Verfahren das Symbol zu einem allgemeinen und verstehbaren Ausdruck.« Freuds Unbewußtes war trotz stammesgeschichtlicher archaischer Elemente, die er wohl zu sehen glaubte und die in seiner Schule bis zu Urerinnerungen der ersten Landtiere »ausgegraben« worden sind – Freuds Unbewußtes also war im großen ganzen individuell, das heißt von individuell erworbenen Verdrängungen und von Verdrängungen aus der kurz zurückliegenden Vergangenheit eines modernen Individuums erfüllt. Das Unbewußte Jungs dagegen ist vollkommen generell, urzeitlich und kollektiv, es gibt sich als »der fünfhunderttausendjährige Schacht unterhalb der paar Jahrtausende Zivilisation«, erst recht unterhalb der paar Jahre des individuellen Lebens. In diesem Grund ist nicht nur nichts Neues, sondern er enthält dezidiert Uraltes; alles Neue ist eo ipso wertlos, ja wertfeindlich; neu ist nach Jung und Klages lediglich die heutige Instinkt-Zerstörung, die Zersetzung des uralten Phantasiegrunds durch den Intellekt. Auch der neurotische Konflikt ist Leiden dieses Trieb- und Phantasiegrunds am Intellekt; oder wie Lawrence sagte: die Menschen haben den Mond aus ihrem Fleisch, die Sonne aus ihrem Blut verloren. Daher dürfe der Neurotiker aus dem Unbewußten, das er noch hat, nicht vollends entfernt werden, nötig sei vielmehr Leitung zum Kollektiv-Unbewußten zurück, als zu den »uralten Mächten des Lebens«. Psychosynthese – Gegenwart fliehend, Zukunft hassend, Urzeit suchend – wird so dasselbe wie »Religion« im etymologischen Sinn des Worts: nämlich re-ligio, Rückverbindung. Wobei eben zwischen dem schäumenden Maul des Schamanen und Meister Eckart kein Unterschied erscheint, in wahrer Nacht-Toleranz; ja, der Schamane ist besser. Erst recht rangiert dann noch der wüsteste Aberglaube über der Aufklärung; denn selbstverständlich fließt Jungs Kollektiv-Unbewußtes im Hexenwahn dicker als in der reinen Vernunft.

»Eros« und die Archetypen

Dahin kommt es unter anderem, wird dem Leib das bewußte Ich genommen. Wird gar Libido gänzlich ins Dunkel getrieben, ins Unbewußte als Ziel. Bei Freud war der Kranke ans Unbewußte nur erinnert, damit er sich davon befreie. Bei C. G. Jung aber wird er daran erinnert, damit er gänzlich ins Unbewußte hinabtauche, und zwar in immer tiefer liegende, immer tiefer zurückliegende Schichten. Libido wird archaisch; Blut und Boden, Neandertalmensch und Tertiärzeit schlagen daraus zugleich entgegen. Der Jung- und Klages-Jünger Gottfried Benn gab dem einen ebenso psychosynthetischen wie lyrischen Ausdruck: »Wir tragen die frühen Völker in unserer Seele, und wenn die späte Ratio sich lockert, im Traum und Rausch, steigen sie empor mit ihren Riten, ihrer prälogischen Geistesart, und vergeben eine Stunde der mystischen Partizipation. Wenn der logische Oberbau sich löst, die Rinde, müde des Ansturms der vormondalten Bestände, die ewig umkämpfte Grenze des Bewußtseins öffnet, ist es, daß das Alte, das Unbewußte erscheint in der magischen Ichumwandlung und Identifizierung, im früheren Erlebnis des Überall- und Ewigseins.« Immer stärker hat Jung die Libido zu diesen archaischen Anschlüssen hingetrieben, zugleich eben hat er diese Anfänge so neblig und allgemein gefaßt, daß sämtliche Irratio von ehedem, ganz gleich, was sie sagt, vertauschbaren Platz findet. Hier ist wirklich die Nacht, in der alle Kühe schwarz sind, die Nacht jener maßlos geweiteten, zum Naturbauch kollektivierten Libido, die nun auch Weltseele heißt. Eros, Platon, indische Theosophie, alchimistische und astrologische Bilder, Plotin oder das, was sich C. G. Jung darunter vorstellt, wirbeln durcheinander, alle geeint in der »vormondalten« Libido: »Was das Psychologische dieses Begriffs anbelangt, so erinnere ich hier an die kosmogonische Bedeutung des Eros bei Platon und bei Hesiod, sowie an die orphische Figur des Phanes, des ›Leuchtenden‹, des Erstgewordenen, des Vaters des Eros … Die orphische Bedeutung des Phanes kommt der des indischen Kâma gleich, dem Liebesgott, der auch kosmogonisches Prinzip ist« (Wandlungen und Symbole der Libido, 1925, S. 127). Hinzugesetzt wird, über Abgründe hinweg, als sei es, weil es so kosmisch klingt, dasselbe: »Beim Neuplatoniker Plotin ist die Weltseele die Energie des Intellekts.« Derart öffnet sich die Libido Jungs als ein ganzer Sack unverdaut-atavistischer Geheimnisse, besser Abrakadabras, ja es schleppt dieser Sack, nach Jungs eigenen Worten, »einen unsichtbaren Saurierschwanz hinter sich her;

vorsichtig abgetrennt, wird er zur Heilsschlange des Mysteriums«
(Über die Archetypen des kollektiven Bewußtseins, 1935, S. 227).
Denn Diluvium bleibt dem Eros, der alles begonnen, sinngemäß
das Nächste, und dahin strebt er zurück, prälogische Linien ent-
lang, fort vom Bewußtsein. Anatomischer Ort dieser Libido ist
der uralte Sympathikus, nicht das Zerebrospinalsystem; ihr Organon, ihr schon selber halb unzureichendes, allzu aufgeklärtes,
bleibt die Mythologie. Die Mutterbindung etwa ist nach Jung
keine an die individuelle Mutter, sondern an ein uraltes generel-
les Mutterbild. Sie ist die Bindung an Gaea oder Kybele, an jene
archaische Wesenheit (Ge-wesenheit), die ebenso der Astarte,
Isis, Maria zugrunde liegen soll. Libidobesetzung wird hier im
weiteren also »urbildliche« schlechthin, durch jede einzelne Mutter hindurch scheinen und siegen die »Archetypen der Erdmutter«. Archetypus überhaupt, Lévy-Bruhls »représentation col-
lective«, ist das Stichwort, womit Jungs Libido ihr Kollektiv-
Unbewußtes ruft. Das Unbewußte, und nur dieses, wird danach
durchgängig von Archetypen bevölkert: Schlange, Küche, Feuer,
Topf auf dem Feuer, Wassertiefe, Mutter Erde, alter Weiser sind
einige ihrer Exempel. Gerade im heutigen Menschen, als einem
der mythischen Vermischung, soll dies Urbildhafte hochentzünd-
lich sein: wer in Archetypen spricht, spricht mit tausend Zungen,
und das nach Jung nur deshalb, weil das Intellektgeschöpf mit
dem Triebbildleben des urtümlichen Menschentiers, mit der riesigen Resonanz von Blut und Boden sich vermittelt. Kollektiv-
Unbewußtes ist aber nicht nur der Ort dieser Art Gesundheit,
es enthält nach Jung auch sämtliche Grundformen der menschlichen Phantasie: was immer als bessere oder schönere Welt geträumt wurde, ist Rassenseele, Archetypenzeit.

So betäubend also wurde hier der Auftrag befolgt, aus dem
Hellen ins Dunkle zu streben. Die kapitalistischen Geschäfte sind
nur noch betreibbar, wenn das Bewußtsein ihrer Opfer in der
Freizeit betäubt wird. Folgerichtig hat Jung das Unbewußte
Freuds auf der ganzen Linie generalisiert und archaisiert; es soll
rationalistisch nicht aufgelöst werden. Auch findet hier keine
Sublimierung statt (als welche ja immerhin, nach Freud, zur
Kultur führt); der Freudschüler Jung sagte sich, als die Kon-
junktur erfüllet war, auch in diesem Punkt von der »jüdischen

Psychologie« los. Statt der Sublimierung gilt die »heilig dunkle Urnacht«, gefüllt mit Blutschein und Bilderorgie an sich; diese Macht ist selber bereits in Ordnung, ja das einzige, was in Ordnung lebt. Wohl stieß Jung hierbei auf einen, wie man noch sehen wird, nicht unwichtigen Phantasiebestand, auf den der Archetypen. Doch wie er ihren Begriff von der Romantik bezog, so hat er ihn nie aus dem ungegliederten romantischen Dilettantismus herausgebracht. Der sogenannten Psychosynthese ist einzig die Urbilderei in Bausch und Bogen brauchbar, und das magische Wischiwaschi (kommandiert vom Monopolkapital) ist ihr nützlich. Der Rapport dieser panischen Libido mit dem deutschen Faschismus ist offenbar; hierin setzt das Bewußtsein der C. G. Jung-Somnambule keineswegs aus. Auch dem Faschismus ist der Intelligenzhaß das, wie Jung wörtlich sagt, »einzige Mittel, um die Schäden der heutigen Gesellschaft zu kompensieren«. Auch der Faschismus bedarf des Totenkults einer frisierten Urzeit, um die Zukunft zu verstellen, die Barbarei zu begründen, die Revolution zu blockieren. Der Grundtrieb wird mit alldem ein Trieb zu jenem Grunde, wo der Dionysos nur noch Moloch heißen will. Ein Regressio-Grund wird als Medizin wie Moral gepriesen, dem alles Menschliche wieder fremd geworden ist. So stellen, wie gesagt, der immerhin noch liberal aufklärenwollende Freud, der faschistisch-mystifizierende Jung weithin Gegensätze in der gemeinsamen »Tiefenpsychologie« dar (wie sie sich bescheiden nennt): der Liberale will Verdrängtes bewußt machen, der Reaktionär will Bewußtes mit Verdrängtem rückverbinden, ja es immer tiefer ins Unbewußte zurückstoßen. Bei Freud wird das Unbewußte bekämpft und, soweit es ein individuell Erworbenes ist, im Umkreis des Individuums gehalten. Bei Jung wird das Unbewußte begrüßt und völlig im Archaisch-Kollektiven angesiedelt, dazu mit schrankenloser Toleranz gegen alles betrachtet, was als Nebel, Numen oder Tabu darin herumwogt. Doch wieder auch: im Hauptpunkt steht der Lehrer Freud mit seinem pervertierten Schüler auf gleicher Ebene; beide fassen das Unbewußte lediglich als ein entwicklungsgeschichtlich Vergangenes, als ein in den Keller Abgesunkenes und nur darin Vorhandenes. Sie kennen beide, wenn auch mit höchst verschiedener Art und Ausdehnung der Regression, nur ein Unbewußtes nach rückwärts oder unterhalb des bereits vorhandenen Bewußtseins; sie kennen eben kein Vorbewußtsein eines Neuen. Und was die zur Rede stehende Trieblehre selber angeht, so verbindet es die gesamte psychoanalytische Schule, daß sie lauter paprizierte Triebe betont, sie dazu auf begriffsmythische Weise von dem lebenden Körper abhebt. Auf diese Art entsteht ein Götze Libido oder Wille zur Macht oder Ur-Dionysos und vor allem eine Verabsolutierung dieser Götzen. Wie das Verabsolutierte vom lebenden Körper abgehoben wird, der doch nur sich selber und sonst gar nichts erhalten will, so wird es bei Freud wie Adler wie gar bei Jung überhaupt nicht als *Variable ökonomisch-gesellschaftlicher Bedingungen* diskutiert. Sollen aber überhaupt Grundtriebe ausgezeichnet werden, so werden sie beim Menschen nach den einzelnen Klassen und Zeiten materiell weitgehend variiert sein, folglich auch intentional oder als Triebrichtung. Und am wichtigsten ist: die psychoanalytisch jeweils betonten Grundtriebe sind gar keine im strengen Sinne, sie sind zu partial. Sie schlagen nicht so eindeutig durch wie etwa – der Hunger, der *psychoanalytisch überall ausgelassene;* sie sind nicht so letzte Instanz wie der schlichte Trieb, sich am Leben zu erhalten. Dieser Trieb ist der Selbsterhaltungstrieb, er allein dürfte so grundlegend sein – bei allem Wechsel –, daß er die anderen Triebe überhaupt erst ins Werk setzt.

DIE GESCHICHTLICHE BEGRENZTHEIT
ALLER GRUNDTRIEBE
VERSCHIEDENE LAGEN DES SELBSTINTERESSES
GEFÜLLTE UND ERWARTUNGS-AFFEKTE

13

Der dringende Bedarf

Sehr wenig, allzu wenig wurde bisher vom Hunger gesprochen. Obwohl dieser Stachel ebenfalls recht ursprünglich oder urtümlich dreinsieht. Denn ein Mensch ohne Nahrung kommt um, während sich ohne Liebesgenuß immerhin eine Weile leben läßt. Erst recht läßt sich ohne Befriedigung des Machttriebes leben, erst recht ohne Rückkehr ins Unbewußte fünfhunderttausend-jähriger Vorfahren. Aber der zusammenbrechende Arbeitslose, der seit Tagen nicht gegessen hat, ist wirklich an die ältest bedürftige Stelle unseres Daseins geführt worden und macht sie sichtbar. Das Mitgefühl mit Verhungernden ist ohnehin das einzig verbreitete, ja überhaupt in Breite mögliche. Das Mädchen, gar der Mann, der sich nach Liebe sehnt, diese sind nicht mitleiderregend, die Hungerklage dagegen ist wohl die stärkste, einzige, die ohne einen Umweg dargeboten werden kann. Dem Hungernden glaubt man sein eigenes Unglück; selbst der Frierende, selbst der Kranke, gar erst der Liebeskranke wirken dagegen luxushaft. Auch die hartherzigste Hausfrau vergißt gegebenenfalls den Ärger ihres Geizes, wenn der Bettler die geschenkte Suppe ißt. Hier ist zweifellos, bereits im üblichen Mitgefühl, die Not und ihr Wünschen klar. Der Magen ist die erste Lampe, auf die Öl gegossen werden muß. Sein Sehnen ist genau, sein Trieb so unvermeidlich, daß er nicht einmal lange verdrängt werden kann.

Verläßlichster Grundtrieb: Selbsterhaltung

Doch so laut der Hunger brüllt, so selten wird er hier ärztlich genannt. Dieser Ausfall zeigt, daß psychoanalytisch stets nur die besseren Leidenden behandelt worden sind und werden. Die Sorge, wie man Nahrung findet, war für Freud und seine Besucher die unbegründetste. Der psychoanalytische Arzt wie vor allem sein Patient entstammen einer Mittelschicht, die bis vor kurzem sich wenig um den Magen zu sorgen brauchte. Als Freuds Wien allerdings weniger sorglos wurde, gab es eine psychoanalytische Beratungsstelle für verhinderte Selbstmörder, wo Gelegenheit war, auch mit Trieben unterhalb der Libido bekannt zu werden. Denn über neunzig Prozent aller Selbstmorde geschehen aus wirtschaftlicher Not und nur der Rest aus Liebeskummer (übrigens aus unverdrängtem). Jedoch auch im bürgerlich deklassierten Wien hing an der Wand der psychoanalytischen Beratungsstelle die Inschrift: »Wirtschaftliche und soziale Fragen können hier nicht zur Behandlung kommen.« Verständlicherweise war vom Innenleben des verhinderten Selbstmörders auf diese Art wenig erfahrbar, ebensowenig wurde der allerhäufigste Komplex, derjenige, den die Franziska Reventlow so ganz unmedizinisch Geldkomplex nannte, dadurch nicht behoben. Der Hungerstachel also wird von der Psychoanalyse genauso sekretiert wie die Libido vom Cant des Salons. Das ist die klassenmäßige Begrenztheit der psychoanalytischen Grundtriebforschung; eine nationale kommt hinzu. Vielleicht nicht, was Libido, wohl aber, was moralische Ichzensur und folglich Verdrängung angeht. Hierin besteht ein charakteristischer Unterschied zwischen der Mittelklasse verschiedener Länder, besonders Frankreichs und Deutschlands. Nimmt in Paris ein Junggeselle nicht mindestens einmal in der Woche ein Mädchen aufs Hotelzimmer oder verbringt er eine Nacht nicht außerhalb, so wird der Direktor besorgt wegen der Rechnung: denn der Mieter scheint sexuell nicht normal zu sein, folglich ist ihm zuzutrauen, daß er auch die Miete schuldig bleibt. Der französische Bourgeois hat derart weniger Cant in Vorrat als der durchschnittliche deutsche, gar englische; demgemäß zeigt er weniger Sexualmuff, weniger libidinöse Verdrängungskomplexe. Und im Proletariat haben weder der Cant noch vor allem die Libido so breiten Platz, wie die Wiener Psychoanalyse ab origine annahm. Hunger und Sorge engen in der Unterklasse Libido ein; da sind weniger edle Leiden, und sie haben eine handgreiflichere, kunstloser benennbare Ursache. Die neurotischen Konflikte des Proletariats bestehen leider nicht aus so Wohlsituiertem wie aus Freuds »Fixierung der Libido auf bestimmte erogene Zonen« oder aus Adlers »schlecht sitzender Charaktermaske« oder aus Jungs »unvollkommener Regression zur Urzeit«; auch ist die Angst vor Verlust der Arbeit schwerlich ein Kastrationskomplex. Psychoanalyse kann zwar nicht umhin, von Hunger und Durst zuweilen Notiz zu nehmen, ebenso vom Interesse der Selbsterhaltung; aber der Selbsterhaltungstrieb wird von Freud merkwürdigerweise nicht dem Magen und Leibsystem insgesamt zugeordnet, worin er doch zuinnerst verankert ist, sondern der Gruppe von späten Ichtrieben, derselben also, der auch die moralische Zensur obliegt. Er sieht mithin drein wie ein Hinzugekommener, von dem in der Beratungsstelle nicht gesprochen wird, wie ein acte accessoire gegenüber dem Allestreiber Eros. Ersichtlich gibt es aber keine erotische Geschichtsauffassung an Stelle der ökonomischen, keine Welterklärung aus Libido und ihren Entstellungen statt aus Wirtschaft und ihren Überbauten. Daher bleibe man endlich auch hier beim realen Ausdruck der Sache: beim *wirtschaftlichen Interesse,* als dem gleichfalls nicht einzigen, aber grundlegenden. Die sich darin bekundende Selbsterhaltung ist der solideste unter den mehreren Grundtrieben und, bei allen zeitlichen, klassenmäßigen Abwandlungen, denen auch er unterliegt, sicher der durchgängigste. Daher kann gesagt werden, bei aller Reserve und bekundeten Abneigung gegen Verabsolutierung: Selbsterhaltung – mit dem Hunger als sinnfälligstem Ausdruck – ist der einzige Grundtrieb unter den mehreren, der diesen Namen verläßlich verdient, er ist die letzte und konkretest auf den Träger bezogene Triebinstanz. Selbst der Idealist Schiller muß lehren, die Welt erhalte ihr Getriebe »durch Hunger und durch Liebe«; so setzt er überdies den Hunger an die erste Stelle und die Liebe an die zweite. Solche Notierung war damals, wenn auch ohne rechte Folgen, im aufsteigenden Bürgertum noch möglich; in der Spätbourgeoisie, der auch Freuds Psychoanalyse zugehört, wurde der Hunger gestrichen. Oder er wurde zur Unterart der Libido, etwa ihrer »oralen Phase«; Selbsterhaltung kommt dann überhaupt nicht als ursprünglicher Trieb vor. »Suum esse conservare«, sich an seinem Sein erhalten, das ist und bleibt aber nach Spinozas unbestechlicher Definition der »appetitus« aller Wesen. Hat die kapitalistische Konkurrenzwirtschaft ihn über die Maßen individuell gemacht, so geht er doch, wie immer auch abgewandelt, durch alle Gesellschaften unablässig hindurch.

Geschichtlicher Wandel der Triebe, auch des Selbsterhaltungstriebs

Wie kein Trieb starr bleibt, so auch das nicht, was ihn trägt. Ein für allemal gesetzt ist hier gar nichts, etwa am Anfang, sondern gerade unser Selbst ist uns nicht vorgegeben. Indem es einen geschichtlichen Wechsel der Leidenschaften gibt, neue mit neu gesetzten Zielen entspringen, verändert sich auch der subjektive Herd, auf dem sie alle kochen. Es gibt weder mehr einen »ursprünglichen« Trieb, noch gibt es einen »Urmenschen« oder auch

74

»alten Adam«. Die angebliche »Natur des Menschen«, im Sinn der starren Grundtriebsforschung, wurde im Lauf der Geschichte hundertmal umgezüchtet und umgebrochen. Unter Zuchtpflanzen und Zuchttieren mag sich, wegen des Äußerlichen und Herangetragenen der Züchtung, eine Ursprungsart erhalten haben, unter Menschen nicht. Unter Zuchtpflanzen und Zuchttieren, gewiß, da gibt es noch die schlichte Heckenrose, die zu den Luxusrosen veredelt wurde, und die wilde Felstaube, von der all unsere Zuchttauben stammen, zu der sie sich gegebenenfalls zurückfinden. Der historische Mensch dagegen wird auch als verwildernder niemals wieder der Urmensch, von dem die verschiedenen historischen Domestizierungen ausgegangen. Er wird ein dekadenter Barbar mit wohlbekannter, historisch eingeordneter Trieb-Psychopathie; er wird ein Stück Blaubart oder Nero oder Caligula oder Hitler, aber kein Neandertal-Mensch aus dem »gesunden Diluvium«. Auch sehr viele sogenannte Primitive von heute sind, wie bekannt, mitnichten solche, sie sind nicht die älteste menschliche Kreatur. Sie stellen vielmehr die Zerfallsprodukte großer Kulturen dar; sie sind nicht alte Physis, sondern längst zur neuen Physis geworden, kraft der Vererbung historisch erworbener Eigenschaften. Der »Heide«, den ein Missionar tauft, der »alte Adam«, den der Christ auszieht, ist selbst wieder der »Christus« einer früheren Sitte und Religion, das heißt, eines früheren Umbruchs der Kreatur. Mithin ist der sogenannte Urtrieb-Mensch unterhalb des historischen und des modernen Menschen unauffindbar und wissenschaftlich nicht vorhanden. Was man so nennt, ist entweder (bei Freud) der bürgerliche Triebmensch, unter dem Cant des viktorianischen Jahrhunderts entstellt und begraben, oder er ist gar (bei Jung) eine faschistische Phantasmagorie, auf mythologischen Flaschen gezogen. Weil die Grundtriebforschung mehr als jede andere der Zeiten eigenen Trieb widerspiegelt, deshalb ist sie auch allenthalben so verschieden ausgefallen. Rousseaus »Naturmensch« war arkadisch und vernunftgemäß, Nietzsches »Naturmensch« dagegen war dionysisch und vernunftfremd; das heißt, der eine erfüllte die Wünsche der Aufklärung, der andere die Wünsche des Imperialismus (und zugleich der unter Bürgern schwelenden »antikapitalistischen Sehnsucht«). Entsprechend ist auch der historische

Ort der »Kreatur«, wie Freud sie auszeichnet, genau bestimmbar: dieser Libido-Mensch lebt – mitsamt seinen geträumten Wunscherfüllungen – in der bürgerlichen Welt einige Jahrzehnte vor und einige Jahrzehnte nach 1900 (als dem Stichjahr der sezessionistischen »Befreiung des Fleisches vom Geist«). Auch die sexuelle Wahrnehmungsart, folglich Erregbarkeit der Libido ist in jeder Gesellschaft und in jeder Schicht dieser Gesellschaft jeweils variant. Es gibt sogar für den Hunger keine »natürliche« Triebstruktur, schon deshalb nicht, weil auch die ihm zugeordnete Wahrnehmungsart, folglich Reizwelt geschichtlich variabel ist. Selbst er ist beim Menschen keine biologisch gehaltene Grundrichtung mehr, keine im fixen Instinkt der Nahrungssuche und ihrer festliegenden Wege bleibende. Er steht vielmehr als gesellschaftlich gewordenes und gesteuertes Bedürfnis in Wechselwirkung mit den übrigen gesellschaftlichen, daher geschichtlich variierenden Bedürfnissen, denen er zugrunde liegt und mit denen er sich gerade deshalb ebenso verwandelt wie er – je mehr und je anspruchsvoller immer weitere Schichten auf den Appetit kommen – verwandeln läßt. Kurz, alle Grundtriebsbestimmungen gedeihen nur im Boden ihrer Zeit und sind darauf begrenzt. Schon deshalb lassen sie sich nicht verabsolutieren, und noch weniger lassen sie sich vom jeweils ökonomischen Sein der Menschen entfernen. Libido (die bei den Tieren auf die Brunstzeit beschränkt ist), Machttrieb (der frühestens mit der Klassenteilung einsetzt) erscheinen dagegen sekundär, haben übrigens allesamt den Hunger, den Appetit in sich. Sein Bedürfnis nach Bedarfsdeckung ist das Öl auf der Lampe der Geschichte, doch je nach der wechselnden Art der Bedarfsdeckung sieht selbst dies primäre Bedürfnis verschieden drein. Letzte Instanz im geschichtlich vorliegenden Triebgefüge bildet das wirtschaftliche Interesse, doch selbst dieses, genau wieder dieses hat, wie bekannt, seine wechselnden historischen Gestalten, seine Veränderungen in der Produktions- und Austauschweise. Ja, noch das sich erhaltenwollende Selbst der Menschen, das sich durch Nahrungsaufnahme reproduziert, das durch die jeweilige Wirtschaftsform und Naturbeziehung mitproduziert wird, ist selber das historisch variabelste Wesen. Nämlich eines, das – trotz seinem verläßlichsten, relativ allgemeinst bleibenden Grundtrieb:

dem Hunger – immer wieder durch Geschichte laufen muß, damit es mittels der Arbeit sei und werde. Die Geschichte ist, als mögliche Gewinnung des Menschen, die Metamorphose des Menschen gerade auch in Ansehung unseres Kerns, des sich erst bildenden Selbst. Nicht auf das selfish system, nicht auf diese kapitalistische Phase des Egoismus beschränkt, sondern vor ihr, erst recht nach ihr vorhanden, sucht Selbsterhaltung, Menschenerhaltung auch keineswegs die Konservierung des dem Selbst bereits Zugezogenen und Gewordenen. So bedeutet Selbsterhaltung letzthin den Appetit, unserem sich entfaltenden, erst in und als Solidarität sich entfaltenden Selbst angemessenere und eigentlichere Zustände parat zu halten. Rücken diese Zustände heran, so bereitet sich an ihnen Selbstbegegnung vor; und Selbstbegegnung beginnt hoch-betroffen an allen einen Endzustand anschlagenden Erscheinungen und Werken. Doch immer bleibt unser Selbst, mit seinem Hunger und dessen variablen Erweiterungen, noch offen, bewegt, sich selber erweiternd.

Gemütsbewegung und Selbstzustand, Appetitus der Erwartungsaffekte, vorzüglich der Hoffnung

Um wieder vom Hunger zu beginnen, so kommen nicht bloß die unmittelbaren Triebe davon her. Sondern sie entstammen ihm auch als »gefühlte«, als die Triebgefühle, worin Begehren oder Verabscheuung in Stärke ihrer innewerden. Diese nicht nur unmittelbar, sondern als Gefühl treibenden Triebe sind die Gemütsbewegungen oder Affekte; wirft der ganze Mensch sich in einen einzigen Affekt, so wird dieser zur Leidenschaft. Durch alle Gemütsbewegungen aber fließt ein ganz besonderer Saft, er kommt vom Herzen, als ein auch psychisches Blut. Und wie in jedem Affekt, zum Unterschied vom Empfinden, Vorstellen, eine innere Temperatur ist, so spürt sich diese auch selbst. Also unterscheiden sich Affekte von Empfindungen, Vorstellungen nicht zuletzt dadurch, daß sie vor sich gehen, indem sie ihres Vorgangs als eines doch noch halb unmittelbaren Selbstgefühls nahe innewerden. Ja sie können in diesem »zuständlichen« Sich-innewerden gegenständlich vage vor sich gehen, bevor noch ein *deutlicher* äußerer Gegenstand auftritt, auf den sich das bewegte Gemüt bezieht. Das nicht nur in dem diffusen und unentschiedenen Zustand, der »Befinden«, weiterhin, weniger unmittelbar, »Stimmung« heißt, wovon später, sondern auch in entschiedenerem Zustand, bei jenen Gemütsbewegungen wenigstens, die von früh auf zu organischen »Anlagen« gehören. So gibt es in jungen Menschen und in erotischen Typen das ganze Leben hindurch eine Art intransitive Gemütsbewegung der Verliebtheit, in die erst nachträglich ihre Gegenstände eintreten; sie waren der Verliebtheit auch nicht narzistisch, also am eigenen Leib, vorhergegeben. So gibt es – nicht als Gemütsbewegung, wohl aber als Gemütszustand – charakterhafte Leichtmütigkeit, auch Hoffnung; sie erscheint keineswegs erst, wenn sie deutlich weiß, worauf sie hofft. Man spricht oder sprach dieser Art, die ganze organische »Anlage« zu einem Gemütszustand erhebend, von einem sanguinischen (oder entgegengesetzt: von einem melancholischen) »Temperament«. Dieses kann weit über den bloßen Gemütszustand hinaus in intransitive Gemütsbewegungen hineinreichen, mit gar keinen oder sehr schwach »fundierenden« Vorstellungsinhalten. Je mehr freilich Empfindungs- und Vorstellungsinhalte hinzutreten, desto deutlicher werden diese intransitiven Vorgänge auch gegenstandsbezogen und transitiv: wie das vage Begehren durch Vorstellen seines Etwas zu Wünschen mit Wunschinhalten übergeht, so regiert erst recht nun in der Affektwelt Liebe zu etwas, Hoffnung auf etwas, Freude an etwas. Ohnehin gäbe es ja gar keine Verabscheuungen oder Begehrungen ohne das äußere Etwas, das sie hervorruft; nur eben: dieses äußere Etwas muß nicht von vornherein deutlich sein. Die Affekte bleiben nun nicht auf das bloße Erleben ihres Erlebnisses beschränkt, gar mit der idealistischen Deutung, daß ihr Inhalt nur als »Gehalt« und nicht auch als deutlich erregender äußerer Gegenstand konkret hervorträte. Aber der Unterschied zu Vorstellungen und Gedanken ist doch auch innerhalb des Transitivwerdens der Affekte unverwischbar. Der Unterschied wird durch die besonders in sich geschehende, noch halb unmittelbar in sich zurückgebogene Beschaffenheit des affektiven Intendierens gekennzeichnet. Auch beim Vorstellen, Denken gibt es einen Akt des Intendierens, er ist, wenn auch idealistisch heillos übertrieben, bei Franz Brentano, dann bei Husserl vom »gemeinten

Gegenstand« abgetrennt worden. Aber dieser Akt wird eben im Vorstellen, Denken nicht selber vorgestellt, gedacht, er mußte vielmehr erst mühselig der »inneren Wahrnehmung« zugänglich gemacht werden. Bei den Affekten dagegen ist eine nachträgliche Analyse in Brentanos Sinn, eine Befreiung der »Aktpsychologie« von der »Inhaltspsychologie«, gar nicht erst erforderlich: die Affekte selber sind als Intentionsakte sich zuständlich gegeben. Und sie sind sich zuständlich-intensiv gegeben, weil sie vorzüglich von dem Streben, dem Trieb, dem Intendieren bewegt sind, das allen Intentionsakten, auch den vorstellenden und denkend-urteilenden, zugrunde liegt. Das »Interesse« liegt ihnen letzthin zugrunde und ist dasjenige, was die Menschen wirklich am nächsten berührt. Gleich dem Grundaffekt Hunger, der primär in sich selber wühlt, sind also alle Affekte primär Selbstzustände; und gerade als diese Selbstzustände sind sie die aktivsten Intentionen. Wegen ihrer Selbstbetreffung ist das Affektleben aber nicht nur ein nächst-intensives, in sich eminent intendierendes, es ist auch der Seinsmodus dessen, was Kierkegaard seinerzeit existentiell nannte. Mit anderen Worten: nur das »Gemüt«, als Inbegriff der Gemütsbewegungen, ist ein »existentieller« Begriff, einer der »Betroffenheit« geworden, nicht der theoretisch-ob-jektive »Geist«. Nicht grundlos fing daher das sogenannte existentielle Denken, das heute so nichtig verfaulte, bei Augustin mit den hochemotionalen »Confessiones« an; sogar das Bewußt-werden des Bewußtseins ging hier am Selbstreflex einer inten-siven Willensnatur auf. Und nicht grundlos spielte Kierkegaard sein »Sich-in-Existenz-Verstehen« als eine Erlebniserscheinung moralisch-religiöser Affekte gegen Hegels objektive »Abstrak-tionen« aus. Nicht grundlos endlich reicht von hier aus eine Art blutrünstig gewordenes und ebenso stockendes Existere bis in Heideggers animalisch-kleinbürgerliche Erlebnisphänomenolo-gie herab, bis zu dessen »Grundbefindlichkeit« Angst und der sich anschließenden Sorge; und diese »existentiellen Modi« sol-len sogar besonders »fundamentale« Erschließungen gewähren, eben das Existieren selbst betreffende. All das ist schließlich ver-faulter Subjektivismus, doch auf Affekte des Absterbens wenig-stens wirft selbst der kleinbürgerlich-reaktionäre Existenzialis-mus einen wahlverwandt-verruchten Blick. Indes hierher gehörig

ist, statt dieses bewußten Obskurententums, einzig das Originale, ist der immerhin grundehrliche Kierkegaard, mit seinem
Ausspielen des affektionierten Subjekt-Denkens gegen das nur
objekthafte. Wobei die Gegenprobe sein mag, daß das gesamte
objekthafte Denken von den Affekten, als einem Erkenntnis-
organ, sich notwendig abkehrt. »Die ganze Natur des Geistes«,
sagt Descartes in den »Meditationen«, »besteht darin, daß er
denkt«; also kommt bei Descartes sogar noch aus seiner Affektenlehre keine Lehre, die nicht den lediglich denkenden Geist
zum Urheber hätte. Und Spinoza, der dem extensiv Objekthaften so zugewandte, hat, wenn er in seine Marmorhalle eine
Definition der Affekte einfügte (Ethik, 3. Buch), diese nicht in
ihren Zuständlichkeiten, sondern wesentlich hinsichtlich ihrer
Zielvorstellungen oder »Ideen« definiert. Spinoza betont zwar,
daß einzig Affekte das menschliche Wollen bestimmen, aber sie
selber werden einzig bestimmt unter der Form ihrer Objekte.
Descartes wie Spinoza mußten darum, als rationale Objektiv-
denker, die Affekte auch methodisch eliminieren; sie beide geben, wie Dilthey diesmal nicht ganz mit Unrecht anmerkt, in der
Affektlehre notwendig »Betrachtungen von außen, mit Beziehungen, die in keiner inneren Wahrnehmung gegeben sind«. So
unverbrüchlich also ist jedes »Sich-in-Existenz-Verstehen« mit
Affektnähe, jede reine Objektbetrachtung mit Affektabkehr verbunden. Daher läßt sich sagen: wo Philosophie sich nur an die
Emotionen hält, dort gilt alles, was sich daraus herausbegibt, als
»Welt des Geschwätzes«, in Kierkegaards Sinn; wo dagegen Phi-
losophieren sich rein an die Cogitatio hält, dort gilt alles, was im
Affektiven cum ira et studio zielt, als »perturbatio animi« auch
methodisch, mithin als »Asyl der Unwissenheit«, in Spinozas
Sinn. Aber intellektuelle *Berührung* (obzwar nicht mehr) mit
den Affekten ist für jede Selbsterkenntnis nötig, und wo immer
Selbsterkenntnis umfassend versucht wurde, stellte sich diese
Berührung ein. Auch bei Hegel, trotz Kierkegaard; es gibt kein
Buch, das in seinem begrifflichen Arbeitsgang mehr von Affekt-
umtrieben und Affekteinsichten zugleich durchzogen wäre als
die »Phänomenologie des Geistes«. Das gerade wegen einer
Erledigung des weltlos Pektoralen, die den »Puls der Lebendig-
keit« vor allem im Äußeren, in der Welt erfassen wollte. Und

wie nach Hegel nichts Großes ohne Leidenschaft vollbracht worden ist, so kann zweifellos auch nichts Großes, das Selbst betreffend, ohne Affekteinsicht begriffen werden.

Von außen her wurden die Triebgefühle stets nur unzulänglich geordnet und eingeteilt. Man unterschied die jähen von den langsam reifenden, die rasch verschwindenden von den sich eingrabenden: so etwa den Zorn vom Haß. Man unterschied nach der Stärke, die die einzelnen Triebgefühle annehmen können, sodann nach dem Ausdruck der Gemütsbewegungen bei Mensch und Tier. Äußerlich ist auch die Einteilung nach asthenischen und sthenischen Affekten, das heißt nach solchen, die die Herzinnervation ebenso wie den Tonus der äußeren Muskeln lähmen oder verstärken. Danach sind plötzlich hereinbrechende Affekte, wie Angst, Schreck, aber auch übermäßige Freude, stets asthenisch, ebenso Unlustaffekte von geringerer Stärke, wie Kummer und Sorge. Schwache wie mäßig starke Lustaffekte dagegen sind stets sthenisch, aber auch Zorn, allmählich ansteigend, kann sthenisch sein, während eben Freude, trotz ihres Lustcharakters, bei plötzlichem Ausbruch, als eine von Überraschung begleitete, asthenisch auftritt. So äußerlich also ist noch diese Einteilung, daß Affekte mit verschiedenem, ja entgegengesetzem Gefühlsinhalt in die gleiche sthenische oder asthenische Klasse fallen. Näher dem Sachverhalt, etwas mehr schon aus der psychischen Erfahrung kommt die Einteilung der Affekte in solche der *Abwehr* oder der *Zuwendung*, folglich in die beiden Grundgruppen des Hasses und der Liebe. Der Hunger, der alle Affekte begleiten können muß, bricht in der Gruppierung von Libido und Aggression am sinnfälligsten aus. Und fast alle Affekte lassen sich den Willens-Polen Verneinung oder Bejahung zuordnen, der Unzufriedenheit oder der Zufriedenheit mit sich und seinem Gegenstand. Wobei die *Abwehraffekte:* Angst, Neid, Zorn, Verachtung, Haß einerseits, die *Zuwendungsaffekte:* Behagen, Großmut, Vertrauen, Verehrung, Liebe andererseits überwiegend mit der alten Zweiheit Unlust-Lust zusammenfallen. Ganz glatt geht freilich auch die Rechnung mit Abwehr-Unlust, Zuwendung-Lust nicht auf. Auch hier finden sich Affekte mit konträrem Gefühlsinhalt gelegentlich lustvoll vereint: Rache, in der sich der Haß entladet, schmeckt süß, fast so wie das Stück Wollust, in der sich die Liebe entladet. Ebenso gibt es Affekte, wie Habsucht, die, auf der Seite der Zuwendung liegend, doch mit Lust nicht das mindeste gemein haben. Oder es gibt Mischaffekte, wie das Ressentiment, in denen sich die Abwehrintention Neid und die Zuwendungsintention Verehrung ganz vertrackt vertragen, sofern eben der Neid die vorhandene Verehrung, damit sie nicht zum Unmut des Neids Veranlassung gebe, in Verleumdung umwandelt. Item, auch Abwehr und Zuwendung, Haß- und Liebespol teilen das merkwürdige, an Verschleifungen so reiche Gebiet der affektiven Selbstmodi nicht ab. Man hat deshalb, bei Beibehaltung von Liebe und Haß als Grundgruppen, die bloße Pol-Relation beider in eine wertmäßige zu verwandeln gesucht. Die Abwehraffekte geraten dadurch in eine niedere, selber zu verneinende Gegend (was sich übrigens, da auch der Klassenkampf dahin gehört, der reaktionären Psychologie, bei Scheler, empfahl); die Zuwendungsaffekte dagegen (mit Burgfrieden, Kosmopolitismus, pax capitalistica) stehen im Licht. Aber dem Stück Wahrheit, mindestens psychische Erfahrenheit, das in der Abwehr-Zuwendungs-Reihe trotz ihres Durcheinanders sein mag, wird solche Verteufelung oder Verhimmlung am wenigsten gerecht. In summa also: das von außen an die Affektenlehre Herangebrachte muß gänzlich beseitigt werden; so erst geht die richtige Ordnung der Triebgefühle auf. Diese Ordnung muß an dem erfahrenen Appetitus selber entdeckt werden; und der Effekt ist dann, als einzig befriedigend, die Einteilung der Affekte in folgende zwei Reihen: *in gefüllte und Erwartungs-Affekte.* Wobei auch dem relativ Berechtigten an der Abkehr-Zuwendungs-Reihe Genüge getan wird: diese Reihe reicht mindestens in die Gruppe der Erwartungsaffekte herein, und zwar als *Unwunsch oder als Wunsch.* Die Reihen auf der wirklichen Tafel der Affekte sind nun folgendermaßen definierbar: Gefüllte Affekte (wie Neid, Habsucht, Verehrung) sind solche, deren Triebintention kurzsinnig ist, deren Triebgegenstand bereit liegt, wenn nicht in der jeweiligen individuellen Erreichbarkeit, so doch in der bereits zurhandenen Welt. *Erwartungsaffekte* (wie Angst, Furcht, Hoffnung, Glaube) dagegen sind solche, deren Triebintention weitsinnig ist, deren Triebgegenstand nicht bloß in der jeweiligen individuellen Erreichbarkeit, sondern auch in der bereits zurhandenen Welt noch nicht bereit liegt, mithin noch am Zweifel des Ausgangs oder des Eintritts statthat. Die *Erwartungsaffekte* unterscheiden sich derart, sowohl ihrem Unwunsch wie ihrem Wunsch nach, von den gefüllten Affekten durch den *unvergleichlich größeren antizipierenden Charakter* in ihrer Intention, ihrem Gehalt, ihrem Gegenstand. Alle Affekte sind auf den Horizont der Zeit bezogen, indem sie eminent intentioniert sind, aber die Erwartungsaffekte öffnen sich völlig in diesen Horizont. Alle Affekte sind auf das eigentlich Zeithafte in der Zeit bezogen, nämlich auf den Modus der Zukunft, aber während die gefüllten Affekte nur eine unechte Zukunft haben, nämlich eine solche, worin objektiv nichts Neues geschieht, implizieren die Erwartungsaffekte wesentlich eine echte Zukunft; eben die des Noch-Nicht, des objektiv so noch nicht Dagewesenen. Als banale intendieren auch Furcht und Hoffnung unechte Zukunft, doch insgeheim oder zutiefst ist selbst dann in der banalen Erfüllung eine totalere eingeschlagen, die ganz anders als bei den gefüllten Affekten über die zurhandene Gegebenheit hinausliegt. Derart bricht der Drang, der Appetitus und sein Wunsch in den Erwartungsaffekten am meisten frontal aus. Er bricht als Drang, als Wunsch sogar in den bloß negativen Erwartungsaffekten aus, als denen der Angst und Furcht; denn wo kein Drang wäre, gäbe es keinen Unwunsch, der nur die Kehrseite eines Wunsches ist. Überdies wirkt hier überall ein Gegensinn der negativen und positiven Affekte, dergestalt, daß, wie zu sehen sein wird, auch im Angsttraum noch Wunscherfüllung mitgeschieht. Erst recht mögen sich in den Furcht- und Hoffnungsbildern des Tagtraumes oft die Gesichter zwischen Furcht und Hoffnung, zwischen dem negativen und dem positiven Erwartungsaffekt tauschen, als die noch utopisch unentschiedenen. Der wichtigste Erwartungsaffekt, der eigentlichste Sehnsuchts-, also Selbstaffekt bleibt aber bei all dem stets die Hoffnung. Denn die negativen Erwartungsaffekte der Angst, Furcht sind bei aller Abwehr doch völlig leidend, gepreßt-unfrei. Ja in ihnen meldet sich gerade ein Stück von dem Selbstuntergang und dem Nichts, in das am Ende die bloße passive Leidenschaft hineinströmt. Hoffnung, dieser Erwartungs-Gegenaffekt gegen Angst und Furcht, *ist deshalb die menschlichste aller Gemütsbewegungen und nur Menschen zugänglich, sie ist zugleich auf den weitesten und den hellsten Horizont bezogen.* Sie steht jenem Appetitus im Gemüt, den das Subjekt nicht nur hat, sondern aus dem es, als unerfülltes, noch wesentlich besteht.

Selbsterweiterungstrieb nach vorwärts, tätige Erwartung

Der Hunger kann nicht umhin, sich immer wieder zu erneuern. Wächst er aber ununterbrochen, durch kein sicheres Brot gesättigt, dann schlägt er um. Das Körper-Ich wird dann aufsässig, geht nicht mehr nur im alten Rahmen auf Speise aus. Es sucht die Lage zu verändern, die den leeren Magen, den hängenden Kopf gebracht hat. Das Nein zum vorhandenen Schlechten, das Ja zum vorschwebenden Besseren wird von Entbehrenden ins *revolutionäre Interesse* aufgenommen. Mit dem Hunger fängt dies Interesse allemal an, der Hunger verwandelt sich, als belehrter, in eine Sprengkraft gegen das Gefängnis Entbehrung. Also sucht sich das Selbst nicht nur zu erhalten, es wird explosiv; Selbsterhaltung wird Selbsterweiterung. Und diese wirft um, was der aufsteigenden Klasse, schließlich dem klassenlosen Menschen im Weg steht. Aus dem ökonomisch aufgeklärten Hunger kommt heute der Entschluß zur Aufhebung aller Verhältnisse, in denen der Mensch ein unterdrücktes und verschollenes Wesen ist. Lange vor diesem Entschluß wie noch lange in ihm wird der Trieb zur Sättigung ein das Zurhandene vorstellungshaft überlebender. Und in der menschlichen Arbeit, wie sie zum Zweck der Bedarfsdeckung als Umwandlung der Rohstoffe zu immer reicheren Gebrauchswerten unternommen wird, läuft das Bewußtsein als ein das Zurhandene vorstellungshaft überholendes. Noch lange nicht genug bedacht, sagt Marx gerade darüber folgendes: »Wir unterstellen die Arbeit in einer Form, worin sie *dem Menschen* ausschließlich angehört. Eine Spinne verrichtet Operationen, die denen des Webers ähneln, und eine Biene beschämt durch den Bau ihrer Wachszellen manchen menschlichen Baumeister. Was aber von vornherein den schlechtesten Baumeister vor der besten Biene auszeichnet, ist, daß er die Zelle in seinem Kopf gebaut hat, bevor er sie in Wachs baut, am Ende des Arbeitsprozesses kommt ein Resultat heraus, das beim Be-

ginn desselben schon in der *Vorstellung des Arbeiters,* also schon
ideell vorhanden war. Nicht daß er nur eine Formveränderung
des Wirklichen *bewirkt;* er *verwirklicht* im Natürlichen zugleich
seinen Zweck, den er *weiß,* der die Art und Weise seines Tuns
als Gesetz bestimmt, und dem er seinen Willen unterordnen
muß« (Das Kapital I, 1947, S. 186). Folgerichtig daher: bevor
ein Baumeister – in allen Gebieten des Lebens – seinen Plan
weiß, muß er den Plan selber geplant haben, muß er dessen Verwirklichung als einen glänzenden, auch entscheidend anfeuernden Traum nach vorwärts vorweggenommen haben. Das ideell
desto notwendiger, je kühner, vor allem je unwegsamer der Plan,
auf den der Mensch zum Unterschied von der Spinne oder Biene
hinblickt, vorausblickt, im Augenblick noch beschaffen sein mag.
Und *genau* an dieser Stelle nun bildet sich das, was das *Wunsch-
hafte* in den Erwartungsaffekten, den allemal dem Hunger ent-
springenden, aufreizt, was gegebenenfalls ablenkt und erschlafft,
gegebenenfalls aber auch aktiviert und aufs Ziel des besseren
Lebens hinspannt: es bilden sich *Tagträume.* Sie kommen allemal
von einem Mangeln her und wollen es abstellen, sie sind allesamt
Träume von einem besseren Leben. Kein Zweifel, unter ihnen
gibt es niedere, windige, trübe, bloße entnervende Fluchtträume,
mit lauter Ersatz darin, wie bekannt. Solche Wirklichkeitsflucht
ist mit Billigung und Unterstützung des bestehenden Zustands
oft verknüpft gewesen; wie das am stärksten aus den Vertröstun-
gen aufs bessere Jenseits erhellt. Aber wie viele andere Wunsch-
Tagträume haben, indem sie vom Wirklichen nicht wegsahen,
sondern konträr in seinen Fortgang, in seinen Horizont hinein-
sahen, Menschen am Mut und an der Hoffnung erhalten. Wie
viele haben das Nicht-Entsagenwollen bekräftigt, im Gang des
Vorwegnehmens, des Überschreitens und seiner Bilder. Was von
diesem Überschreiten in den Tagträumen sich zuträgt, bezeichnet
demgemäß auch psychologisch kein Verdrängtes, kein aus bereits
vorhanden gewesenem Bewußtsein lediglich Abgesunkenes, auch
keinen atavistischen Zustand, der aus Menschen der Urzeit lediglich übriggeblieben ist oder durchbricht. Der Überschreitende
bezieht keinen Bodenschacht unterhalb des vorhandenen Bewußtseins, mit einzigem Ausgang entweder in die bekannte Tagwelt
von heute, wie bei Freud, oder in ein romantisiertes Diluvium,

wie bei C. G. Jung-Klages. Was dem Selbsterweiterungstrieb nach vorwärts vorschwebt, ist vielmehr, wie zu zeigen sein wird, ein Noch-Nicht-Bewußtes, ein in der Vergangenheit nie bewußt und nie vorhanden Gewesenes, mithin selber eine Dämmerung nach vorwärts, ins Neue. Das ist die Dämmerung, die bereits die einfachsten Tagträume umgeben kann; von da reicht sie in die weiteren Gebiete der verneinten Entbehrung, also der Hoffnung.

14   GRUNDSÄTZLICHE UNTERSCHEIDUNG
      DER TAGTRÄUME VON DEN NACHTTRÄUMEN

      VERSTECKTE UND ALTE WUNSCHERFÜLLUNG
         IM NACHTTRAUM, AUSFABELNDE UND
      ANTIZIPIERENDE IN DEN TAGPHANTASIEN

Neigung zum Traum

Es besser haben zu wollen, das schläft nicht ein. Vom Wunsch wird man nie oder nur täuschend frei. Es wäre bequemer, diese Sehnsucht zu vergessen als sie zu erfüllen, doch zu was würde das heute führen? Die Wünsche hörten doch nicht auf, oder sie verkleideten sich in neue, oder gar: wir Wunschlosen wären die Leichen, über die die Bösen zu ihrem Siege schreiten. Es ist nicht die Zeit, um wunschlos zu sein, die Entbehrenden denken auch gar nicht daran. Sie träumen davon, daß ihre Wünsche einmal erfüllt werden. Sie träumen davon, wie die Redensart heißt, bei Tag und bei Nacht, also nicht nur bei Nacht. Das wäre auch, da Entbehren und Wünschen tagsüber am wenigsten aussetzen, zu sonderbar. Es gibt Tagträume genug, man hat sie nur nicht ausreichend beobachtet. Auch offenen Auges kann es bunt genug oder träumerisch im Innern hergehen. Wenn der Hang, das uns Gewordene zu verbessern, selbst im Schlaf nicht schläft – wie sollte er im Wachen? Wenige Wünsche sind nicht träumerisch beschwert, gerade dann, wenn sie etwas zu sich kommen. Und nun: der tagsüber Träumerische ist ersichtlich ein anderer als der Träumer in der Nacht. Der Träumerische zieht oft Irrlicht nach, kommt vom Wege ab. Aber er schläft nicht und sinkt mit dem Nebel nicht nach unten.

Träume als Wunscherfüllung

Wie das allerdings der nächtlich Träumende tut und tun muß. Dieser mag zuerst vortreten, denn immerhin, im Schlaf fängt das bunte Spiel an. Das Wort Traum kommt vom Nächtlichen her, der Träumer setzt den Schläfer voraus. Die äußeren Sinne werden blind, die Muskeln entspannen sich, das Großhirn ruht. So wichtig ist hier die Verdunklung, daß der Schlafende oft sogar nur träumt, damit er nicht erwache. Damit er nicht durch äußere oder innere Reize über die Schwelle des Bewußtseins gehoben werde. Ist der Reiz ein äußerer (etwa Klopfen oder Licht oder verschobene Lage im Bett), so wird gewünscht, er soll nicht sein. Ist er ein innerer (Durst, Hunger, Harndrang, sexuelle Erregung), so ist er selber ein Wunsch, dessen Reiz verschwinden soll. Denn jede Reizung ist unangenehm: die Lust, sagt Freud, ist »an die Verringerung, Herabsetzung oder das Erlöschen der im Seelenapparat vorhandenen Reizmenge gebunden, die Unlust aber an eine Erhöhung derselben«. Würde der Schläfer nicht träumen, so würde er durch den Reizlärm erwachen; der Traum hütet also den Schlaf, indem er Klopfen, Lichteinfall, körperliche Unruhe in sich einarbeitet. Jedoch nicht dadurch allein; es ist seit Freud ausgemacht (und das wird von ihm bleiben), daß der Traum nicht nur bloßer Schlafschutz oder Mohnwelt ist, sondern – seinem Motor wie Inhalt nach – auch noch Wunscherfüllung. Der Traum kann die Störungen überhaupt nur dadurch in sich einarbeiten, daß er ihnen den fordernden Stachel abbricht. Oder wie Freud sagt: »Die Träume sind Beseitigung schlafstörender (psychischer) Reize auf dem Weg der halluzinierten Befriedigung.« Wie bekannt, ist die eigentlichste Entdeckung Freuds diese: daß die Träume keine Schäume sind, selbstverständlich auch keine prophetischen Orakel, sondern daß sie zwischen beiden gleichsam in der Mitte liegen: eben als halluzinierte Wunscherfüllungen, als fiktive Erfüllungen einer unbewußten Wunschphantasie. Und das Thema: Träume vom besseren Leben schließt streckenweise, mit Vorsicht und

Bedeutung, auch die nächtlichen Träume als Wunschträume ein; auch sie sind ein Teil (ein freilich verschobener und nicht ganz homogener) auf dem riesigen Feld des utopischen Bewußtseins.

Nämlich: sie sind der Teil, worin sehr frühe Wünsche umgehen. Worin recht altes, lange verflossenes Bilderlicht unterhalb von Ich und Großhirn erscheint. Der Nachttraum hat drei charakteristische Eigenschaften, die ihm ermöglichen, Wunschvorstellungen zu halluzinieren. Erstens ist im Schlaf das erwachsene Ich geschwächt, kann das ihm unschicklich Erscheinende nicht mehr zensieren. Zweitens bleiben aus dem Wachzustand und seinem Inhalt nur noch die sogenannten Tagesreste übrig, das heißt assoziativ stark gelockerte Vorstellungen, an die sich die Traumphantasie assimiliert. Drittens ist, im Zusammenhang mit dem abgeschwächten Ich, die Außenwelt mit ihren Realitäten und praktischen Zweckinhalten blockiert. Das Ich kehrt zum Ich der Kindheit zurück, so erscheint zunächst die volle unzensurierte Triebwelt aus der Kinderzeit oder, besser gesagt: wie in der Kinderzeit. Freud betont derart: »Jeder Traumwunsch ist infantiler Herkunft, alle Träume arbeiten mit infantilem Material, mit kindlichen Seelenregungen und Mechanismen.« Sofern überdies die Gegentendenz des sinnlich Wirklichen durch die Blockade der Außenwelt aufhört, erhalten die Wunschvorstellungen psychische Kraft und psychischen Raum genug, um sich zu Halluzinationen zu steigern. Aber das moralisch, ästhetisch und auch realitätsgemäß zensierende Ich ist im Traum nur geschwächt, nicht ganz ausgeschaltet. Es zensiert auf gleichsam betrunkene Weise weiter und zwingt die halluzinierten Wunscherfüllungen, sich vor seinem Blick zu verkleiden. Daher ist fast kein Nachttraum Wunscherfüllung in bar, sondern fast jeder ist entstellt und maskiert, zeigt sich »symbolisch« verkleidet. Und der Träumende versteht das Symbolische gar nicht, in das seine Wunscherfüllung sich verkleidet; es genügt hier, daß die Unruhe der Libido in einem symbolisch entstellenden Traumbild sich betätigt und sättigt. Nur die Kinderträume entbehren der Traumentstellung, da das Kind überhaupt kein zensierendes Ich kennt. Auch sehr wollüstige Nachtträume physiologisch normaler, gleichsam zulässiger Art, etwa im Gefolge von Pollutionen, gehen einen direkten Weg, ohne nennenswerte

Traumentstellung; manifester und realer Trauminhalt fallen auch hier leidlich zusammen. Doch alle anderen »anstößigen Wünsche«: die Inzestwünsche, die Todeswünsche gegen geliebte Personen und andere Elemente des Infantil-Bösen in uns greifen zur Einkleidung, um sich zu befriedigen, um sich vor der – wenn auch geschwächten – Zensur des Traum-Ichs zu verstecken. Die Umwandlung des latenten (tief unterbewußten) in den manifesten (symbolisierten) Trauminhalt nennt Freud die Traumarbeit; den entgegengesetzten Weg, den Weg zur entsymbolisierten Wuncherfüllung zurück, geht die analytische Traumdeutung. Gegen die analytische Traumdeutung besteht beim Erwachten ein Widerstand, wie er analog, in verstärkter Weise, beim Neurotiker gegen die Symptomdeutung seiner Neurose besteht; es ist der Widerstand des wiedererstarkten Tages-Ichs gegen die Aufdeckung seiner anderen Seite. Diese andere Seite pflegt beim sittenbewußten, gar korrekten Mann recht beklemmend zu sein; er ahnte darin seit alters manches, dessen er sich erwacht genierte. Dergestalt kann sich das Tages-Ich sogar für das so sehr geschwächte nächtliche verantwortlich fühlen, sobald nur ein sinnlicher Nachklang aus dem Symboltrubel übrig ist. Jean Paul bemerkt hierzu: »Fürchterlich tief leuchtet der Traum in den von uns gebauten Epikur- und Augiasstall hinein; und wir sehen in der Nacht alle die wilden Grabtiere und Abendwölfe lebendig umherstreifen, die am Tage die Vernunft in Ketten hielt.« Ja, es wurde sogar, von intakter bürgerlicher Rechtschaffenheit und ihrem Tages-Ich her, die kuriose Frage gestellt, ob dem Menschen das Gute und Böse, das er im Traum denkt und tut, moralisch anzurechnen sei. Ein Moralist und Psychologe aus der letzten Aufklärungszeit bejahte das und schloß, recht komisch, doch für den Widerstand lehrreich: »Man kann daher behaupten, daß es eine sittliche Pflicht des Menschen sei, auch in den Träumen die Reinheit der Phantasie zu bewahren, soweit dies durch Freiheit möglich ist, und daß ihm auch das Gute und Böse zugerechnet werden könne, was er im Traume sagt oder tut, sofern nämlich sein Traum durch seine Begierden erzeugt oder modifiziert ist und diese Begierden von der Freiheit abhängig sind« (Maaß, Versuch über die Leidenschaften I, 1805, S. 175). Wenn also schon, für ein korrektes Ich, die relativ harmlosen Traumausschweifungen der Kreatur unangenehm sind – wieviel mehr die infantil wilden, unter der symbolischen Verdeckung. Daher also der Widerstand gegen die psychoanalytische Traumdeutung, daher die Unlust, die Traumbilder zu Kriminalgeschichten seiner selbst machen zu lassen. (Eine Unlust, welche der alten, der sogenannten prophetischen Traumdeutung bezeichnenderweise nicht zustieß: Pharao freute sich an Joseph, denn Joseph durchschaute ihn nicht, die prophetische Traumdeutung ließ die Interna des Subjekts unberührt.) Aus der moralisierenden Unlust stammt vor allem eben der nächtliche Ichtrieb zur Maskerade, zur Verdeckung und Verkleidung des Trauminhalts; Hauptteil für den Freud der Libido ist freilich nur sexuelle Symbolbildung. Danach gibt es Hunderte von Symbolen für das männliche und weibliche Genitale (Dolch und Schatulle sind die Urmodelle), für den Geschlechtsverkehr (Urmodell ist das Treppensteigen). Die Schatulle kann zum Coupé werden, der Dolch zum Mond, der unwirklich nahe am Fenster steht, zur Deckenlampe im Coupé, zum Licht dieser Lampe, mit einem milden Gelb wie zerschlagener Eidotter. Der gesamte Reichtum sexueller Anspielungen und Vergleiche, wie ihn Rabelais' oder Balzacs »Contes drôlatiques« zeigen, wird vom Traum erreicht, wo nicht übertroffen; und das, fürs Bewußtsein, in allegorischer Unschuld. Balzac spricht von dem Schreiner, der die Tür seines Vorderhauses fortan geschlossen zu halten dachte, von dem Pagen, der seine Standarte schon auf königlichem Feld aufgepflanzt hatte, und so fort; alle diese Vergleiche sind auch traumhafte. Hinzu treten Bilder, die selbst dem großen pornographischen Schrifttum fehlen, nämlich abhanden gekommene; so die Symbole Holz, Tisch, Wasser fürs Weib. Sie scheinen in stammesgeschichtliche Tiefe zu gehen, in eine, wie bemerkt, auch Freud und seiner engeren Schule nicht fremde, um von C. G. Jung zu schweigen. Tisch steht eindeutig für Stube oder Haus, das Holzsymbol führt zum Stammbaum, einem sehr alten Mutterbild; auch Lebensholz, Baum des Lebens klingen daran an. Das Wassersymbol wird von Ferenczi, einem der ältesten Mitarbeiter Freuds, aufs mütterliche Fruchtwasser zurückgebracht, dann in völlig phylogenetischer »Ausschachtung« auf die geologischen

Urmeere, in denen das Leben entstand. Mythengeschichtlich geht hierzu noch eine ganz anders erhaltene Sage auf, die vom Storch, der aus einem Teich die Kinder bringt; aber auch das Wasser der Tiefe erscheint, worüber der Geist Gottes brütet, selber gleich einer Henne. Der Brunnen ist ein altes Mutterbild, der Schilfteich sogar ein noch älteres, hetärisch-archaisches; Bachofen hat es ausgegraben. Wie dem auch sei, kaum ein Traum wird von Erwachsenen unverwickelt, uneingewickelt geträumt. Freud bemerkt hierzu mit schlagendem Paradox: der Träumer weiß nicht, was er weiß. Für Freud ist der manifeste Trauminhalt schlechthin nur verkleidet oder Maskenball; die Deutung wird der Aschermittwoch. Die Ichzensur ließ die Wahrheit, welche Libido und ihre Wunscherfüllung ist, nur in Narrenlarve oder scheinheilig durch die Nacht passieren; immerhin intendiert die Freudsche Traumdeutung wieder den nackten Text. Geht über die Symbole, ohne sich in sie zu verlieren, zur mehr oder minder eingesehenen Wunscherfüllung über, die so bunt verklausuliert sich äußert. Darin ist eine Erkenntnis, auch wenn sie durch den Eng- und Mißbegriff bloßer Libido nur verzerrt auftritt. Ein Nachgeholtes wirkt jedenfalls im nächtlichen Traum, ein Gutmachen und bilderreich Gesättigtes; gleich noch, ob diese Sättigung nur mittels dieser Bilder oder in ihnen geschieht.

Angsttraum und Wunscherfüllung

Aber werden dem, der nächtlich träumt, wirklich immer Wünsche erfüllt? Es läuft doch genug gleichgültiges Zeug mit unter, das verfliegt und keinerlei Lücke auszufüllen scheint. Auch unter den starken Träumen sind die glücklichen, also wunscherfüllenden, durchaus nicht in der Mehrzahl. Neben ihnen gibt es die Angstträume, von den üblichen Prüfungsträumen bis zu ganz und gar entsetzlichen; aus diesen erwacht der Schläfer mit einem Schrei. Er war auf der Flucht vor Fratzen, die nur die Nacht kennt, aber sein Auto verwandelt sich zum Schneckenhaus, er springt ab und rennt um sein Leben, aber die Füße kleben im Grund, bald wurzeln sie fest. Freud hat selbstverständlich Schwierigkeit, auch die Nachtfurie als schenkende Fee zu deuten, dennoch ordnet er die Angstträume auf dreifache Weise in die

Erfüllungstheorie ein. Erstens kann ein Traum abbrechen, dann besteht der peinliche Reiz weiter, der ihn verursacht hat, die Wunscherfüllung ist mißlungen. Zweitens kann ein Traum gerade deshalb zum Angsttraum werden, weil die Wunscherfüllung in ihm zustande kam; diese Absurdität erscheint vor allem bei unentstellten, unzensurierten Träumen. In dieser Art Angstträume wird ein dem Traum-Ich nicht genehmer, ein besonders verworfener Wunsch auf besonders unverhüllte Art befriedigt; die Angst ist dann keine der Kreatur, sondern eine des Traum-Ichs, und die Angstentwicklung vertritt die Stelle der Zensur. Auch Neurosen dieser Art, zum Beispiel die dauernde Angst, seine Eltern zu verlieren, können mit dem Wunsch danach verbunden sein. Die Phobie ist dann lediglich das sogenannte moralische dicke Ende oder der sich zur Schau stellende Katzenjammer. Drittens aber kommt Freud der Schwierigkeit geradezu ungewollt dialektisch bei, dadurch nämlich, daß er Angst und Wunsch nicht nur als harte Gegensätze faßt. Letzter Ursprung der Angst soll hiernach der Geburtsakt sein; er brachte »jene Gruppierung von Unlustempfindungen, Abfuhrerregungen und Körpersensationen, die das Vorbild für die Wirkung einer Lebensgefahr geworden sind und seitdem als Angstzustand von uns wiederholt werden«. Schon der Name Angst (angustia = Enge) betone die Beengung im Atmen, die damals als Folge der unterbrochenen inneren Atmung eingetreten ist. Am allerwichtigsten aber sei, daß jener erste Angstzustand aus der Trennung von der Mutter hervorgegangen ist, also Verlassenheit signalisiert, Schutzlosigkeit, Preisgegebenheit. Dem ersten Angstzustand schließt sich bei Freud die sogenannte Kastrationsangst an, und diese hat ihre das ganze Leben durchziehenden moralischen Weiterungen: »Vom höheren Wesen, welches zum Ichideal wurde, drohte einst die Kastration, und die Kastrationsangst ist wahrscheinlich der Kern, um den sich die spätere Gewissensangst ablagert, sie ist es, die sich als Gewissensangst fortsetzt.« Einleuchtender freilich ist die Erklärung der Angst aus der allerersten Verlassenheit, die sämtliche späteren psychisch präformiert, aus der Losreißung von der Mutter durch die Geburt; von daher auch die wirkliche Kinderangst, der pavor nocturnus ohne sogenannten Kastrationskomplex, die Angst vor fremden Gesichtern, Dunkelheit und dergleichen. Die Sehnsucht und Liebe des Kindes zur Mutter wird von fremden Gesichtern enttäuscht, seine »Libido« ist unverwendbar geworden, sie findet ihr Objekt nicht. So schlägt sie um und wird auch in der Erwachsenenzeit als Angst abgeführt; die Konsequenz ist danach: *alle verdrängten Wunschaffekte wandeln sich in diesem Unbewußten zu Phobien.* Ein ähnlicher Umschlag unbesetzter, objektlos gewordener Libidoaffekte findet nach Freuds Vermutung bei der Todesangst statt (entgegen dem Todestrieb), besonders bei der neurotischen, melancholischen: »Die Todesangst der Melancholie läßt nur die eine Erklärung zu, daß das Ich sich aufgibt, weil es sich vom Über-Ich gehaßt und verfolgt anstatt geliebt fühlt... Das Über-Ich vertritt dieselbe schützende und rettende Funktion wie früher der Vater, später die Vorsehung oder das Schicksal.« Und auch im gesunden Zustand wird die Angst vor einer übergroßen realen Gefahr um die Todesangst der Verlassenheit vermehrt; das Ich gibt sich auf, weil es die Gefahr aus eigener Kraft nicht überwinden zu können glaubt. »Es ist übrigens«, fügt Freud erinnernd hinzu, »immer noch dieselbe Situation, die dem ersten großen Angstzustand der Geburt und der infantilen Sehnsuchtsangst zugrunde lag, die der Trennung von der schützenden Mutter« (Das Ich und das Es, 1923, S. 76). Und es ist der gleiche Umschlag der Libido in ihr dialektisches Gegenteil, der schon bei der Kinderangst zu bemerken war, wenn der Libidoaffekt verdrängt werden mußte, weil sein Objekt, die geliebte Mutter, fehlte. Nur daß bei der Todesangst das Libidoobjekt das eigene Ich, genauer: das vom Über-Ich geliebte Ich geworden ist; eben diese (narzistische) Besetzung hat nun aufgehört. »Der Mechanismus der Todesangst könnte nur sein, daß das Ich seine narzistische Libidobesetzung in reichlichem Ausmaß entläßt, also sich selbst aufgibt, wie sonst im Angstfalle ein anderes Objekt«; dadurch aber wird, im Umschlag, nur ungeheures Grauen frei. Libido freilich wieder, nichts als Libido die ganze Zeit (und damit das Freudsche, das nicht bleibt, es läßt sich schon sagen: nicht blieb); und mit der Libido lauter Psychologismus wieder, ohne soziale Umwelt. Reicht denn sexuelle Libido zu dieser Angsterzeugung aus, ja ist sie überhaupt zu ihr notwendig? Kommt denn die negative Wuncherfüllung oder Angst ausschließlich von dem Subjekt her, ausschließlich vom »objektlos gewordenen Libidoaffekt«? Und gibt es nicht auch Gegenstände, Zustände, die *objekthaft* bedrohend genug sind, von Libido unbesetzt, dafür aber mit anderem besetzt genug? Der spätere Freud drückte das selber dahin aus, daß nicht die Verdrängung die Angst mache, sondern die Angst die Verdrängung; sie ist dann also vor der gestauten Libido und bildet die Stauung. Der letzte Freud statuiert gar, weit über das biologische Innen- und Anfangserlebnis des Geburtsakts hinaus, »daß eine gefürchtete Triebsituation im Grunde auf eine äußere Gefahrensituation zurückgeht« (Neue Folge der Vorlesungen, 1933, S. 123). Das Gefühl der Preisgegebenheit hätte ja gar keinen Inhalt, wären die fremden Gesichter, die Dunkelheit und dergleichen lediglich – Nicht-Mutter und sonst neutral. Statt dessen gibt es auch hier Hunger, Nahrungssorge, ökonomische Verzweiflung, Lebensangst, positiv und objektiv genug. Die bürgerliche Gesellschaft war bis vor kurzem tatsächlich und ist heute noch ihrer Anlage nach auf freie Konkurrenz gegründet, folglich auf ein antagonistisches Verhältnis, auch in der gleichen Klasse und Schicht. Die derart gesetzte, ja geforderte feindliche Spannung zwischen Individuen produziert unaufhörliche Angst; und diese braucht nicht erst Libido und Geburtsakt, um sich daran anzusetzen. Sie ist mit dieser Art Außenwelt genügend gesetzt, zuletzt noch mit zwei Weltkriegen in ihr. Und mit einer Angsterzeugung durch den Faschismus dazu, die kaum erst infantiles Trauma brauchte, um entbunden zu werden. Also mag zwar mancher ausgeruhte Nachttraum nach rückwärts orientiert sein, vielleicht auch mancher pavor nocturnus behüteter Kinder. Mag aus verdrängter Libido, aus objekthaft unbesetzten Liebeswünschen bestehen und so aus Angst. Aber selbst im Traum liefert, was Angst angeht, der Tag, ja die objektive Sorge des Kommenden Anlaß und Ursprung genug. Einen Ursprung, der sich auf nackte Selbsterhaltung und ihre zerfleischten, nicht bloß unbesetzten Wünsche bezieht. Besonders aber läuft wache Angst, zuhöchst Todesangst nicht erst nach rückwärts, um dort, im verschwindenden Libidoobjekt des eigenen Ichs, als der transponierten Mutter, ihre Erklärung zu finden. Gerade sie erklärt sich nicht, in der Hauptsache nicht, narzistisch-regressiv, sondern aus dem Beil, das das Leben zukünftig endet, aus dem Schmerz und Grauen objektiv erwarteter Nacht. Entließe nur das Ich sich selbst in der Todesangst und entließe es nur seine narzistische Libidobesetzung, dann würden weder Tiere ohne Ich noch sehr sachlich hingegebene, in ihr Ich unverliebte Menschen Todesangst kennen. Sind derart die Freudschen Libido-Subjektivismen der Angst unhaltbar, so bleibt doch die von ihm statuierte Zuordnung der Phobien zu verdrängten Wunschaffekten wichtig und wahr; sie ist ja auch nicht an Narzißmen, sondern am objektiven Inhalt der Wunschaffekte orientiert. Die Angst und ihre Träume mögen im Geburtsvorgang ihren ersten Erreger haben, so wie am Tod ihren letzten biologischen Inhalt. Wo Angst aber als nicht nur biologische, sondern in einer nur bei Menschen vorfindlichen Weise, vorzüglich gerade als Angsttraum, auftritt: dort hat sie wesentlich *gesellschaftliche Blockierungen* des Selbsterhaltungstriebs zur Grundlage. In der Tat ist es einzig der *vernichtete, ja der in sein Gegenteil gewandelte Inhalt* des Wunsches, der Angst, zuletzt Verzweiflung macht.

Und wie hält das der wache Träumer, wenn er recht gesprenkelt wünscht? Wenn er Salz und Pfeffer zum Wünschen braucht, auch einen Schuß Chok, nicht bloß Honig? Freud verweist selber auf ein *Ineinander* entgegengesetzter Triebgefühle, nicht bloß auf ihren Übergang. Er verweist auf gleichzeitigen »Gegensinn der Urworte«, dergestalt, daß »Angst und Wunsch im Unbewußten zusammenfallen«. Sie fallen aber zweifellos auch im Bewußtsein weithin zusammen, so beim Hypochonder, auch beim allgemeinen Schwarzseher, die beide darauf hoffen, ihre Nicht-Hoffnung erfüllt zu sehen. Und war nicht die Empfindsamkeit aus dem gleichen achtzehnten Jahrhundert, worin der Hypochonder blühte, auf dieses Mischgefühl aufgetragen, mit Trauerweiden und Tränenkrügen, mit schmerzlicher Lust am Vergehen? Erst recht entdeckte der Schauerroman, welcher zur gleichen Zeit entstand, das rätselhaft Heimliche im Unheimlichen; er lebte von einem Wunschzuhause unter Schatten, von Heimat auf Kreuzwegen, im Nachtgrauen. Dergleichen bereits zeigt *Wunscherfüllungsphantasien der Angst*, zeigt einen Gesichtertausch zwischen Wunsch und jener Qualität von Angst, die durch die auf sie gerichtete Hoffnung, ja die als vertrackter, sogar positiver

Hoffnungsinhalt selber überschauernd geworden ist. Es ist diese unglatte, nicht ganz geheure Wunscherfüllung, welche auch in höheren Regionen bloßes Rosenrot verhindert, mindestens erschwert. Ein Stück Schwärze kommt hinzu, vertieft die Farben, macht in allzu übersichtliches, also fades Glück Dissonanz, markiert eine Wunschhöhe als ebenso abgründige. Viele zu Ende getriebene Gefühlsaussagen verstanden sich auf dieses Ineinander der Betroffenheit, bis hin zum sogenannten süßen Grauen in Wagners Ring des Nibelungen, in der Exhibition dieses neurasthenisch-kolossalen Kunstwerks. Und so gilt selbst für den Nachtmahr wie erst für die Wiese unter dem Brunnen und ihre Symbole: jeder Traum ist Wunscherfüllung.

Eine Hauptsache:
Der Tagtraum ist keine Vorstufe des nächtlichen Traums

Doch eben, die Menschen träumen nicht nur nachts, durchaus nicht. Auch der Tag hat dämmernde Ränder, auch dort sättigen sich Wünsche. Anders als der nächtliche Traum zeichnet der des Tages frei wählbare und wiederholbare Gestalten in die Luft, er kann schwärmen und faseln, aber auch sinnen und planen. Er hängt auf müßige Weise (sie kann jedoch der Muse und der Minerva nahe verwandt werden) Gedanken nach, politischen, künstlerischen, wissenschaftlichen. Der Tagtraum kann Einfälle liefern, die nicht nach Deutung, sondern nach Verarbeitung verlangen, er baut Luftschlösser auch als Planbilder und nicht immer nur fiktive. Sogar noch in der Karikatur hat der Träumerische ein anderes Gesicht als der Träumende: er ist dann Hans-guck-in-die-Luft, also keineswegs der Nachtschläfer mit geschlossenen Augen. Einsame Spaziergänge oder schwärmerisches Jugendgespräch mit einem Freund oder die sogenannte blaue Stunde zwischen Tag und Dunkel sind für die Wachträumerei besonders geeignet. Der Bericht über kleine Tagträume, mit dem dieses Buch begann, gab ja von leichteren, auch bloß erst inwendigen Bildern dieser Art einen kurzen Überblick; nun gilt es, die Struktur der Sache, wie ihre Weiterungen, zu erforschen, damit gerade ihre, wie man sehen wird, gewaltigen Weiterungen: die der Hoffnung überhaupt im subjektiven Faktor, verstanden werden.

Wurde doch, erstaunlicherweise, die Tagphantasie bisher kaum als originärer Zustand psychologisch ausgezeichnet, auch nicht als eigene Art Wunscherfüllung, mit viel bloßem wishful thinking, doch nicht ausgeschlossener Schärfe, ja Verantwortlichkeit gerade des thinking. Psychoanalyse aber wertet die Tagträume den Nachtträumen völlig gleich, sieht in ihnen lediglich anfangende Nachtträume. Freud bemerkt hierzu: »Wir wissen, solche Tagträume sind Kern und Vorbilder der nächtlichen Träume. Der Nachttraum ist im Grund nichts anderes als ein durch die nächtliche Freiheit der Triebregungen verwendbar gewordener, durch die nächtliche Form der seelischen Tätigkeit entstellter Tagtraum« (Vorlesungen, 1935, S. 417). Und vorher, an gleicher Stelle: »Die bekanntesten Produktionen der Phantasie sind die sogenannten Tagträume, vorgestellte Befriedigungen ehrgeiziger, großsüchtiger, erotischer Wünsche, die um so üppiger gedeihen, je mehr die Wirklichkeit zur Bescheidung oder zur Geduldung mahnt. Das Wesen des Phantasieglücks, die Wiederherstellung der Unabhängigkeit der Lustgewinnung von der Zustimmung der Realität, zeigt sich in ihnen unverkennbar.« Psychoanalyse freilich, die alle Träume nur als Wege zu Verdrängtem achtet, Realität nur als die der bürgerlichen Gesellschaft und ihrer vorhandenen Welt kennt, mag die Tagträume konsequent als bloße Vorstufe zu nächtlichen bezeichnen. Der mit Tagträumen versehene Dichter ist dem Bourgeois ohnehin nur der Hase, der mit offenen Augen schläft, und das in einem bürgerlichen Alltag, der sich als Maß alles Wirklichen vorkommt und anwendet. Wird aber dieses Maß sogar für die Bewußtseinswelt bestritten, wird sogar der nächtliche Wunschtraum nur als verschobener und nicht ganz homogener Teil auf dem riesigen Feld einer noch offenen Welt und ihres Bewußtseins geachtet, dann ist der Tagtraum *keine Vorstufe* zum Nachttraum und durch diesen nicht erledigt. Nicht einmal in Ansehung seines klinischen Inhalts, geschweige seines künstlerischen, seines vorscheinenden, fronthaft antizipierenden. Denn Nachtträume speisen sich allermeist aus zurückliegendem Triebleben, aus vergangenem, wo nicht archaischem Bildermaterial, und es geschieht nichts Neues unter ihrem bloßen Mond. Also wäre es absurd, Tagträume: als jene Vorgriffe der Einbildungskraft, die man seit alters zwar gleichfalls Träume, doch ebenso Vorauseilungen, Antizipationen nennt, unter den Nachttraum zu subsumieren oder ihm gar nachzusetzen. *Das Luftschloß ist keine Vorstufe zum nächtlichen Labyrinth, eher liegen noch die nächtlichen Labyrinthe als Keller unter dem täglichen Luftschloß.* Und die angebliche Gleichheit des Phantasieglücks hier wie dort, als »Wiederherstellung der Unabhängigkeit der Lustgewinnung von der Zustimmung der Realität«? Schon mehr als ein Tagtraum hat, bei genügender Tatkraft und Erfahrung, die Realität zu dieser Zustimmung *umgearbeitet;* wogegen Morpheus nur die Arme hat, worin man ruht. Also verlangt der Tagtraum spezifische Auswertung, denn er geht in ein ganz anderes Gebiet und öffnet es. Er reicht vom Wachtraum bequemer, läppischer, roher, fluchthafter, abwegiger und lähmender Art bis zum verantwortlichen, scharf-tätig in die Sache eingesetzten und zum gestalteten der Kunst. Vor allem zeigt sich: die »Träumerei« kann zum Unterschied vom nächtlich üblichen »Traum« gegebenenfalls Mark enthalten und statt des Müßiggangs, ja der Selbstentnervung, die es gewiß hier gibt, einen unermüdenden Antrieb, damit das Vorgemalte auch erreicht werde.

Erster und zweiter Charakter des Tagtraums: freie Fahrt, erhaltenes Ego

Erstens hat es der wache Traum an sich, nicht drückend zu sein. Er steht in unserer Macht, das Ich startet eine Fahrt ins Blaue, stellt sie ein, wann es will. So entspannt der Träumer hier auch sein mag, er wird von seinen Bildern nicht verschleppt und überwältigt, sie sind dazu nicht selbständig genug. Die wirklichen Dinge erscheinen zwar gedämpft, sie werden oft entstellt, doch sie verschwinden vor den erwünschten, selbst noch so subjektiven Bildern nie ganz. Und die Tagtraum-Bilder sind normalerweise nicht halluziniert; so kommen sie von der weitesten Ausschweifung auf einen Wink wieder zurück. Kein Bann ist in diesem Zustand, mindestens keiner, den der Tagträumer nicht sich freiwillig aufgelegt hat und den er widerrufen könnte. Auch wird das wache Traumhaus mit lauter selbstgewählten Vorstellungen eingerichtet, während der Einschlafende nie weiß, was ihn hinter der Schwelle zum Unterbewußtsein erwartet. Zweitens ist das Ego im Tagtraum lange nicht so geschwächt wie im Nachttraum, trotz der Entspannung, die auch hier statthat. Selbst in der passivsten Form, wo das Ich seinen Träumereien lediglich nachhängt oder nachsieht, sieht es ihnen recht intakt nach, bleibt im Zusammenhang seines Lebens und seiner Wachwelt. Das Nachttraum-Ich dagegen ist spaltbar, oft gar wie Brei; es spürt keinen Schmerz, es stirbt nicht, wenn es den Tod erleidet. Ja die Verschiedenheit des Ich-Seins im Nacht- und im Tagtraum ist so groß, daß gerade die Entspannung, an der auch das Tagtraum-Ich teilnimmt, ihm subjektiv zum Gefühl einer, wie immer fragwürdigen, Erhöhung ausschlagen kann. Denn das Ich wird sich dann sich selber zu einer Wunschvorstellung, zu einer von Zensur befreiten, es nimmt selber am Grünlicht der Lockerung teil, die für alle anderen Wunschvorstellungen aufgegangen zu sein scheint. Die Entspannung des Ichs im Nachttraum ist nur Versinken, die im Tagtraum dagegen Aufsteigen mit dem allgemeinen Schwarm-Aufstieg. Derart sind sogar die *Drogen* verschieden, die künstlich die beiden Genera Traum hervorrufen; das heißt, selbst pharmakologisch, innerhalb der künstlich erregen den Phantastica, differiert noch die Phantasie des schlafenden Großhirns, mit seiner Ichverdunklung, von der des Tags. Und zwar so: das *Opium* erscheint dem Nachttraum zugeordnet, das *Haschisch* dem in Freiheit schweifenden, schwärmenden Tagtraum. Auch im Haschischrausch wird das Ego wenig alteriert, weder das individuelle Naturell noch sein Verstand werden hier eingezogen. Die Außenwelt ist zwar ziemlich abgeriegelt, doch keineswegs wie im Schlaf, gar Opiumschlaf ganz, sondern nur insoweit, als sie zu den erscheinenden Bildern nicht paßt, als ihre Dreinrede nur dumm erscheint, mitleiderregend dumm. Wogegen umgekehrt eine Außenwelt, die in die Phantasie greift und dem Niveau des Parnasses oder auch Narrenparadieses zu entsprechen scheint, wie Gärten, Schlösser, alt-schöne Straßen, zur Belebung des Haschischtraums sogar besonders geeignet ist. Die schiitische Sekte der Haschaschin oder Assasinen, diese religiöse Mördersekte des arabischen Mittelalters, mit dem Scheich vom Berge an der Spitze, führte die Jünglinge, die zu einer Bluttat ausgewählt waren, durchaus offenen Auges, trotz dem

Haschischrausch, in die glänzenden Gärten des Scheichs, in einen Überfluß sinnlichen Vergnügens. Und die Haschischbilder schlossen sich genau an diese Außenwelt an, als eine dem Wachtraum gemäße, übersteigerten sie freilich so über jedes irdische Maß, daß die Jünglinge mit dem Utopiegift im Leib, einen Vorgeschmack des Paradieses zu empfinden glaubten; daß sie bereit waren, ihr Leben für den Scheich einzusetzen, um das wirkliche Paradies zu gewinnen. Haschischträume modernerer Versuchspersonen werden angegeben als von bezaubernder Leichtigkeit, eine Art Elfengeisterweise fehlt ihnen nicht, der Asphalt der Straße verwandelt sich in ausgespannte blaue Seide, beliebige Passanten lassen sich zu Dante und Petrarca umbilden, anachronistisch in Gespräch vertieft, kurz, die Welt wird dem begabten Haschischträumer ein Wunschkonzert. Auch noch andere Art von Leichtigkeit fehlt dem Haschischrausch nicht: »Verworrene Pläne, deren Klärung bisher unmöglich schien, glaubt das Individuum entworren vor sich und der Verwirklichung entgegengehen zu sehen« (Lewin, Phantastica, 1927, S. 159 ff.). Auch Größenwahn stellt sich vorübergehend ein, vorweggenommene Leistung, fast wie in Paranoia. Ganz anders nun der Opiumrausch, der gänzliche Schlaf von Ego und Außenwelt; hier ist nichts als Nachttraum, bis auf den Boden. Statt imaginierter Erhöhung des Ichs, utopistisch dirigierter Erleichterung der Umwelt ist im Opiumrausch alles versunken. So öffnet sich einzig ein Raum aus verhängtem, besonders unentwirrtem Unterbewußtsein: Weib, Wollust, Höhle, Fackel, Mitternacht drängen durcheinander, meist in schwerer, gepolsterter Luft. Primär wirkt Vergessenheit im Opium, nicht Licht; die Nacht ist es, die dem Morpheus, auf antiken Gemmen, den Mohn des Opiums austeilt. Mohnsamen lag in den Händen chthonischer Priesterinnen, zur Betäubung des Schmerzes, in den Mysterien der Ceres wurde Lethe gereicht, als dieses Opiumwasser der Vergessenheit, Isis-Ceres selber wird von der Spätantike dargestellt mit Mohnköpfen in der Hand. Wenn Baudelaire die Rauschgegenden des Opium und Haschisch gleichmäßig »paradis artificiels« nennt, so ist und bleibt unter diesen verruchten Entzückungen die durch Haschisch doch die einzige dem Wachtraum pathologisch zugeordnete. So viel zur Illustrierung eines Unterschieds selbst noch von den Entnervungen her, von denen des Morpheus hier, des Phantasus dort.

Also findet sich das Ich im wachen Traum recht lebhaft, auch strebend vor. Es ist besonders eng und grundfalsch, wenn Freud über die Tagträume bemerkt, sie seien alle solche von Kindern, sie seien nur mit einem unerwachsenen Ich versehen. Wohl wirken in ihnen Erinnerungen an ein mißhandeltes Kinder-Ich gegebenenfalls mit, auch infantile Minderwertigkeitskomplexe, aber sie machen nicht den Kern aus. Der Träger der Tagträume ist erfüllt von dem bewußten, bewußt bleibenden, wenn auch verschiedengradigen Willen zum besseren Leben, und Held der Tagträume ist immer die eigene erwachsene Person. Als Cäsar in Gades vor der Bildsäule Alexanders stand und, gänzlich voll Tagtraum, ausrief: »Vierzig Jahre, und noch nichts für die Unsterblichkeit getan!«, war das Ego, das so reagierte, nicht das des kindlichen, sondern des gewordenen, ja künftigen Cäsar. So wenig regredierte damals das Ich, daß sich sagen läßt: in diesem Unsterblichkeitstraum wurde der uns bekannte Cäsar überhaupt erst geboren. Das Ego ist hier allemal in erwachsener Kraft, als erwachsene Einheitserfahrung bewußter seelischer Vorgänge erhalten; mehr noch: es ist das Leitbild dessen da, was ein Mensch utopisch sein und werden möchte. Gerade in diesem Punkt ist es vom Nachttraum-Ich, erst recht vom völlig alterierten, abgesetzten des Opiumtraums verschieden. Bleibt doch, wie erinnerlich, das Nachttraum-Ich bei Freud nur noch so weit vorhanden, daß es die halluzinierten Wunscherfüllungen zwingt, sich vor seinem Blick zu verkleiden; es übt derart moralische Zensur aus, wenn auch lückenhafte. Das Ich des Wachtraums dagegen ist weder abgesetzt, noch übt es Zensur gegen seine oft unkonventionellen Wunschinhalte. Konträr: Die Zensur ist hier nicht bloß geschwächt und lückenhaft wie im Nachttraum, sondern sie hört, trotz völliger Ungeschwächtheit des Tagtraum-Ichs und eben wegen ihrer, völlig auf, hört eben wegen der Wunschvorstellung auf, die das Tagtraum-Ich selber ergreift und es gerade stärkt, mindestens aufdonnert. Tagträume also haben überhaupt keine Zensur durch ein moralisches Ego, wie der Nachttraum; vielmehr: ihr utopistisch übersteigertes Ego baut sich und das Seine als Luftschloß in ein oft verblüffend unbeschwertes Blau. Das zeigt sich bei privat-rohen Träumereien gerade besonders deutlich und jedenfalls viel sichtbarer als bei denen des überlegten Plans, gar Zukunft-Weges. Der kleine Mann, der seine Rachewünsche stillt oder der seiner sonst leidlich geliebten Frau den Tod insofern wünscht, als er mit einer jüngeren im Wunschtraum unverhohlen Hochzeitsreise macht, spürt keine Gewissensbisse. Er büßt keine Lust, er entwickelt auch, bei der imaginierten Erfüllung solch verworfener Wünsche, keine Angst, als Ersatz der Zensur. Erst recht läßt ein ehrgeiziger Träumer seinen Wünschen freien Lauf, er fliegt mit ausgespreiteten Flügeln zum Tempel des Nachruhms empor, ob er nun ein Cäsar ist oder, wie meist doch, ein Spiegelberg. Auch er spürt keine Zensur, vom Hindernis der äußeren Verhältnisse abgesehen, nicht einmal die Zensur der Komik, geschweige die einer Ikarus- oder Prometheus-Angst. Hemmungslos wohnen im noch so durchschnittlichen Wachtraum Circe, die die Menschen in Schweine, König Midas, der die Welt in Gold verwandelt – stets mit auffallendem Dispens von Verhaltensregeln, mit desto auffallenderem, als der Bezug zur Außenwelt hierbei keineswegs, wie beim Nachttraum, abgeblendet ist. All dies Überholende ist aber nur möglich wegen des unalterierten Wachtraum-Ego und genauer wegen der bemerkten *utopisierenden Stärkung*, die das Tagtraum-Ich sich selbst und dem ihm Gemäßen hinzubringt. Eben auch hinzubringen muß, wo immer der Tagtraum sich nicht mit Chimären wie Circe und Midas, gar mit privaten Exzessen ausgibt, sondern zur gemeinsamen verbindlichen Steigerung kommt: eine bessere Welt zu malen. Wie erst, wenn ein solcher Tagtraum zum Ernst übergeht, der ihm zugeordnet ist, zum klug-erfahrenen Plan. Hierzu ist am wenigsten alteriertes Ego zuständig, wie im Nachtrausch, sondern eines mit gespannten Muskeln und konkretem Kopf. Mit Erweiterungswillen im Kopf, als einem obengehaltenen, der sich auf Umsicht versteht.

Dritter Charakter des Tagtraums: Weltverbesserung

Das Ich des wachen Traums mag so weit werden, daß es andere mit vertritt. Damit ist der dritte Punkt erreicht, der Tag- und Nachtträume unterscheidet: menschliche Breite unterscheidet sie. Der Schläfer ist mit seinen Schätzen allein, das Ego des Schwärmers kann sich auf andere beziehen. Ist das Ich dergestalt nicht mehr introvertiert oder nicht nur auf seine nächste Umgebung bezogen, so will sein Tagtraum öffentlich verbessern. Selbst noch privat verwurzelte Träume dieser Art wenden sich aufs Inwendige nur an, indem sie es in Gemeinschaft mit anderen Egos verbessern wollen; indem sie vor allem den Stoff dazu aus einem ins Vollkommene geträumten Außen nehmen. So lehrreich bei Rousseau, im vierten Buch seiner Konfessionen: »Ich erfüllte die Natur mit Wesen nach meinem Herzen; ich schuf mir ein goldenes Zeitalter nach meinem Geschmack, indem ich mir die Erlebnisse früherer Tage, an welche sich süße Erinnerungen knüpften, ins Gedächtnis zurückrief und mit lebendigen Farben die Bilder des Glücks ausmalte, nach denen ich mich sehnen konnte. Ich stellte mir Liebe und Freundschaft, die beiden Ideale meines Herzens, in den entzückendsten Gestalten vor und schmückte sie mit allen Anziehungen des Weibs.« So treten selbst aus dem schwimmenden Nebel des Phantasma Gestalten hervor, die das Ego in ihren Kreis ziehen als in einen besseren äußeren, in einen, worin Millionen umschlungen werden. Weltverbesserungsträume insgesamt suchen Auswendigkeit ihrer Innerlichkeit, sie ziehen als extravertierter Regenbogen oder überwölbend auf. An dieser Stelle wiederholt sich zugleich die unterschiedene Zuordnung von Nacht- und Tagtraum, die oben an *Opium* und *Haschisch* erschienen war; und zwar wiederholt sie sich in Psychosen. Das Mohnhafte des Nachttraums zeigt sich entsprechend in der *Schizophrenie*, als einer Regression, das Haschischhafte in der *Paranoia*, als einem Projektenwahn. Zwar sind diese beiden so benannten Erkrankungen nicht scharf getrennt zu halten, ihre Eigenschaften fließen zuweilen ineinander. Beide sind extreme Abkehrungen von der gegenwärtigen oder zurhandenen Wirklichkeit, die Schizophrenie allerdings ist förmliche Abspaltung von ihr, mit verschüttetem Rückweg. Der Schizophrene läßt die Welt los, geht auf den autistisch-archaischen Zustand der Kindheit wieder zurück; der Paranoiker aber bezieht aus diesem Zustand immerhin viele seiner durchaus nicht weltabgewandten, sondern weltverbessernden Wahnbilder. Oft endet freilich Paranoia in Schizophrenie; trotzdem: zwischen beiden Erkrankungen besteht ein unverwechselbarer, ein durchs Utopische bezeichenbar gewordener Unterschied der Richtung. Ist Psychose insgesamt ein unfreiwilliges Nachgeben des Bewußtseins gegenüber einem Einbruch des Unbewußten, so zeigt das paranoisch Unbewußte, zum Unterschied vom schizophrenen, jedenfalls utopistische Ränder. Der Schizophrene unterliegt wehrlos überkommenen Mächten, ist durchaus gebannt, steht mit den Regredierungen seines Wahns in archaischer Urzeit und malt, reimt, stottert aus ihrem verschollenen Traum; der Paranoiker dagegen reagiert auf die überkommenen Mächte mit Querulantentum und Verfolgungswahn, er bricht sie zugleich durch abenteuerliche Erfindungen, Sozialrezepte, Himmelsstraßen und dergleichen mehr. Verwandte Unterschiede des Abwärts oder Aufwärts, der Verdunklung oder Überhellung scheinen auch dort zu wirken, wo das Abwärts oder Aufwärts des neurotischen Bewußtseins ins Rasende übergehen. Wo also das Regredieren zum Außersichsein der Ekstase aufkocht, das Projektieren zum Übersichsein der Entzückung. Jamblichos, der syrische Neuplatoniker, der sich im falschen Bewußtsein der Besessenen auskannte, bekundet in seiner Schrift über die Mysterien von dieser Art Abwärts und Aufwärts folgendes: »Ganz mit Unrecht hat man angenommen, daß auch die Entzückung durch Einwirkung der Dämonen erreicht werden kann. Letztere bringen nur Ekstasen zustande, die Entzückung (Enthusiasmus) aber ist das Werk der Götter. Daher ist sie durchaus nicht Ekstase, vielmehr, Entzückung ist eine Wendung zum Guten, während Ekstase ein Fallen nach dem Bösen hin ist« (De mysteriis II, 3). Das sind wüste und mythologische Deutungen, doch das, was ihnen zugrunde liegt, wiederholt gerade auch im religiös-parapsychischen Feld die verschiedene Bedeutungsrichtung von Schizophrenie und Paranoia. Kurz, bezeichnet Schizophrenie die Erkrankung (abgeblendete Übersteigerung) der archaisch regredierenden Akte, so leistet Paranoia das gleiche an den utopisch progredierenden, besonders aber an der Tendenz des Wachtraums zur Weltverbesserung. Weshalb es so viele dieser Irren unter Projektemachern gegeben hat und immerhin einige unter den großen Utopisten. Ja fast jede Utopie, ob medizinische, soziale oder technische, hat paranoische Karikaturen; auf jeden wirklichen

Bahnbrecher kommen Hunderte von phantastischen, unwirklichen, irren. Könnte man die Wahnideen abfischen, die in der Aura der Irrenanstalten schwimmen, so fände man neben der durch C. G. Jung allzu berühmt gewordenen Archaik der Schizophrenie die erstaunlichsten Vorgestalten aus Paranoia. Und unter ihnen finden sich keinerlei brütende Nachtsymbole, von der Art wie ein Herz im Weiher, ein Kreuzigungsbrunnen und andere gemalte oder gedichtete Altertümer aus der Schizophrenie, sondern neue Zusammenfügungen, Weltveränderungen, Projektemachereien nach vorwärts, kurz, feurige Eulen einer verrückten, doch voll Morgenrot glimmenwollenden Minerva. Selbst in so großer Erkrankung also zeigt sich noch, was es mit dem Wachtraum, in seiner spezifischen Weltverbesserung, auf sich hat. Als Verrücktheit macht er feurige Eulen, als Märchen malt er arabische Feenpaläste in die Welt, aus Gold und Jaspis.

Dem wachen Traum als weitem ist es ferner wichtig, sich nach außen hin mitzuteilen. Er ist dazu fähig, wogegen der Nachttraum, wie jedes allzu private Erlebnis, nur schwer erzählt werden kann, so erzählt, daß auch der Hörer den besonderen Gefühlston der Sache mitgeteilt erhält. Dagegen sind die Tagträume wegen ihrer Offenheit verständlich, wegen ihrer allgemein interessierenden Wunschbilder kommunizierbar. Die Wunschbilder setzen hier sogleich äußere Gestalt, in einer besser geplanten Welt oder auch in einer ästhetisch gesteigerten, in einer ohne Enttäuschung. Freud selber gibt an diesem Punkt den Tagträumen einen eigenen Akzent, sie werden, wider die Abrede, neben der Vorstufe des Nachttraums nun doch auch zu einer der Kunst: »Sie sind das Rohmaterial der poetischen Produktion; denn aus seinen Tagträumen macht der Dichter durch gewisse Umformungen, Verkleidungen und Verzichte die Situationen, die er in seine Novellen, Romane, Theaterstücke einsetzt« (Vorlesungen, 1922, S. 107). Freud hat an dieser Stelle die Wahrheit des Utopisch-Kreativen, des ins gute Neue gerichteten Bewußtseins, gestreift; doch der bloße, bei Freud sogleich folgende Verdünnungsbegriff »Sublimierung« machte die Psychologie des Neuen wieder unkenntlich. Der Tagtraum in seiner Gemeinsamkeit erstreckt sich aber wie in die *breite, so in die tiefe Weite,* in die nicht sublimierte, sondern konzentrierte, in die der utopischen

Dimensionen. Und diese setzt die bessere Welt ohne weiteres auch als die schönere, im Sinne vollendeter Bilder, wie die Erde sie noch nicht trägt. Planend oder gestaltend werden in Not, Härte, Roheit, Banalität Fenster geschlagen, weithinblickende, lichtvolle. *Der Tagtraum als Vorstufe der Kunst* intendiert so besonders sinnfällig Weltverbesserung, hat diese als kerngesund-reellen Charakter: »Voran, gesenkten Blicks, das Leid der Erde, / Verschlungen mit der Freude Traumgestalt«: so kennzeichnet Gottfried Keller im »Poetentod« die Gefährten des Dichters, samt Phantasie und ihrem Witz. Kunst enthält vom Tagtraum her dieses utopisierende Wesen, nicht als leichtsinnig vergolden-des, sondern als eines, das ebenso Entbehrung in sich hat und das, wenn diese von Kunst allein gewiß nicht überwunden, so in ihr auch nicht vergessen, sondern umschlungen wird von der Freude als kommender Gestalt. Der Tagtraum geht in die Musik und hallt in ihrem unsichtbaren, doch zur Welterweiterung ge-hörigen Haus, nun ist er in ihr, als dynamischer wie als aus-drucksvoller. Er setzt sämtliche Figuren des Überschreitens, vom edlen Räuber bis zu Faust, sämtliche Wunschsituationen und Wunschlandschaften, von Aurora in Öl bis zu den symbolhaften Zirkeln des Paradiso. Menschen, Situationen werden kraft des zu Ende reitenden Tagtraums in großer Kunst selber bis an ihr Ende getrieben: das Konsequente, ja objektiv Mögliche wird sichtbar. Bei realistischen Dichtern werden solche objektiven Möglichkeiten in der von ihnen dargestellten Welt ganz deut-lich. Das, indem die Natur nicht etwa phantastisch gemacht wird, wohl aber, indem durch Phantasie, als einer konkret bezogenen und vorauseilenden, jener Traum von einer Sache in Natur und Geschichte kenntlich gemacht wird, den die Sache von sich selber hat und der zu ihrer *Tendenz* wie zum Austrag ihres *Totum* und *Wesens* gehört. Wo extravertierte Phantasie gänzlich fehlt, wie bei Naturalisten und denen, die Engels »Induktionsesel« nannte, da erscheinen freilich nur matters of fact und Oberflächenzusam-menhänge. So ist überall Wachtraum mit Welterweiterung, als *tunlichst exaktes Phantasieexperiment der Vollkommenheit* dem ausgeführten Kunstwerk vorausgesetzt; ja nicht nur dem Kunstwerk. Zuletzt kommt auch die Wissenschaft über den Oberflächenzusammenhang nur durch eine Antizipation hinaus, durch eine – wie sich von selbst versteht – spezifischer Art. Diese kann lediglich aus den sogenannten heuristischen »Annahmen« bestehen, die sich ein Bild der ganzen Sache, noch außerhalb der Details, in reinem Umriß vor Augen stellen. Doch kann auch ein vollkommener Wachtraum von harmonischem Naturzusammenhang voranstehen: Kepler intendierte solche Weltvollkommenheit, und er entdeckte die planetarischen Bewegungsgesetze. Die Wirklichkeit dieser Gesetze entsprach dem sphärenharmonischen Vollkommenheitstraum zwar gewiß nicht; immerhin: der Traum ging voraus, war der Überschlag einer harmonisch völlig geordneten Welt. Dergleichen ist der Regression des Nachttraums so fern wie möglich; denn dieser zeigt, in seiner Versenkung und Archaik, einzig prälogische Bilder, als Kategorien einer längst verflossenen Gesellschaft, keine eines rationalen Kosmos. Vorwegnahmen und Steigerungen, die sich auf Menschen beziehen, sozialutopische und solche der Schönheit, gar Verklärung sind erst recht nur im Tagtraum zu Hause. Vorab das revolutionäre Interesse, mit der Kenntnis, wie schlecht die Welt ist, mit der Erkenntnis, wie gut sie als eine andere sein könnte, braucht den Wachtraum der Weltverbesserung, ja es hält ihn ganz und gar unheuristisch, ganz und gar sachgemäß, in seiner Theorie und Praxis fest.

Vierter Charakter des Tagtraums: Fahrt ans Ende

Viertens versteht es der wache, also offene Traum, nicht entsagend zu sein. Er lehnt es ab, fiktiv satt zu werden oder auch nur Wünsche zu vergeistigen. Die Tagphantasie startet wie der Nachttraum mit Wünschen, aber führt sie radikal zu Ende, will an den Erfüllungsort. Zwei typische Tagträume von Dichtern gehören hierher; denn sie setzen, aller Schwäche und Flucht ungeachtet, diesen Ort recht prototypisch. Die zwei Tagträume, übrigens von stillen Dichtern, gehören desto eher hierher, als sie eine Ankunft intendieren, nicht nur eine weltverbessernde Schweifung. Der eine stammt aus der Kindheit Clemens Brentanos, der andere aus der Jugend Mörikes und enthält bereits alle Keime einer poetischen Ideallandschaft. Nachdem Brentano mit seiner Schwester Bettina und anderen Kindern sich auf dem

Frankfurter Dachboden ein Königreich errichtet hatte mit Namen Vaduz, war es, wie Brentano sagt, eine Vertreibung aus dem Paradies, als er später erfuhr, daß ein Vaduz wirklich existiere und daß es die Hauptstadt des Fürstentums Liechtenstein sei. Da tröstete aber Goethes alte Mutter: »Laß dich nicht irre machen, glaub du mir, dein Vaduz ist dein und liegt auf keiner Landkarte, und alle Frankfurter Stadtsoldaten und selbst die Geleitsreiter mit dem Antichrist an der Spitze können es dir nicht wegnehmen . . . Dein Reich ist in den Wolken und nicht von dieser Erde, und so oft es sich mit derselben berührt, wird's Tränen regnen, ich wünsche einen gesegneten Regenbogen.« Der Bericht Mörikes, den unmittelbaren Übergang von Tagphantasie in Dichtung betreffend, findet sich in seinem Roman »Maler Nolten« und lautet, als transponierte Autobiographie, folgendermaßen: »Ich hatte in der Zeit, da ich noch auf der Schule studierte, einen Freund, dessen Denkart und ästhetisches Bestreben mit dem meinigen Hand in Hand ging; wir trieben in den Freistunden unser Wesen miteinander, wir bildeten uns bald eine eigene Sphäre von Poesie . . . Lebendig, ernst und wahrhaft stehen sie noch alle vor meinem Geiste, die Gestalten unserer Einbildung, und wem ich nur einen einzigen Strahl der dichterischen Sonne, die uns damals erwärmte, so recht golden, wie sie war, in die Seele spielen könnte, der würde mir wenigstens ein heiteres Wohlgefallen nicht versagen, er würde selbst dem reiferen Manne es verzeihen, wenn er noch einen müßigen Spaziergang in die duftige Landschaft dieser Poesie machte und sogar ein Stückchen alten Gesteins von der geliebten Ruine mitbrächte. Wir erfanden für unsere Dichtung einen außerhalb der bekannten Welt gelegenen Boden, eine abgeschlossene Insel, worauf ein kräftiges Heldenvolk gewohnt haben soll. Die Insel hieß Orplid, und ihre Lage dachte man sich im Stillen Ozean zwischen Neuseeland und Südamerika.« Soweit hier Brentanos auf dem Kinder-Dachboden gegründetes Vaduz, Mörikes weithin vertragenes Orplid. Die bloße Zuordnung des Tagtraums zu Nachtgespinst oder auch zur Kunst als einer Spielerei wird solchen oder ähnlichen Phantasielandungen am wenigsten gerecht. Denn sie sieht nur Sublimierungen in ihnen oder auch archaische Rückkehr, statt versuchter Artikulierung eines utopischen Hoffnungsinhalts. Auch entspricht diesen Inhalten bei einem Freud gar nichts in der Außenwelt (die der Spätbourgeoisie in der Tat als bleierne Nüchternheit und Nichtigkeit erscheinen muß); Kunst insgesamt ist Schein, Religion insgesamt Illusion. Was dem Tagtraum, besonders in der Fahrt ans Ende, wesentlich ist: Ernst eines Vor-Scheins von möglich Wirklichem, das wird ihm hier fast bestimmter als dem immerhin symptomhaften Nachttraum versperrt. Die bürgerlich übliche schlechthinnige Illusionstheorie des Tagtraums läßt in ihm wie um ihn nur den Spielraum für Infantilismen und Archaismen schöner Spielerei: »In der Phantasietätigkeit genießt also der Mensch die Freiheit vom äußeren Zwang weiter, auf die er in Wirklichkeit längst verzichtet hat... Die Schöpfung des seelischen Reiches der Phantasie findet ihr volles Gegenstück in der Einrichtung von Schonungen, Naturschutzparks dort, wo die Anforderungen des Ackerbaus, des Verkehrs und der Industrie das ursprüngliche Gesicht der Erde rasch bis zur Unkenntlichkeit zu verändern drohen. Der Naturschutzpark erhält diesen alten Zustand, welchen man sonst überall mit Bedauern der Notwendigkeit geopfert hat. Alles darf darin wuchern und wachsen, wie es will, auch das Nutzlose, das Schädliche. Eine solche dem Realitätsprinzip entzogene Schonung ist auch das seelische Reich der Phantasie« (Freud, Vorlesungen, 1922, S. 416). Wäre Kunst überall und allezeit dasselbe wie bloße formale oder unverpflichtende Betrachterei vom Fauteuil her, also wie schonender Kunstgenuß, dann wäre die Lehre vom Naturschutzpark vielleicht in Ordnung; und eine Art Narrenfreiheit, zum Zweck der Lusterzeugung, käme vom Nachtklub bis zur Nationalgalerie – hinzu. Aber auch das Bürgertum war nicht immer nur dem kontemplativen Parkett verschworen, es hatte einmal von ästhetischer Erziehung des Menschen geträumt, mithin von Kunst, die ergreift, ja angreift, und von einem Morgentor des Schönen. Wie wenig hat erst der sozialistische Realismus mit philisterhaftem Kunstgenuß gemein, gar mit einer »dem Realitätsprinzip entzogenen Schonung«. Bei Freud erscheint die Realität allemal als unveränderliche, und sie erscheint als die mechanische, im Einklang mit dem Weltbild des vergangenen Jahrhunderts. Dadurch eben wird dann utopischer Tagtraum, besonders als Fahrt ans Ende, reflexiv gemacht oder, psychologisch gesprochen, rein introvertiert, wie der Nachttraum auch. Bei C. G. Jung mußte dies Introvertierte nur noch senkrecht hinab ausgeschachtet werden, um Orplid in Archaik zu verlegen; aus dem Naturschutzpark ins Tertiär. Dadurch wurde Phantasielandung nur als archetypische möglich, das ist, bei Jung, nur im längst versunkenen Land des Mythos. Entscheidend aber steht gegen all das fest: Vaduz und Orplid, das mit diesen Radikalismen Gemeinte hat *seinen Erfüllungsort nie anders als in der Zukunft gesucht.* Auch die Verlegung solcher Märchenbilder in ein Es-war-einmal läßt das Einst als Kommendes in dem Einst als Vergangenes allemal durchschimmern. Auch die Verlegung in abgeschlossene Täler oder Südseeinseln, wie das bei älteren Staatsromanen der Fall, involviert in der Entlegenheit Zukunft, in der Entfernung utopisches Fahrtziel. Auch der wirklich archaische Erinnerungsgrund, auf den sich so viele Hoffnungsbilder zurückbeziehen: der Archetyp Goldenes Zeitalter, Paradies – steht ebenso, als erwarteter – im Dereinst der Zeit. Mit Hunderten von kleinen und großen Perlen hängt so das Orplidische am wenig erforschten roten Faden Traumutopie und wird dadurch immer wieder zusammengehalten. Durch die Intention auf ein Vollkommenes wird es zusammengehalten, wie immer die Inhalte dieses Vollkommenen je nach den bisherigen Klassen und Gesellschaften variabel ausgemalt worden sind. Fahrtwillen ans gutgewordene Ende durchzieht derart allemal utopisches Bewußtsein, durchtönt dies Bewußtsein mit nie vergessenem Märchenwesen, arbeitet in den Träumen vom besseren Leben, aber auch, was endlich begriffen werden muß, suo modo in Kunstwerken. Die weltverbessernde Phantasie landet in ihnen nicht bloß dergestalt, daß alle Menschen und Dinge an die Grenzen ihrer Möglichkeit getrieben werden, all ihre Situationen ausgeschöpft und durchgestaltet. Vielmehr ist jedes große Kunstwerk, außer seinem manifesten Wesen, auch noch auf eine *Latenz der kommenden Seite* aufgetragen, soll heißen: auf die Inhalte einer Zukunft, die zu seiner Zeit noch nicht erschienen waren, ja letzthin auf die Inhalte eines noch unbekannten Endzustands. Nur aus diesem Grund haben die großen Werke jeder Zeit etwas zu sagen, und zwar Neues, das die vorige Zeit an ihnen noch nicht bemerkt hatte; nur aus diesem Grund hat die märchenhafte

Zauberflöte, aber auch die historisch streng fixierte Göttliche Komödie ihre »ewige Jugend«. Wichtig ist das, wie Goethe sagte, »Weitstrahlsinnige« dieser großen Phantasiegebilde, wonach sie in der gegebenen Realität mindestens noch den Ausweg halten, gegebenenfalls den Durchblick auf ein Überhaupt. Wobei die großen, also realistischen Kunstwerke durch die Notierung der Latenz, ja durch den – wie immer ausgesparten – Raum des Überhaupt nicht weniger realistisch werden, sondern mehr; denn alles Wirkliche verläuft mit Noch-Nicht in ihm. Bedeutende Tagtraumphantasiegebilde machen keine Seifenblasen, sie schlagen Fenster auf, und dahinter ist die Tagtraumwelt einer immerhin gestaltbaren Möglichkeit. Unterschiede zwischen den beiden Traumarten bestehen also auch an diesem Ende genug; Weise wie Inhalt der Wunscherfüllung gehen in ihnen ununterschlagbar auseinander. Das macht immer wieder: der Nachttraum lebt in Regression, er wird in seine Bilder wahllos hineingezogen, der Tagtraum projiziert seine Bilder in Künftiges, durchaus nicht wahllos, sondern noch bei ungestümster Einbildungskraft dirigierbar, mit objektiv Möglichem vermittelbar. *Der Inhalt des Nachttraums ist versteckt und verstellt, der Inhalt der Tagphantasie ist offen, ausfabelnd, antizipierend, und sein Latentes liegt vorn.* Er kommt selber aus Selbst- und Welterweiterung nach vorwärts her, ist Besserhabenwollen, oft Besserwissenwollen durchaus. Sehnsucht ist beiden Traumarten gemeinsam, denn sie ist, wie bemerkt, die einzige ehrliche Eigenschaft aller Menschen; doch das Desiderium des Tags kann zum Unterschied von dem der Nacht auch Subjekt, nicht nur Objekt seiner Wissenschaft sein. Der Tages-Wunschtraum bedarf keiner Ausgrabung und Deutung, sondern der Berichtigung und, sofern er dazu fähig ist, der Konkretion. Kurz, er hat zwar so wenig wie der Nachttraum von Haus aus ein Maß, doch er hat, zum Unterschied vom Nachtspuk, ein Ziel und macht sich zu ihm nach vorwärts heraus.

Ineinander nächtlicher und täglicher Traumspiele, seine Auflösung

Voneinander verschieden sein, das heißt freilich nicht, ohne Bezug sein. Zwischen der Schicht des Träumers und der des Träumerischen gibt es zuweilen einen Tausch. Es gibt Farbenspiel in der Nacht, das auch untertags bestehen kann, nach etwas Seltenem aussieht und zweifellos so dargestellt werden kann. Bemerkenswerte Sammlungen dieser Art liegen vor, so gab Friedrich Huch hundert Aufzeichnungen »Träume« heraus, so stammt eine besonders verstrickte Seltsamkeit: der Roman »Die andere Seite« (von dem Zeichner Alfred Kubin) überwiegend aus Mond und Schlaf. Umgekehrt nehmen auch Tagdichtungen durchaus Träume auf, am auffallendsten und schönsten sogar bei dem Realisten Keller. Sie werden berichtet wie andere Geschehnisse auch, sie verschmelzen aber auch mühelos mit dem märchenhaftsoliden Überfluß, worin bei Keller jede Anschauung liegt. Der grüne Heinrich verfällt, kurz vor seiner traurigen Rückkehr in die Heimat, einer wahren Orgie von Träumen, sie alle sind vorwurfsvolle Wunscherfüllungen. Dahin gehört der Blick auf die Vaterstadt, die verklärte, veränderte, ein tolles Luftbild auf dem Boden, in das man nicht hineingelangen kann. Täler und Ströme treten auf, mit unerhörten, doch wohlbekannten Namen, Rosengärten wandern in die Ferne, am Horizont eine Röte ausbreitend: – »das Alpenglühen rückt aus und geht um das Vaterland herum«. Es ist eine andere als die Morgenröte, die wache von damals, als der grüne Heinrich von der Vaterstadt auszog und sich aufs Gebirge zurückwandte: »nur noch über dem letzten Eisaltar glimmte der Morgenstern«; das Licht kommt jetzt aus dem Hades, gibt sich als diese einzig gebliebene Hoffnung. Das Haus der Mutter erscheint, eigentlich die nach außen gekehrte Dämmerstube, unvergeßlich, nur der Nachttraum gibt dazu Rohstoff und Bild: »Auf den Gesimsen und Galerien standen altertümliche silberne Kannen und Becher, Porzellangefäße und kleine Marmorbilder aufgereiht. Fensterscheiben von Kristallglas funkelten mit geheimnisvollem Glanze vor einem dunklen Hintergrunde zwischen gemaserten Zimmer- und Schranktüren, in denen blanke Stahlschlüssel steckten. Über dieser seltsamen Fassade wölbte sich der Himmel dunkelblau, und eine halb nächtliche Sonne spiegelte sich in der dunklen Pracht des Nußbaumholzes, im Silber der Krüge und in den Fensterscheiben.« Dergleichen zeigt allerdings Wechselverkehr zwischen den Antipoden Nacht und Taglicht, sie scheinen gänzlich ineinander-

getaucht, unheimlich und sonderbar ahnungsvoll. Wie wahlverwandt konnte gar die Romantik dies Mischlicht verwenden,
als Traumspiel und nicht nur als Spiel. Jeder Traum war für
Novalis »ein bedeutsamer Riß in dem geheimnisvollen Vorhang,
der mit tausend Falten in unser Inneres hereinfällt«. Es war vor
allem auch die Metamorphose der Traumbilder, welche der
romantischen Antistatik und ihrem Wachtraum sich empfahl,
fast gelehrt empfahl. Nachttraum als verwilderter Roman wird
von der romantischen Naturphilosophie entdeckt: »Diese Gestaltungen denn sind nicht ohne Stimme und Sprache; Töne und
Worte, wie aus allen verschiedenen Richtungen kommend, verständlich und unverständlich, begegnen und verdrängen sich
wechselseitig, und so scheint jener inneren Natur, im Vergleich
mit der äußeren, nichts abzugehen als die Stetigkeit und Ruhe,
welche diese hat. Denn solche inneren Gebilde, wie aus flüch-
tigem Gewölk geschaffen, kommen und zerrinnen; es schützt da
nicht das Hochgebirge seine Größe oder den Baum die Kraft der
Wurzeln vor der schnellen Hinwegbewegung, und wo in demselben Augenblick noch Fels und Wald gewesen, da erscheint
Ebene oder ein von Wänden umschlossenes Zimmer« (G. H.
Schubert, Die Geschichte der Seele, 1830, S. 549). So entstand
gar der Schein, als unterhielten Nacht- und Tagtraum außer dem
Tausch sogar ein Ineinander ihrer Bilder, auf gleichem Boden,
romantisch-gegenständlich geeint. Der pure Romantiker will
gar nicht mehr wissen, ob in seiner Poesie unterbewußtes Chaos
oder bewußt gestaltende, umgestaltende Phantasie vorherrscht.
Ihm ist der Nachttraum ohnehin von allen Zeit-Raumbegriffen
der jetzigen Nüchternheit entfernt, von allen Kausal- und Iden-
titätsformen der grauen oder Zivilisationsrinde; er ist prälogisch
beschaffen und also ein archaisches Element gegen die Weite,
den Morgen, die Zukunft des Tags. Das ist eine Erbschaft,
welche die Romantik aus der Nacht- in die Tagschicht brachte,
doch freilich arbeitete auch immer wieder ein Stück neuer Verbindung zwischen beiden Schichten. Sinngemäß kam die Über-
schneidung der schwarzen und der blauen Stunde wieder, so oft
beide stolz darauf waren, nicht Tag im Sinn von Oberflächen-
klarheit, bloßem Oberflächenzusammenhang zu sein. Der Sprung
in bisheriger Oberfläche riß dann Höhle und Fernblau zugleich

auf; zuletzt noch im Expressionismus, besonders im Surrealismus. Allerdings nun mit dem wichtigen Unterschied von der Romantik, daß Utopisches sich nicht so sehr dem Vergangenen, als Vergangenes sich einem Utopischen zukehren mochte. So sehr es auch im expressionistischen Gedicht lunarisch hergeht: »bleiche Abendbäume, Weiden, die dem mondholden Weiher entleuchten, Mondflocken, durchs Fenster silbernd«, und dergleichen Däubler-Worte mehr: so bemüht wurden Nachtlinien in utopische eingearbeitet. Auch stammelnder Un-Sinn der Nacht in dem Versuch, auf Grund solcher Auflösungen des bisherigen Tagzusammenhangs nach einem neuen Land zu fahren, an bessere Küsten, gar an vernünftig geordnete. Ein ganzes Studienobjekt dieser Übergänge lieferte James Joyce im *»Ulysses«*; höchst nachromantisch, höchst unromantisch. Der Keller des Unbewußten entlädt sich bei Joyce in ein transitorisches Jetzt, liefert ineinander prähistorisches Gestammel, Schweinerei und Kirchenmusik; der Autor fällt dem Absud, der sich über die eingeebnete Bewußtseinsschwelle wälzt, achtzig Seiten lang mit keinem Komma in die Rede. Aber mitten im Affengeschwätz (aus einem Tag und tausend Unterbewußtheiten der Menschheit streng durcheinander) erscheint Übersehenes, angewandte Montage zeigt ganz rationale Querverbindungen oder analogiae entis; Lots Weib und die Old Ireland Taverne dicht am Salzwasser bei den Docks feiern quer durch Zeit und Raum hindurch ihre Begegnung, ihren Alltag jenseits von Raum und Zeit. »So daß«, sagt Stephan Dädalus, »so daß Geste, nicht Musik, nicht Duft eine allgemeine Sprache wurde, die nicht den laiischen Sinn, sondern die erste Entelechie, den strukturalen Rhythmus sichtbar macht« (Ulysses II, 1930, S. 86). Urhöhlen, mit Gelalle und mit Zungenreden darin, werden derart in Tagphantasien heraufbeschworen und diese wieder abgesenkt; ein ständiges Ineinander aus Nachtfratzen und Grundrissen entsteht. Wobei im Surrealismus, also der Zeit des Einsturzes selber entsprechend, zu der der Surrealismus gehört, wie immer bei plötzlicher Vereinung des Unvereinbaren, der Witz nicht fehlt; ein schnöder Witz zuweilen, einer, der dann die bloß epatisierende Konstruktion entlarvt, oder selbst einer des kleinen Arrangements, und im Traumhaus zu den doppelten Seltsamkeiten wird es ganz gemütlich. Aber wesentlicher am Surrealismus bleibt die grundsätzliche Verkoppelung von Hekate und Minerva, bleibt das Visionsgesicht, aus lauter Fetzen und Einstürzen montiert. Das eben ist ein Unterschied zur Romantik als der Zeit der Restauration; dort war der Tagtraum grundsätzlich in Nachtlinien eingearbeitet, ohne zu phosphoreszieren. Immerhin, es ist eine lange Mischwelt zwischen Unterbewußtsein und Morgenrot, eine Kontaktwelt, in der die Regressio sich die Endfahrt oder die Endfahrt sich die Regressio zunutze macht. Das Labyrinth des Nachttraums ist auch ästhetisch keine Vorstufe zum Luftschloß, doch eben: soweit es dessen Souterrain bildet, kann Archaisches mit Wachphantasie kommunizieren. Und vor allem: am Beispiel des Gottfried Kellerschen Traumhauses, dieses styxhaft blinkenden, dieses Nachtstücks von Mutter- und Jugendhaus, erhellt auch, warum umgekehrt der Wachtraum nicht minder mit Archaischem zu kommunizieren vermag. Er vermag es, weil nicht nur psychologisch, auch objektiv noch Zukunft in der Vergangenheit lebt, weil *auch manches Nachtstück nicht abgegolten oder fertig ist* und deshalb Tagtraum, Vorwärts-Intention verlangt. Diese Nacht hat noch etwas zu sagen, nicht als brütend Urgewesenes, sondern als Ungewordenes, noch nirgends recht Lautgewordenes, das darin streckenweise eingekapselt ist. Doch sie kann nur etwas sagen, sofern sie von Wachphantasie belichtet wird, von einer, die aufs Werdende gerichtet ist; an sich selber ist das Archaische stumm. Lediglich als ein *unabgegolten, unentwickelt, kurz, utopisch* Brütendes hat es die Kraft, in dem Tagtraum aufzugehen, erlangt es die Macht, sich vor ihm nicht verschlossen zu halten; als solches aber, wenn auch nur als solches, kann es umgehen in freier Fahrt, erhaltenbewahrtem Ego, Weltverbesserung, Fahrt ans Ende. Die Einsicht also, daß archaisches Brüten in Wahrheit ein utopisches sein kann, erklärt schließlich die Möglichkeit des Ineinander von Nacht- und Tagtraum, gibt einem streckenweise möglichen *Ineinander der Traumspiele seine Erklärung wie Auflösung*. Und eben mit beständigem Primat der Wachphantasie: nicht das Utopische kapituliert hier vor der Archaik, sondern die Archaik kapituliert, wegen ihrer unabgegoltenen Bestandstücke, gegebenenfalls vor dem Utopischen; jedes andere Ineinander und jede andere Erklärung seiner ist

Schein. Die Ausarbeitung ist ohnehin Tagesgeschäft; der verdächtige Gott, der es den Seinen im Schlaf schenkt, braucht Apollo zur Aussage, jenen Apollo, der zwar auch Dämpfe und Orakel kennen mag, aber sie als besiegt und dienend in seinem Tempel hat. Sonst käme die Phantasie, im Sinne der Jung und Klages, gänzlich auf Prähistorie zurück, auf eine romantisiert-gefälschte dazu. Item, erst das Taglicht schließt das wunderlich-betreffende Material der Nachtträume auf, des Archaischen überhaupt, und es ist nur deshalb dieses Material, weil und sofern es selber noch utopisch ist, versetzt utopisch. Regredieren also geschieht künstlerisch erst dann mit Gewinn, wenn auch im Archetyp noch ein Ungewordenes, ein künftig Mögliches eingekapselt ist. Anderenfalls werden die Schätze, die aus dem Nachtboden entgegenblicken, Spreu und welke Tannenzapfen, wie Rübezahls Geschenke am Tag. Aber der Tagtraum, und was er ergreift, enthält menschliche Angelegenheiten statt der Medusen im Labyrinth. Tagträume haben das bessere Teil erwählt; so ziehen sie allesamt, obzwar mit so viel wechselnder Fähigkeit und Qualität, aufs Feld des antizipierenden Bewußtseins.

Nochmals Neigung zum Traum: die »Stimmung« als Medium von Tagträumen

Schlafend ist der Leib verdunkelt, nur wach spürt man ihn. Er spürt sich zuerst im Gefühl des Befindens; darin werden lediglich körperliche Zustände ihrer gewahr. Und auch sie werden dann nur verwischt, diffus gewahr, noch nicht auf eine besondere Stelle des Leibes oder auf eine besondere Art von körperlichem Schmerz oder Genuß bezogen. Es gibt laues, krankes und gesundes Befinden, Wohlbefinden und Übelbefinden, doch allemal nur als ganz allgemeines; ein klarer Magenschmerz, eine spezifische Lustempfindung, auf die Zunge oder auf erogene Zonen lokalisiert, fällt sogleich daraus heraus. Und: das Befinden ist nicht etwa so oder so »gelaunt«, wie die Stimmung; denn es ist nicht wie diese aus eigentlichen Triebgefühlen oder Affekten zusammengemischt. Es hat eben nur das Kochen der Leibvorgänge in sich, besonders Eingeweideempfindungen und mehr oder minder unterbewußte des Blutkreislaufs, doch noch keine

Affektgefühle, mit einem Ich dahinter. Das unterscheidet das mehr organische Zustandsgefühl des »Befindens« von dem weit mehr ichhaften der »Stimmung«; so gibt es das Diffuse hier, das Organgefühle meldet, und das Diffuse dort, das Affektgefühle wiedergibt, in welche ein Mensch sich allemal erst, launenhaft-gelaunt, hineinkniet. Das Befinden gleicht einem Rauschen, das, wie jedes Geräusch, aus einem Durcheinander vieler, naturhaft gegebener, unregelmäßig sich folgender Töne entsteht. Die Stimmung gleicht dem Klangdurcheinander eines Orchesters, das vor Beginn eines Musikstücks einzelne Passagen abgebrochen und gleichzeitig spielt, keine Naturtöne, sondern solche, die ein musizierendes, komponierendes Ich hinter sich haben. Die Stimmung hat auch nicht einen solch dumpfen, unterirdischen »Grundton« wie das Befinden, sondern ihr »Grundton« ist wogend, wetterhaft, atmosphärisch, er kann sich in Extremen bewegen (wie »himmelhoch jauchzend, zu Tode betrübt«), die das Befinden in solcher Nachbarschaft gar nicht kennt. Und ferner weist jede Stimmung eine eigentümliche, an die Ausbreitung von Duftstoffen erinnernde Weite auf. Th. Lipps betonte gerade dieses, dem Körperbefinden fremde Weite; er notiert, im Fall »Heiterkeit« beispielsweise, »das fühlbare Sichausbreiten der Lust an einem Erlebnis in eine mehr oder minder weite, das psychische Gesamterleben erfassende Stimmung« (Leitfaden der Psychologie, 1903, S. 271). Oder in einer neueren Darstellung (die immerhin nicht mit dem gekommenen existenzialistischen Stimmungsdrang à la Bollnow krebst): »Die seelische Stimmung ist der verhältnismäßig beharrende atmosphärische Grund unseres Lebensgefühls, auf dem sich die wechselnden Wahrnehmungen mit besonderer Färbung abheben, von dem aber auch unsere Vorstellungen und unser Verhalten durchtränkt werden« (Lersch, Der Aufbau des Charakters, 1948, S. 41). Wegen dieses atmosphärisch-weiten und zugleich diffusen Gesamtwesens dehnt sich das Stimmungsgefühl sogar über das Ich hinaus, an dem es primär haftet. Ein Zimmer, eine Landschaft scheinen eine »Stimmung« zu haben, und auch hier desto entschiedener, je unentschiedener, das heißt diffuser der übertragene Affektzustand dreinsieht. So ist der helle Mittag dafür wenig geeignet, mehr der Vormittag, am bequemsten der Abend; bekannt ist die

Gewitterstimmung (die der erste Blitz vertreibt). Schlechter dafür geeignet sind einfache große Gegenstände wie das Meer, besser die unübersichtlicheren wie der Wald. Dabei darf jedoch nie vergessen werden, daß die Stimmungsbreite, die sich dermaßen selber nach außen zieht, auch als extravertiertes Naturgefühl nie gegliedert auftritt, sondern im Wogen einer Allgemeinheit bleibt. Der Stimmung ist es wesentlich, nur als diffuse total zu scheinen; sie besteht nirgends aus einem herrschend-überwältigenden Affekt, sondern aus einer selber weiten Mischung vieler, noch nicht zum Austrag gelangter Affektgefühle. Das eben macht sie zu einem so leicht irisierenden Wesen, das läßt sie zugleich – noch jenseits des Klangdurcheinanders vor Beginn eines Musikstücks, auch ganz ohne intensive Dichte – so leicht als bloß impressionistische Erlebniswirklichkeit (Debussy, Jacobsen) ausgeben und entformen. Aus diesem impressionistischen Ungefähr kommt auch noch Heidegger her, sofern er es beschreibt und ihm zugleich erliegt. Dabei hat Heidegger innerhalb dieses Dumpfen den sozusagen tautologischen Vorzug, beachtet zu haben, »daß das Dasein je schon immer gestimmt ist«, im Sinn eines ursprünglichen Aufschlusses, wie einem ist und wird. Das Ursprüngliche ist danach nicht ein wahrnehmendes Sichvorfinden, wohl aber ein gestimmtes Sichbefinden: »Was wir ontologisch mit dem Titel Befindlichkeit anzeigen, ist ontisch das Bekannteste und Alltäglichste: die Stimmung, das Gestimmtsein« (Sein und Zeit, 1927, S. 134). Doch ist Heidegger eben über das Dumpfe, deprimiert Stockende, zugleich Flache dieser seiner Aufdeckung nicht hinausgekommen. Es bleiben Befinden und Stimmung hier ungetrennt; so hindert die Flachheit in diesem ungeschieden animalischen Gewoge jede Ahnung vom Dunkel des wirklich unmittelbaren Existere, das auch in der Stimmung sein Sein (Dunkel des gelebten Augenblicks, wovon später) noch keineswegs als Da vor sich selber bringt. So hält das interessiert Deprimierende von aller Erhellungstendenz der Stimmung ab, um statt dessen einzig das Gedrückte wiederzugeben: »Die oft anhaltende, ebenmäßige und fahle Ungestimmtheit, die nicht mit Verstimmung verwechselt werden darf, ist so wenig nichts, daß gerade in ihr das Dasein ihm selbst überdrüssig wird. Das Sein ist als Last offenbar geworden ... Und wiederum kann

die gehobene Stimmung der offenbaren Last des Daseins ent-
heben; auch die Stimmungsmöglichkeit erschließt, wenngleich
enthebend, den Lastcharakter des Daseins« (l. c., S. 134). Und
nicht der ganzen Menschheit Jammer, sondern einzig der des un-
erhellt-hoffnungslosen Kleinbürgertums faßt einen an, kommt
es bei Heidegger, was die »Abgründe« solcher Befindlichkeit
angeht, zu diesem Satz: »Die tiefe Langeweile, in den Abgrün-
den des Daseins wie ein schweigender Nebel hin und her zie-
hend, rückt alle Dinge, Menschen und einen selbst mit ihnen in
eine merkwürdige Gleichgültigkeit zusammen. Diese Langeweile offenbart das Seiende im Ganzen« (Was ist Metaphysik?
1929, S. 16). Hier also fällt aus der Stimmung, indem sie einzig
als eine von erlöschendem Leben, das ist hier: von niedergehen-
der Klasse sich kundgibt, völlig der Wunschcharakter aus, ohne
den doch auch diese Diffusheit von Affekten, als eine von *Affekten*, nicht bestehen kann; es sei denn, wie Heidegger selber sagen
muß, als »Ungestimmtheit«. Gerade das Farbmittel für *Wachträume* fällt aus, mit dem die Stimmung ihre blaue Stunde ausmalt, ohne daß sie allerdings existentiell-ontisch uninteressant
wird und existential-ontologisch zum Nihilismus absinkt. Nicht
jeder mögliche Alltag, nicht einmal jeder, der geschichtlich bereits aufgetreten, ist mit »fahler Ungestimmtheit« versehen, gar
mit der Langeweile, die angeblich das »Seiende im Ganzen«
offenbar macht; solche Alltagsstimmung ist vielmehr wesentlich,
wo nicht einzig, dem mechanisiert-kapitalistischen Betrieb zugeordnet. Und selbst innerhalb dieses Betriebs besteht, außer
der Ungestimmtheit, auch neben der fraglosen Last eines so beschaffenen Daseins jenes Klangdurcheinander lebender Triebgefühle, das eigentlich erst »Stimmung« ausmalt und worin die
Neigung zum Traum, als eine zum Wachtraum, nun erst ihr
Medium findet.

Indem dem Schlafenden der Leib verdunkelt ist, fällt auch
sein Befinden aus. Wie sehr erst die das Ich voraussetzende
Stimmung, sie gehört zu der blauen Stunde, nicht zu der schwarzen. Sie verlangt gleichfalls Entspannung, gewiß, doch eine, die
nicht den Schlummer, sondern ein Ausreisen sucht. Dieser besonders der Bläue zugeneigte Zustand Stimmung wurde im Verhältnis zum Tagtraum bisher nicht beachtet; das ist nun nach-

zuholen. Die fahle Ungestimmtheit selber mag noch nicht träumerisch sein, auch die gedrückte Stimmung, das Durcheinander von *unlustigen* Affekten, ist als Medium nicht leicht genug, um ohne weiteres Tagträume sich entwickeln zu lassen. Desto eher aber ist der beständige Hang zum Besseren im Grundton von allen *Erwartungsaffekten* dazu geneigt, sich gerade die gedrückte Stimmung zu erleichtern, in gehobene zu fliehen. Und genau an dieser Übergangsstelle, zwischen Trübe und Heiterkeit, wohnt das *Medium, worin Wachtraumbilder am bequemsten sich entwickeln.* Flucht und Zuwendung, Abwehr- und Hingebungsaffekte sind in dieser helldunklen Stimmung gleichzeitig gemischt und bilden so die Aura, worin die jeweilige Einschiffung nach Cythera stattfindet. Ob sie eine kleine oder großartige, eine fahrige oder überlegt fahrende ist, ob Cythera aus einer bloßen Situationsverbesserung oder aus bislang Unerhörtem besteht, ob es um ein Butterbrot feil ist oder nicht um die ganze Welt: das freilich hängt nicht von der Stimmung ab, sondern von der Stärke und dem Inhalt der Zuwendungsaffekte, die aus ihr sich erheben, vom Rang und der Konkretheit der Phantasie, die diesen Affekten ihre Intentionserfüllung vormalt. Doch hell-dunkle Stimmung bleibt in jedem Blaulicht, Fernlicht dieser Art hängt dem Wachtraum lange an, reicht also auch in die eigentlich gestalteten Wachträume noch weit herein, negativ wie positiv. Sonst gäbe es in ihnen das Wetterhafte nicht, das ja nicht nur auf den Impressionismus beschränkt ist, auf dies Stimmungswesen relativ bequemster, nämlich schwach gestalteter und schwach verpflichtender Art. Es gäbe sonst den Lyrismus nicht, der auch streng gestaltete Tagtraumbilder begleitet, wo immer sie noch situationshaft sind. Helldunkle Stimmung ist darum, an Tagtraumwerken, nicht nur auf Weichheit à la Debussy oder Jacobsen beschränkt. Sie füllt auch so gehaltene und gehämmerte Affektbildmusik wie die bei Brahms (vierte Symphonie, vorzüglich letzter Satz), sie macht hier, statt der Weichheit, gerade das Rauhe und die Herbheit aus. Erst bei entschiedener Situation und einer Darstellung, die sich demgemäß atmosphärefrei geben kann, läßt Stimmung nach. Nicht bloß die impressionistische und die ältere sentimentalische läßt dann nach, diejenige, deren Irisierung nie über ein Gemisch abgebrochener

Affekte und verschwommener Umrisse hinauskommt, sondern auch noch die *Atmosphäre* der Herbheit, mitsamt der ganzen Romantik dieses Mediums klärt sich auf, gibt den Blick auf Entschiedenes, nicht mehr so Situationshaftes frei. Das überall dort, wo eine im künstlerischen Wachtraum zur Vollendung getriebene Situation, mindestens eine durch Haltung zum Anhalten gebrachte, das Situationshafte selber von sich abweist. Dies ist täuschend wetterlos auch in aller erstrebten Kunst ohne Unruhe der Fall, ohne Bewegungs- und Zeitpathos, also in der hartkristallisch seinwollenden. Um ein Cythera, das ägyptisches Relief, byzantinisches Mosaik oder auch nur Alfieris Klassizismus heißt, ist nicht mehr so viel Stimmung wie um Gotik, Barock oder auch nur um Byrons Sturmwelt. Trotzdem liegt auch hier noch Stimmung als Pathos zugrunde; auch die ägyptische Kunst hat die Unruhe in sich, indem sie sie stillt, ja indem sie, qua ihres Wunschtraums, ein einziges steinernes Requiem sein will. Selbst der intendierten Antistimmung eines Kunstwerks liegt so immer noch, wegen des Atmosphärischen der Phantasie, Stimmung zu Füßen. Dieses Tagtraumwasser gehört zu jedem Tagtraum, Phantasietraum, auch wenn er es, in letzthin errungener Trockenheit, verläßt. Derart bestätigt es sich: die helldunkle Stimmung gibt das Medium, worin alle Tagträume, auch die mit Härte, wie sehr erst die mit dem erregenden Blau (Azur), beginnen.

Nochmals die Erwartungsaffekte (Angst, Furcht, Schreck, Verzweiflung, Hoffnung, Zuversicht) und der Wachtraum

Die Triebgefühle selber sind freilich nicht mehr so stimmungshaft, bleiben es nicht. Sie heben sich aus diesem allgemeinen Zumutesein bald deutlich heraus als »blanker« Neid, »offener« Haß, »rückhaltloses« Vertrauen. Heiterkeit etwa, dieses unbeschwert allgemeine Lebensgefühl, ist eine Stimmung; die scharf glänzende Freude aber ist ein Affekt. Und nicht nur aus dem Diffusen treten derart die Affekte aus, auch aus dem verhältnismäßig Unbezogenen. Mithin, auch wenn das stimmungshafte Medium abzieht, tönt der Wachtraum fort: dann aber als einer, der vor allem doch im Medium aus *Erwartungsaffekten* trieb. Diese, ein ganz besonderer Schlag von Affekten, haben ohnehin den Wachtraum im Stimmungs-Medium befördert; so erscheinen sie hier aufs neue, als die von den gefüllten Affekten durch ihre stark antizipierende Intentionsrichtung verschiedenen (vgl. S. 82). Die Intention in allen Erwartungsaffekten ist eine vorausweisende, die Zeitumgebung ihres Inhalts ist Zukunft. Je näher diese bevorsteht, desto stärker, »brennender« ist die Erwartungsintention als solche; je umfassender der Inhalt einer Erwartungsintention das intendierende Selbst betrifft, desto totaler wirft sich der Mensch hinein, desto »tiefer« wird sie zur Leidenschaft. Auch Erwartungsintentionen mit einem zur Selbsterhaltung negativen Inhalt, wie Angst und Furcht, können so zur Leidenschaft werden, nicht weniger als Hoffnung. Sie wirken dann auf den Unbeteiligten »übertrieben« und sind es auch in pathologischen Fällen; zuweilen freilich läßt sie auch nur die Kenntnislosigkeit der Realsituation als »übertrieben« erscheinen, als ihr Objekt »vergrößernd«. Aber auch dann reicht der Erwartungsaffekt über seinen »fundierenden« Vorstellungsinhalt hinaus; der Erwartungsinhalt zeigt eine größere »Tiefe« als der jeweils gegebene Vorstellungsinhalt. Jede Furcht impliziert, als Erfüllungskorrelat, totale Vernichtung, die so noch nicht da war, hereinbrechende Hölle; jede Hoffnung impliziert das höchste Gut, hereinbrechende Seligkeit, die so noch nicht da war. Das unterscheidet zuletzt Erwartungsaffekte von den gefüllten (wie Neid, Habsucht, Verehrung), die allemal nur durch Bekanntes »fundiert« sind und äußerstenfalls eine »unechte« Zukunft ihres Gegenstands intendieren, das heißt, eine genau vorstellbare, objektiv nichts Neues enthaltende. Die Intentionsinhalte der gefüllten Affekte liegen, wie Husserl fälschlich von allen Affekten sagt, in einem »gesetzten Horizont«, als dem Horizont der Erinnerungsvorstellung, zum Unterschied von dem der Hoffnungsvorstellung, der vorausgreifenden, also echten Phantasie und der möglichen »echten« Zukunft ihres Gegenstands. Zwar ist überall, auch in der erinnernden Vorstellung, qua Intention, zugleich ein Erwarten wirksam, und Husserl bestimmt selber, recht unerwartet: »Jeder ursprünglich konstituierende Prozeß ist beseelt von Protentionen, die das Kommende als solches leer konstituieren und auffangen« (Zur Phänomenologie des inneren Zeitbewußtseins, 1928, S. 410). Jedoch diese »Protentionen« haben in der Erinnerung und den von ihr »fundierten« Affekten das Ihre bereits empfangen, sie haben nur einen »auf die Zukunft des Wiedererinnerten gerichteten Horizont«, der, mit seiner unechten Zukunft, eben »gesetzter Horizont« ist. Wogegen die Erwartungsaffekte und die echte Phantasievorstellung, welche ihnen ihren Gegenstand im Raum aufweist, diesen Raum zugleich als entschiedenen Zeitraum besitzen, das heißt, mit dem ungeschwächt Zeithaften in der Zeit, das echte Zukunft heißt. Wonach jeder Erwartungsaffekt, auch wenn er im Vordergrund selber nur unechte Zukunft intendieren sollte, eines Rapports mit objektiv Neuem fähig wird. Das ist das Leben, das der Erwartungsaffekt den dadurch antizipierenden Wachträumen implicite mitteilt.

Jedes nicht nur stimmungshafte Triebgefühl ist auf ein ihm äußeres Etwas bezogen. Doch wird freilich das innere Gewoge hierbei verschieden rasch oder stark verlassen. Der erste und grundlegende negative Erwartungsaffekt, die *Angst,* beginnt noch als der am meisten stimmungshaft-unbestimmte. Der Angstvolle sieht niemals das Etwas bestimmt vor sich oder um sich, aus dem es ihn anweht; dieses Gefühl ist nicht nur in seinem leiblichen Ausdruck, sondern auch in seinem Gegenstand schlotternd. Freud hat die Angst, wie angegeben, primär auf den Geburtsakt, auf die erste Beengung (angustia) im Atmen, auf die erste Trennung von der Mutter zurückgeführt. Jedes spätere Angstgefühl macht danach dies Urerlebnis von Beklemmung und von Preisgegebenheit rezent; das Reagieren auf alle Gefahrsituationen, selbst die Todesangst, soll also lediglich subjektiv und darin regressiv sein. Aber mit den vorhandenen sozialen Zuständen, die Lebens- wie Todesangst reichlich aus Eigenem beleben, wo nicht erzeugen dürften, ist der negative Bezugsinhalt überhaupt hier ausgelassen, das heißt, das objektiv Angsterregende, ohne das sich Angst gar nicht konstituieren konnte. Heidegger andererseits regrediert zwar seine Angst nicht, aber er prozessiert auch nicht über sie zu ebenso originären positiven Erwartungsaffekten hinaus, ohne die die Angst gleichfalls nicht da sein könnte, so wenig wie ein Talabgrund ohne Berg. Heidegger macht statt dessen aus der Angst das schlechthinige, das unterschiedslose »Sosein« in allem, die existentielle »Grundbefindlichkeit«, und zwar auf eine den Menschen erst recht subjektiv vereinzelnde, ihn auf sich als solus ipse zurückführende Weise. Angst erschließt danach dem Menschen »sein eigenstes In-der-Welt-Sein«; das Wovor aber, »wovor die Angst sich ängstigt, ist das In-der-Welt-Sein selbst« (Sein und Zeit, 1927, S. 187). Und dieses Wovor ist im Grunde das gleiche, worin die Angst sich auflöst, nämlich das Nichts, das »Es war nichts«; Sein selber »hängt über in das Nichts«. So stellt hier die Angst ganz unmittelbar und par excellence vor das Nichts, als den Grund-Fundus des Unheimlich-Seins, Tod-Verfallenseins alles In-der-Welt-Seins. Die »Grundbefindlichkeit« der Angst erschließt nach Heidegger genau diesen Abgrund; von daher noch »das ständige, obzwar meist verborgene Erzittern alles Existierenden« als solchen. Heidegger, mit viel absichtlicher Erlebnis-Unmittelbarkeit (Erlebnisserei), aber auch mit, man kann sagen: viel Affekthascherei, dazu mit einem Unmaß bloßer Wortbedeutungsinterpretation, deren die Philosophie vor der Philologie sich schämt und selber nichts dabei gewinnt, außer metaphysischem Dilettantismus – Heidegger also reflektiert und verabsolutiert mit seiner Angstontologie ersichtlich nur die »Grund-befindlichkeit« einer untergehenden Gesellschaft. Er reflektiert vom Kleinbürgertum her die Gesellschaft des Monopolkapitals, mit Dauerkrise als normalem Zustand; einzige Alternative zur Dauerkrise sind Krieg und Kriegsproduktion. Was für den Primitiven noch das »Unzuhause« in der unübersichtlichen Natur war, das ist für die ahnungslosen Opfer des Monopolkapitals ihre Gesellschaft geworden, der gigantisch entfremdete Betrieb, in den sie gestellt sind. Heidegger aber – mit einer soziologischen Unwissenheit, die dem metaphysischen Dilettantismus die Waage hält – macht diese Angst zur Grundbefindlichkeit des Menschen überhaupt einschließlich des Nichts, in das er angeblich immer und überall und unabstellbar geworfen ist. Das einzige, was von Heideggers Angst-»Hermeneutik« übrigbleibt, ist bestenfalls eine Art kleinbürgerlich geschärfte Vertrautheit mit Angst als Ahnungslosigkeit. »Daß das Bedrohende nirgends ist, charakterisiert das Wovor der Angst« (l. c., S. 186); in der Tat ist sie von Haus aus Erwartung eines negativ Unbestimmten. Indem das die Angst Veranlassende wie Begründende von allen Seiten kommen kann, waren ihre offenbarendsten Erscheinungen die Gespensterangst und das nächtliche Grauen. Wobei beide eben durch die heutigen, im Fleisch wandelnden, doch im Dunkel wirkenden Monster und Nachtmahre ersetzt sind. So ist die Angst allerdings noch nicht deutlich auf ihr äußeres Etwas bezogen, zum Unterschied nun von dem zweiten negativen Erwartungsaffekt, der *Furcht:* mit ihrem jäh-konzentrierten Modus, dem *Schreck,* und ihrem gesteigert-konzentrierten, dem *Entsetzen.* Die Bedrohung kommt hier mindestens aus einem Wetterwinkel, der durch bisherige Erfahrung bekannt ist; oder gar: das Furchterregende ist räumlich so sichtbar, daß man sich der Art seines Schlags versehen kann, wenn auch nicht seines Eintritts. Tritt das Wovor der Furcht völlig und überdies plötzlich hervor, entsteht also das Entsetzen, mit den schwächeren Graden des Schrecks, dann darf das Plötzliche dieser Affekte nicht darüber hinwegtäuschen, daß auch sie solche der Erwartung sind, obzwar gegebenenfalls (keineswegs immer) einer in statu nascendi ihres Gegenstands selbst erst geborenen. Ohne Erwartung könnte nichts Entsetzen einjagen, nichts durch Schreck betäuben; gleich einer Kugel aus dem Hinterhalt erregt ein völlig zu den Erwartungsintentionen disparates Ereignis überhaupt keinen Affekt. Es bewirkt zwar Betäubung, Blendung (sofern das Ereignis überlebt wird), also Körperempfindungen, die dem Schreck, als einem Schock, ebenfalls eignen, doch es bewirkt nicht die eigentliche Gemütsbewegung Entsetzen oder Schreck, welche allemal Erwartungsintention des Eingetretenen voraussetzt. Schließt doch diese Erwartung selbst das Überraschende ihres Gegenstands so wenig aus, daß der Gefühlscharakter des Überraschenden, sowohl des negativ wie des positiv Überraschenden (»Wunderbaren«), ohne Bereitschaft einer Erwartung überhaupt nicht eintritt. Die aktivierte Erwartung des Entsetzlichen ist allerdings kurz; dehnt sie sich, gleich der Furcht, aus, doch mit völliger Bestimmtheit (zeitlicher Unausweichlichkeit, inhaltlicher Bekanntheit) des Gegenstands, dann tritt der äußerste, härteste Grenzmodus der Furcht, der *absolut negative* Erwartungsaffekt auf: die *Verzweiflung.* Und sie erst, nicht die Angst, ist wirklich bezogen auf das Nichts; die Angst ist noch fragend-schwebend, noch von Stimmung und vom

Unbestimmten, auch Unausgemachten ihres Gegenstands bestimmt, wogegen eben Verzweiflung in ihrem Gemütszustand ein Definitives, in ihrem Gegenstand, außer dem Definitiven, ein schlechthin Definiertes an sich hat. Sie ist Erwartung als aufgehobene, also Erwartung eines Negativen, an dem keinerlei Zweifel mehr statthat; mit ihr schließt daher die Reihe der negativen Erwartungsaffekte. Ihre sämtlichen Wachträume (nur das Entsetzen hat keine Zeit dazu, einen zu bilden) kreisen letzthin um ein negativ Unbedingtes: das Höllenhafte.

Gänzlich im Gegensatz dazu erscheinen nun in wie hinter all diesem die *positiven Erwartungsaffekte*. Ihre Zahl ist freilich viel geringer, es gab bisher nicht so viel Anlaß für sie. Ihrer sind nur zwei: die Hoffnung, welche die Furcht zuschanden macht, und die Zuversicht, welche der Verzweiflung korrespondiert. Die *Hoffnung* hat als aufziehende mit der Angst noch ein Stimmungshaftes gemein: nicht als das Unbehauste des Nächtlichen, wohl aber als das Dämmernd-Ausgegossene des Aurorahaften. Dieses ist im Widerhall oder Widerschein aus der Landschaft besonders treffend bezeichnet in Thomas Manns »Der Tod in Venedig«, als das unsäglich holde Blühen der Morgenröte mit all ihrem fernherscheinenden Arpeggio ante lucem. Doch steht die Hoffnung ebenso als einer der exaktesten Affekte über jeder Stimmung; denn sie ist wenig wandelbar, sehr charakteristisch in ihrer Intention und vor allem, was weder der Stimmung noch auch den negativen Erwartungsaffekten zukommt, fähig zu logisch-konkreter Berichtigung und Schärfung. Infolgedessen ist Hoffnung nicht nur ein Gegenbegriff zur *Angst*, sondern auch, unbeschadet ihres Affektcharakters, zur *Erinnerung;* das ist ein Bezug zu einem rein kognitiven Vorgang und Vorstellungswesen, der sonst keinem Affekt zukommt. Und zur Angst, gar zum Nichts der Verzweiflung verhält sie sich mit derart bestimmter Macht, daß sich sagen läßt: die Hoffnung ersäuft die Angst. Keine »Existentialanalyse« der Hoffnung wird diese jemals als eine »vorlaufende Entschlossenheit zum Tod« erschließen können, wenn anders die Analyse wirklich eine des Existere und nicht des Corrumpere ist. Hoffnung hat sich statt dessen gerade an der Todesstelle als eine auf Licht und Leben hin entworfen, als eine, die dem Scheitern nicht das letzte

Wort gibt; so hat sie durchaus den Intentionsinhalt: es gibt noch Rettung – im Horizont. »Wo Gefahr ist, wächst das Rettende auch«, dieser Hölderlinvers gibt schlechthin das positiv-dialektische Wendemoment an, dem die Furcht der Todesstelle verschwunden ist. So zwar, daß Ungewißheit des Ausgangs bleibt, genau wie bei der Furcht, jedoch eine, die nicht wie die Furcht an die passive Sorge grenzt, an das Sorge-Tragen, an die Nacht, in der das Nichts ist, sondern an den Tag, der des Menschen Freund ist. Gefahr und Glaube sind die Wahrheit der Hoffnung, dergestalt, daß beide in ihr versammelt sind und die Gefahr keine Furcht, der Glaube keinen trägen Quietismus in sich hat. Die Hoffnung ist derart zuletzt ein praktischer, ein militanter Affekt, sie wirft Panier auf. Tritt aus der Hoffnung gar *Zuversicht* vor, dann ist der *absolut positiv gewordene Erwartungsaffekt* da oder so gut wie da, der Gegenpol zur Verzweiflung. Wie diese ist auch Zuversicht noch Erwartung, nämlich als aufgehobene, als Erwartung eines Ausgangs, an dem kein Zweifel mehr statthat. Aber während die Erwartungsintention im Verzweiflungsaffekt nur als Leiche vorkommt, gibt und ergibt sie sich in der Zuversicht als kluge Jungfrau, die, in die Kammer des Bräutigams eingehend, darin ihre Intention so darbringt wie aufgibt. Die Verzweiflung berührt fast völlig jenes Nichts, dem alle negativen Erwartungsaffekte sich annähern; die Zuversicht dagegen hat im Horizont fast das Alles, auf das sich bereits die schwächste, sogar die mit unechter Zukunft versetzte Hoffnung wesentlich bezieht. Die Verzweiflung transzendiert, indem ihr Nichts die Intention in Untergangsgewißheit niederschlägt, die Zuversicht, indem ihr Alles die Intention in Heilsgewißheit eingehen läßt. Während also die negativen Erwartungseffekte und ihre utopischen Bilder letzthin das *Höllenhafte* als ihr Unbedingtes intendieren, haben die positiven Erwartungsaffekte ebenso unausweichlich das *Paradiesische* im Unbedingten ihres letzthinigen Intentionsgegenstands. Item: wenn die *Stimmung* das allgemeine *Medium* des Tagträumens ist, so geben die *Erwartungsaffekte* (samt dem Anbau, den sie an die gefüllten, etwa an Neid oder an Hochachtung, setzen können) die *Direktion* des Tagträumens. Sie geben die Linie, auf der sich die Phantasie der antizipierenden Vorstellungen bewegt und auf der diese Phantasie dann ihre Wunschstraße baut oder auch (bei negativen Erwartungsaffekten) ihre Unwunschstraße. Die Wunschstraße mit der Landschaft, wohin sie zielt, ist als Hoffnungsstraße nicht reicher, aber evidentermaßen beliebter und belebter als die Unwunsch- oder Furchtstraße; das wenigstens bei Geschlechtern, die vom Dunkeln ins Helle streben. Beide zukunftshafte Intentionen, die der Erwartungsaffekte wie der Erwartungsvorstellungen, reichen sinngemäß in ein Noch-Nicht-Bewußtes hinein, das heißt in eine Bewußtseinsklasse, die selber nicht als gefüllte, sondern als antizipatorische zu bezeichnen ist. Die Wachträume ziehen, sofern sie echte Zukunft enthalten, allesamt in dieses Noch-Nicht-Bewußte, ins ungeworden-ungefüllte oder utopische Feld. Seine, zunächst psychische, Beschaffenheit muß nun untersucht werden; durchaus cum ira et studio, mit Parteilichkeit für die begriffene Phantasie nach vorwärts, für das objekthaft Mögliche in psychischer Annäherung daran. Denn nur in der Entdeckung des Noch-Nicht-Bewußten gewinnt die Erwartung, vor allem die positive, ihren Rang: den Rang einer utopischen Funktion, sowohl im Affekt wie in der Vorstellung und im Gedanken.

NOCH-NICHT-BEWUSSTES ALS NEUE
BEWUSSTSEINSKLASSE
UND ALS BEWUSSTSEINSKLASSE DES NEUEN:
JUGEND, ZEITWENDE, PRODUKTIVITÄT
BEGRIFF DER UTOPISCHEN FUNKTION,
IHRE BEGEGNUNG MIT INTERESSE,
IDEOLOGIE, ARCHETYPEN,
IDEALEN, ALLEGORIEN-SYMBOLEN

The cistern contains, the fountain overflows.   *William Blake*

Ψυχῆς ἐστι λόγος ἑαυτὸν αὔξων

Der Seele ist das Gemeinsame eigen, das sich mehrt.   *Heraklit*

Die zwei Ränder

Nirgends macht der innere Blick gleichmäßig hell. Er spart
Licht, leuchtet immer nur wenige Stücke in uns an. Was von
dem aufmerkenden Strahl überhaupt nicht getroffen wird, ist
uns nicht bewußt. Was nur schräg getroffen wird, ist halb bewußt, auf abnehmende oder zunehmende Weise, je nach dem
Grad des Aufmerkens. Das bewußte Feld ist derart eng, und
ringsum verläuft es in dunklere Ränder, löst sich darin auf.
Auch bevor, ja ohne daß ein Seelisches vergessen wird, ist vieles
darin nicht bewußt. So kann ein Schmerz ungefühlt bleiben, ein
äußerer Eindruck unempfunden, obwohl er psychisch durchaus
vorhanden ist. Er liegt unter der Schwelle, sei es, daß der Reiz
zu schwach ist, um eben merklich zu sein, sei es, daß das Auf-
merken mit anderem beschäftigt, also abgelenkt ist, sei es, daß
die Wiederholung selbst starke Reize abstumpft. Es gibt also
auch im bewußten Feld, ganz ohne Vergessen, bereits mancherlei dunklere, nicht oder nur schwach bewußte Stellen. Die eigentlichen Ränder des Bewußtseins liegen freilich nicht im gegenwärtigen Erleben, im bloß abgeschwächten. Sie finden sich
vielmehr dort, wo Bewußtes *verklingt,* im Vergessen und

Vergessenen, wo Erlebtes unter den Rand, die Schwelle sinkt. Und nun: sie finden sich auf andere Weise auch auf der dem Vergessen entgegengesetzten Seite, wo ein bisher nicht Bewußtes *aufdämmert*. Auch dort ist im Bewußtsein ein Rand, eine Schwelle, diesesfalls eine obere, mehr oder minder weit vorgeschobene, hinter der es psychisch nicht ganz hell hergeht. Unter der Schwelle des Verklingens, jedoch auch über der Schwelle des Aufdämmerns ist relativ Unbewußtes, der aufmerkende Blick muß sich erst gewaltsam, oft mit Mühe darauf richten. Es ist allerdings fähig, vorbewußt zu sein, sowohl im Unten des nicht mehr merklichen wie erst recht dort, wo Neues aufzieht, das noch niemand in den Sinn kam. Beides kann hinter seinen Rändern hervorgeholt, mehr oder minder erhellt werden.

Doppelte Bedeutung des Vorbewußten

Seelisches Leben ist allemal abendlich und morgendlich zugleich eingefaßt. Der Nachttraum bewegt sich im Vergessenen, Verdrängten, der Tagtraum in dem, was überhaupt' noch nie als gegenwärtig erfahren worden ist. Was außer dem bewußten Feld liegt, nennt man seit etwa zweihundert Jahren allgemein das Unbewußte. Es war eine große Entdeckung, daß seelisches Leben mit Bewußtsein nicht zusammenfällt. Unbewußtes freilich gilt, wo immer es als bewußtseinsfähig gedacht wird, nicht als seiner schlechthin unbewußt, wie etwa ein Stein, sondern als vorbewußt. Aber auch so wurde und wird bis heute das psychisch Unbewußte lediglich als eines verstanden, das unterhalb des Bewußtseins liegt und aus diesem herabgesunken ist. Das Unbewußte liegt – nach dieser Auffassung – im Bodensatz; es beginnt rückwärts von dem immer weiter verminderten Bewußtsein. Das Unbewußte ist hier also ausschließlich *Nicht-Mehr-Bewußtes;* als solches bevölkert es einzig die Mondscheinlandschaft des zerebralen Verlusts. Demgemäß ist es auch dann, wenn die Psychoanalyse es ein Vorbewußtes nennt, kein neu heraufdämmerndes Bewußtsein von inhaltlich Neuem, sondern ein altes mit alten Inhalten, das lediglich unter die Schwelle gesunken ist und sie durch mehr oder minder glattes Erinnertwerden wieder übertreten kann. Dergestalt ist das Unbewußte

bei Freud einzig das Vergessene (bei ihm das eigentlich Vorbewußte, das normalerweise ohne weiteres wieder Bewußtseinsfähige) oder das Verdrängte (bei ihm das eigentlich Unbewußte,
das »nicht nur deskriptiv, sondern auch dynamisch Unbewußte«,
das nicht ohne weiteres wieder Bewußtseinsfähige). Zwar
betont der spätere Freud, daß es außer dem vergessenen und
verdrängten Unbewußten noch eine dritte Art gebe, nämlich
ein Unbewußtes »im Ich selbst«. »Auch ein Teil des Ichs, ein
Gott weiß wie wichtiger Teil des Ichs kann unbewußt sein, ist
sicher unbewußt«; indes fährt Freud gleich danach fort: »Wenn
wir uns so vor der Nötigung sehen, ein drittes, nicht verdrängtes Unbewußtes aufzustellen, so müssen wir zugestehen, daß
der Charakter des Unbewußtseins für uns an Bedeutung verliert« (Das Ich und das Es, 1923, S. 17). An Bedeutung deshalb,
weil dies dritte Unbewußte (Freud gibt als seine Erscheinungen
überraschenderweise sogar die bedeutende geistige Produktion
an) dem Schema der Verdrängung sich nicht fügt. Es ist damit
aber jenes Vorbewußte gestreift, das überhaupt nicht in Freuds
Konzept paßt, das Vorbewußte in der anderen Bedeutung,
nach der anderen Seite, in dem kein Verdrängtes, sondern ein
Heraufkommendes zu klären ist. Der Nachttraum mag sich
aufs Nicht-Mehr-Bewußte beziehen, er regrediert darauf hin.
Aber der Tagtraum ist auf ein mindestens dem Träumer Neues,
wohl gar auf ein an sich selber, in seinem objektiven Inhalt
Neues aufgetragen. Im Tagtraum eröffnet sich so die wichtige
Bestimmung eines *Noch-Nicht-Bewußten*, als die Klasse, wozu
er gehört. Eine letzte psychologische Bestimmtheit des Tagtraums geht damit auf, es gilt, sie zu erläutern. Sie ist bis jetzt
gänzlich außer Begriff geblieben, es gibt noch keine Psychologie
des Unbewußten der anderen Seite, der Dämmerung nach vorwärts. Dies Unbewußte blieb unnotiert, obwohl es den eigentlichen Raum der Bereitschaft zum Neuen und der Produktion
des Neuen darstellt. Das Noch-Nicht-Bewußte ist zwar ebenso
Vorbewußtes wie das Unbewußte der Verdrängtheit und Vergessenheit, es ist sogar in seiner Art ein ebenso schwieriges und
Widerstand leistendes Unbewußtes wie das der Verdrängtheit.
Aber ihm ist keinesfalls das heutige, manifeste Bewußtsein
übergeordnet, sondern ein künftiges, erst heraufkommendes.

Das Noch-Nicht-Bewußte ist so einzig das Vorbewußte des Kommenden, der psychische Geburtsort des Neuen. Und es hält sich vor allem deshalb vorbewußt, weil eben in ihm selber ein noch nicht ganz manifest gewordener, ein aus der Zukunft erst herausdämmernder Bewußtseinsinhalt vorliegt. Gegebenenfalls sogar ein erst objektiv in der Welt entstehender; so in allen produktiven Zuständen, die mit nie Dagewesenem in Geburt stehen. Dazu ist der Traum nach vorwärts disponiert, damit ist Noch-Nicht-Bewußtes als Bewußtseinsweise eines Anrückenden geladen; das Subjekt wittert hier keinen Kellergeruch, sondern Morgenluft.

Noch-Nicht-Bewußtes in Jugend, Zeitwende, Produktivität

Alle frische Kraft hat dies Neue notwendig in sich, bewegt sich darauf hin. Seine besten Orte sind: die Jugend, die Zeiten, die im Begriff sind, sich zu wenden, die schöpferische Hervorbringung. Bereits ein junger Mensch, der etwas in sich stecken fühlt, weiß, was das bedeutet, das Dämmernde, Erwartete, die Stimme von morgen. Er fühlt sich zu etwas berufen, das in ihm umgeht, in seiner eigenen Frische sich bewegt und das bisher Gewordene, die Welt des Erwachsenen überholt. Gute Jugend glaubt, daß sie Flügel habe und daß alles Rechte auf ihre herbrausende Ankunft warte, ja erst durch sie gebildet, mindestens durch sie befreit werde. Mit der Pubertät beginnt das Geheimnis der Frauen, das Geheimnis des Lebens, das Geheimnis der Wissenschaft; wie viele unerforschte Regale sieht die lesende Jugend vor sich glänzen. Die grüne Zeit ist mit Dämmern nach vorwärts überfüllt, sie besteht über die Hälfte aus noch nicht bewußten Zuständen. Diese sind bei jungen Menschen gewiß bedroht, im Alter zwischen fünfundzwanzig bis dreißig Jahren. Was sich aber bis dahin an Jugend erhielt, wird sich bei Menschen, die nicht von der Fäulnis des Gestrigen angesteckt und ihm verschworen sind, immer erhalten – als ein Warmes, Helles, mindestens Trostreiches vor dem Blick. Die Stimme des Andersseins, Besserseins, Schönerseins ist in diesen Jahren so laut wie unabgenützt, das Leben heißt »Morgen«, die Welt »Platz für uns«. Gute Jugend geht allemal den Melodien aus ihren

Träumen und Büchern nach, hofft, sie zu finden, kennt das heiße dunkle Irren durch Feld und Stadt, wartet auf die Freiheit, die vor ihr liegt. Sie ist ein Heraussehnen, Heraussehen aus dem Gefängnis des äußeren, muffig gewordenen oder muffig erscheinenden Zwangs, aber auch der eigenen Unreife. Die Sehnsucht nach dem Leben als Erwachsener treibt an, doch so, daß dieses Leben gänzlich umgeändert werden sollte. Fällt Jugend gar in revolutionäre Zeiten, also in *Zeitwende*, und steht ihr nicht, wie heute im Westen so oft, der Kopf, durch Betrug, im Nacken, so weiß sie erst recht, was es mit dem Traum nach vorwärts auf sich hat. Er geht dann vom vagen, vor allem privaten Ahnen zum mehr oder minder sozial geschärften, sozial beauftragten über. Das breiteste Exempel gaben ehemals die russischen Narodniki, die ins russische Volk gingen, um mit ihm für den Sturz des Zarismus zu kämpfen, mit sentimentaler oder zorniger Morgenröte. Hier utopisierten die Gespräche junger Kursistinnen und Studenten auf dem staubigen Boulevard der russischen Kleinstadt. Und später, bei wachsender, sozialistischer Klarheit, in den Großstädten, mit den Arbeitern vereinigt, wuchs die Morgenröte solid heran, die im Bewußtsein und über der Zeit lag. Länger als ein halbes Jahrhundert vor der Oktoberrevolution stellte selbst der russische Unterhaltungsroman Jugend mit Zeitwende im Sinn immer wieder dar. Deutschland hatte seine revolutionären Studenten im Sturm und Drang, im Vormärz, und hat sie heute, mit dem Ziel vor Augen, in der neuen Republik; Jugend und Bewegung nach vorwärts sind darin Synonyme. Während dieser Zeiten und so oft sie aktuell sind, ist also nicht bloß physiologisches Frühlingsgefühl in der Luft, sondern mehr noch: Wendezeiten sind schwül, es scheint eine Donnerwolke in ihnen eingesperrt. Wetter- oder Geburtskategorien wurden daher von je auf sie angewandt: als Ruhe vor dem Sturm oder als März in der Geschichte oder am stärksten, konkretesten: als Gesellschaft, die mit einer neuen schwanger geht. Zeiten wie die unsere verstehen den Wendezustand gut; selbst seine Feinde, die Faschisten in Italien und Deutschland, konnten nur noch betrügen, indem sie sich revolutionär verkleideten, ein Marasmus als Frühlingssonne. Die Zeitwenden sind selber die Jugendzeiten in der Geschichte, das heißt, sie stehen objektiv so vor den Toren einer neu heraufkommenden Gesellschaft, wie die Jugend sich subjektiv vor der Schwelle eines bisher unaufgeschlagenen Lebenstags stehen fühlt. Das überblickbarste Exemplar solcher Wende ist bis jetzt die Renaissance, besonders auch nach der ideologisch-kulturellen Seite. So deutlich wie kaum irgendwo gibt es hier, beim ersten Umschlag der feudalen Gesellschaft zur bürgerlich-modernen, Aufbruch und Erwartung, Noch-Nicht-Bewußtheit als bewußte Ahnung. Incipit vita nova, das bezeichnete damals auch psychisch die Aurora-Qualität der Zeit: der noch progressive Unternehmer stand auf, mit ihm das Gefühl der Individualität; das Bewußtsein der Nation tauchte über den Horizont; Individuation und Perspektive traten ins Naturgefühl und Landschaftsbild; die ferne Erde ging selber auf und öffnete neue Kontinente; die Himmelsdecke sprang und gab den Blick auf Unendlichkeit frei. Alle Zeugnisse aus der Wende des fünfzehnten und sechzehnten Jahrhunderts bekunden davon ein ganz mächtig Vorbewußtes, ein raumschlagendes, das über die bisher gesetzten Säulen des Herkules hinauszog. Es begann totale Erneuerung der Kunst, des Lebens, der Wissenschaft, oder schien zu beginnen; dies Dreiviertelstund-vor-Tag erscheint noch spät genug in Bacons »Novum Organon«, doch ebenso artikuliert genug: »Ich weiß, daß geschäftsfreie Menschen in gemeinsamer Arbeit auf meiner Bahn Großes erreichen werden. Und wäre ich dessen nicht so sicher, wehte der Wind von den Küsten einer neuen Welt nicht so stark und unverkennbar herüber, wir müßten dennoch den Versuch machen, aus der Stockung unseres elenden Naturwissens herauszukommen.« Die Luft solcher historischen Frühlinge schwirrt von Planungen, die ihre Ausführung suchen, von Gedanken in der Inkubation. Nie sind die prospektiven Akte häufiger und gemeinsamer als hier, nie das Antizipatorische in ihnen inhaltsvoller, nie die Fühlung mit dem Anrückenden unwiderstehlicher. Alle Wendezeiten sind derart von Noch-Nicht-Bewußtem gefüllt, auch überfüllt; und eine aufsteigende Klasse trägt es. Der die Renaissance nacherfahrende Ausdruck dieses Zustands ist der Monolog in Goethes Faust; auch hier sind Überdruß, Wachtraum, Morgenrot die Ingredienzien des Voran. Und ebenso schaffen solche Zeiten an Problemen, die in der vorhandenen Wirklichkeit noch kaum keimhaft hervorgetreten sind. So gräbt die Renaissance wie noch nachher das Deutschland der Genieperiode die Entwicklungstendenzen der Epoche hervor, stellt sie ins Frühlicht, neue Taglicht. Der Mensch fühlt sich in solchen Zeiten deutlich als nicht festgestelltes Wesen, als eines, das zusammen mit seiner Umwelt eine Aufgabe ist und ein riesiger Behälter voll Zukunft.

Wie sehr erst geht dem Schaffen selber ein Aufdämmern vorauf, wie eigentümlich steht es darin. *Geistige Produktivität, Schöpfung* zeigt sich besonders von Noch-Nicht-Bewußtem erfüllt, das ist, von Jugend, die sich im Schaffen potenziert; auch hier ist sie vorausgesetzt und dauernd tätig. Jugend hat als begabte ihren leicht verlorengehenden Anfang wie bei Lenau im raunenden Schilf:

> Und ich mein', ich höre wehen
> leise deiner Stimme Klang
> und im Weiher untergehen
> deinen lieblichen Gesang.

Jugend hat im Fortgang die Dankbarkeit des Werdens und dessen gebärend wundersames Bild, wie bei Goethe im Vorspiel auf dem Theater, das zu bilden ist:

> So gib mir auch die Zeiten wieder,
> da ich noch selbst im Werden war,
> da sich ein Quell gedrängter Lieder
> ununterbrochen neu gebar,
> da Nebel mir die Welt verhüllten,
> die Knospe Wunder noch versprach,
> da ich die tausend Blumen brach,
> die alle Täler reichlich füllten.

Jugend bleibt in der Produktion, auch nach ihrer Beendigung, auf dem gleichen Fleck, spürt auch nach beendetem Werk die ungarantierte Kühnheit oder kühne Antizipation; so bei Klopstock in der Ode »An Freund und Feind«, noch dreiunddreißig Jahre später, nachdem der »Messias« begonnen war:

Voll Durstes war die heiße Seele des Jünglings
nach der Unsterblichkeit.
Ich wacht', und ich träumte
von der kühnen Fahrt auf der Zukunft Ozean.

Dank dir noch einmal, mein früher Geleiter, daß du mir,
wie furchtbar es dort sei, mein Genius, zeigtest.
Wie wies dein goldner Stab! Hochmast'ge, vollbesegelte
                                    Dichterwerke
und dennoch gesunkene schreckten mich!

Bis zu der Schwermut wurd' ich ernst, vertiefte mich
in den Zweck, in des Helden Würd', in den Grundton,
den Verhalt, den Gang, strebte, geführt von der Seelenkunde,
zu ergründen, was des Gedichts Schönheit sei,
flog und schwebt' umher unter des Vaterlands Denkmalen,
suchte den Helden, fand ihn nicht: bis ich zuletzt
müd' hinsank, dann, wie aus Schlummer geweckt, auf einmal
rings um mich her wie mit Donnerflammen es strahlen sah.

Und Jugendlicht, produzierendes, das auch im uralt Geschehenden, als wäre es gar kein Uraltes, sondern Verkündigung, sich
zu begegnen versteht, hält bei Hölderlin den Morgen in der
Welt noch unter Verfinsterungen wach, mit der großen Hymne
auf Ex oriente lux, auf den neuen und sprechenden Tag:

> Denn, wie wenn von der herrlich gestimmten, der Orgel,
> Im heiligen Saal,
> Reinquillend aus den unerschöpflichen Röhren,
> Das Vorspiel, weckend, des Morgens beginnt,
> Und weit umher, von Halle zu Halle,
> Der erfrischende, der melodische Strom rinnt,
> Bis in den kalten Schatten das Haus
> Von Begeisterungen erfüllt,
> Nun aber erwacht ist, nun, aufsteigend ihr,
> Der Sonne des Fests antwortet
> Der Chor der Gemeinde, so kam
> Das Wort aus Osten zu uns,

Und an Parnasses Felsen und am Kithäron hör ich,
O Asia, das Echo von dir, und es bricht sich
Am Kapitol, und jählings herab von den Alpen
Kommt, eine Fremdlingin, sie
Zu uns, die Erweckerin,
Die menschenbildende Stimme.

Produktivität läßt nicht nach, sich dergestalt zu wecken, wie sie vom Stachel des Sagenmüssens erweckt wird. Das Sagenmüssen zwingt erst recht, wenn das Vorschwebende, das zu gestalten wäre, sich verbirgt, wenn es mit seinem Rückzug gar zu koket-tieren scheint. Wenn die Arbeit vor dem Durchbruch eines neuen Ansturms ihren Täter fliehen mag, indem sie besonders dringend nach ihm verlangt; wenn das Arbeitsthema sich verdinglicht zu einem schwankenden, flüsternden, selber zaudernden Wesen und scheint dem Sagenmüssen seine Saumseligkeit vorzuwerfen. Doch wer an einen Stern gebunden ist, sagt Lionardo, kehrt nicht um, und die Moral der Produktivität bewährt sich daran, alles Angefachte zu vollenden, die Kontur des vorschwebenden Inhalts rein und gefaßt an den Tag zu bringen. Wie erst, wenn *Jugend, Zeitwende und Produktivität zugleich* in glücklich angetretenen Begabungen zusammenfallen. Wie das im jungen Goethe gelang, im Prometheus-Fragment, in der riesigen Intentions-Dimension des »Faust« und bereits des Urfaust, aber auch – von daher noch – in dem vertrauensvollsten aller Sätze (aus »Wilhelm Meisters Lehrjahre«): »Wünsche sind Vorgefühle der Fähigkeiten, die in uns liegen, Vorboten desjenigen, was wir zu leisten imstande sein werden.« Dann arbeiten und ge-lingen die prospektiven Akte aus dem mächtigen Erwarten, das seiner mächtig geworden ist; aus Affinität zum Stern, der sich noch unter dem Horizont befindet; aus der Kraft zum Un-betretenen, die Dante sagen läßt: »L'acqua che io prendo giam-mai non si corse« (das Wasser, das ich fasse, hat man noch nie befahren). Letztere Sentenz ist schließlich diejenige, welche Jugend, Zeitwende, Produktivität am besten in einem einzigen Griff vereinigt; nicht mit Hochmut, sondern mit Beschreibung dessen, was bei Schöpfungen der Fall ist, der Fall zu sein hat.

Soviel zur großen Unruhe, wenn sie sich mit Traum nach vorwärts überzieht. Als eine tätige, mit dem neuen Ursprung gegen die Starre, der sich ahnungsvoll bildet. Diese Ahnung ist auch in ihrem gewöhnlichen Vorkommen der Sinn für das sich Anbahnende. Wird sie schöpferisch, so verbindet sie sich mit der Phantasie, vorzüglich mit der des objektiv Möglichen. Die arbeitsfähige Ahnung ist geistige Produktivität, nun als *werkbildend* betrachtet. Des näheren setzt sich Produktivität als dreifache, dreifach wachsende Erstreckung ins Ungekommene: als Inkubation, als sogenannte Inspiration, als Explikation. Alle drei gehören zum Vermögen, über die bisherigen Ränder des Bewußtseins nach vorwärts hinauszufahren. In der *Inkubation* ist ein heftiges Meinen, es zielt auf das Gesuchte, das im dämmernden Anzug ist. Nebel sind auch psychisch die beste Zeit zum Säen, es darf nur nicht bei ihnen bleiben; sogar ein Stadium von Dunkelheit besteht, doch eben mit der intensiven Anlage, sich zu lichten. Der Zustand der Anlage ist an sich bereits ein Widerspruch, der sich auflösen will; sie ist der unhaltbare, der so angstvolle wie glückliche Zustand, nicht zu sein, was unsere Natur ihrem reellsten Streben nach ist, und eben so zu sein, was sie noch nicht ist. In diesem Widerspruch befindet sich auch noch die entwickeltere Anlage oder die Gärung, worin sich die bereits konturvollere Aussage und Gestalt vor- und zubereitet. Immer jedenfalls ist hier Erwartung präsent, ganz gleich noch, mit welch größerer oder geringerer Ladung das Dreiviertelstund-vor-Tag erscheint. Dieser Inkubation nun folgt weiter meist jähe Klärung, blitzhafte; sie kommt wie von außen oder, in der falschen Auslegung, wie von oben herab. Deshalb kam der Ausdruck *Inspiration* dafür in Gebrauch; er macht das Jähe kenntlich, das erhellend und begeistend Einschlagende, den plötzlichen Durchblick. Die Inkubation, welche ein Sprachloses an sich hatte, ja zuweilen aus Überfülle eine Art Bewußtseinsleere hervorrufen kann, diese Verschlossenheit löst sich nun. Die Lösung kann in leichteren Fällen durch einen Überfall von Einfällen geschehen, als solchen, die den Hauptgedanken nur umgeben oder ihn ankündigen; zuweilen folgen sie ihm auch, nach geschehener Erscheinung des Hauptgedankens, nach. Dessen Erscheinung selber kommt übermächtig und anscheinend so sehr als Lösung des Problems, als habe es während der Inkubation und ihrer Grübelei gar keines gegeben. Auch die äußerste Konzentration löst sich, welche die Verschlossenheit des letzten Stadiums ausgezeichnet hatte und welche in Dürers Blatt »Melancolia« als Steinkugel im Zimmer liegt, das ist: als rings zusammengezogenes Denksymbol des Grübelnden. Die Lösung taucht mit einem Sprungprozeß auf, scheinbar so unvermittelt, das heißt ohne Bewußtsein der lange gärenden Inkubationszeit, daß die Inspiration, neben dem Glücksgefühl der Befreiung, leicht eben das Wundergefühl eines magischen Geschenks mit sich führt, vielmehr mit sich geführt hat. Die mit ihr gegebene Vision ist aber in jedem Fall mit Glücksrausch verbunden, mit höchster Leichtigkeit dazu, obzwar davon sowohl die magisch-archaischen wie die transzendenten Auslegungen gestrichen werden müssen, als all dies muffig Geweihte. Der Produktive ist kein Schamane, auch kein psychologisches Stück Urzeit; er ist weder ein Rußfeuer aus diesem Abgrund noch aber auch, wie das noch Nietzsche kokett erinnern möchte, ein Mundstück höherer Gewalten. Diese transzendente Mythisierung der Inspiration, als ob sie von oben herabfahre, ist erst recht gegenstandslos; sie ist der magisch-archaischen nur insofern überlegen, als sie wenigstens dem Transcendere, soll heißen: dem übersteigend Erweiternden der geistigen Schöpfung gerecht werden will und diese nicht zu einem Absinken, einer Nachtsprache verfälscht. Daß hier im Akt der Produktivität keine archaische Regression vor sich geht, zeigt eben die beständige Lichterfahrung, die mit der Inspiration verbunden ist. Auch sie ist in den meisten Fällen ganz hell, auf der Höhe des Bewußtseins notierbar, so am berühmtesten bei Descartes, als er das Prinzip des Cogito ergo sum gefunden hatte: »Am 10. November 1619, wo mir das Licht einer wunderbaren Entdeckung tagte.« Und was ist nun die Zündungsgegend dieses Tages, nachdem weder Schamanisches von unten her noch Enthusiastisches von oben herab mehr als abergläubische Auslegungen geliefert haben? Die Zündungsgegend der Inspiration liegt in der *Zusammenkunft* einer spezifischen genialen, das heißt schöpferischen Anlage mit

der Anlage einer Zeit, den spezifischen Inhalt zu liefern, der für die
Aussage, Formung, Durchführung spruchreif geworden ist. Nicht
nur die subjektiven, auch die objektiven Bedingungen zur Aussage eines Novum müssen also bereit sein, müssen reif sein,
damit dieses Novum aus bloßer Inkubation zum Durchbruch
und plötzlichen Durchblick seiner gelangen kann. Und diese
Bedingungen sind allemal ökonomisch-soziale progressiver Art:
ohne kapitalistischen Auftrag hätte der subjektive Auftrag zum
Cogito ergo sum nie seine Inspiration gefunden; ohne beginnend
proletarischen Auftrag wäre die Erkenntnis der materialistischen
Dialektik unfindbar gewesen oder ein bloßes brütendes Aperçu
geblieben und auch nicht als Blitz in den nicht mehr naiven
Volksboden eingeschlagen. Item, der Durchbruch, der oft plötzliche gewaltige Lichtschlag im genialen Individuum gewinnt
sowohl das Material, an dem er sich entzündet, wie das Material,
das er beleuchtet, einzig aus dem zum Gedanken drängenden
Novum des Zeitinhalts selbst. Das ist, wohlverstanden, noch
dann der Fall, wenn, wie so oft, die Rezeptivität einer Zeit
nicht selber auf der Höhe dieser Zeit, gar ihrer Weiterungen,
ihrer fortwirkenden Tendenzen und Latenzen steht. Auch dann
kommt die Inspiration aus dem Auftrag der Zeit, der im genialen
Individuum sich vernimmt und im Einklang mit dessen Anlage
sich auslegt, mit dessen Potenz sich potenziert. Das Geheimnis
der Welt, das als unsere Aufgabe in der Zeit vorrückt und der
großen Begabung vorgerückt wird, ist zwar mächtig genug, um
die zu seiner Artikulierung Berufenen mit Inkubation geladen
zu halten, aber noch nicht mächtig genug, um den Schuß der
jeweils möglichen, gesellschaftlich bevorstehenden Erhellungs-
weise zu lösen. Mit dem Weltgeheimnis noch allein im Blick,
ohne konkretes Verhältnis zur Zeit, kommt selbst bei größten
Begabungen nur jener Engpaß von Inkubation zustande, den
Hegel, auf eine Flaute in seinen Anfängen rückblickend, einmal
so beschreibt: »Ich kenne aus eigener Erfahrung diese Stimmung
des Gemüts oder vielmehr der Vernunft, wenn sie sich einmal
mit Interesse und mit ihren Ahndungen in ein Chaos der Erscheinungen hineingemacht hat und ... des Ziels innerlich gewiß
noch nicht zur Klarheit und Detaillierung des Ganzen gekommen ist ... Jeder Mensch hat wohl überhaupt einen solchen

Wendungspunkt in seinem Leben, den nächtlichen Punkt der Konzentration seines Wesens« (Briefe von und an Hegel I, 1887, S. 264). Und was die nötige Übereinstimmung mit dem historischen Kairos als konstituierende Eigenschaft des Geniehaften überhaupt angeht, so bemerkte hierzu, seinen Meister im Kopf, der Hegelianer Rosenkranz höchst sachgemäß: »Das Genie ist nicht, wie das Talent, durch formelle Vielseitigkeit, obwohl es dieselbe besitzen kann, sondern dadurch groß, daß es das objektiv in einer Sphäre Notwendige als sein individuelles Schicksal vollbringt. Eben darum hat es nur in der geschichtlichen Entwicklung sein Maß, denn es muß über alles Gegebene unmittelbar hinaus sein und das, was nach dem objektiven Gang der Sache gerade an der Zeit ist, als eine private Befriedigung erarbeiten. Innerhalb dieser Aufgabe herrscht es mit dämonischer Gewalt, außerhalb derselben ist es machtlos und kann sich wohl mannigfaltig bilden, aber nicht das Neue schaffen« (Psychologie, 1843, S. 54 f.). Und wie vortrefflich hätte diese Bestimmung damals, 1843, auf Marx zugetroffen, als auf ein junges Genie, das wie wenig andere das objektiv in einer Sphäre Notwendige als sein individuelles Schicksal zu vollbringen begann und das den damals geschehenden Inspirationsdurchbruch seines Werks wie kein anderer in völlig begriffener Übereinstimmung mit der gesellschaftlich-historischen Tendenz seiner Zeit erfuhr. Die Inspiration insgesamt kommt derart, wann immer sie eine werkbildende ist, aus der Zusammenkunft von Subjekt und Objekt, aus der Zusammenkunft ihrer Tendenz mit der objektiven Tendenz der Zeit, und ist der Blitz, womit diese Konkordanz anhebt. Dann geschieht die Zündung, die durchaus immanente; Inspiration ist so der Lichtausbruch im jeweiligen Tendenz-Latenz-Sein selbst, hervorgerufen durch dessen jeweils stärkstes Bewußtsein. Herauf kommt nun im Autor die klare Idee des Werks und als eine, die wie vorher in der Inkubation, so jetzt in der Inspiration sich noch keineswegs Genüge tut, die vielmehr weitertreibt und die aus dem Blitz, der die neue Landschaft zeigte, in die Topographie dieser Landschaft zu gelangen hat.

Darin schließlich wird ausgeführt, was von der Unruhe und ihrer Ahnung gezeigt war. Das geschieht im letzten Akt der Produktivität, im qualvollen, arbeitsseligen der *Explikation*. Genie ist Fleiß, doch einer, der gerade die Ausarbeitung nirgends altern, nirgends ohne fortdauernde Besessenheit lassen will. Es darf kein Bruch eintreten, weder zwischen Vision und Werk noch zwischen Werk und Vision: »Das erste Licht«, sagt van Gogh, »worin der zündende Eindruck lag, muß schon selber begonnen haben mitzumalen.« Genie ist derart spezifischer Fleiß des fortgeführten Lichtblicks zu seiner Aussage hin, so daß das Gemeisterte dem Geplanten nicht nur Stärke, sondern auch Tiefe hinzugibt. Gemäß der wahren Beobachtung in Schopenhauers Satz: »Das Talent gleicht einem Schützen, der ein Ziel trifft, welches die übrigen nicht erreichen können; das Genie dem, der eines trifft, bis zu welchem sie nicht einmal zu sehen vermögen.« Genau diese Wahrheit hebt auch Schopenhauers sonstige grundfalsche Geniedefinition auf, wonach Genie reines statisches Weltauge sei, also keinesfalls vorauseilend sein könne. Gerade aber indem Genialität über den jeweils vorhandenen Horizont hinaussieht, hinaustrifft, ist sie nicht kontemplativ-statisches Weltauge, sondern Pionier an den Grenzen einer vorrückenden Welt, ja selber ein wichtigster Teil der Welt, die sich erst bildet. Psychologisch ist Genialität die Erscheinung eines besonders hohen Grades von Noch-Nicht-Bewußtem und der Bewußtseinsfähigkeit, letzthin also Explizierungskraft dieses Noch-Nicht-Bewußten im Subjekt, in der Welt. Nach der Fülle seines Noch-Nicht-Bewußten, das heißt seines vermittelten Hinausseins über das bisher bewußt Gegebene, bisher in der Welt Explizierte und Ausgestaltete ist der Grad der genialen Begabung bestimmt. Künstlerisches und wissenschaftliches Genie hier zu unterscheiden, ist an diesem Punkt noch nicht notwendig; denn die Sentenz des Danteschen »L'acqua che io prendo giammai non si corse« gilt psychologisch sowohl für künstlerische wie wissenschaftliche Werke von Rang. Gestaltung des bisher noch nicht Gestalteten, dies Werkkriterium des Genialen, ist in Kunst (der bildhaften Abbildung eines realen Vorscheins) und in Wissenschaft (der begrifflichen Abbildung der Tendenz-, Latenz-Struktur des Realen) das gleiche. Die Explikationen in Kunst und Wissenschaft haben freilich auch noch in dieser verschiedenen Objektivitätsschicht dasjenige miteinander gemeinsam, daß sie jeweils im Prozeß der Objektivität selber sich befinden und, soweit sie genügend Genie enthalten, an dessen Front stehen. Genie als fortgeschrittenstes Bewußtsein und Lehrer dieses Bewußtseins ist eben deshalb auch höchste Empfindlichkeit für die Umschlagspunkte in der Zeit und ihrem materiellen Prozeß. Ist Kraft und Fähigkeit, auf der Höhe dieser Zeit zu stehen und sie über Landschaft wie Horizont dieser Prozeßepoche mitwissend zu informieren. Deshalb ist es nicht ganz uneben, wenn Carlyle das Geniewort geradezu als Lösungswort der Zeitahnung feiert: »Was der geistige Vorkämpfer sagt, waren alle Menschen schon nicht weit entfernt zu sagen, sehnten sich danach, es auszusprechen. Die Gedanken aller fahren wie aus einem schmerzlichen Zauberschlaf bei seinem Gedanken auf und erwidern ihm mit Zustimmung.« Kommt diese Zustimmung oft auch erst bei der nächsten Generation oder noch später, so lag doch das Pulver zum Schuß schon vorher bereit, und die Publizität der Zeit hat den Schuß nur nicht gehört, eben weil er an ihrem Horizont geschah. Ja an der Explikation eines bisher Noch-Nicht-Bewußten zeigt sich am stärksten: *Das Noch-Nicht-Bewußte insgesamt ist die psychische Repräsentierung des Noch-Nicht-Gewordenen in einer Zeit und ihrer Welt, an der Front der Welt.* Das Bewußtmachen des Noch-Nicht-Bewußten, das Gestalten des Noch-Nicht-Gewordenen ist nur in diesem Raum, als einem der konkreten Antizipation, nur in ihm steht der Vulkan der Produktivität und wirft sein Feuer. Nur als Phänomen des Novum ist auch die Meisterschaft im Geniewerk verständlich, die der gewohnten Gewordenheit fremd ist. Jedes große Kunstwerk bleibt daher, außer seinem manifesten Wesen, noch auf die Latenz der anderen Seite aufgetragen, das ist, auf die Inhalte einer Zukunft, die zu seiner Zeit noch nicht erschienen war, wo nicht auf die Inhalte eines noch unbekannten Endzustands. Nur aus diesem Grund haben die großen Werke allen Zeiten etwas zu sagen, und zwar ein weiterdeutendes Novum, das die vorige Zeit an ihnen noch nicht bemerkt hatte; nur aus diesem Grund hat eine Märchenoper wie die Zauberflöte, aber auch ein historisch lokalisiertes Epos wie die Ilias sogenannte ewige Jugend. Das macht: zum Geniewerk gewordene Explikationen haben nicht nur ihren eigenen Tag vollkommen ausgesprochen, es geht in ihnen auch die dauernde Implikation des Plus ultra um. Sein Platz, der Platz des Noch-Nicht-Bewußten, ist hier am wenigsten im Boden des Unterbewußtseins, als dem Ort, wohin bereits bewußt Gewesenes, bereits Erlebt-Erschienenes lediglich untergesunken ist. Sein Platz ist an der Front, wo die Genesis weitergeht, ja wo sie, als die des Rechten, immer noch erst im Begriff ist, mit dem Anfang zu beginnen. Die Wasser der Vergessenheit fließen in der Unterwelt, aber der kastalische Quell der Produktivität entspringt auf dem Parnaß *als einem Berge*. So arbeitet Produktivität, obwohl sie aus der Tiefe kommt, gerade erst am Licht und setzt immer wieder neuen Ursprung, nämlich einen auf der *Höhe des Bewußtseins*. Es gehört zu dieser Höhe, daß über ihr Blau ist, als die Gegenfarbe zum Orkus, als der dunkle und doch transparente Nimbus um alle wirkliche Explikation. Dieses Blau, als Fernfarbe, bezeichnet ebenso anschaulich-symbolisch das Zukunftshaltige, Noch-Nicht-Gewordene in der Wirklichkeit, worauf bedeutende Aussagen, eben als vorrückende, letzthin bezogen sind. Das Dunkle nach vorwärts, als ein sich lichtendes, ist auch in seiner Aussage jenem hellsten Bewußtsein zugeordnet, an dem der Tag die Morgenröte nicht aufgegeben hat, sondern gerade ihre wachsende ist.

Unterschiede des Widerstands,
den das Vergessene und das Noch-Nicht-Bewußte
der Erhellung entgegensetzen

Stets macht es verschiedene Mühe, ins rückwärts oder ins vorwärts gelegene Dunkel einzudringen. Gewiß, beim Erinnern wie beim arbeitsfähigen Ahnen wird die Schwelle des Bewußtseins verlegt. Aber beim einen gilt es, sie nach unten zu senken, damit Vergessenes oder Verdrängtes darübertrete, beim andern wird eine Grenze nach der Höhe verrückt. Gewiß auch, in beiden Fällen sperrt sich etwas gegen das Bewußtwerden, macht sich ein Widerstand gegen die Verschiebung der Schwelle geltend. Aber dieser Widerstand ist nicht minder ein charakteristisch anderer, je nachdem, ob Verdrängtes erinnert oder Geahntes gestaltet werden soll. Die Psychoanalyse hat in ihrem unterbewußten Gebiet solchen Widerstand längst kenntlich zu machen versucht: als einen des Unwillens, Verdrängtes wieder auszupacken. Das

Verdrängte selbst soll hier ja dadurch entstanden sein, daß sich ein Sträuben gegen das Bewußtwerden des ihm zugrunde liegenden seelischen Vorgangs oder Ereignisses erhoben hatte. So blieb oder wurde der Vorgang unbewußt, schickte nur noch ein neurotisches Symptom seiner ins Bewußtsein; dies Symptom aber gilt allemal als Anzeichen, das ein Vorgang nicht zu Ende gelebt, daß er abgebrochen wurde, daß der Patient mit etwas in sich nicht fertig geworden ist. Und das gleiche Sträuben, das einen Menschen krank gemacht hat, widersetzt sich während der analytischen Kur von neuem dem Bemühen, Verdrängt-Unterbewußtes ins Bewußtsein zu heben; dies eben ist der Widerstand des *Nicht-Mehr-Bewußten* gegen sein Bewußtwerden. Kurz, ein deutlich vorhandener Wille fundiert hier den Widerstand; wird dieser Wille gebrochen, dann taucht das Vergessene angeblich ohne weiteres auf. Und dieser Wille gilt als rein negierender, weshalb auch Freud sagt: »Verdrängung ist die infantile Vorstufe der Verurteilung.« Die gleichen Motive, die das alte Trauma sich verfestigen ließen, legen sich seinem Bewußtmachen in den Weg. Und vor allem: kommt das Verdrängte trotzdem an den Tag, so ist es verjährtes altes Zeug, das nun erst recht vergessen, nämlich überwunden wird.

Durchaus anders jedoch ist das Nichtwollen dort beschaffen, wo die Fahrt ins Dunkel nach vorwärts geht. Der Widerstand gegen das Bewußtwerden im Gebiet des Noch-Nicht-Bewußten zeigt selten oder nie neurotische Züge. Er zeigt sie nur dann, wenn im Produzierenwollen ein Mißverhältnis zwischen Kraft und Wille auftritt; dieses Mißverhältnis erzeugt allerdings, wie bekannt, eines der herbsten Leiden. Durchaus jedoch fehlt auch dann ein Sichsperren im Erhellungswillen selbst, von der Art also, wie es im Subjekt bei der bloßen Hebung eines Verdrängten, also beim Marsch ins Nicht-Mehr-Bewußte, eintritt. Ein Widerstand im Subjekt des Produktionswillens gegen diesen Willen und seine Inhalte, gar gegen das Gelingen der Fahrt ins Noch-Nicht-Bewußte und gegen dessen Schätze: ein Nichtwollen dieser Art kommt beim Produzierenden überhaupt nicht vor. Er überläßt das vielmehr den *Empfängern* des Werks, der, wie so oft, sich sperrenden *Rezeptivität,* dem also, was man früher den Widerstand der stumpfen Welt genannt hat. Die Psychologie des

Produzierens selber aber weist keinerlei inneren Widerstand gegen die hier vorliegenden Erhellungsakte auf; vielmehr ist der zur *Produktion* gehörige und in ihr einheimische Widerstand überhaupt keiner im menschlichen Subjekt. Er steckt vielmehr in der vom Subjekt bearbeiteten Sache und wird von den spezifischen Mühen der Explikation nur gespiegelt. Er steckt im schwierigen Fahrwasser des Novum, in dem noch Ungestalten, jeder Gewohnheit Baren des *neuen Materials.* Ja sogar der bloße Rezeptivitäts-Widerstand, wenn er sich gegen Geniewerke sperrt, sie über die Maßen nicht versteht oder nur Ärgernis an ihnen nimmt, leitet sich, trotz des eingemischten, der Psychoanalyse zugehörigen Ressentiments, am Ende von einer Unlust zu der Schwierigkeit des sachlich Neuen her; womit selbst hier der der Erhellung des Noch-Nicht-Bewußten eigene Widerstand letzthin kenntlich gemacht wird als der des noch ungebahnten Materials. Aller Anfang ist in diesem Gebiet schwer, desto schwerer, weil eben das Neue, in das die produktive Pionierschaft geht, wesentlich auch eines der heraufkommenden Sache an und für sich ist. Nur deshalb also treten die neuen Wahrheiten als die des objektiv Neuen in ihrer Artikulierung so zögernd vor und immer nur als astra per aspera. Leicht beieinander wohnen die Gedanken lediglich als Plan oder als Skizze, aber ein Schritt weiter, und die konkrete Schwierigkeit des Werks beginnt. Bewirkt sie doch auch bei ausreichendem Können, und gerade bei ihm, die vielen zurückgeworfenen Expeditionen im Atelier, im Laboratorium, in der Studierstube, die zahllosen Schlachtfelder ohne Sieg oder mit hinausgeschobenem. Item, gar nichts Verdrängtes, sondern Schwierigkeit des Wegs ist im Noch-Nicht-Bewußten, Noch-Nicht-Gewordenen dasjenige, was der Produktivität zu schaffen macht. Die Gründe hierfür liegen ausschließlich auf dem Terrain der Sache, als einem noch nicht abgeschlossenen, gar glatt arrondierten; kurz, es gibt eigene Hüter der oberen Schwelle, und sie liegen im Material.

Die derart wirksame Sperre tritt zunächst und überall als eine geschichtliche auf. Genauer als eine *gesellschaftliche;* das auch dann, wenn das Auszusagende oder zu Erkennende an und für sich selber keinesfalls neu ist. Wenn also nur eine neue Erkenntnis und mit ihr nicht auch eine Erkenntnis von sachlich Neuem, das ist: jetzt erst sachlich Heraufkommendem gewonnen werden soll. Es gibt dieser Art in der Geschichte eine *ökonomisch-soziale Blickschranke,* sie ist auch dem kühnsten Geist unüberspringbar. Vorwegnahmen, Vorblicke traten viele ins vorhandene Bewußtsein und wurden von ihm selber im Noch-Nicht-Bewußten pointiert, erhellt; jedoch die gesellschaftliche Schranke hemmte die Ausführung. So haben Forscher ersten Ranges wegen ihres gesellschaftlich-geschichtlichen Standorts und von ihm her oft nicht einmal die halbe Minerva an sich gebracht (wie die Alten selber dies Widerständige nannten). Kein griechischer Mathematiker hätte die Differentialrechnung verstanden, auch Zenon nicht, so nahe er ihr gekommen war. Das Unendlichkleine, die variable Größe lagen total unter dem Horizont der griechischen Gesellschaft; erst der Kapitalismus ließ das bisher Feste und Endliche so in Fluß geraten, daß Ruhe als unendlich kleine Bewegung, daß unstatische Größenbegriffe gedacht werden konnten. Hierher gehört auch, daß der griechischen Sklavenhaltergesellschaft der Begriff der Arbeit fremd war, auch erkenntnistheoretisch und gerade hier. Sie hat das Erkennen stets nur als ein empfangendes Schauen, nirgends als eine Tätigkeit pointiert; so nahe das etwa der Stoa und dem »subjektiven Faktor« in ihr hätte liegen können. Nicht alle Einsichten und Werke sind zu allen Zeiten möglich, die Geschichte hat ihren Fahrplan, oft sind die ihre Zeit transzendierenden Werke nicht einmal intendierbar, geschweige ausführbar. Das pointierte Marx mit dem Satz, daß die Menschheit sich immer nur Aufgaben stellt, die sie lösen kann. Die ihre Zeit transzendierenden Aufgaben sind selbst dort, wo sie ausnahmsweise abstrakt stellbar sein mögen, konkret unlösbar. Auch diese Schranke aber ist letzthin einzig im historischen Zustand des *Materials* fundiert, vor allem in seinem eigenen prozessual-unabgeschlossenen Zustand, wie er selber in Mühe, Front und Fragmenten steht. Das auch dort, wo nur neue Erkenntnis und noch keine Erkenntnis eines sachlich Neuen fragmentiert; wie sehr erst dort, wo, wie beim Arbeitsbegriff, die ganze Sache – als bürgerliche Gesellschaft – noch unter dem Horizont liegt. Das den Produktivitäts-Widerstand letzthin Bestimmende bleibt auch hier das schwierige Fahrwasser der Sache, bleibt die nur rationiert sich lichtende Verschlossenheit des *Novum im Gesamt-*

prozeß überhaupt, der als Welt vor sich geht. Der keinesfalls grundsätzliche, wohl aber historisch-temporäre Widerstand darin wird selbst dort noch notiert, wo er als überwunden ausgegeben wird, nämlich durch Mut. So in dem herrlich anti-agnozistischen Prospekt Hegels: »Das verschlossene Wesen des Universums hat keine Kraft in sich, welche dem Mute des Erkennens Widerstand leisten könnte, es muß sich vor ihm auftun und seinen Reichtum und seine Tiefen ihm vor Augen legen und zum Genusse bringen« (Werke VI, 1840, S. XL). Man sieht, auch hier fehlt das Wort Widerstand nicht, obwohl es sich am allerwenigsten um Gegenstände eines Unterbewußtseins handelt. Vielmehr ist die Verschlossenheit eines ganzen Universums zitiert, und diese gerade im Verhältnis zum hemmungslosen Mut eines Erkennens. Wieviel größer erst der Widerstand der Objekthaftigkeit zur Subjekt-Objekt-Beziehung der Erkenntnis, wo ein Universum nicht, wie bei Hegel, panlogisch und darin zugleich geschlossen vorliegt. Wo ein unabgeschlossener Prozeß anhängig ist, der überdies mit keinem so vertrauten, jedem idealistischen Professor verwandten Namen signiert ist wie Geist. Recht im Gegenteil dazu heißt der Träger des Prozesses Materie und ist ein Wesen, das keineswegs an sich schon, gleich der sogenannten Weltidee, das Subjekt mit dem Objekt zusammenschließt, es sei denn im Gefolge harter, eben durch Mühe des Widerstands geschärfter Arbeit. Das noch verschlossene Wesen des Universums, das gerade als Materie noch in einem unabgeschlossenen Prozeß seiner Objektivierungen liegt, läßt sich am wenigsten als bereits Fertiges, gar überschwenglich Sonnenklares abspiegeln oder deklarieren. Das noch Ungewordene, noch Ungelungene ist eine eigene Wildnis, an Gefahren der unbetretenen vergleichbar, an ungekommenen Möglichkeiten ihr überlegen. Dieses Noch-Nicht-Gewordene, ja Noch-Nicht-Gelungene im Objekt fundiert also den letzten Widerstand, er ist ersichtlich erst recht ein anderer als der der Verdrängtheit oder versteckten Vorhandenheit. Das Weltgeheimnis selber liegt nicht in einer Art kosmoanalytischer Abfallsgrube, sondern im Horizont der zu gewinnenden Zukunft, und der Widerstand, den es seiner Eröffnung entgegensetzt, ist nicht der eines verschlossenen Kastens, wie in dämonischen Schatzmythen, mit boshaft blickenden Hunden zur

Seite, die ihn bewachen, sondern der Widerstand ist hier der einer in sich selbst noch im Prozeß befindlichen, noch nicht manifesten Fülle. Das macht bezeichnenderweise, daß der objektive Idealismus, gar Spiritualismus das ihm Wesenhafte hinter der Erscheinung kraft der falschen Gleichung: Denken = Sein meist zu bestimmen unternahm, als wäre es nur geographisch an einem anderen Ort, während Marx, der doch gewiß nicht des »Agnostizismus« Verdächtige, bereits vom »Reich der Freiheit« fast nur privativ spricht, nämlich als bloßem Nichtdasein der Merkmale der Klassengesellschaft, oder äußerstenfalls in der ferntiefen, durchaus noch schwebenden Bedeutung einer »Naturalisierung des Menschen, Humanisierung der Natur«. Das sogenannte Wesen des Universums also ist noch an und für sich verschlossen im Sinne von: Noch-Nicht-Erscheinung seiner selbst; *diese seine eigene Aufgabe-Natur macht es schwierig.* Das Schwierige aufzuheben, dazu ist nicht nur Erkenntnis nötig im Sinn einer Ausgrabung dessen, was war, sondern Erkenntnis im Sinn einer Planbestimmung dessen, was wird; Erkenntnis mithin ist nötig, die zu diesem Werden, als einem gut verändernden, selber entscheidend beiträgt. Revolution und Genie geben Vertrauen darauf, daß dies schwierige heliotropische Geschäft nicht umsonst war oder umsonst gewesen sein wird; trotz des Widerstands in ihm selbst und im Sauerteig Welt.

Epilog über die Sperre, die den Begriff des Noch-Nicht-Bewußten so lange verhindert hat

Sonderbar schwer macht der innere Blick gar sich selber hell. Hier ist ein eigener Widerstand im allgemein sachlichen; seelisches Leben wirkt flüchtig, schattenhaft. Wie lange dauerte es, bis man überhaupt nur merkte, daß dieses Leben sich selber bemerkt, also ein *bewußtes* ist. Und unterbewußte seelische Vorgänge werden als solche erst seit wenig mehr als zweihundert Jahren bei Namen genannt. Dem mag allenfalls zugute gehalten werden, daß die unterbewußten Vorgänge nicht ohne weiteres bemerkbar gegeben sind, daß sie erst aus Zeichen erschlossen werden, daß sie inhaltlich Vergessenes enthalten. Doch schwerer verständlich wirkt es, nach der immerhin geschehenen Notierung des Bewußten, gar Unterbewußten, daß das *Noch-Nicht-Bewußte* so lange unbeachtet geblieben ist. Denn es wird nicht durch den Akt des Erinnerns erst ausgegraben, sondern ist sich gerade als eigener Akt unmittelbar gegeben, nämlich im Ahnen, außer diesem, was inhaltlich darin vorgeht. Trotzdem wurde das Schwebende, Offene, Ausmalende dieser Vorgänge so dargestellt, als ob es, wie gesehen ward, gleichfalls nur unterbewußt wäre; und eben: in diesem Dunkel lag es bis heute versteckt. Wie bekannt, wurde Unbewußtes überhaupt erst von *Leibniz* psychologisch kenntlich gemacht, auf weitem Umweg. Nicht nur Beobachtung, auch Theorie bewirkte die Entdeckung; Beobachtetes kam zum Teil nachträglich als ein Beispiel dazu, das die Theorie illustrierte. Eines der Leibnizschen Grundgesetze war das vom lückenlosen Weltzusammenhang; diese lex continui duldet keine Unterbrechung, keine Leerstelle, nirgendwo. Scheint sie sich dennoch zu finden, so ist sie in Wahrheit mit unmerklich kleinstem Etwas besetzt, mit anfangendem und wachsendem; die Differentialrechnung drückt dies Unendlich-Kleine als Bewegungsmoment mathematisch aus. Wie es aber nun kleinste Impulse der Bewegung gibt, so auch solche der Vorstellungsintensität des nach Klarheit und Deutlichkeit graduierten Bewußtseins: das sind die »petites perceptions insensibles«. Und als ihre Beispiele führt Leibniz kleinste Wahrnehmungen an, die wegen ihrer Schwäche unmerklich oder unbewußt bleiben, doch bei hinreichender Summierung, etwa als Wogengeräusch oder Stimmengewirr, durchaus bewußt werden. Also müssen sie auch vorher in der Seele vorhanden gewesen sein, desgleichen vergessene Vorstellungen, die durch genügende Verstärkung ins Bewußtsein treten. Die petites perceptions werden von Leibniz in der Vorrede zu den »Nouveaux Essais« sogleich als große Entdeckung ausgezeichnet: »Die unmerklichen Wahrnehmungen sind mit einem Wort in der Geisteslehre von ebenso großer Bedeutung, wie es die unmerklichen Körper in der Physik sind; und es ist gleich unvernünftig, die einen wie die anderen unter dem Vorwand, daß sie außerhalb des Bereichs unserer Sinne fallen, zu verwerfen.« So wird der Begriff des Unbewußten aus der lex continui geboren, ja es läßt sich cum grano salis sagen: *aus der Differentialrechnung*, als deren Pendant in der Seele. Zugleich jedoch wird der so gewonnene Begriff des Unbewußten gänzlich unter den des vorhandenen Bewußtseins gebeugt. Unbewußtes ist von seiner ersten Notierung ab als Unterbewußtes abgestempelt. Die petites perceptions werden durch das im Menschen bereits erreichte Bewußtsein allemal überboten, auch aufgelöst; so kommen sie nach einer erlangten Klärung, und jenseits ihrer nicht abermals etwa gebärend, als Schöpfungselemente vor. Trotzdem war durch den Heros der Aufklärung selber noch ein anderes als vorhandenes Bewußtsein in der Seele aufgezeigt worden, wenn auch nur als Mondlicht im Ahnensaal des Bewußtseins. Schieres Bewußtsein galt nun nicht mehr als das Wesensmerkmal des menschlichen Geistes, der bis dahin so paradoxe Begriff einer unbewußten seelischen Tätigkeit begann. Und eben, auch das besondere Versteck des Noch-Nicht-Bewußten in diesem Dunkel begann, die Beugung des Noch-Nicht-Bewußten unter eine vergangen brütende Mondscheinwelt: diese *Maske* des Noch-Nicht-Bewußten trat nun auf. Mit eigentümlichen, jetzt erst durchschaubaren Pseudomorphosen, zuerst im *Sturm und Drang*, dann in der *Romantik*. Fünfzig Jahre nach dem Tod von Leibniz, mit dem Erscheinen seiner posthumen »Nouveaux Essais« schallte das Stichwort der petites perceptions in die Vorwehen jener bürgerlichen Revolution, die dann in Deutschland nicht kam. Das Unbewußte blieb dem *Sturm und Drang* zwar durchaus ein Unteres, lag im bloßen Anfang der Geistesgeschichte, aber es schien darin quellend und wallend. So blieb auch das Unbewußte nicht mehr infinitesimal wie die kleinsten Impulse, nicht mehr schmal wie die petites perceptions, vielmehr, aller Nebel des Nordens und der Vorzeit wogte darin, die Fingalshöhle wie Macbeth' Heide, der Geist der hebräischen Poesie wie das Straßburger Münster schienen darin Platz zu finden. Das Unbewußte hatte bei all seinem dumpfen Schwalm die Urstimme, die Glut, die Jugend, den wildschaffenden, hinwerfenden Genius. So erschien freilich das Dämmernde im Sturm und Drang, der ja weithin zur Aufklärung gehört, zum ersten Mal auch mit Zukunft versehen und sich dessen, mitten im Nachtwind der Vorzeit, auch bewußt zu sein: »Wer will«, ruft Hamann, als Magus dieser raunenden Aufklärung, »wer will vom Gegenwärtigen richtige Begriffe nehmen, ohne das Zukünftige zu wissen? Das Zukünftige bestimmt das Gegenwärtige und dieses das Vergangene, wie die Absicht Beschaffenheit und den Gebrauch der Mittel.« Und weiter sagt Hamann, mit Bezug auf Ezechiel 37, 1–6: »Das Feld der Geschichte ist mir daher immer wie jenes weite Feld vorgekommen, das voller Beine lag, und siehe! sie waren sehr verdorret. Niemand als ein Prophet kann von diesen Beinen weissagen, daß Adern und Fleisch darauf wachsen und Haut sie überziehe.« Auch an der Regel, diesem Stolz des rationalistischen Bewußtseins, wurde vor allem doch das Erloschene abgelehnt, das Geworden-Tote, im Gegensatz zur Entspringung oder Natur, die allemal als Quell-Natur andrang. Trotzdem jedoch blieb selbst dieses, auf betäubende Weise, noch mit Regressio gemischt, mit dem Mondschein Ossians, mit moosbedeckten Malen und Heldengräbern. Die Unreife Deutschlands zur bürgerlichen Revolution, die dadurch bedingten unklaren Durchkreuzungen der progressiven revolutionären Vernunft haben so das Originalgenie zuletzt doch mehr zu einem Boten aus der Urzeit als der Zukunft gemacht. Dergleichen steigerte sich in den erst recht merkwürdigen Verwicklungen der *Romantik*. Das Quellen war hier gewiß lebhaft, und Unerhörtes schien darin in Gang zu kommen, aber das Gefühl eines verlorenen Gestern schlug mit einer Kraft dagegen an, die der Sturm und Drang nicht kennen wollte noch konnte. Diese Kraft wurde von dem reaktionären, gegen die bürgerliche Revolution gerichteten Auftrag geliefert, wie er wachsend die deutsche Romantik bestimmte und trotzdem vorhandene unleugbar progressive Züge durchkreuzte. Auf kaum mehr nacherfahrbare Weise war der Romantiker Vergangenem verfallen, und das mit einer lex continui, die – dem reaktionären Auftrag gemäß – in der mondbeglänzten Zaubernacht vorzugsweise nur Ritterburgen ragen ließ. Das Geschichtliche verband sich noch wachsend mit Archaischem und dieses mit Chthonischem, so daß das Geschichts-Innere bald wie Erd-Inneres selber dreinsah. Dies Truhengefühl, dies Inzestwesen des Eingehenwollens in den Mutterschoß Nacht und Vergangenheit kulminiert spät bei Bachofen, dem Lehrer des Mutterrechts, doch mit Grabliebe für die chthonische Demeter schlechthin. Der Nachtsicht gemäß kommt auch psychologisch jegliches Gute, Ahnungsvolle an den Nachtpol des Bewußtseins:

Schöpfung geht mit Trieb und Instinkt, mit atavistischem Hell-sehen und Raunen des Abgrunds heimatlich zusammen; auf der Tagseite, sogar auf der Gestalt- und Erfüllungsseite wohnte dem Romantiker nichts halb so Vertrautes. Jede Produktivität, ja gerade der Erwartungscharakter, an dem die Romantik so para-dox reich ist, meditierte sich hier in antiquarische Bilder ein, in Vergangenheit, in Unvordenkliches, in Mythos, als Halt gegen die Zukunft, welche immer mehr nur als Spreu, Leere, Wind gilt. Nicht überraschend also, wenn hier Jugend und Produktivität jedes Bewußtseins ihres Noch-Nicht-Bewußten bis zum Ahnen-kult redressierten: die andere Sprengkraft, außer der Produk-tivität: die erfaßte Zeitwende fehlte. Nicht überraschend auch, wenn die trotzdem stark-vage Erwartungsstimmung in der Re-staurationswelt Romantik sich immer nur zu einem Advent er-hob, in dem Vinetaglocken läuten, die Glocken einer versunkenen Stadt. Görres, der Renegat der phrygischen Mütze, hat dieses Pathos Vergangenheit am leidenschaftlichsten formuliert: »So reich war jene vergangene Welt, sie ist versunken, die Fluten sind darüber hingegangen, da und dort ragen die Trümmer noch her-vor, und wenn sich die Trübe der Zeitentiefe klärt, sehen wir am Grunde ihre Schätze liegen. Wir sehen aus großer Ferne in den wunderbaren Abgrund nieder, wo alle Geheimnisse der Welt und des Lebens verborgen ruhen, aber ist es uns gelungen zu er-gründen die Wurzel der Dinge, die in Gott verborgen ruht? Es zielt hinab der Blick in die Tiefe, es locken die Rätsel aus der Ferne, aber nach aufwärts drängt die Strömung und wirft den Taucher aus in die Gegenwart« (Mythengeschichte, 1810, Seite 599 f). Bezeichnend führt hier das Aufwärts nur mit Trauer in die Gegenwart, und die Zukunft ist überhaupt nicht im Blick; es gibt zwar Rätsel der Ferne, sie sind dem Romantiker die aller-dringlichsten, doch sie liegen fast einzig im Abgrund, die Ferne ist und bleibt Urgewesenheit. Zweifellos hatte die deutsche Ro-mantik – was gegenüber einer veralteten abstrakten Unterschät-zung ihrer nicht oft genug betont werden kann – auch progres-siven Charakter; eben der Sinn fürs Quellen, Werden, Wachsen gehört hierher, der berühmte »historische Sinn«, der ganze Wis-senschaften, wie Rechtsgeschichte, Germanistik, erst schuf; gar das Vaterländische ist nicht zu vergessen und ihm gemäß das

Organ für alles große Nationalwerk in der Weltliteratur. Es gibt durchaus, wie allein schon das Wartburgfest 1817 zeigt, auch Revolutionär-Romantisches in der deutschen Romantik: indes selbst das leidenschaftlichst utopisierte Morgenrot ist hier immer wieder mit den angegebenen Nachtgedanken eines Antiquariums durchsetzt, mit der Projektion überfeierter Vergangenheit auch noch in die Neuheit Zukunft. Und fast nur außerhalb Deutschlands, in der englischen, der russischen Romantik, die beide nicht unter einem so reaktionären Stern standen, sondern unter dem wild erinnerten der Französischen Revolution, bei Byron, bei Shelley, bei Puschkin, wird das den Menschen angemessene, wahrhaft Heimatliche explosiv und Zukunft haltend, nicht versinkend gesucht. Doch das war in Deutschland Anomalie; gegen die romantische Reaktion kam eine revolutionäre Romantik damals noch nicht unverwechselbar auf. Selbst Jean Paul, der ohnehin nur uneigentlich zur Romantik gehört, der blühendste und ungehemmteste Wachtraum-Dichter, dessen Liberalismus sicher war und dessen Morgenrotsprache, wenn sie in Nacht steht, so in Johannisnacht, hat die Hoffnung, die bei ihm freilich unablässige, unter die Erinnerung gebeugt oder dort letzthin angesiedelt. Selbst Jean Paul also, der Dichter der schönsten vorschwebenden Wunschlandschaften, hat das Licht, sobald er es nicht dichtete, sondern darüber reflektierte, am Ende doch nur in der Vergangenheit, nicht in der Zukunft gesucht. »Aus eben diesem Grunde glänzt jedes erinnerte Leben in seiner Ferne wie eine Erde am Himmel, nämlich die Phantasie drängt die Teile zu einem abgeschlossenen heiteren Ganzen zusammen. Sie könnte zwar ebensowohl ein trübes Ganzes bauen; aber spanische Luftschlösser voll Marterkammern stellt sie nur in die Zukunft und nur Belvederes in die Vergangenheit. Ungleich dem Orpheus gewinnen wir unsere Euridice durch Rückwärts- und verlieren sie durch Vorwärtsschauen« (Vorschule der Ästhetik, § 7). Derart verführte Romantik, mit dem Brunnenland in den petites perceptions, das Noch-Nicht-Bewußte doch immer wieder. Der Blick auf den utopischen Zustand, die Ausbeute seines Inhalts fanden so, bei aller Erwartung, die durchs romantische Gefühl ging, an der Anamnesis, als einer geradezu beschwörenden Wiedererinnerung, die stärkste Sperre.

Und sie blieb nicht die einzige, wie noch Freud mit seinem nur unterbewußten Traum zeigte. Wohl wenig Zeiten haben so unvermeidlich den Übergang zu einem Anderswerden, einem Heraufkommenden gespürt wie die jetzige. Aber desto betretener und blinder verhält sich das Bürgertum hierzu, ist am Widerschein des Morgen gar nicht oder nur feindlich interessiert. Kommende Ereignisse werfen diesem Bürgertum lediglich ihren *Schatten* voraus, nichts anderes als Schatten; die kapitalistische Gesellschaft spürt sich von der Zukunft verneint. Mehr als je fehlt zu einer Trennung des Noch-Nicht-Bewußten vom Nicht-Mehr-Bewußten im Bürgertum der materielle Anlaß. Jede Psychoanalyse, mit Verdrängung als Hauptbegriff, Sublimierung als bloßem Nebenbegriff (für Ersatz, für Hoffnungs-Illusionen), ist darum notwendig retrospektiv. Sie entstand zwar in einer früheren Zeit als der heutigen, sie nahm, um die Jahrhundertwende, an einem sogenannten Kampf gegen die konventionellen Lügen der Kulturmenschheit teil. Trotzdem ist Psychoanalyse in einer schon damals überalterten Klasse entstanden, in einer Gesellschaft ohne Zukunft. So überdimensionierte Freud die Libido der Parasiten und kannte keinen anderen Antrieb, gar Auftrieb. Keine anderen Träume als diejenigen, die der Herr, der jetzt Eros heißt, den Seinen im Schlaf gibt. Und je länger, je lieber verstärkte sich das durchaus interessierte Mißtrauen gegen die Zukunft durch den neuen Angst-, den alten Resignationsvorrat der Bourgeoisie. Und dieses eben bezeichnet die Schranke, die sich, wie gesehen, auch Freud vor dem Begriff eines Noch-Nicht-Bewußten, vor der Dämmerung nach vorwärts auftut. Von daher der schlechthin unvermeidliche, schlechthin regredierende Satz: »Das Verdrängte ist uns das Vorbild des Unbewußten« (Das Ich und das Es, 1923, S. 12). Die Schranke wurde schließlich in der sogenannten Tiefenpsychologie absolut; dort also, wo die psychoanalytische Regression für den Blut-Boden-Zauber ideologisch brauchbar wurde. Das Unbewußte C. G. Jungs begab sich desto gänzlicher in den Keller des Bewußtseins, als nur in ihm das Opium geraucht werden kann, womit der Faschismus Utopie betäubt. Jung interpretiert auch Heraufdämmerndes ganz und gar archaisch-okkult, nach Analogie des prophetischen – Tempelschlafs. Auch das »inconscient superieur«, auch die noch so geschwollen ausgedrückte »prospektive Tendenz subliminaler Kombinationen« wird derart, wie begriffen wurde, gänzlich unter Regression gebeugt. Die Stelle bei Jung, worin »ein das Zukünftige vorahnender Gedanke« dermaßen archaisiert wird und bleibt, ist gerade für die Geschichte der verhinderten Novum-Psychologie aufschlußreich genug, um in extenso zu erscheinen: »Die Psychoanalyse arbeitet rückwärts wie die Geschichtswissenschaft. So wie ein großer Teil der Vergangenheit dermaßen entrückt ist, daß ihn die Kenntnis der Historie nicht mehr erreicht, so ist auch ein großer Teil der unbewußten Determination unerreichbar. Die Historie weiß aber zweierlei Dinge nicht, nämlich das in der Vergangenheit Verborgene und das in der Zukunft Verborgene. Beides wäre vielleicht mit einer gewissen Wahrscheinlichkeit zu erreichen, ersteres als Postulat, letzteres als historische Prognose. Insofern im Heute schon das Morgen enthalten ist und alle Fäden des Zukünftigen schon gelegt sind, könnte also eine vertiefte Kenntnis der Gegenwart eine mehr oder minder weit reichende und sichere Prognose des Zukünftigen ermöglichen. Übertragen wir dieses Räsonnement... auf das Psychologische, so muß sich notwendig dasselbe ergeben: so wie nämlich dem Unbewußten nachweisbar längst unterschwellig gewordene Erinnerungsspuren noch zugänglich sind, so auch sehr feine subliminale Kombinationen nach vorwärts, welche für das zukünftige Geschehen, insofern solches durch unsere Psychologie bedingt ist, von allergrößter Bedeutung sind. So wenig aber die Geschichtswissenschaft sich um die Zukunftskombinationen bekümmert, welche vielmehr das Objekt der Politik sind, so wenig sind auch die psychologischen Zukunftskombinationen Gegenstand der Analyse, sondern wären vielmehr Objekte einer unendlich verfeinerten psychologischen Synthetik, welche den natürlichen Strömungswegen der Libido zu folgen verstünde. Das können wir nicht, wohl aber das Unbewußte, denn dort geschieht es, und es scheint, als ob von Zeit zu Zeit in gewissen Fällen bedeutsame Fragmente dieser Arbeit wenigstens in Träumen zutage träten, woher dann die vom Aberglauben längst geforderte prophetische Bedeutung der Träume käme. Die Abneigung der Exakten von heutzutage gegen derlei wohl kaum als phantastisch zu bezeichnende Gedankengänge ist bloß eine Überkompensation der Jahrtausende alten, aber allzu großen Neigung der Menschen, an die Wahrsagerei zu glauben« (Wandlungen und Symbole der Libido, 1925, S. 54 f.). Das ist alles, was Jung gerade bei Gelegenheit der psychischen Repräsentation des Heraufkommenden zu sagen weiß: Das utopische Bewußtsein erscheint als ägyptisches Traumbuch. Nur das archaisch Unbewußte, im tiefsten Dunkel, vollzieht hier die sogenannten Zukunftskombinationen; tritt ein Geringes von diesem Dunkel aber ins Licht, so an jenes, das letzthin Regressio zeigt. Gerade im geschichtlichen Zusammenhang mit den petites perceptions wird so die nochmals erinnerte Archaisierung des Unbewußten nochmals warnend: die Schranke vor dem Novum bei dem großen progressiven Leibniz wird zum Fallbeil fürs Novum in der letzten bürgerlichen Psychologie des Unbewußten. Haben doch, wie nun völlig deutlich wird, *selbst die aufsteigenden Zeiten der bürgerlichen Psychologie* die Bewußtseinsklasse des Neuen nicht oder mindestens nicht unverwechselbar notiert. Leibniz legte den Akzent auf den Aufstieg des Bewußtseins, doch eben die petites perceptions, in welchen der Keim ist, lagen ausnahmslos unterhalb des bereits gewonnenen Bewußtseins, zeigen also genau jene historische Topik, die dem Vorbewußten bis Freud geblieben ist. Auch die Konstruktion der Wunschträume, die die Neuzeit entwickelt hat, die sozialen Utopien und die einer technisch beherrschten Welt, selbst diese Vorwegnahmen haben in der philosophischen Beachtung, die sie von Morus, Campanella, Bacon bis Fichte und fortan fanden, weder eine Psychologie ihrer erweiternden Tagträume noch eine Erkenntnistheorie ihres möglich-realen Orts in der Welt ausbilden lassen. Der Grund hierfür liegt diesesfalls nicht in einem interessierten Mißtrauen gegen die Zukunft, gewiß nicht, wohl aber in einem sozusagen uninteressierten, nämlich im *nachwirkenden Bann des statischen Lebens und Denkens*. Auch das Bewußtsein des aufsteigenden Bürgertums war noch zu wenig aus dem Begriff einer vorgeordneten, letzthin fertigen Welt (ordo sempiternus rerum) ausgetreten; nachwirkende feudale Statik hemmte den Begriff Neuheit. Sie hemmte ihn bei Leibniz, sie hemmte und depravierte ihn sogar in der entschiedensten aller bisherigen Werdens-Eröffnungen, Prozeßphilosophien wie der Hegels. So abgeriegelt muß selbst der berühmte Prozeß-Satz aus der »Phänomenologie des Geistes« gelesen werden: »Aber wie beim Kinde nach langer stiller Ernährung der erste Atemzug jene Allmählichkeit des nur vermehrenden Fortganges abbricht – ein qualitativer Sprung – und jetzt das Kind geboren ist, so reift der sich bildende Geist langsam und still der neuen Gestalt entgegen, löst ein Teilchen des Baues seiner vorhergehenden Welt nach dem andern auf, ihr Wanken wird nur durch einzelne Symptome angedeutet; der Leichtsinn wie die Langeweile, die im Bestehenden einreißen, die unbestimmte Ahnung eines Unbekannten sind Vorboten, daß etwas anderes im Anzug ist. Dies allmähliche Zerbröckeln, das die Physiognomie des Ganzen nicht veränderte, wird durch den Aufgang unterbrochen, der, ein Blitz, in einem Male das Gebilde der neuen Welt hinstellt« (Werke II, 1832, S. 10). Der Reflex der Französischen Revolution ist hier wie im gesamten Sprungcharakter der Hegelschen Dialektik unverkennbar; dennoch ist das Ganze ebenso gedacht als fertiges Zugleichsein, als – Erinnerung. Der Blitz des neuen Anfangs ist auch hier nur Aufgang mit längst entschiedener Abgeschlossenheit des Aufgehenden und darum im Kreis geschehend, ohne Öffnung zu einem noch Ungekommenen. Ewig ist das ungeheure Unternehmen schon in Pension gegangen, in die Ruhe fertiger Gelungenheit: »Die Erscheinung ist das Entstehen und Vergehen, das selbst nicht entsteht und vergeht, sondern an sich ist und die Wirklichkeit und Bewegung des Lebens der Wahrheit ausmacht ... In dem Ganzen der Bewegung, es als Ruhe aufgefaßt, ist dasjenige, was sich in ihr unterscheidet und besonderes Dasein gibt, als ein solches, das sich erinnert, aufbewahrt, dessen Dasein das Wissen von sich selbst ist« (l. c. S. 36 f.). Die utopische Verborgenheit, welche im Keim oder An-sich gewiß besteht und auf jeder Stufe des Hegelschen Prozesses wieder hervorbricht, ist danach ebenso durchs Ganze der begriffenen Manifestationen von je enthüllt. Die Lehre Platons, wonach alles Wissen lediglich *Anamnesis, Wiedererinnerung an ein einstmals Geschautes* sei, diese einzig auf Ge-wesenheit ausgerichtete Erkenntnis wurde derart immer wieder reproduziert; – das allerletzt ideologisierte die Sperre vor dem Sein sui generis eines Noch-Nicht-Seins. Eben die nachwirkende Statik des reaktionär Ruhebedürftigen, diese fertig abgemachte, abgeschlossene Anamnesis-Welt leistete hier, was in der Niedergangszeit der Horror vor dem Unbekannten leistet, das im Anzug ist.

Von dieser Sperre ist kein noch so scheinender Neutöner der alten Art befreit. Auch dort nicht, wo, wie bei Bergson, ausschließlich, allzu ausschließlich gerade die Neuheit auszuzeichnen versucht wird. Bergson sagt einmal, in seiner »Einführung in die Metaphysik«, die großen Erkenntnisse seien bisher betrachtet worden, als erleuchteten sie Punkt für Punkt eine in den Dingen längst vorgeformte Logik, »so wie man an einem Festabend nach und nach den Gasflammenkranz anzündet, welcher schon die Konturen eines Ornaments zeichnete«. Aber was sich bei Bergson nun als Novum gibt: Anti-Wiederholung, Anti-Geometrie, Elan vital und mit dem Lebensstrom fließende Intuition – all diese Lebendigkeit ist impressionistisch, auch liberal-anarchistisch, nicht antizipatorisch. Der Elan vital Bergsons ist eine »immer von neuem, wie etwa in einer Kurve, einsetzende Richtungsänderung«; die sogenannte Intuition setzt sich in dies bewegend Überraschende hinein, ohne jedoch vor lauter schlechter Unendlichkeit und unablässiger Veränderlichkeit das Novum je als ein wirkliches anzutreffen; – wo alles immer wieder neu sein soll, bleibt ebenso alles beim alten. Darum ist auch an Bergsons Überraschungsstrom in Wahrheit alles verabredet und zur Formel erstarrt, zu jenem selber toten Gegensatz zur Wiederholung, der das Neue zu bloß ewigem, inhaltslosem Zickzack herabsetzt, zu jenem absolut gemachten Zufall, an dem weder Geburt noch Sprengung noch eine inhaltlich fruchtbare Überschreitung des bisher Gewordenen statthat. Bergson wendet sich gegen einen Prozeßgedanken mit Ziel, aber er wendet sich nicht dagegen, weil das Ziel bereits vereinbart wäre, so daß der genannte Prozeß – auf höchstem Niveau – fast wie Schiebung aussicht, sondern er eliminiert alles und jedes Voran, Wohin und offen betreibbare Ziel überhaupt. Wonach das angebliche Novum auch nicht anders dreinsieht als in der Anamnesis, nämlich immer gewesen, immer Phönix, immer gebannte Rückkehr in das Unveränderliche, das hier Veränderlichkeit heißt. Im Ganzen also bleibt fast überall das Erstaunliche, daß die Aufdämmerung im Fixum steckenbleibt, letzthin unnotiert oder mit Gewesenem zugestellt. Ein riesiges psychisches Reich des Noch-Nicht-Bewußten, ein dauernd befahrenes, blieb bis jetzt unentdeckt, oder seine Entdeckungen blieben unbemerkt. Desgleichen: ein riesiges physisches Reich des Noch-Nicht-Gewordenen, wie es dem Noch-Nicht-Bewußten sein Korrelat bildet, blieb stabil, und die eng zusammengehörigen Realkategorien: Front, Novum, objektive Möglichkeit, die der Anamnesis unzugänglichen, blieben in der Welt vor Marx ohne Kategorienlehre. Der Epigone befindet sich stets nur auf den gangbaren Straßen, welche Produktivität vor ihm gebaut und geschmückt hat, in der Notierung des Neuen verhielt sich aber auch die bisherige Produktivität so, als kenne sie nur Epigonentum. Der Niedergang der bürgerlichen Klasse hat weit über die reaktionär gewesene Romantik hinaus diese Unlust am Begriff Aurora besiegelt. Und – wie jetzt spruchreif – erst *Erfahrung der heutigen Zeit, als positive,* soll heißen: als Bejahung ihres heraufziehenden Inhalts, läßt einen Bewußtseinszustand bezeichnen, der die Jugend, die Zeitwenden, die kulturelle Produktion ebenso erfüllt, wie er stets verdeckt war. Erst unsere Gegenwart besitzt die ökonomisch-sozialen Voraussetzungen zu einer Theorie des Noch-Nicht-Bewußten und was damit im Noch-Nicht-Gewordenen der Welt zusammenhängt. Erst der Marxismus vor allem hat einen Begriff des Wissens in die Welt gebracht, der nicht mehr wesentlich auf Gewordenheit bezogen ist, sondern auf die Tendenz des Heraufkommenden; so bringt er erstmalig Zukunft in den theoretisch-praktischen Griff. Solche Tendenzkenntnis ist notwendig, um sogar noch das Nicht-Mehr-Bewußte und das Gewordene nach seiner möglichen Fortbedeutung, das heißt, Unabgegoltenheit, zu erinnern, zu interpretieren, aufzuschließen. Der Marxismus hat derart ebenso den rationellen Kern der Utopie herübergerettet und ins Konkrete gebracht wie den der noch idealistischen Tendenz-Dialektik. Die Romantik versteht nicht Utopie, nicht einmal ihre eigene, aber konkret gewordene Utopie versteht Romantik und dringt dahin ein, sofern und soweit Archaisches und Historisches, in seinen Archetypen und Werken, ein noch nicht Lautgewordenes, ein Unabgegoltenes enthalten. Das fortgeschrittenste Bewußtsein arbeitet derart auch in der Erinnerung und Vergessenheit nicht als in einem abgesunkenen und so geschlossenen Raum, sondern in einem offenen, im Raum des Prozesses und seiner Front. Dieser Raum aber ist ausschließlich mit Dämmerung nach vorwärts erfüllt, auch noch in seinen Exempeln aus fortbedeutender Vergangenheit; er ist mit bewußtseinsfähiger, gewußtseinsfähiger Lebendigkeit eines Noch-Nicht-Seins gefüllt. Wo die Romantik als archaisch-historische ins lediglich antiquarische Quellen, als in eine falsche Tiefe, hinabgezogen wurde, dort legt das utopische Bewußtsein auch noch das Heraufkommende im alten frei, wie sehr erst im Bevorstehenden selbst. Es entdeckt die wirkliche Tiefe – in der Höhe, nämlich *in der des hellsten Bewußtseins, wo noch helleres dämmert.*

Die bewußte und die gewußte Tätigkeit im Noch-Nicht-Bewußten, utopische Funktion

Der hier gemeinte Blick nach vorwärts ist wählerisch, nicht trüb. Er vorab verlangt, daß das Ahnen ein gesundes sei und auch kein dumpfes, das selber wie im Keller steckt. Das gar nicht darauf angelegt ist, sich in seinem Dämmer, obwohl es gegen Morgen gerichtet sein mag, bewußt zu machen. Auch haben sich, da die Wissenschaft fehlte, hier Hysterisches und Abergläubisches angesiedelt. Man hat Nervenzustände wie Hellsehen, zweites Gesicht und dergleichen als Ahnung bezeichnet, eben als dumpfe. Aber das ist ein Ausgeartetes, in welches echtes Ahnen, wie sich von selbst versteht, weder herabreichen kann noch will. Gesetzt den Fall, daß sogenanntes zweites Gesicht noch vorkommt, so haftet ihm ein Winkelwesen an, auch eine Nachbarschaft zu Krämpfen und anderen nicht eben hoffnungsvollen Gaben. Dergleichen gehört zu jenem kränklichen Feinsinn (dem Feinsinn einer Wunde), der in den legitimen Fällen nur einen Wetterumschlag vorherfühlt, hier aber angeblich Feuersbrünste oder Todesfälle. Wobei es zum selber Unterbewußten, Abgesunkenen, Atavistischen, Ausgelebten dieser Art Ahnung paßt, daß sie sich immer nur auf tausendfach bereits Geschehenes bezieht, das morgen oder übermorgen immer wieder geschieht. Somnambules Vorgefühl überhaupt mag bestenfalls ein verkommener Rest des tierischen Instinkts sein, aber der Instinkt ist erst recht stereotyp; seine Handlungen, wiewohl bis ins einzelnste zweckgemäß, werden sofort widersinnig, sobald das Tier, in eine neue Situation geratend, noch nie Dagewesenes vorauszuwittern hätte. Eiablage, Nestbau, Wanderung werden durch den Instinkt vollzogen, als bestünde genaues »Wissen« der Zukunft, doch eben diese ist eine, worin nur die jahrmillionenalten Schicksale der Art geschehen. Sie ist eine inhaltlich alte, automatische Zukunft, folglich, da in ihr nichts Neues geschieht, die erwähnte unechte. Vieles am Körperinstinkt wirkt noch dunkel, die Forschung der Signalsysteme ist noch nicht beendet, das Triebbilderleben im Instinkt, wenn es eines gibt, ist unenträtselt, mitsamt der Peilung, die es den Trieben angedeihen läßt. Auch wird eine noch so große Schwellensenkung menschlicher Ahnung schwerlich die Tätigkeit nacherfahren können, die im tierischen Instinkt der Vor-Sorge Vergangenheit, Gegenwart und Zukunft noch völlig zusammengezogen zu besitzen scheint und nach Maßgabe des Artgeschäfts relativ beherrscht. Gleichwohl ist nichts gewisser, als daß die Zukunft hier, wie noch in der Weissagerei, von der die Folklore erzählt, eben eine völlig unechte ist, eine Wiederholung, ein vorgeordnetes Stück in immer gleichem Kreis. Instinkt-Zukunft und die ihr verwandte der atavistischen Ahnung fängt, wenn sie beginnt, immer wieder auf gleicher Stufe das Gleiche an und auf. Produktive Ahnung, selbst in Gestalt sogenannter Intuition, ist daher ein ganz anderes als seiner bewußt gewordener Instinkt. Sie bleibt nicht dumpf und winkelhaft, gar qualmig, sie steht von Anfang an in Stärke und Gesundheit. Ist sich ihrer offen bewußt, eben als eines Noch-Nicht-Bewußten, zeigt in ihrer Wachheit die Lust zu lernen, zeigt die Fähigkeit, im Vorhersehen sich umzusehen, Umsicht, ja Vorsicht in ihrer Vor-Sicht zu haben. Indem echte Ahnung mit Jugend, Zeitwende, Produktion beginnt, ist sie ohne weiteres in menschlichen Zuständen aufrechtester Art zu Hause, nicht in animalischen, gar parapsychischen. Die deutschen Bauern von 1525, die Massen der Französischen, der Russischen Revolution hatten neben den Parolen gewiß auch eine Art Triebbilder der Revolution; im »Ça ira« lag Peilung. Doch die Triebbilder waren angezogen und erhellt von einem wirklich zukünftigen Ort: vom Reich der Freiheit. Das sogenannte Vermögen, Todesfälle vorherzusehen oder auch gewinnende Lotterienummern, ist ersichtlich von weniger produktivem Rang. Eine der stärksten Somnambulen, die Seherin von Prevost, sagt in den Mitteilungen, die Justinus Kerner seinerzeit von ihr herausgab, (Reclam, S. 274): »Mir ist die Welt ein Kreis, ich konnte in diesem Kreise vor- wie rückwärts und sehen, was war und was kam.« Die Romantik, auch Hegel, kannte und ehrte Ahnung einzig in diesem atavistischen, abergläubischen, heute gänzlich trivial gewordenen Sinn. Es ist nur Witterung da für eine alte Welt, worin das einzig Neue der Hahnenschrei ist, jener, der auf den Friedhof dringt und selber zum Spuk gehört. Bei keinem dieser kranken Zwerchfell-Propheten, von der Sibylle bis Nostradamus, steht begreiflicherweise, wenn sie »Zukunft« aussagen, ein Wort, das über die vorhandenen Bekanntheiten hinausginge und sie nicht etwa bloß umstellte. Wogegen etwa Bacon, kein Weissager, sondern ein überlegter Utopist, in seiner »Nova Atlantis« verblüffend echte Zukunft sah. Das allein auf Grund seiner sich durchaus bewußt machenden Witterung für die objektive Tendenz, objektiv-reale Möglichkeit seiner Zeit.

Wird doch der Blick nach vorwärts gerade stärker, je heller er sich bewußt macht. Der Traum in diesem Blick will durchaus klar, die Ahnung, als rechte, deutlich sein. Erst wenn Vernunft zu sprechen beginnt, fängt die Hoffnung, an der kein Falsch ist, wieder an zu blühen. Das Noch-Nicht-Bewußte selber muß seinem Akt nach *bewußt*, seinem Inhalt nach *gewußt* werden, als Aufdämmern hier, als Aufdämmerndes dort. Und der Punkt ist damit erreicht, wo gerade die Hoffnung, dieser eigentliche Erwartungsaffekt im Traum nach vorwärts, nicht mehr nur, wie im 13. Kapitel dargestellt, als bloße selbstzuständliche Gemütsbewegung auftritt, sondern *bewußt-gewußt* als *utopische Funktion*. Deren Inhalte repräsentieren sich zunächst in Vorstellungen, und zwar wesentlich in denen der Phantasie. In Phantasievorstellungen zum Unterschied von jenen erinnerten, die lediglich gewesene Wahrnehmungen reproduzieren und sich hierbei mehr und mehr ins Vergangene abschatten. Und auch die Phantasievorstellungen sind hier nicht solche, die sich aus Vorhandenem lediglich zusammensetzen, auf beliebige Weise (steinernes Meer, goldener Berg und dergleichen), sondern die Vorhandenes in die zukünftigen Möglichkeiten seines Andersseins, Besserseins antizipierend fortsetzen. Wonach sich die so bestimmte Phantasie der utopischen Funktion von bloßer Phantasterei eben dadurch unterscheidet, daß nur erstere ein Noch-Nicht-Sein erwartbarer Art für sich hat, das heißt, nicht in einem Leer-Möglichen herumspielt und abirrt, sondern ein Real-Mögliches psychisch vorausnimmt. Zugleich gewinnt der so oft betonte Unterschied zwischen dem Wachtraum als reell möglicher Vorwegnahme dadurch neue Klarheit: die utopische Funktion ist im bloßen wishful thinking überhaupt nicht anwesend oder sie zuckt nur auf. Ibsen hat in der Gestalt des Ulrich Brendel, in »Rosmersholm«, einen bloßen, also fruchtlosen Plänemacher ergreifend gezeichnet. Auf sehr viel tieferer Stufe, ganz und gar nicht ergreifend, gehört der Spiegelberg der »Räuber« zum utopisch-bramarbasierenden Gewerbe, auf unvergleichlich viel höherer Stufe gehört Marquis Posa dazu, auf Grund allzugroßer, lediglich abstrakt-postulativer Reinheit. Pures wishful thinking diskreditierte seit alters die Utopien, sowohl politischpraktisch wie in der ganzen übrigen Anmeldung von Wünschbarkeiten; gleich als wäre jede Utopie eine abstrakte. Und ohne Zweifel ist die utopische Funktion im abstrakten Utopisieren erst unreif vorhanden, das heißt, noch überwiegend ohne solides Subjekt dahinter und ohne Bezug aufs Real-Mögliche. Folglich ist sie leicht Abwegen verfallen, ohne Kontakt mit der wirklichen Tendenz nach vorwärts, ins Bessere. Doch mindestens ebenso verdächtig wie die Unreife (Schwärmerei) der unentwickelten utopischen Funktion ist die weit verbreitete und freilich ausgereifte Platitüde des Vorhandenheits-Philisters, des Empiristen mit den Brettern vorm Kopf, die nicht die Welt bedeuten, kurz, ist die Bundesgenossenschaft, worin der dicke Bourgeois wie der flache Praktizist das Antizipierende allemal, in Bausch und Bogen nicht nur verworfen, sondern verachtet haben. Ja die Bundesgenossenschaft – aus Abneigung gegen jeden Modus von Wünschbarkeiten, vorab gegen die vorwärtstreibenden – hat sich zuletzt sogar, konsequenterweise, um den – Nihilismus vermehrt. Wonach gerade dieser Anti-Utopisches von sich zu geben vermochte gleich folgendem: »Im Wunsch entwirft das Dasein sein Sein auf Möglichkeiten, die im Besorgen nicht nur unergriffen bleiben, sondern deren Erfüllung nicht

einmal bedacht und erwartet wird (!). Im Gegenteil: die Vor-
herrschaft des Sich-vorweg-Seins im Modus des bloßen Wün-
schens bringt ein Unverständnis der faktischen Möglichkeiten
mit sich... Das Wünschen ist eine existenziale Modifikation des
verstehenden Sichentwerfens, das, der Geworfenheit verfallen,
den Möglichkeiten lediglich noch nachhängt« (Heidegger, Sein
und Zeit, 1927, S. 195). Dergleichen klingt, auf unreifes Antizipieren schlechthin angewandt, zweifellos so, als ob ein Eunuche
dem kindlichen Herkules Impotenz vorwürfe. Es braucht nicht
betont zu werden, daß der echte Kampf gegen das Unreife und
Abstrakte, soweit es der utopischen Funktion anhing oder poten-
tialiter noch anhängt, mit dem Bourgeois-»Realismus« nichts
gemein hat und auch vor dem Praktizismus sich hütet. Sondern
wichtig ist: der mit Hoffnung geladene, der phantasievolle Blick
der utopischen Funktion wird nicht von der Froschperspektive
her berichtigt, sondern einzig vom Reellen in der Antizipation
selbst. Also von jenem einzig reellen Realismus her, der nur einer
ist, weil er sich auf die Tendenz des Wirklichen versteht, auf die
objektiv-reale Möglichkeit, der die Tendenz zugeordnet ist, mithin auf die selber utopischen, nämlich zukunfthaltigen Eigenschaften der Wirklichkeit. Und die so bezeichnete Reife der
utopischen Funktion – von allen Abwegen unverführt – bezeichnet nicht zuletzt den Tendenzsinn des philosophischen Sozialismus, zum Unterschied vom schlechten »Tatsachensinn« des
empiristisch abgeglittenen. Der Berührungspunkt zwischen
Traum und Leben, ohne den der Traum nur abstrakte Utopie,
das Leben aber nur Trivialität abgibt, ist gegeben in der auf die
Füße gestellten utopischen Kapazität, die mit dem Real-Möglichen verbunden ist. Ja, die nicht nur in unserer Natur, sondern
in der der gesamten äußeren Prozeßwelt das jeweils Vorhandene
tendenzhaft übersteigt. Hier mithin wäre der nur scheinbar
paradoxe Begriff eines Konkret-Utopischen am Platz, das heißt
also, eines antizipatorischen, das keinesfalls mit abstrakt-uto-
pischer Träumerei zusammenfällt, auch nicht durch die Unreife
des bloß abstrakt-utopischen Sozialismus gerichtet ist. Es bezeichnet gerade die Macht und Wahrheit des Marxismus, daß er
die Wolke in den Träumen nach vorwärts vertrieben, aber die
Feuersäule in ihnen nicht ausgelöscht, sondern durch Konkret-

heit verstärkt hat. Solcherart mithin hat sich das Bewußtsein-Gewußtsein der Erwartungsintention als Intelligenz der Hoffnung zu bewähren – mitten im immanent aufsteigenden, materiell-dialektisch übersteigenden Licht. So auch ist die utopische Funktion die einzig transzendierende, die geblieben ist, und die einzige, die wert ist zu bleiben: eine transzendierende ohne Transzendenz. Ihr Halt und Korrelat ist der Prozeß, der seinen immanentesten Was-Inhalt noch nicht herausgegeben hat, der aber immer noch im Gang steht. Der folglich selber in Hoffnung steht und in objekthafter Ahnung des Noch-Nicht-Gewordenen als einem Noch-Nicht-Gutgewordenen. Bewußtsein der Front gibt dafür das beste Licht, utopische Funktion als begriffene Tätigkeit des Erwartungsaffekts, der Hoffnungs-Ahnung hält die Allianz mit allem noch Morgendlichen in der Welt. Utopische Funktion versteht so das Sprengende, weil sie es selber in sehr verdichteter Weise ist: ihre Ratio ist die ungeschwächte eines militanten Optimismus. Item: der *Akt-Inhalt* der Hoffnung ist als bewußt erhellter, gewußt erläuterter die *positive utopische Funktion;* der *Geschichts-Inhalt* der Hoffnung, in Vorstellungen zuerst repräsentiert, in Realurteilen enzyklopädisch erforscht, ist die *menschliche Kultur bezogen auf ihren konkret-utopischen Horizont.* An dieser Erkenntnis arbeitet, als Erwartungsaffekt in der Ratio, als Ratio im Erwartungsaffekt, das Kombinat Docta spes. Und in ihm überwiegt nicht mehr die Betrachtung, die seit alters nur auf Gewordenes bezogene, sondern die mitbeteiligte, mitarbeitende Prozeß-Haltung, der deshalb, seit Marx, das offene Werden methodisch nicht mehr verschlossen ist und das Novum nicht mehr materialfremd. Das Thema der Philosophie steht seitdem einzig auf dem Topos eines unabgeschlossenen gesetzmäßigen Werde-Felds im abbildend-eingreifenden Bewußtsein und in der Welt des Gewußtseins. Dieser Topos ist erst vom Marxismus mit Wissenschaft entdeckt worden – eben mit der Entwicklung des Sozialismus von der Utopie zur Wissenschaft.

Doch ohne Kraft eines Ich und Wir dahinter wird selbst das Hoffen fade. An der bewußt-gewußten Hoffnung ist nie Weiches, sondern ein Wille setzt in ihr: es soll so sein, es muß so werden. Energisch bricht darin der Wunsch- und Willenszug hervor, das Intensive im Überschreiten, in den Überholungen. Aufrechter Gang ist vorausgesetzt, ein Wille, der sich von keinem Gewordensein überstimmen läßt; er hat in diesem Aufrechten sein Reservat. Dieser eigentümliche Punkt, worauf das Subjekt stehen kann und von dem her es reagiert, ist abstrakt im stoischen Selbstbewußtsein so bezeichnet: wenn die Welt einstürzt, werden die Trümmer einen Unerschrockenen treffen. Der Punkt ist anders abstrakt, von nicht mehr tugendstolzen, sondern verstandesstolzen Voraussetzungen her, im transzendentalen Ego des deutschen Idealismus bezeichnet. Das Selbstbewußtsein ist darin zum Akt eines erkennenden Erzeugens übergegangen; ja bereits bei Descartes erscheint Erkenntnis streckenweise als Manufaktur, nämlich ihres Gegenstands. Die verstandesstolzen Voraussetzungen waren freilich heillos aufgebläht, mit dem Schein ihres absoluten Machens; der Verstand schreibt der Natur durchaus nicht ihre Gesetze vor. Auch ist die Welt dieses erkenntnistheoretischen Idealismus keineswegs eine utopische; konträr: der Ehrgeiz des transzendentalen Ego war überwiegend der, gerade die vorhandene Gesetzeswelt, die Welt der mathematisch-naturwissenschaftlichen Erfahrung zu erzeugen. Trotzdem verstand das transzendentale Ego Kants und Fichtes über eine schlechte Vorhandenheit moralisch hinaus zu postulieren, wenn auch, der deutschen Misere entsprechend, nur auf inhaltlos-abstrakte Weise. Kant, der fast an keinem Punkt mit Neukantianismus verwechselt werden darf, baute wenigstens postulativ eine schönere Welt auf, nach Goethes Wort, eine der Willens-Spontaneität, die in der mechanistischen Vorhandenheits-Erfahrung nicht satt wurde, nicht unterging. So zeigt sich – durch Abstraktheit freilich durch und durch beschädigt – in stoischen Selbstbewußtsein und viel näher eben im deutschen Idealismus die Anzeigung des eigentümlichen Punkts, von dem her das Subjekt die *Freiheit eines widersprechenden Gegenzugs gegen das schlecht Vorhandene* sich vorbehält. Trotz der noch abstraktformalen Anzeigung eines solch subjektiven Faktors wurde dieser doch kenntlich gemacht; er stand damals philosophisch für den Citoyen. Derart hängt jede bürgerlich-revolutionäre Forderung in Deutschland, vom Sturm und Drang bis zum sogenannten Völkerfrühling von 1848, noch mit dem Ego des Idealismus zusammen. Indes real, nicht bloß im Kopf, auch völlig frei von heillos idealistischer Aufgeblähtheit, wurde ein subjektiver Faktor erst sozialistisch erfaßt, nämlich als proletarisches Klassenbewußtsein. Das Proletariat erfaßte sich als der selber aktiv widersprechende Widerspruch im Kapitalismus, als derjenige mithin, der dem schlecht Gewordenen am meisten zu schaffen macht. Ebenso real hat sich der subjektive Faktor – gegen alle Abstraktheit und die ihr entsprechende uferlose Spontaneität des Bewußtseins – mit dem objektiven Faktor der gesellschaftlichen Tendenz, des Real-Möglichen vermittelt. So wurde die Tätigkeit des Besserwissens zu jenem Mehr, das den begonnenen Weg der Welt, ihren »Traum von der Sache«, wie Marx sagt, mit Bewußtsein fortsetzt, lenkt und humanisiert. Dazu reicht der objektive Faktor allein nicht aus, vielmehr rufen die objektiven Widersprüche die Wechselwirkung mit dem subjektiven Widerspruch dauernd auf. Sonst entsteht die letzthin defaitistische Irrlehre eines objektivistischen Automatismus, wonach die objektiven Widersprüche allein ausreichen, um die von ihnen durchsetzte Welt zu revolutionieren. Beide Faktoren, der subjektive wie der objektive, müssen vielmehr in ihrer beständigen dialektischen Wechselwirkung begriffen werden, in einer unteilbaren, unisolierbaren. Wobei gewiß auch der menschliche Aktionsteil vor Isolierung bewahrt sein muß, vor dem üblen putschistischen Aktivismus an sich, der lossaust und dessen zu subjektiver Faktor die objektiv-ökonomische Gesetzmäßigkeit überschlagen zu können glaubt. Doch nicht minder schädlich ist der sozialdemokratische Automatismus an sich, als Aberglaube an eine Welt, die von selber gut wird. Es ist also unmöglich, ohne subjektiven Faktor auszukommen, und es ist ebenso unmöglich, die Tiefendimension dieses Faktors zu unterschlagen, eben die des Gegenzugs gegen das schlecht Vorhandene, als Mobilisierung der im schlecht Vorhandenen selber auftretenden Widersprüche zu dessen völliger Unterhöhlung, zu dessen Einsturz. Die Tiefendimension des subjektiven Faktors ist aber ebendeshalb in seinem Gegenzug, weil dieser nicht nur negativ ist, sondern genauso das *Andrängen einer antizipierbaren Gelungenheit in sich enthält und dieses Andrängen in der utopischen Funktion vertritt.*

Die Frage ist nun, ob und wieweit sich der vorwegnehmende Gegenzug mit einem bloß verschönernden berührt. Besonders dann, wenn das bloß Verschönernde, obwohl es durchaus überleuchtet, über die Hälfte gar keinen Gegenzug, sondern ein bloßes bedenkliches Polieren des Vorhandenen in sich hat. Und das mit keineswegs revolutionärem Auftrag dahinter, sondern mit apologetischem, mit einem also, der das Subjekt mit dem Vorhandenen versöhnen soll. Diese Absicht erfüllt vor allem die *Ideologie* in den nicht mehr revolutionären, obzwar noch aufsteigenden, weil die Entwicklung der Produktivkräfte noch fördernden Zeiten einer Klassengesellschaft. Das Überleuchten des Vorhandenen geschieht dann als täuschende, bestenfalls verfrühte Harmonisierung, und es ist umgeben von lauter Rauch oder Weihrauch des falschen Bewußtseins. (Die faule Ideologie in den absinkenden Zeiten einer Klassengesellschaft, besonders also die des Spätbürgertums von heute, gehört freilich überhaupt nicht hierher; denn sie ist bereits gewußtes falsches Bewußtsein, mithin Betrug.) Weiterhin aber gibt es in der Ideologie gewisse Verdichtungs-, Vervollkommnungs- und Bedeutungsfiguren des Vorhandenen, die, wenn überwiegend auf *Verdichtung* bezogen, als *Archetypen*, wenn überwiegend auf *Vervollkommnung* bezogen, als *Ideale*, wenn überwiegend auf *Bedeutung* bezogen, als *Allegorien* und *Symbole* bekannt sind. Die in alledem, auf so verschiedene Weise, intendierte Verschönerung des Vorhandenen ist immerhin keine des Schlecht-Vorhandenen, und sie will von letzterem nicht bewußt, also betrügerisch ablenken. Vielmehr wird hier das Vorhandene ergänzt, zwar auf weitgehend idealistisch-abstrakte Weise und allemal auf keine dialektisch sprengende und reale, jedoch so, daß eine eigentümliche, eine uneigentliche Antizipation des Besseren nicht fehlt: eine Antizipation gleichsam im Raum, nicht oder nur uneigentlich in Zukunft und Zeit. Und nun ist die Frage konkreter geworden: ob und wieweit sich der vorwegnehmende Gegenzug mit einem bloß verschönernden berührt. Denn in Ideologie, anders in Archetypen, anders in Idealen, anders in Allegorien und Symbolen liegt zwar kein Gegenzug vor, wohl aber ein Übersteigen des Vorhandenen durch seine verschönernde, verdichtende, vervollkommnende oder bedeutungshafte Übersteigerung. Und diese wiederum ist nicht möglich ohne eine verzerrte oder versetzte utopische Funktion, genauso, wie sie ohne einen ungeregelt gesehenen »Traum von einer Sache« am vorderen Rand des Vorhandenen nicht möglich ist. Dann muß aber auch die originale und konkret gehaltene utopische Funktion in diesen uneigentlichen Verbesserungen wenigstens streckenweise entdeckbar sein, müssen die nicht gänzlich heillosen Verzerrungen und Abstraktheiten konfrontierbar sein. Die jeweiligen Produktionsverhältnisse erklären, wieso es zu den jeweiligen Ideologien und anderen uneigentlichen Verbesserungen gekommen ist, aber die jeweiligen Verwirrungen am Humanum der jeweiligen Produktionsverhältnisse machten eine Anleihe bei der utopischen Funktion notwendig, um die angegebenen Ergänzungen mit ihrem kulturellen Überschuß überhaupt bilden zu können. Die Ideologien als die herrschenden Gedanken einer Zeit sind, nach dem schlagenden Marxsatz, die Gedanken der herrschenden Klasse; da aber auch diese eine selbstentfremdete ist, kam auch in die Ideologien außer dem Interesse, das eigene Klassenwohl als das der Menschheit überhaupt hinzustellen, jenes Vermissungs- und Überholungsbild einer Welt ohne Entfremdung, das vor allem im Bürgertum Kultur heißt und das die utopische Funktion zum Teil auch in jener Klasse am Werk zeigte, die sonst in ihrer Entfremdung sich wohlfühlte. Es ist selbstverständlich, daß diese Funktion erst recht, ja fast ganz die noch revolutionären Ideologien solcher Klassen belebt hat. Ohne die utopische Funktion ist überhaupt kein geistiger Überschuß übers jeweils Erreichte und so Vorhandene erklärbar, sei dieser Überschuß auch noch so voll von Schein statt von Vor-Schein. Darum weist sich vor der utopischen Funktion jedes Antizipieren aus, und sie beschlagnahmt in dessen Überschuß jeden möglichen Gehalt. Auch denjenigen, wie zu zeigen sein wird, im fortschrittlich gewesenen *Interesse*, in *Ideologien*, die mit ihrer Gesellschaft nicht ganz vergangen sind, in *Archetypen*, die noch verkapselt, in *Idealen*, die noch abstrakt, in *Allegorien und Symbolen*, die noch statisch sind.

Berührung der utopischen Funktion mit Interesse

Ein kühler Blick bewährt sich nicht darin, daß er untertreibt. Sondern er will richtigstellen und kann es, will nicht selber das Maß verlieren. Er löst die trügenden Gefühle und Worte auf, will Ich, Streben, Antrieb nackt sehen, aber freilich nicht zerschnitten und halbiert. Gewiß, zum rein Niederträchtigen ist der wirtschaftliche Antrieb im heutigen Geschäftsleben gelangt, im durchwegs vergaunerten, und ganz daran ist nur die schonungslose Gemeinheit. Die Gier nach Profit überschattet hier sämtliche menschlichen Regungen, hat sie doch nicht einmal, wie die Mordlust, Pausen. Und ebenso steht fest: auch in früheren, vergleichsweise ehrlicheren Zeiten des Kapitals setzte sich das Profitinteresse nicht eben aus den edelsten menschlichen Antrieben zusammen. Bei Strafe des Untergangs war stets mächtige Selbstsucht im Wirtschaftskampf tätig. Hätte diese Triebfeder nachgelassen, wären altruistische Motive an ihre Stelle getreten, so hätte, wie Mandevilles Bienenfabel so zynisch-wahrhaft zeigte, das ganze kapitalistische Getriebe stillgestanden. Und doch: wäre es nicht häufig wenigstens gebremst gewesen, bei einer ziemlichen Mehrzahl der damaligen Unternehmer, wenn sich der egoistische Antrieb als dermaßen nackt gegeben hätte? Wenn er nicht auch sich selber, rein inwendig also und verschieden von bewußter Roheit, ein Edleres, Gemeinsameres vorgemacht, ja subjektiv nicht ganz unecht vorgeträumt hätte? Darum kann über den künstlichen Bienen der Zustand der wirklichen Egoisten von damals nicht übersehen werden, als ein Zustand, der sich auch altruistische Ausreden und Einreden machen mußte, um auf honorige, scheinend menschenfreundliche Weise den sogenannten redlichen Profit zu machen. Derart kamen bei Adam Smith in das selfish system deutlich Züge eines auch inwendig falschen Bewußtseins; und sie waren nicht, wie calvinistisch so oft, gerissen und zerrissen, sondern subjektiv ehrlich und geglättet. Es waren Züge der Überzeugung, des guten Gewissens, des ehrbaren Kaufmanns und Unternehmers, wie er tatsächlich an redlichen Gewinn glaubte, wie er vor allem, im Spiel von Angebot und Nachfrage, sich als eine Art Wohltäter der Konsumenten fühlte. Der zahlungskräftigen, wie sich von selbst versteht, jener also, an denen der von den Arbeitern erpreßte Mehrwert durch Verkauf des Arbeitsprodukts zu Geld gemacht werden kann. Jedoch das gute Gewissen machte sich dadurch stark, daß sich das kapitalistische Interesse dauernd auf das des Verbrauchers, auf dessen Befriedigung beziehen sollte. Das gute Gewissen des wechselseitigen Vorteils wurde noch dadurch geschönt, daß alle Menschen als wachsend austauschkräftige Freihändler angesehen waren, deren wohlverstandener Eigennutz sich in dem dergestalt hergestellten Gesamtnutzen ausglich. Mit alldem erschien die kapitalistische Wirtschaft als die endlich entdeckte einzig natürliche, der Smith seinen vollkommenen Beifall so umständlich wie – utopisch aussprach. Das Interesse selbst also wurde utopisch beeinflußt, vielmehr das falsche Bewußtsein von ihm, das aber ein durchaus aktives war. Ohne dieses Verschönern wäre die Ausbeutung bei den großen Bestien, den bürgerlich-sittlich ganz unbeschwerten, zweifellos ebenso vorangegangen, die Herren der Ostindischen Gesellschaft führten keinen Anteil einer utopischen Funktion in ihrem Geschäft, er hätte nur geschadet. Aber der durchschnittliche Geschäftsmann der Manufaktur, auch der beginnenden industriellen Umwälzung, brauchte und pflegte noch einen Glauben ans größtmögliche Glück der größten Zahl, er brauchte ihn als Verbindung zwischen seinen egoistischen Antrieben und den vorgemachten, vorgeträumten, bei Smith eigens notierten wohlwollenden. Das desto mehr, als die zynische Selbstsucht dem Adel zugeschrieben wurde, vorab den Wüstlingen unter ihm (vergleiche die gleichzeitigen Romane Richardsons). Wogegen der aufsteigende Bürger die »Tugend« brauchte, um desto eifriger an anderen so zu verdienen, als verdiente er für diese anderen. Und als es gar zum letzten Kampf gegen die feudalen Hemmnisse ging, mußte der Bourgeois, eine wenig heroische Klasse, sich besonders stark utopisch aufpulvern. Er hätte sonst nicht selber gekämpft, was doch zum Teil der Fall war, sondern ausschließlich die Männer aus der Vorstadt für sich kämpfen lassen. Er hätte sonst nicht gutgläubig die Gracchen und den Brutus sich verwandt gefühlt, was doch wieder zum Teil der Fall war, während der Brautzeit der bürgerlichen Freiheit von 1789. Die aufsteigende, ökonomisch fällige Klasse benötigte also auch inwendig eine weitausgreifende Leidenschaft im damaligen Gewirre der Gefühle, um, wie Marx sagt, »den bürgerlich beschränkten Inhalt ihrer Kämpfe sich selbst zu verbergen«. Hier war Selbsttäuschung durchaus, der privatwirtschaftliche Mensch der Menschenrechte, die Abstraktheit des Citoyen als moralischer Person wurden nicht durchschaut, konnten damals noch nicht durchschaut werden. Dennoch zeigte diese Art Selbsttäuschung eben auch ein Vorwegnehmendes, sie zeigte sogar besonders humane Züge, obzwar abstrakt ausgedrückte, abstrakt-utopisch eingesetzte. Und sogar: an deren Interesse war nicht alles Täuschung; sonst könnte man sich sozialistisch nicht auf den doch nicht nur privatwirtschaftlich abgezielten Menschen der Menschenrechte, gar auf den Citoyen beziehen. Was der Citoyen versprach, dieses Versprechen läßt sich gewiß erst sozialistisch halten. Immerhin, es läßt sich halten, also war damals ein utopisch beigesteuerter Überschuß im bürgerlichen Streben selber. Die gesellschaftliche Gesinnung, die sich im Citoyen moralisch abstrahiert, das heißt, von den wirklichen individuellen Menschen weggehoben hatte, muß mit deren eigenen Kräften, als nicht mehr bürgerlich-individualistischen, erst vereinigt werden. Immerhin, diese Gesinnung, damals »Tugend« genannt, war doch vorhanden, sie war dieses Falles als eine nicht nur aufpulvernde, sondern auch überschußhafte vorhanden; wie ließe sich sonst, von den echten Jakobinern abgesehen, noch ein Jefferson ehren? Also konnte bereits im Antrieb, wenn er ein zu seiner Zeit fortschrittlicher war, ein anderer, haltbarer Zug wirken, ein über den unmittelbar zu befördernden Fortschritt hinausgehender. Er ist moralisch beerbbar, in gleicher Weise, wie der gestaltete, der zu Werken gewordene Überschuß im eigentlich ideologischen Bewußtsein kulturell beerbbar ist. Gutes, ja das Beste war schon mehrmals in der Vergangenheit gewollt und blieb nur überwiegend dabei. Gerade aber weil dieses Wollen ein nicht anlangendes war, zieht es in dem, worin es mit dem fällig Erreichbaren, hier also mit der kapitalistischen Gesellschaft, nicht zusammenfällt, weiter mit im Gang der Befreiung. Utopische Funktion entreißt diesen Teil der Täuschung; sie bewirkt derart, daß alles je Menschenfreundliche sich wachsend miteinander verwandt fühlt.

Begegnung der utopischen Funktion mit Ideologie

Ein scharfer Blick bewährt sich nicht bloß darin, daß er durchschaut. Sondern ebenso in der Weise, daß er nicht jedes als so klar wie Wasser sieht. Indem eben nicht alles so fertig klar ist, sondern zuweilen ein Gären, Sich-Bilden vorliegt, dem gerade der scharfe Blick gerecht wird. Am breitesten wie gemischtesten erscheint dieses Unabgeschlossene in der Ideologie, sofern sie mit der bloßen Bindung an ihre Zeit nicht erschöpft ist. Und auch nicht mit dem bloßen falschen Bewußtsein über ihre Zeit, das alle bisherigen Kulturen begleitet hat. Gewiß, die Ideologie selber stammt aus der Arbeitsteilung, aus der nach der Urkommune eingetretenen Trennung zwischen materieller und geistiger Arbeit. Erst von da ab konnte eine Gruppe, die die Muße zu Vorstellungen hatte, mittels dieser sich und vorab andere täuschen. Da also Ideologien von Haus aus immer solche der herrschenden Klasse sind, so rechtfertigen sie den bestehenden gesellschaftlichen Zustand, indem sie dessen ökonomische Wurzel verleugnen, die Ausbeutung verschleiern. Das ist das Bild in allen Klassengesellschaften, am deutlichsten in der des Bürgertums. Hierbei gibt es allerdings in der ideologischen Bildung dieser Gesellschaften drei Phasen mit sehr verschiedenem Wertrang, mit verschiedenem Auftrag an den geistig allzu geistigen Überbau: die vorbereitende, die siegreiche, die absteigende. Die vorbereitende Phase einer Ideologie hilft dem eigenen, noch nicht gefestigten Unterbau, indem sie dem morschen Überbau der bisher herrschenden Klasse ihren frisch fortschrittlichen entgegensetzt. Die selber dann zur Herrschaft gelangte Klasse setzt die zweite ideologische Phase, indem sie – unter Weglassung, streckenweise auch mehr oder minder klassischer »Equilibrierung« vorhergegangener revolutionärer Antriebe – den eigenen, unterdes zur Existenz gekommenen Unterbau sichert, politisch-juristisch fixiert, politisch-juristisch-kulturell überschönt. Sicherung wie Verschönerung werden unterstützt durch eine erlangte, obzwar nur temporäre Harmonie zwischen Produktivkräften und Produktionsverhältnissen. Die absteigende Klasse setzt danach die dritte ideologische Phase, indem sie – bei fast völlig verschwindender Gutgläubigkeit des falschen Bewußtseins, also mit fast gänzlich bewußtem Betrug – die Fäulnis des Unterbaus parfümiert, auch die Nacht zum Tag, den Tag zur Nacht phosphoreszierend umtauft. Gewiß also wird in der Klassengesellschaft der ökonomische Unterbau vom Nebel eines interessiert falschen Bewußtseins zugedeckt, gleichviel noch, ob dessen Illusion als feurig, klassisch oder dekadent, als Aufstieg, Blüte oder geschminkte Verwendung sich inhaltlich gliedert. Kurz, da keine Ausbeutung sich nackt darf sehen lassen, so ist Ideologie *nach dieser Seite* die Summe der Vorstellungen, worin sich eine Gesellschaft mit Hilfe des falschen Bewußtseins jeweils gerechtfertigt und verklärt hat. Nun aber: wann immer Kultur gedacht wird, erscheint dann nicht – bereits in der moralisch und inhaltlich so verschiedenen Beschaffenheit der drei Phasen erkennbar – noch *eine andere Seite* der Ideologie? Es ist eben die mit bloß falschem Bewußtsein und mit der Apologetik einer bloßen, historisch abgetanen Klassengesellschaft nicht *im ganzen Umfang* zusammenfallende. Nach der kritischen Seite sagt Marx in der »Heiligen Familie« schlagend: »Die ›Idee‹ blamierte sich immer, soweit sie von dem ›Interesse‹ verschieden war«, und knüpft mit diesem Satz an die begonnene Selbstdurchschauung der bürgerlichen Gesellschaft im französischen Materialismus an, die bei Labruyère, Larochefoucauld, besonders bei Helvétius erst erkennen ließ, das wohlverstandene persönliche Interesse sei die Grundlage all dieser Moral. Aber Marx fährt ebenso an gleicher Stelle fort: »Andererseits ist es leicht zu begreifen, daß jedes massenhafte, geschichtlich sich durchsetzende ›Interesse‹, wenn es zuerst die Weltbühne betritt, in der ›Idee‹ oder ›Vorstellung‹ weit über seine wirklichen Gedanken hinausgeht und sich mit dem menschlichen Interesse schlechthin verwechselt.« Dadurch entsteht Illusion oder das, »was Fourier den Ton jeder Geschichtsepoche nennt«; indem jedoch die so beschaffene Illusion, außer den enthusiastischen Blumen, womit eine Gesellschaft ihre

Wiege bekränzte, gegebenenfalls auch jene Kunstgebilde enthält, die, wie Marx in der »Einleitung zur Kritik der politischen Ökonomie« an den Griechen erinnert, »in gewisser Beziehung als Norm und unerreichbare Muster gelten«, ist eben das Ideologieproblem nach *Seite des kulturellen Erbproblems* betreten, des Problems, wieso Werke des Überbaus auch nach Wegfall ihrer gesellschaftlichen Grundlagen im Kulturbewußtsein sich fortschreitend reproduzieren. Gerade der inhaltliche Unterschied der drei Phasen ist hier nicht unterschlagbar, auch dann nicht, wenn das fortwirkende Tua res agitur keinesfalls auf die aufsteigende, die revolutionäre Epoche einer der bisherigen Klassengesellschaften beschränkt wird. Ja gerade dann wird das eigentliche, hier gemeinte, auf der anderen Seite wohnende *Phänomen: kultureller Überschuß* erst recht sichtbar. Denn dieses Phänomen, als das der ausgebildeten und ebenso zukunftweisenden Kunst, Wissenschaft, Philosophie, tritt uns in der klassischen Epoche einer Gesellschaft viel reicher entgegen als in ihrer revolutionären, wo freilich der unmittelbar-utopische Impetus gegen das Vorhandene, über das Vorhandene hinaus stärker ist. Und die Blüten der Kunst, Wissenschaft, Philosophie bezeichnen allemal noch mehr als das falsche Bewußtsein, das eine Gesellschaft jeweils über sich selber hatte und zu ihrer Verschönerung standortgebunden verwandte. Vielmehr lassen sich diese Blüten durchaus von ihrem ersten gesellschaftlich-historischen Boden wegheben, indem sie selber, ihrer Essenz nach, an ihn nicht gebunden sind. Die Akropolis gehört zwar zur Sklavenhaltergesellschaft, das Straßburger Münster zur Feudalgesellschaft, dennoch sind sie mit dieser ihrer Basis bekanntlich nicht vergangen und führen, anders als die Basis, anders als die damaligen, wenn auch noch so progressiv gewesenen Produktionsverhältnisse, nichts Beklagenswertes mit sich. Die großen philosophischen Werke enthalten zwar, infolge der jeweiligen gesellschaftlichen Schranke des Erkennens, mehr Zeitgebundenes und so Vergängliches, jedoch zeigen auch sie, gerade sie wegen der Höhe des Bewußtseins, das sie auszeichnet und das weit in Künftiges, Wesentliches hineinblicken läßt, jene echte Klassik, die nicht aus Abrundung besteht, sondern aus ewiger Jugend, mit immer neuen Perspektiven in ihr. Nur die Scheinprobleme und die Ideologie an Ort und Stelle sind beim Symposion, der Ethica, gar der Phänomenologie des Geistes niedergesunken und abgetan, dagegen der Eros, die Substanz, die Substanz als Subjekt stehen mitten in allen Veränderungen als Variationen des Ziels. Kurz, die großen Werke sind nicht mangelhaft wie zur Zeit ihres ersten Tags und auch nicht herrlich wie am ersten Tag: sie streifen vielmehr ihren Mangel wie ihre erste Herrlichkeit ab, indem sie einer späteren, ja einer intendierbar letzten fähig sind. Das Klassische in jeder Klassik steht vor jeder Zeit genauso als revolutionäre Romantik da, nämlich als vorwärts weisende Aufgabe und als Lösung, die aus der Zukunft, nicht aus der Vergangenheit entgegenkommt und selber noch voll Zukunft spricht, anspricht, weiterruft. Das aber, samt Bescheidenerem, ist nur deshalb der Fall, weil Ideologien *nach dieser Seite* mit dem falschen Bewußtsein ihrer Basis und auch mit der aktiven Arbeit für ihre jeweilige Basis nicht erschöpft sind. Keine Suche nach dem Überschuß ist möglich im falschen Bewußtsein selbst, wie es die Ideologie der Klassengesellschaften getragen hat, und keine ist notwendig in der Ideologie der sozialistischen Revolution, an der überhaupt kein falsches Bewußtsein teilnimmt. Der Sozialismus als Ideologie des revolutionären Proletariats ist überhaupt nur wahres Bewußtsein, bezogen auf die begriffene Bewegung und die ergriffene Tendenz der Wirklichkeit. Wohl aber gilt für das Verhältnis dieser wahren Ideologie zum Vorwegnehmenden im falschen, darin nicht nur falschen Bewußtsein der früheren dieser Marxsatz (an Ruge, 1843): »Unser Wahlspruch muß also sein: Reform des Bewußtseins nicht durch Dogmen, sondern durch Analysierung des mystischen, sich selbst noch unklaren Bewußtseins. Es wird sich dann zeigen, daß die Welt längst den Traum von einer Sache besitzt, von der sie nur das Bewußtsein besitzen muß, um sie wirklich zu besitzen. Es wird sich zeigen, daß es sich nicht um einen großen Gedankenstrich zwischen Vergangenheit und Zukunft handelt, sondern um die *Vollziehung* der Gedanken der Vergangenheit.« Auch die Klassenideologien, worin die Großwerke der Vergangenheit stehen, führen genau auf jenen Überschuß über das standortgebundene falsche Bewußtsein, der fortwirkende Kultur heißt, also Substrat des antretbaren Kulturerbes ist. Und es erhellt nun: eben dieser Überschuß wird erzeugt durch nichts anderes als durch die *Wirkung der utopischen Funktion* in den ideologischen Gebilden der kulturellen Seite. Ja, falsches Bewußtsein allein wäre noch nicht einmal ausreichend, um die ideologische Einhüllung so, wie es geschah, zu vergolden. Es allein wäre außerstande, eines der wichtigsten Merkmale der Ideologie herzustellen, nämlich verfrühte Harmonisierung der gesellschaftlichen Widersprüche. Wie viel weniger erst ist Ideologie als Medium fortwirkenden Kultursubstrats ohne ihre Begegnung mit utopischer Funktion begreifbar. All das überschreitet ersichtlich sowohl das falsche Bewußtsein wie die Kräftigung, gar bloße Apologetik des jeweiligen gesellschaftlichen Unterbaus. Item: ohne utopische Funktion hätten es die Klassenideologien nur zur vergänglichen Täuschung gebracht, nicht zu den Mustern in Kunst, Wissenschaft, Philosophie. Und es ist eben dieser Überschuß, der das Substrat des Kulturerbes bildet und hält, als jener Morgen, der nicht nur in den Frühzeiten, sondern höher auch im vollen Tag einer Gesellschaft enthalten ist, ja streckenweise sogar im Zwielicht ihres Untergangs. Alle bisherige große Kultur ist Vor-Schein eines Gelungenen, sofern er immerhin in Bildern und Gedanken auf der fernsichtreichen Höhe der Zeit, also nicht nur in und für seine Zeit, angebaut werden konnte.

Kein Zweifel, der Traum vom besseren Leben wird durch all das sehr breit wahrgenommen. Oder, was dasselbe bedeutet, Utopisches wird außer dem üblichen rein abwertenden Sinn nicht nur in dem angegeben antizipatorischen Sinn gebraucht, sondern – als Funktion – auch in einem umfassenden. So zeigt sich: die Breiten- und Tiefenerstreckung des Utopischen ist zunächst schon in *historischem* Betracht nicht auf seine populärste Erscheinung: die Staatsutopie beschränkt. Sinngemäß reicht der Traum vom besseren Leben weit über sein sozial-utopisches Stammhaus hinaus, nämlich in jede Art von kultureller Antizipation. Jeder Plan und jedes Gebilde, das an die Grenzen seiner Vollkommenheit getrieben worden ist, hatte Utopie berührt und gab, wie angegeben, gerade den großen, den immer weiter progressiv wirkenden Kulturwerken *einen Überschuß über ihre bloße Ideologie an Ort und Stelle,* mithin nichts Geringeres als das Substrat des Kulturerbes. Die Erweiterung einer bisher so beschränkt aufgefaßten Antizipationsmacht wurde in Ernst Blochs »Geist der Utopie«, 1918, begonnen, und zwar an Zeugen, Ornamenten und Figuren, die bisher gänzlich außerhalb eines Noch-Nicht-Gekommenen in der Wirklichkeit behandelt worden waren, obwohl sie diesem doch zugehören und mit seiner Artikulierung beschäftigt sind. Der parasitäre Kulturgenuß erlangt durch die Einsicht in die immer adäquatere Richtung zu unserem Identischwerden und durch die Verpflichtung hierzu ein Ende; Kulturwerke gehen strategisch auf. Die Frage bleibt nun allerdings, ob und wieweit Ausdruck und Angriff Utopie ohne überflüssiges Mißverständnis auch auf Intentionen und Interesse übertragen werden können oder sollen, die keinesfalls solche der Vergangenheit sind. Sondern die völlig gegenwärtig-neu innerhalb der geschehenen Entwicklung des Sozialismus von der Utopie zur Wissenschaft liegen. Zwar kennt die Geschichte der Terminologie mehrere solcher Erweiterungen eines vorigen Wortsinns, unter teilweisem Abzug der negativen Bedeutungen, die an ihm hafteten; das Wort romantisch etwa gehört hierher. Eine noch viel größere Differenzierung wurde zwischen den Bedeutungen des Begriffs Ideologie selber vorgenommen; Lenin hat auf Grund dieser Differenzierung den Sozialismus die Ideologie des revolutionären Proletariats zu nennen vermocht. Und trotzdem ist noch allermeist die Antizipationsmacht, mit ihrem offenen Raum und ihrem zu realisierenden, sich realisierenden Gegenstand nach vorwärts, die oben – zum Unterschied vom Utopistischen und von bloß abstraktem Utopisieren – konkrete Utopie genannt worden ist, ganz außerhalb der terminologischen Berichtigung und Erweiterung geblieben, wie sie etwa das Romantische in der »revolutionären Romantik«, das Ideologische in der »sozialistischen Ideologie« erfahren hat. Obwohl doch vor allem in den Gebieten der technischen, architektonischen oder geographischen Utopien, aber auch aller derer, die zuletzt um das »Überhaupt«, das »Eigentliche« unseres Wollens kreisen und kreisen, sachlich und daher begriffsgerecht die Kategorie: utopische Funktion regierend ist. Wohlverstanden: mit Kenntnis und unter Abzug des erledigt Utopistischen, mit Kenntnis und unter Abzug der *abstrakten Utopie.* Was dann aber bleibt: der unerledigte Traum nach vorwärts, die nur vom Bourgeois zu diskreditierende docta spes, – das kann in wohldurchdachtem und wohlangewandtem Unterschied zum Utopismus mit Ernst Utopie heißen; in seiner Kürze und neuen Schärfe bedeutet dieser Ausdruck dann das Gleiche wie: *methodisches Organ fürs Neue, objektiver Aggregatzustand des Heraufkommenden.* Also haben auch alle großen Kulturwerke implicite, obzwar nicht immer (wie in Goethes Faust) explicite, einen dermaßen verstandenen utopischen Hintergrund. Sie sind nun, vom philosophischen Utopiebegriff her, kein Ideologiespaß höherer Art, sondern versuchter Weg und Inhalt gewußter Hoffnung. Nur so holt Utopie das Ihre aus den Ideologien und erklärt das Progressive historisch weiterwirkender Art in den Großwerken der Ideologie selbst. Geist der Utopie ist im letzten Prädikat jeder großen Aussage, im Straßburger Münster und in der Göttlichen Komödie, in der Erwartungsmusik Beethovens und in den Latenzen der h-Moll-Messe. Er ist in der Verzweiflung, die ein Unum necessarium noch als Verlorenes innehat, und im Hymnus an die Freude. Kyrie wie Credo gehen im Begriff der Utopie als dem der begriffenen Hoffnung auf ganz andere Art auf, auch wenn der Reflex bloßer zeitgebundener Ideologie von ihnen weg ist, eben dann. Exakte Phantasie des Noch-Nicht-Bewußten ergänzt derart gerade die kritische Aufklärung, indem sie das Gold sehen läßt, das vom Scheidewasser nicht angegriffen wurde, und den guten Inhalt, der gültigst übrigbleibt, ja aufsteigt, wenn Klassenillusion, Klassenideologie vernichtet worden sind. So hat Kultur hinter dem Ende der Klassenideologien, denen sie bisher bloße Dekoration sein konnte, keinen anderen Verlust als den des Dekorationswesens selbst, der falsch abschließenden Harmonisierung. Utopische Funktion entreißt die Angelegenheiten der menschlichen Kultur solchem Faulbett bloßer Kontemplation; sie öffnet derart, auf wirklich gewonnenen Gipfeln, die ideologisch unverstellte Aussicht auf den menschlichen Hoffnungsinhalt.

Ein tiefer Blick bewährt sich darin, daß er doppelt abgründig wird. Nicht nur nach unten, was die leichtere, die mehr buchstäbliche Art ist, in den Grund zu gehen. Sondern eben, es gibt auch eine Tiefe nach oben und vorwärts, diese nimmt Abgründiges von unten in sich auf. Zurück und vorwärts sind dann wie in der Bewegung eines Rades, das zugleich eintaucht und schöpft. Wirkliche Tiefe geschieht allemal in doppelsinniger Bewegung: »Versinke denn! Ich könnt' auch sagen steige! 's ist einerlei«, ruft Mephisto Faust zu. Er ruft es sogar dort, wo ein Ergötzen an längst nicht mehr Vorhandenem angehen soll, an Helena. Und nicht nur Mephisto ruft das, als Intrigant der gefährliche Herr doppelsinniger Bedeutungen, es ruft durch Mephisto eine doppelte Bedeutung selber: die der ebenso archaischen wie utopischen Bildbeziehungen. So hat utopische Funktion sehr oft doppelten Abgrund, den der Versenkung mitten in dem der Hoffnung. Was aber nur heißen kann: hier ist der Hoffnung in dem archaischen Rahmen streckenweise vorgearbeitet. Genauer: in jenen immer noch Betroffenheit erregenden Archetypen, die aus der Zeit eines mythischen Bewußtseins als Kategorien der Phantasie, folglich mit einem unaufgearbeiteten nichtmythischen Überschuß gegebenenfalls übriggeblieben sind. Die Hoffnung hat folglich außer weiter-bedeutenden Ideologien auch jene Archetypen, in denen noch Unausgearbeitetes umgeht, utopisch zu besorgen. Hat sie derart zur Utopie zu schlagen wie, mutatis mutandis, bedeutend-fortschreitende Ideologie zu ihr geschlagen wird. Klar hierbei, daß das nicht nur von unten, vom Versinken, sondern wesentlich von oben, vom Überblick des Steigens, vollziehbar ist. Denn immer wieder steht fest: das ausschließlich nach unten Verdrängte, unterbewußt Findbare ist an sich nur der Boden, aus dem die Nachträume hervorgehen und zuweilen das Gift, das die neurotischen Symptome erregt: dieses Unten kann weithin ins Bekannte aufgelöst werden, ist nicht aufsteigende Dämmerung nach vorwärts, hat also eine im Grund nur langweilige Latenz. Das Erhofft-Erahnte dagegen enthält den möglichen Schatz, woraus die großen Tagphantasien stammen, die durch lange Zeit unveraltbaren; dieses Vorwärts und Oben kann nirgends ins bereits Bekannte und Gewordene aufgelöst werden, hat also eine im Grund unerschöpfliche Latenz. Sieht Faust, mit dem Zaubertrank der Jugend, Helena in jedem Weibe, so bewegt sich hier der Schönheits-Archetyp Helena gänzlich aus dem Archaischen hervor; er bewegt sich bereits im Archaischen empor. Aber: er kann nur vom utopischen Standpunkt her berufen werden, und nur vom Überblick des Steigens her, nicht in purer Versenkung, wird wahlverwandt Utopisches an Archetypen gegebenenfalls sichtbar. Was im Orkus des Gewesenen noch Eurydike ist, die selber nicht ausgelebte, das findet nur Orpheus, und nur für ihn ist es Eurydike. Einzig dies Utopische an einigen Archetypen ermöglicht deren fruchtbare Zitierung, vorwärts, nicht rückwärts blickend; wie das bereits beim scheinbaren Ineinander der Traumspiele erschienen ist und bei der Auflösung dieses Scheins. Alle derartigen Rationalismen an den Müttern, *als noch gebärenden,* zeigen ein von der Utopie her einfallendes Licht, selbst in der Romantik mit der sehnsüchtigen Gräber- und Unterwelt-Lampe. Das eigentümlich Brütende in Archetypen, gerade dieses, zeigt ihre Unfertigkeit; aber die Wärme, die das Reifegeschäft zustande bringt, sitzt nicht in der Regressio. Die Archetypen selbst wurden oben bereits erwähnt, bei Gelegenheit C. G. Jung, aber dieser Erzreaktionär, bei dem überdies das Archaische wie Timbuktu in Zürich auftrat, hat das ganze Wesen nur fälschlich, rein als Finsternis berufen. Der Ausdruck Archetypos selber findet sich zuerst bei Augustin, noch als erklärende Umschreibung des Platonischen Eidos, also jeder Gattungsgestalt, doch eben erst die Romantik bezog den antiken Ausdruck auf einen an bestimmten, gleichsam gedrungenen Vorkommnissen durchschlagenden und aufleuchtenden Kategorialbestand bildhaft-objektiver Art. So werden Romeo und Julia bei Novalis zum Archetyp der jungen Liebe, Antonius und Kleopatra zu dem der reiferen, interessanteren; Philemon und Baucis, mitsamt ihrer Hütte, werden als Ensemblebild uralter, entronnener Ehe visiert. Entscheidend ist nach Novalis die außerordentliche Zusammenstimmung aller Elemente in diesen Archetypen, sie reicht bei Philemon und Baucis »bis auf den Schinken, der geschwärzt im Rauchfang hängt«. Aber weit entscheidender wirkte der eigentümliche Nimbus, der zur Übereinstimmung der Elemente hinzukam, ein Nimbus wie um Landschaften, mit gelungener Architektur der Situation und ihrer Bedeutung. Die beginnende Achtung auf Ähnlichkeit in den Märchenstoffen, in Konflikttypen, Rettungstypen, in wiederkehrenden »Motiven« tat viel, um auf Archetypen hinzuweisen; vergleichende Literaturgeschichte eröffnete eine Fülle solcher Elemente. So ist es etwa das äußerst eindrucksvolle Motiv des Wiedererkennens (Anagnorisis), das so weit entfernte Stoffe wie Joseph und seine Brüder in der Bibel, die Begegnung Elektras und Orests in der Sophokleischen Tragödie archetypisch eint. Vor allem schien die Mythologie sämtliche Ursituationen und ihr Ensemble zu enthalten; das ist zwar heillose Übertreibung, ganz dem Reaktionären am romantischen Archaismus entsprechend, jedoch enthalten die mythengeschichtlichen Darstellungen von Karl Philipp Moritz, gar Friedrich Creuzer, kraft versuchter Kategorisierung der »Motive«, in der Tat eine Fülle von Archetypen. Sie erscheinen hier als Symbole; vorzüglich Creuzer setzt deren Archetypik unverkennbar bereits in vier Momente: in »das Momentane, das Totale, das Unergründliche ihres Ursprungs, das Notwendige«. Und er erläutert das Momentane, auch Bildhaft-Lakonische vorher selber durch eine Archetype: »Jenes Erweckliche und zugleich Erschütternde hängt mit einer anderen Eigenschaft zusammen, mit der Kürze. Es ist wie ein plötzlich erscheinender Geist oder wie ein Blitzstrahl, der auf einmal die dunkle Nacht erleuchtet, ein Moment, der unser ganzes Wesen in Anspruch nimmt« (Creuzer, Symbolik und Mythologie der alten Völker I, 1819, Seite 118, 59). Creuzer nannte solche Lakonismen Symbole im Sinn der Romantik, als Erscheinungen einer Idee; es hätte nur weniger Hypostase einer bereits ewig durchscheinenden Idee dazu gehört, um die Archetypen auch in Form der Allegorie zu sehen, nicht nur in der des Symbols. Sind doch die Allegorien, in ihrer echten Gestalt, also vor dem Klassizismus des achtzehnten und neunzehnten Jahrhunderts, keineswegs versinnlichte Begriffe, mithin dasjenige, was man so gern frostig nennt und abstrakt. Sie enthalten vielmehr – im Barock, anders im Mittelalter – ebenfalls Archetypen, sogar deren Mehrzahl, nämlich die der Vergänglichkeit und ihrer Vielheit. Gerade in der Allegorie geht erst die Fülle der poetisch arbeitenden Archetypen auf, der noch in der *Alteritas* des Weltlebens gelegenen, während das Symbol durchgehends der *Unitas* eines Sinnes zugeordnet ist, deshalb auch wesentlich die religiösen Archetypen formiert oder aber die Archetypen religiös formiert. Ganz als in Religion befindlich hat daher ein größerer Creuzer und vollendeter Mythologe, Bachofen, das Archetypenwesen der alten Völker sowohl entdeckt wie erstmals zu ordnen versucht. Es erschien in hetärischer, mutterrechtlicher, vaterrechtlicher Reihe: in den hetärischen Ornamenten von Schilf und Sumpf, in den mutterrechtlichen von Ähre und Erdhöhle, in den vaterrechtlichen von Lorbeer und Sonnenkreis; eine ebenso sozialgeschichtliche wie naturmythische Ordnung sollte derart in die Archetypen insgesamt geraten. Sie wurden dadurch freilich – von dem Hypothetischen der drei Reihen abgesehen – nicht auch umfassender katalogisiert, weder in ihrer allegorischen Form und Beziehung noch in ihrer religiös-symbolischen. Immerhin erhellte, gerade aus der Arbeit der Romantik, dies utopisch Entscheidende: Archetypen haben trotz ihres ursprünglich Augustinischen Gleichklangs mit Urbildern im Sinn Platonischer Ideen mit diesen und ihrem puren, letzthin gar transzendenten Idealismus wenig oder nichts gemein. Sie sind, wie schon aus den angegebenen Beispielen hervorgeht, wesentlich situationshafte Verdichtungskategorien, vorzüglich im Bereich poetisch-abbildlicher Phantasie, und nicht, gleich den Platonischen Ideen gattungshaft hypostasierte. Die Archetypen der Romantik oder vielmehr: wie sie von der Romantik aufgefaßt wurden, waren mit den Platonischen Ideen einzig durch die sogenannte Wiedererinnerung verbunden, wenn auch das in einer Weise, die gleichfalls die Unterschiede von unabänderlichen Ideen kenntlich macht. Wiedererinnerung, Anamnesis, war bei Platon eine an den vorweltlichen Zustand, wo die Seele sich im urbildlichen Himmel befand; Wiedererinnerung in der Romantik dagegen bewegt sich historisch, geht in Urzeiten innerhalb der Zeit selbst zurück, wird archaische Regression. Daß diese allerdings möglich war, zeigt, wenn auch keinerlei Nähe zum Platonismus der himmlischen Ideen, doch eine – von der Romantik besonders benutzte – Mißverstehbarkeit der

Archetypen in ihrem Verhältnis zur utopischen Funktion. Bloß in der Regression gehaltene verwandeln die Utopie zu einer rückwärts gewandten, reaktionären, schließlich gar diluvialen. Sie sind dann gefährlicher als das übliche Vernebelungsgebilde Ideologie; denn während dieses nur von der Erkenntnis der Gegenwart und ihrer realen Triebkraft ablenkt, verhindert die nach rückwärts bannende und im rückwärtigen Bann gehaltene Archetype überdies noch die Aufgeschlossenheit zur Zukunft. Sind doch keineswegs alle Archetypen utopischer Behandlung fähig, selbst wenn diese echt ist und nicht reaktionärer Utopismus wie oft in der Romantik. Durch das Pathos bloßer Archaik wird die ganze Sphäre verfehlt, die in Poesie, auch Philosophie oft so lebhaft und, im großen Stil, lichtvoll kräftige. Wie bemerkt, sind einzig jene Archetypen utopischer Behandlung fähig, in denen noch ein Unausgearbeitetes, relativ Unabgelaufenes, Unabgegoltenes umgeht. Bezeichnenderweise waren gerade feudal-abgelaufene Archetypen die beliebtesten in der Regression, die der politischen Reaktion entsprach, gleich als ob der Archetyp, das Wahrzeichen, woran sich, wie die Romantik sagte, alle Poetischen in dem älter gewordenen Leben immer wiedererkennen, lediglich Auslieferung an die Vergangenheit wäre und nicht auch (wie die Erstürmung der Bastille) Emblem der Zukunft, in echter utopischer Funktion.

Hier beginnt deshalb wieder ein Scheiden, damit die echten Freunde sich erkennen und beieinander bleiben. Nur der utopische Blick kann dies ihm Wahlverwandte finden, daran hat er, statt des kahlen kapitalistischen Ornamentmords auch im Denken, ein wichtiges Amt. Die verrotteten Archetypen müssen von den utopisch wirklich *unabgegoltenen* erst gesondert werden, nämlich durch ihre Zuordnung zu schlechthin verjährtem Gewesenen. Ersichtlich aber sind die vorhandenen Archetypen der Freiheitssituation oder des Lichtglücks nicht ans derart Vergangene gebunden, sie sind ihm entronnen, mindestens zu ihm exterritorial. Es ist hier nicht der Ort, die Archetypen zu mustern, sie gehören, wie später darzustellen sein wird, in einen neuen Teil der Logik, in die Kategorientafel der Phantasie. Sie finden sich, wie gesehen, in allen großen Dichtungen, Mythen, Religionen, und eben: sie gehören nur mit ihrem unabgegoltenen

Teil einer Wahrheit zu, einer hüllenhaften Abbildung *utopischer Tendenzinhalte im Wirklichen.* Ein Archetypus mit unabgegoltener Tendenz-Latenz unter der phantastischen Hülle ist das Schlaraffenland, ist der Kampf mit dem Drachen (St. Georg, Apollo, Siegfried, Michael), ist der Winterdämon, der die junge Sonne töten will (Fenriswolf, Pharao, Herodes, Geßler). Ein verwandter Archetypus ist die Befreiung der Jungfrau (der Unschuld insgesamt), die der Drache gefangenhält (Perseus und Andromeda), ist die Drachenzeit, das Drachenland selbst, wenn es als notwendiger Vorraum zum letzten Triumph erscheint (Ägypten, Kanaan, Reich des Antichrist vor Beginn des Neuen Jerusalem). Ein Archetypus höchsten utopischen Ranges ist das Trompetensignal im letzten Akt des »Fidelio«, konzentriert in der Leonoren-Ouvertüre, das die Rettung verkündet: die Ankunft des Ministers (er steht für den Messias) verkörpert den Archetypus der rächend-erlösenden Apokalypse, den alten Gewittersturm- und Regenbogen-Archetypus. Ja, ein Archetypus uralter, hier aber völlig konkret bezogener Art ist noch in dem Marxsatz: »Wenn alle inneren Bedingungen erfüllt sind, wird der deutsche Auferstehungstag verkündet werden durch das Schmettern des gallischen Hahns.« Man bemerkt an diesen Beispielen rein immanent: das Utopische an Archetypen ist zuletzt überhaupt nicht in Archaik fixierbar, es wandert vielmehr höchst tauglich durch die Geschichte. Vor allem auch: es sind nicht alle Archetypen archaischen Ursprungs, manche tauchten ab origine erst im Verlauf der Geschichte auf, so der Tanz auf den Trümmern der Bastille – ein neu ergreifendes Urbild, von den archaischen Reigen der Seligen durch ganz neue Inhalte abgetrennt. Seine Musik ist Beethovens Siebente Symphonie, keine mithin, die zu Asphodeloswiesen, auch keine, die zu orgiastischen Frühlings- und Dionysosfesten gestimmt hätte. Selbst Archetypen deutlich archaischen Ursprungs haben an historischen Umbildungen sich immer wieder erfrischt, variiert: auch das Trompetensignal im »Fidelio« hätte kaum seine durchdringend echte Wirkung ohne den Bastillesturm, der die Vorlage und den unablässigen Hintergrund der Fidelio-Musik bildet. Durch ihn erst erfuhr der Gewittersturm- und Regenbogen-Archetyp, auf den das Signal und die Rettung bezogen sind, einen ganz neuen Ursprung: er trat aus dem Astralmythos in die Revolutionsgeschichte; er wirkt nun, obzwar Archetyp, ohne eine Spur von Archaik. So sind zu guter Letzt nicht alle Archetypen nur Bildverdichtungen archaischer Erfahrung; immer wieder ist von ihnen ein Reis entsprungen, das den vorhandenen Inhalt der Archetypen mehrt. Wie erst, wenn in die uralten wie in die historisch frischen der utopische Einbruch geschieht, die Umfunktionierung, welche sich *auf Befreiung der archetypisch eingekapselten Hoffnung versteht.* Wäre Archetypisches völlig regressiv, gäbe es keine Archetypen, die selber nach der Utopie greifen, während die Utopie auf sie zurückgreift, dann gäbe es keine vorschreitende, dem Licht verpflichtete Dichtung mit alten Symbolen; Phantasie wäre ausschließlich Regressio. Sie müßte sich als progressiv bestimmte vor allen Bildern, auch Allegorien, Symbolen hüten, die aus dem alten mythischen Phantasiegrund stammen, sie hätte jeweils nur Realschul-Intellekt für sich, mithin, da dieser traumlos ist, gegen sich. Aber die Zauberflöte – um ein Phantasiestück zu nehmen, das fraglos humanisiert – gebraucht fast lauter archaische Allegorien und Symbole: den Führer und Priesterkönig, das Reich der Nacht, das Reich des Lichts, die Wasser- und Feuerprobe, die Magie der Flöte, die Verwandlung in eine Sonne. Demungeachtet haben sich alle diese Allegorien und Symbole, darunter solche, in deren heiligen Hallen ehemals keine Menschenliebe gesungen wurde, dem Dienst der Aufklärung als verwendbar gezeigt, ja sie kamen in der Mozartschen Märchenmusik, als undämonischem Tempel, wahrhaft nach Hause. So zieht produktiv-utopische Funktion auch Bilder aus dem unverjährt Gewesenen, soweit sie, trotz allem Bann in ihnen, doppelsinnig zukunftsfähig sind, und macht sie zum Ausdruck für das immer noch nicht Gewesene tauglich, für Sonnenaufgang. Derart entdeckt die utopische Funktion nicht nur den kulturellen Überschuß als zu sich gehörig, sie holt auch aus der doppelsinnigen Archetypen-Tiefe ein Element ihrer selbst zu sich zurück, eine archaisch gelagerte Antizipation noch von Noch-Nicht-Bewußtem, Noch-Nicht-Gelungenem. Um mit einem dialektischen Archetyp selber zu reden: der Anker, der hier in den Grund sinkt, ist zugleich der Anker der Hoffnung; das Versinkende enthält das Auffahrende, kann es enthalten. Ja das gleiche mit alldem bezeichnete Doppelwesen, das zur Utopie fähige, zeigt und bewährt sich schließlich, wenn Archetypen deutlich zu den *objekthaften Chiffern* übergehen, die sie ohnehin nach der Natur abgebildet haben. So in zahlreichen verdichteten Gleichnissen (stille Wasser sind tief, alle Höhe ist einsam), so im Gewittersturm-Regenbogen-Archetyp, so eben im Licht- und Sonnenbild der Zauberflöte. Archetypen dieser Art sind überhaupt nicht bloß aus menschlichem Material gebildet, weder aus Archaik noch aus späterer Geschichte; sie zeigen vielmehr ein Stück Doppelschrift der Natur selbst, eine Art Realchiffer oder Realsymbol. Realsymbol ist eines, dessen Bedeutungsgegenstand sich selber, im realen Objekt, noch verhüllt ist und nicht etwa nur für die menschliche Erfassung seiner. Es ist mithin ein Ausdruck für das im Objekt selber noch nicht manifest Gewordene, wohl aber im Objekt und durchs Objekt Bedeutete; das menschliche Symbolbild ist hierfür nur stellvertretend-abbildlich. Bewegungslinien (Feuer, Blitz, Klangfigur und so fort), Gestalten ausgezeichneter Objekte (Palmform, Katzenform, menschliches Gesicht, ägyptischer Kristallstil, gotischer Waldstil und so fort) machen diese Realchiffer kenntlich. Ein scharf geprägter Teil der Welt erscheint derart als Symbolgruppe objekthafter Art, deren Mathematik und Philosophie noch gleichmäßig ausstehen. Die sogenannte Gestaltlehre ist davon nur abstrakte Karikatur; denn Realchiffern sind nicht statisch, sie sind Spannungsfiguren, sind tendenziöse Prozeßgestalten und vor allem eben, auf diesem Weg, symbolische. Dergleichen grenzt an das Problem einer objekthaft-utopischen Figurenlehre, also letzthin an das vergessene (pythagoräische) Problem einer qualitativen Mathematik, einer erneut qualitativen Naturphilosophie. Hier jedoch zeigt sich bereits: auch objekthafte Archetypen, zu Realchiffern übergegangen, wie sie im riesigen Antiquarium Natur, näher im gestalteten Menschenwerk sich finden, werden nur durch utopische Funktion erhellt. Ihre nächste Existenz haben Archetypen freilich allemal in menschlicher Geschichte; soweit nämlich Archetypen sind, was sie sein können: konzise Ornamente eines utopischen Gehalts. Utopische Funktion entreißt diesen Teil der Vergangenheit, der Reaktion, auch dem Mythos; jede dermaßen geschehende Umfunktionierung zeigt das Unabgegoltene an Archetypen bis zur Kenntlichkeit verändert.

Begegnung der utopischen Funktion mit Idealen

Ein aufgeschlossener Blick bewährt sich darin, daß er sich zuwendet. Ihm schwebt ein Ziel vor, das seit der Jugend selten aus den Augen verloren wird. Indem es nicht zuhanden ist, aber fordert oder leuchtet, wirkt es als Aufgabe oder als Richtpunkt. Scheint das Ziel nicht nur Wünschens- oder Erstrebenswertes, sondern Vollkommenes schlechthin zu enthalten, so wird es Ideal genannt. Jedes Ziel, ob erreichbar oder nicht erreichbar, ob Sparren oder objektiv sinnvoll, muß erst im Kopf vorgestellt werden. Aber die Zielvorstellung Ideal unterscheidet sich von der gewöhnlichen eben durch den Akzent Vollkommenheit; von ihm kann nichts heruntergehandelt werden. Aktives Streben und Wollen werden sonst aufgegeben, oder sie werden empirisch-klug abgelenkt, wenn die Vorstellung empirisch zwingender Gegengründe in die Zielvorstellung eindringt. Dagegen die Zielvorstellung Ideal wirkt als solche unnachlaßlich, ein auf sie gerichteter Willensentscheid ist unaufhebbar. Er ist es selbst dann, wenn er nicht vollzogen wird; denn der Nichtvollzug wird gerade wegen der sachlichen Unaufhebbarkeit von schlechtem Gewissen, mindestens vom Gefühl einer Entsagung begleitet. Der Gegenstand der Idealvorstellung, der ideale Gegenstand, wirkt so als fordernder, scheinbar als hätte er ein eigenes Wollen, das als Sollen an den Menschen ergeht. Die gewöhnliche Zielvorstellung wie die des Ideals zeigen den Charakter eines Werts, und bloße Wertillusion findet sich hier wie dort. Aber während diese Illusion bei gewöhnlichen Zielvorstellungen empirisch korrigierbar ist, hält das bei Idealen bedeutend schwerer, eben wegen ihrer verdinglichten Forderung. Erscheint ein Gegenstand als idealer, so gibt es von seinem fordernden, gegebenenfalls berückend fordernden Bann nur durch Katastrophen eine Heilung; und auch dann nicht immer. Es gibt das Unglück einer Idolatrie der Liebe, die selbst ans durchschaute Objekt noch weiter bannt; es wirken illusionäre politische Ideale auch nach empirischer Katastrophe zuweilen weiter, als seien sie – echte.

Eine eigene Macht zieht so von der Idealbildung her, eine, die die gleichsam helle und mündige Überzeugung vom Ideal als einer Vollkommenheit mit sehr viel dunkleren Antrieben durchsetzt. So daß Idealbildung, nach ihrer unfreien und illusionären Seite, eminent viel falsches Bewußtsein, archaisches Unterbewußtsein zu enthalten vermag. Dergleichen erschien bereits bei Gelegenheit der Verdrängung im Freudschen Sinn, anders bei Gelegenheit der Adlerschen Machtpsychologie, – die überkompensierende Bildung des Leitideals betreffend. Bei Freud ist das Über-Ich der Quell der Idealbildung, und das Über-Ich selbst, mit all der Drohung, dem Sollen, das von ihm ausgeht, soll der nachwirkende Vater sein. Das Ich steht zum Über-Ich im Verhältnis eines Kindes zu den Eltern; deren Gebote sind im Ideal-Ich, in jedem Ideal-Gebot überhaupt wirksam geblieben, üben jetzt als Gewissen die moralische Zensur aus. Diese Idealtheorie führte also ausschließlich nach rückwärts zum Vater und, bei genügender Ausbohrung, in die patriarchalisch-despotische Zeit insgesamt. Demgemäß sind bei Freud alle nichtdrohenden, alle leuchtenden Züge des Ideals ausgelassen, auch ist dieses gänzlich aufs Moralische eingeengt. Die eigentlich leuchtenden Züge sucht Adlers Überkompensierungstheorie zu erklären, zugleich ist sie nur hinsichtlich dessen, was das Leitideal überwinden mag, auf Vergangenheit gerichtet, auf die ehemalige »Däumlingssituation«. Das Leit- oder persönliche Charakterideal soll hier kein erinnert-eingepreßtes Ziel, sondern ein relativ frei gewähltes sein: die Menschen finalisieren sich in der Charaktermaske zur Idealmaske um, um das Gefühl der Überwertigkeit zu erreichen. Freilich wieder sind nach dieser Theorie alle Idealbilder auf moralische, ja letzthin auf persönlich eitle beschränkt; objektivere Ideale, etwa künstlerische, fehlen durchaus. Sogar Alternativ-Ideale der richtigen Lebensführung, wie sie aus vorkapitalistischer Zeit herüberreichen, als Einsamkeit oder Freundschaft, als vita activa oder vita contemplativa, haben in dieser puren Konkurrenz-Psychologie keinen Platz. Ebenso bleiben Idealsituationen, Ideallandschaften bei Beschränkung auf rein persönliche Leitbilder unbegriffen-heimatlos. So machten Freud und Adler doch nur den drückenden Bann kenntlich, der der Idealbildung zugrunde liegen kann: hier den Vater-Bann, dort mindestens den Bann der Minderwertigkeit. Auch die Marschroute ist nicht offen, die von hier aus sowohl zu den Surplus-Eigenschaften wie zu den Surplus-Bildern hinführt. Alles bleibt beim Sollen, das vorgestellte Zielbild des Werdenwollens wird über die Hälfte mehr ertragen als erhofft.

Doch ist damit der Wille, der auf Türme sieht, sie auch besteigt, noch nirgends erschöpft. Die Idealbildung ist keinesfalls auf Sollen und Bann begrenzt, sie hat ihre freiere, hellere Seite außerdem. Zeigt diese hellere Seite auch gleichfalls starke Negativitäten: die des Ersatzes, der Verblasenheit, Abstraktheit, wozu im neunzehnten Jahrhundert noch die Verlogenheit des Ideals kam: so hängen diese doch nicht mit den finsteren oder sinistren Momenten der Idealbildung zusammen. Nicht mit Sollen von oben herab, mit Bann, Druck des Über-Ichs, Wendung gegen Kreatur schlechthin; was hier verführt, ist vielmehr die hochschwebende *Vollkommenheit* selber. Die freien Charaktere des Tagtraums prägen sich auf dieser helleren Seite aus, besonders die Fahrt ans Ende, wo es recht unendlich hergeht. Wird selbst wirkliche Fahrt zum Ideal gar nicht unternommen oder bleibt sie nur in seinem Bilde, als Einschiffung nach Cythera, einem überdies rein erotischen Ideal: so ist doch immer Ende intendiert, und dieses als Perfektum. Vollkommenheit nun ist nicht bloß leichter zu fühlen, sie ist auch einladender zu denken als mittlere Kulturkategorien. Daher wurde denn das Ideal viel deutlicher zu Begriff gebracht als die Ideologien (was sich wegen des interessierten Verhüllungscharakters der Ideologie von selbst versteht), aber auch deutlicher als die Archetypen. Es gibt bis jetzt keine Bestimmung und Tafel der Archetypen, dagegen mehrere des Ideals; und sie reichen herunter bis zu Termini wie: ideale Hausfrau, idealer Bach-Bariton und dergleichen, sie reichen hinauf bis zum Ideal des höchsten Guts. Es gibt Leitideale des rechten Lebens, scharf kontrastierende, es gibt eine von den Sophisten und Sokrates bis zu Epikur und der Stoa reich nuancierte Wertwägungslehre, eine Kriterienlehre des Ideals. Nach allen Seiten gar, nach denen des Drucks wie der finalen Richtungseinheit wie der Hoffnung, erscheint das Ideal bei Kant, der den Philosophen selber einen Lehrer des Ideals, die Philosophie eine Unterweisung im Ideal nennt. Wieder als Druck, ja Angriff erscheint dieses im kategorischen Imperativ des Sittengesetzes: die Würde des Menschen, die in diesem Gesetz Achtung fordert, steht zu allen natürlichen Antrieben im Gegensatz. Dann aber erscheint das Ideal bei Kant als finale Richtungskraft, dergestalt, daß diese nicht selber fordert, sondern umgekehrt gefordert wird, und zwar in der postulierenden Dreieinigkeit des Unbedingten: Freiheit, Unsterblichkeit, Gott. Ebenso erscheint das Ideal als Hoffnung, nämlich als das wahrhaft höchste Gut der praktischen Vernunft; dieses soll dann die Verknüpfung von Tugend und Glückseligkeit sein, die (freilich immer nur approximative) Verwirklichung eines Reichs Gottes auf Erden. Dann wieder erscheint das Ideal in der Kantischen Ästhetik: als das einer naturgemäßen Vollkommenheit, also ohne höchstes Gut, hierbei mit lehrreichstem Gegensatz zu dem moralischen Druck-Ideal. Kant wendet von diesem in der Kunst sich ab, so wie überhaupt Gesolltsein in der Kunst allemal läppisch gerät: es gibt eine donnernde Ethik, aber – ihr entsprechend – nur eine schulmeisterliche Ästhetik. Kant will sie nicht, das künstlerische Genie ist bei ihm nicht mit seiner natürlichen Triebfeder entzweit wie der sittliche Mensch. Konträr: Genie gibt gerade »als Natur die Regel«, Genie ist eine »Intelligenz, welche wirkt wie die Natur«. Und alle Verschönerungen gemäß dem ästhetischen Ideal werden definiert als »vollkommene Verkörperung einer Idee in einer einzelnen Erscheinung«. So vielfältig also, nach seinen verschiedenen Gesichten, denen des Banns und denen des Sternlichts vor allem, als einer Hoffnung der Zukunft, schlägt sich gerade bei Kant, dem formalen, doch dadurch besonders abstrakt-radikalen Lehrer des Ideals, die Vollkommenheit auseinander. Seine ästhetische Fassung, die »vollkommene Verkörperung einer Idee in einer einzelnen Erscheinung«, geht überdies aus einem formalen bereits in einen objektiven Idealismus über. So berührt sich dieser Idealbegriff letzthin mit der Idee, wie sie durch Aristoteles aus Platons Gattungsform oberhalb der Erscheinung in die Zielform oder Entelechie innerhalb der Erscheinung gebracht worden ist. Die Entelechie, welche wegen hemmender Nebenursachen in den Einzeldingen sich nicht vollkommen ausprägt, wird bei Aristoteles von der Bildhauerei, auch von der Dichtung sichtbar gemacht. Ästhetische Idealdarstellung wird derart eine solche, welche zugleich nachahmend trifft und der Entelechie gemäß verschönert, das heißt, welche zeigt, was der Natur der Sache nach geschehen müßte; daher der berühmte Aristotelische Satz: das Drama sei philosophischer als die Geschichtsschreibung. Es ist zuletzt noch dieser ans Ende treibende Vollkommenheitscharakter des ästhetisch Idealen, der bei Schopenhauer wie Hegel an Kants »vollkommener Verkörperung einer Idee in einer Einzelerscheinung« sich anschließen läßt. Mit viel Aristoteles bei Schopenhauer: »Je nachdem nun dem Organismus die Überwältigung jener tieferen Stufen der Objektivität des Willens ausdrückenden Naturkräfte mehr oder weniger gelingt, wird er zum vollkommeneren oder unvollkommeneren Ausdruck seiner Idee, das heißt, steht näher oder ferner dem Ideal, welchem in seiner Gattung die Schönheit zukommt.« Und weiter, mit deutlicher Streifung einer utopischen Funktion (im statischen Grenzwesen der Gattung): »Nur so konnte der geniale Grieche den Urtypus der menschlichen Gestalt finden und ihn als Kanon der Schule, als Skulptur aufstellen; und auch allein vermöge einer solchen Antizipation ist es uns allen möglich, das Schöne da, wo es der Natur im einzelnen wirklich gelungen ist, darzustellen. Diese Antizipation ist das Ideal; es ist die Idee, sofern sie, wenigstens zur Hälfte, a priori erkannt ist und, indem sie als solche dem a posteriori durch die Natur Gegebenen ergänzend entgegenkommt, für die Kunst praktisch wird« (Werke, Grisebach, I, S. 207, 297). Hegel läßt die Ideale überhaupt nur in der Kunst vorkommen und nicht in der sonstigen Wirklichkeit, am wenigsten in der politisch-sozialen; hier sind sie für Hegel, soweit er Restaurationsphilosoph ist, einzig Chimären einer eingebildeten Vollkommenheit. Dagegen hat ihm die Kunst, als Kontemplationsgebilde, schlechterdings nichts als Ideale zum Substrat, orientalisch-symbolische, griechisch-klassische, abendländisch-romantische (Ehre, Liebe, Treue, Abenteuer, Glauben). Und ihre ästhetische Manifestation zeigt erst recht Erinnerung des Aristoteles in sich, der Entelechie: »Die Wahrheit der Kunst darf also keine bloße Richtigkeit sein, worauf sich die bloße Nachahmung der Natur beschränkt, sondern das Äußere muß mit einem Inneren zusammenstimmen, das in sich selbst zusammenstimmt und eben dadurch sich als sich selbst im Äußeren offenbaren kann. Indem die Kunst nun das in dem sonstigen Dasein von der Zufälligkeit und Äußerlichkeit Befleckte zu dieser Harmonie mit seinem wahren Begriffe zurückführt, wirft sie alles, was in der Erscheinung demselben nicht entspricht, beiseite und bringt erst durch diese Reinigung das Ideal hervor« (Werke, XI, S. 199 f.). Ersichtlich wird hier erst recht nicht das Ideal als gleichgültig gegen Wirkliches überhaupt betrachtet, auch nicht als fade Schönfärberei (wie sie den Schwindelgegensatz von Poesie und Prosa, schließlich Kultur und Zivilisation behaupten ließ). Sondern ein stärkerer Wirklichkeitsgrad selber ist gemeint, einer der im Erscheinungsprozeß realiter intendierten jeweiligen Vollkommenheit, auch wenn diese Schichtung bei Hegel nirgends als die eines realiter Noch-Nicht-Gewordenen zugelassen wird. Trotzdem zeigt das Ideal überall dort, wo nicht Über-Ich, wo nicht rückwärtiger Vater-Bann oder auch fixe Bilder einer bloß nachahmenden Überkompensierung ihr Wesen treiben, noch viel genuinere Antizipation in sich als die meisten Archetypen. Und die utopische Funktion am Ideal wird so weniger seine Aufsprengung als seine Berichtigung: kraft einer Vermittlung mit konkreten Vollkommenheitsbewegungen in der Welt, mit materieller Idealtendenz.

Außerhalb dieser freilich bleiben inwendig wie erst recht auswendig nur große Worte übrig. Sollen, Forderung, Druck gehören zum Ideal als Bann, aber wie bemerkt: Verblasenheit, unverpflichtend Abstraktes, ungeschichtliche Statik bedrohen es in seiner Freiheit und intendierten Vollkommenheit. Wozu eben gar noch die Lüge kam, die das neunzehnte Jahrhundert hinzubrachte: das Wahre, Gute, Schöne als bourgeoise Phrasen. Fontane hat an der Kommerzienrätin Jenny Treibel, geborenen Bürstenbinder, eine Bourgeoise mit Idealen dargestellt, die sich für alle ihresgleichen sehen lassen kann. Auch für ihre ganze Umgebung: »Sie liberalisieren und sentimentalisieren beständig, aber das alles ist Farce; wenn es gilt, Farbe zu bekennen, dann heißt es: Gold ist Trumpf – und weiter nichts.« Ibsen hat in seinen meisten Dramen die Leidenschaft, zu zeigen, wie die verkündeten bürgerlichen Ideale und die bürgerliche Praxis überhaupt nichts mehr miteinander gemein haben. »Das Puppenheim«, »Gespenster«, »Die Wildente« sind lauter Abwandlungen des

Themas Ideal-Phrase; und es hätte nur wenig dazu gehört, um diese tiefernsten, fast tragischen Stücke als Komödien herauszuarbeiten. Gregers Werle in der »Wildente« ist genau der Don Quixote der bürgerlichen Ideale, mitten in einer verkommenen Bourgeoisiewelt, und der Zynismus Rellings, wenn er diese Ideale nicht bloß Lügen, sondern dem Durchschnittsmenschen notwendige Lebenslügen nennt, ist gar nicht nur zynisch, er nennt den Sonntags-Schwindel des spätbürgerlichen Ideals nur bei Namen. Mit der Grenze, daß Ibsen selber noch an die bürgerlichen Ideale glaubt, glauben will und sie in den Dramen nach der »Wildente« so darzustellen versucht, daß sie der Kritik Rellings nicht verfallen. Neue Welt war weder bei Fontane noch bei Ibsen, dafür wurde die alte immanent denunziert, mit ihrem Mißverhältnis zwischen Theorie und Praxis, mit ihrer tief eingefressenen Heuchelei. Das zu durchschauen, dazu genügt ein kritischer Realismus, es ist keine Ideologieforschung noch gar utopische Funktion notwendig. Wohl aber ist diese, mit ergriffener materieller Tendenz, notwendig, damit das Ideal mit seiner verblasenen, bourgeoisen Existenz nicht einig gesehen wird. Damit es erst recht aus seiner gesamten bisherigen Existenzweise: aus Abstraktheit, Statik möglicherweise hervorgeholt werden kann. Zunächst aus der Abstraktheit, als der abgehobenen, schlecht allgemeinen, kraftlos schwebenden. Sie ist wesentlich formell, der Inhalt hat sich aus dem wirklichen Leben herausgestohlen oder steht ihm unvermittelt in den leeren großen Worten gegenüber. Indem die Ideale sich derart mit keiner Tendenz vermittelten, kam zur Abstraktheit die undialektische Statik. Beides vermehrt die Wertillusion; sie wird nun durch eine Haltung unterstützt, die die Ideale in den Silberschrank stellt, zur ewig gleichen Erbauung. Abstraktheit und Statik zusammen machen dann die sogenannten idealen Prinzipien aus, als Richtpunkte für Worte, nicht für Handlungen. Derart Formales blüht vor allem in England und, zur Religion aus toten Schlagworten übergehend, in Nordamerika. Die amerikanische Unabhängigkeitserklärung, dann die amerikanische Verfassung enthielten ihre Rights of life, liberty and the pursuit of happiness, ihre Principles of liberty, justice, morality and law noch von der Citoyen-Seite her (das Principle of property, das weniger bengalisch beleuchtete, als basic principle freilich nicht zu vergessen). Doch nun steht das alles in starrer Luft, und das einzig wirkliche, das ökonomische basic principle erlaubt wegen der formalen Abstrakt-Statik der anderen Prinzipien jeden Opportunismus des Inhalts, vor allem in der Liberty. Das so beschaffene Ideal kann und will sich gegen diesen bis zur völligen Umkehrung gehenden Opportunismus seines Inhalts theoretisch nicht absetzen; es kann nicht wegen seiner formal irreführenden Allgemeinheit, es will nicht wegen seiner energielosen Starre. Wie groß ist diese Kraftlosigkeit erst in Deutschland gewesen, im Luther-Deutschland der doppelten Buchführung oder des Dualismus von Werk und Glauben. In den kalvinistischen Ländern blieb das Ideal wenigstens ein verbaler, ja formaldemokratischer Richtpunkt für bald aufgegebene Handlungsweisen; Heuchelei bildet sich aus als Tribut des Lasters an die Tugend. In Deutschland dagegen stand das Ideale so hoch über der Welt, daß es in gar keinen Kontakt zu dieser kam, außer in den des ewigen Abstands. Aus diesem Richtpunkt wurden Sterne, die zu weit waren, um erreichbar zu sein, also Sterne der Velleität, nicht der Tat. Daraus entstand das Phantom bloßer unendlicher Annäherung ans Ideal oder, was dasselbe heißt, seiner Verlegung ins ewige Streben nach ihm hin. Die Welt blieb so im argen, die sittlichen Ideale hingen in himmlischer Ferne, die ästhetischen Ideale begehrte man nicht einmal, sondern freute sich nur ihrer Pracht. So leicht ist der Sprung von unendlichem Wollen zu bloßer Kontemplation; denn auch das ewig Approximative ist Kontemplation, nur gestört durch beständigen Handlungsschein, durch Handeln um des Handelns willen, ut aliquid fieri videatur. Kam selbst ein konkreter Idealsinn in Deutschland herauf, so war er im Punkt der Verwirklichung durchaus nur die Kehrseite der unendlichen Nicht-Verwirklichung, nämlich totaler Friede in der Welt; so bei Hegel. Hier verschwindet zwar das Unendliche der Annäherung ans Ideal, aber damit auch jede Annäherung durch *Menschenwerk* ans Ideal überhaupt. Der Weltprozeß als solcher wird Selbstrealisierung der in ihm gesetzten idealen Zwecke, und der Mensch ist bloßes Hilfsmittel, zuletzt gar, als philsophischer, bloßer Zuschauer von Idealen, die angeblich ohnehin verwirklicht sind. Das alles mithin hält das Ideal ohnmächtig, gleichviel ob in unendlicher Annäherung oder in allzu viel Deckung mit der Welt, als einer angeblichen Idealwelt. In beiden herrscht Statik des Ideals mit einer in sich bereits fertigen Vollkommenheit; und eben gegen diese Fertigkeit hat utopische Funktion sich hier zu bewähren. Das aber ist eine andere Bewährung als an Archetypen, eine dem Stoff viel verwandtere, freilich auch eine mit viel mehr Bruderstreit. Die *gemeinte Vollkommenheit* eben, ihre ganz eingestandene Antizipation, ist es, welche das Ideal utopischer Behandlung zugänglich macht. Die Archetypen haben das Antizipierende eingekapselt, und es muß herausgesprengt werden; die Ideale dagegen zeigen es abstrakt oder statisch, und es muß nur berichtigt werden. Die Archetypen zeigen die Hoffnung sehr oft im Abgrund und diesen im Archaischen, sie sind dann wie die versunkenen Schätze im Mythos selber, welche an einem Johannistag sich heben und sonnen; die Ideale dagegen zeigen ihre Hoffnung von vornherein am Tag, auf seiner nach aufwärts sich dehnenden Wölbung. Die Erneuerung der meisten Archetypen hat den stillen Orplidvers Mörikes für sich: »Uralte Wasser steigen verjüngt um deine Hüften, Kind!«; der Auftritt eines Ideals dagegen hat den entschiedenen Tagruf für sich, aus Brownings »Pippa«: »Dein Stundenstrom, lang, blau, klar, festlich fließend, der stark, ich fühl's, die Erde schützt und segnet, alles wird mein.« Es gibt gewiß auch Archetypen, die nicht im Abgrund hausen, der Tanz auf den Trümmern der Bastille gab davon das stärkste Exempel, und umgekehrt ist ein Archetyp wie das Mutterbild in Isis-Maria zugleich ein tief verwurzeltes Ideal. Doch im Ganzen lebt das Ideal rein an der Front, so sehr, daß sein Vollendungsbild eher zu fern als zu versunken erschien. Nicht grundlos sind die abstrakten Utopien als abstrakte, doch eben auch als Utopien wesentlich mit Idealen gefüllt und bedeutend weniger mit Archetypen, auch nicht mit denen des ohne weiteres revolutionären Sinns. Die einsame Insel, worauf Utopia liegen soll, mag ein Archetyp sein, doch stärker wirken in ihr die Idealgestalten erstrebter Vollkommenheit, als freie oder geordnete Entfaltung des Lebensinhalts. Utopische Funktion also hat sich am Ideal wesentlich in der gleichen Linie zu bewähren wie an Utopien selber: in der Linie konkreter Vermittlung mit materieller Ideal-Tendenz in der Welt, wie bemerkt. Keinesfalls kann

Idealisches durch bloße Tatsachen belehrt und berichtigt werden; konträr: es gehört zu seinem Wesen, daß es zur bloßen faktischen Gewordenheit in gespanntem Verhältnis steht. Wohl aber hat Idealisches, wenn es etwas taugt, Anschluß an den Prozeß der Welt, wovon die sogenannten Tatsachen verdinglicht-fixierte Abstraktionen sind. Es hat in seinen Antizipationen, wenn sie konkrete sind, ein Korrelat in den objektiven Hoffnungsinhalten der Tendenz-Latenz; dies Korrelat ermöglicht *ethische Ideale als Vorbilder, ästhetische als Vor-Scheine, die auf ein möglicherweise Realwerdendes deuten.* Solche durch utopische Funktion berichtigte und ausgerichtete Ideale sind dann allesamt solche eines menschlich-adäquat entfalteten Selbst- und Weltinhalts; deshalb sind sie – was hier zu guter Letzt das ganze Idealwesen so zusammenfassen wie vereinfachen mag – sämtlich *Abwandlungen des Grundinhalts: höchstes Gut.* Ideale verhalten sich zu diesem obersten Hoffnungsinhalt, möglichen Weltinhalt als Mittel zum Zweck; daher gibt es eine Hierarchie der Ideale, und ein unteres kann dem oberen geopfert werden, indem es ohnehin in der Realisierung des oberen wieder aufersteht. Zum Exempel: die oberste Abwandlung des höchsten Guts in der politisch-sozialen Sphäre ist die klassenlose Gesellschaft; folglich stehen Ideale wie Freiheit, auch Gleichheit zu diesem Zweck im Mittelverhältnis und erlangen ihren Wertinhalt (ihren im Fall Freiheit besonders vieldeutig gewesenen) vom politisch-sozialen höchsten Gut her. Dergestalt, daß es nicht bloß die Mittelideale inhaltlich bestimmt, sondern je nach Erfordernis des obersten Zweckinhalts auch variiert, gegebenenfalls die Abweichungen temporär rechtfertigt. Ebenso: die oberste Abwandlung des höchsten Guts in der ästhetischen Sphäre ist immanenter Vor-Schein einer human-vollkommenen Welt: folglich stehen alle ästhetischen Kategorien zu diesem Ziel in Relation und sind seine Abwandlungen – als l'art pour l'espoir. Und vernehmlicher als bei Archetypen tönt im Ideal die Antwort des Subjekts auf schlechte Gewordenheit, die tendenzhafte Antwort gegen das Unzulängliche, für das human Angemessene. Sagt daher Marx, die Arbeiterklasse habe keine Ideale zu verwirklichen, so trifft dieses Anathema gewiß nicht die Verwirklichung von tendenzhaft-konkreten Zielen, sondern nur die von abstrakt-herangebrachten, von Idealen ohne Geschichts- und Prozeßkontakt. Der Sozialismus ist durch Marx, Lenin selber in seinem jeweils nächst zu betreibenden Stadium ein konkretes Ideal geworden, eines, das durch seine planmäßig vermittelte Solidität nicht weniger, sondern mehr als das abstrakt gewesene anfeuert. Und gerade das politisch höchste Ideal: das Reich der Freiheit, als politisches Summum bonum, ist der bewußt hergestellten Geschichte so wenig fremd, daß es, als konkretes, ihre Finalität ausmacht oder das letzte Kapitel von der Geschichte der Welt. Denn ein Anti-Summum-bonum oder Umsonst, die ebenso mögliche Alternative, wäre nicht das letzte Kapitel dieser Geschichte, sondern ihre Streichung, und nicht Finalität, sondern Ausgang zum Chaos. Entweder ist im Prozeß, trotz menschlicher Arbeit, Tod ohne Hinterland, oder es ist, kraft menschlicher Arbeit, Realismus des Ideals in seinem Gang – tertium non datur. Die Freiheit der utopischen Funktion hat aber ihre Tätigkeit und ihr eigenes Ideal darin, das noch nicht gewordene »Sein wie Ideal« (höchstes Gut), das in den Dämmerungen, an der Front der Prozeßwelt sich mit realer Möglichkeit entwickelt, gegenständlich zu bedeuten und in Freiheit zu setzen.

Begegnung der utopischen Funktion mit Allegorien-Symbolen

Bleibt noch der betroffene Blick, der sich auch am noch nicht Klaren klar bewährt. Letzteres ist hier jenes noch nicht Klare, das nicht nur seine eigene Sache, sondern darin zugleich noch eine andere bedeutet. Tritt das in dichterischer Sprache auf, so können deren Worte zwar durchaus sinnlich und gegenwärtig sein, jedoch sie hallen wie in einem großen Saal. Schon das Sprichwort gibt sich als mehrschichtig und bedeutsam, sofern es gleichnishaft zu werden versteht, ja es mit Vorliebe ist. »Stille Wasser sind tief«, das ist derart bereits eine allegorische Aussage, und sie steigert sich im großen dichterischen Gleichnis. »Gedichte sind gemalte Fensterscheiben«, dieser große Goethische Gleichnissatz gibt das Dunkel-Helle des Bedeutens seiner eigenen Sache und darin zugleich einer andern aufs beste wieder. Solch ein Satz ist eine perfekte Allegorie, freilich als diese selber wieder mit dem noch nicht Klaren ihrer selbst behaftet, weshalb wieder keine Allegorie perfekt sein kann. Denn sie ist per definitionem mehrdeutig, das heißt, der Gegenstand, von dem sie ihr erhellendes Gleichnis nimmt (hier: die gemalten Fensterscheiben), ist selber keinesfalls eindeutig. Er enthält mehrere Bedeutungen in sich, auch solche, die sich nicht vergleichsweise auf Gedichte beziehen, und deutet vor allem, auch im Gedicht-Bezug, im Transparenzbezug, zwischen Dunkel und Licht, weiter über sich fort. So ist keine Allegorie perfekt; wäre sie es, wäre ihr Fortbezug nicht einer, der kreuz und quer, aber auch in der gleichen Linie immer wieder zu anderem schickt, dann wäre diese Art Aussage nicht allegorisch, sondern symbolisch. Sie wäre es, obwohl das dann erreichte Perfekte immer noch eines des sachlich noch nicht Klaren bleibt, nämlich eines des Verhüllten im Offenbaren, des Offenbaren als eines immer noch Verhüllten. Die Allegorie besitzt dieses Sinns dem Symbolischen gegenüber eine Art Reichtum aus Ungenauigkeit; so eben steht ihre Gleichnisart hinter der unschwankenden, obzwar gleichfalls noch schwebenden des Symbols und des Einheitspunkts seiner Beziehung zurück. Das freilich darf nicht mit dem anderen Wertunterschied verwechselt werden, den man seit wenig mehr als hundert Jahren zwischen dem Allegorischen und Symbolischen auf grundfalsche Weise vorgenommen hat. Wonach das Allegorische bloß aus versinnlichten oder sinnlich dekorierten Begriffen bestünde, während das Symbolische – nun, allemal auf der sogenannten Unmittelbarkeit beruhte. Oder wie Gundolf das nachher, an dem von ihm georgisierten Goethe, so töricht ausdrückte: der junge Goethe hätte seine »Urerlebnisse« symbolisch ausgesagt, indes der ältere seine sogenannten bloßen »Bildungserlebnisse« nur noch allegorisch wiederzugeben vermocht hätte. Diese Wertunterscheidung ist nicht nur an Goethe sinnlos, sie folgt auch insgesamt der konventionellen Falschmeinung nach, die man sich seit der Romantik über Allegorien gemacht hat. An Hand der verständig entspannten Halballegorien, ja bloßen Abstraktionsillustrierungen, die im Rokoko und Louis seize (als Figuren der Tugend, der Wahrheit, der Freundschaft und so fort) vom Phänomen Allegorik allein noch im Bewußtsein waren. Der darauf bezüglichen romantischen Abwertung der Allegorien fehlte die erfahrene

Kenntnis wirklicher Allegorik: der des Barock, mit seiner Orgie von Emblemen, der des Mittelalters, der der frühchristlichen Patristik. Die Allegorie war in ihrer Blütezeit keineswegs Versinnlichung von Begriffen, Dekorierung von Abstraktionen, sondern eben versuchte Wiedergabe einer Dingbedeutung mittels anderer Dingbedeutungen, und zwar auf Grund des Gegenteils von Abstraktionen: nämlich auf Grund von Archetypen, welche die jeweiligen Gleichnis-Glieder in ihrem Bedeutungsgehalt einen. Und ebenso sind es Archetypen, welche den Bedeutungs-Durchklang, den freilich verbindlichen und zentralen, im Symbol-Gleichnis fundieren: dieses nicht als Archetypen des Unterwegs und der Vergänglichkeit, sondern eines strengen Überhaupt oder End-Sinns. Ersichtlich kann also der letzt angegebene Wertunterschied zwischen Allegorie und Symbol, als der einzig legitime, nicht mit dem zwischen dekorierten Abstraktionen, gar fixester Art, und leibhaften Theophanien konfundiert werden; die Rangverschiedenheit ist vielmehr eine innerhalb des gleichen Archetyp-Felds selbst. Oben (vgl. S. 183) wurde bereits der Unterschied so bestimmt, daß die Allegorie die Archetypen der Vergänglichkeit enthält, weshalb ihre Bedeutung allemal auf *Alteritas* geht, während das Symbol durchgehends der *Unitas eines Sinns* zugeordnet bleibt. Und für das jetzt fällige Problem einer Begegnung utopischer Funktion mit Allegorie und Symbol muß in beiden die Kategorie der *Chiffer* betont werden, als der *geformten, ja auch realiter in den Objekten* vorkommenden Bedeutung des im Archetyp verbundenen Allegorischen oder Symbolischen. Danach gibt die Allegorie an jeweiliger Einzelheit eine Chiffer auf einen gleichfalls noch in Einzelheit (Vielheit, Alteritas) ausgebreiteten, in Vergänglichkeit, ja Zerbrochenheit befindlichen Sinn. Das Symbol dagegen gibt an jeweiliger Einzelheit eine Chiffer auf eine in der Einzelheit (Vielheit, Alteritas) transparent erscheinende Einheit des Sinnes; es ist so auf das Unum necessarium einer Ankunft (Landung, Versammlung) gerichtet, nicht mehr auf hin und her geschickte Vorläufigkeit, Mehrdeutigkeit. Diese Intention auf eine Ankunft macht daher das Symbol verbindlich, zum Unterschied von den blühend sich verschiebenden, der währenden Unentschiedenheit des Wegs hingegebenen Allegorien. Was schließlich macht, daß die Allegorie wesentlich in der figurenreichen Kunst zu Hause ist und in polytheistischen Religionen, während das Symbol wesentlich der großen Einfachheit in der Kunst sowie heno- und monotheistischen Religionen zugehört.

Vorwegnahme nun hat in beiden etwas zu melden, denn in beiden meldet sie sich selbst. Das ist gleichzeitig ein Verschlossenes, das sich offenbart, und ein Offenbarendes, Eröffnendes, das sich noch verschließt, weil – gerade auch im Symbol – die Zeit noch nicht reif, der Prozeß noch nicht gewonnen, die in ihm anhängige Sache (der Sinn) noch nicht herausproduziert und entschieden ist. Also gibt es eine im Stoff selber fundierte Begegnung der utopischen Funktionen mit Allegorie wie Symbol; es ist das objektive Bedeuten selber, worin die utopische Funktion sich hier begegnet. Wir wiederholen: jedes Gleichnis, das in der Vielheit, Alteritas bleibt, stellt eine Allegorie dar, so in dieser Weise: »Schon stand im Nebelkleid die Eiche, / ein aufgetürmter Riese, da, / wo Finsternis aus dem Gesträuche / mit hundert schwarzen Augen sah.« Spricht das Gleichnis jedoch Einheit, Zentrales überhaupt, konvergiert es dazu hin mit beginnend erscheinender, wenn auch immer noch in Hülle befindlicher Fraglosigkeit, dann wird eindeutig Symbolik getroffen, so in dieser Weise: »Über allen Gipfeln ist Ruh.« Und die Form beider ist jene dialektische, die Goethe, mit einem selber dialektisch gespannten Ausdruck, »öffentlich Geheimnis« nannte, eben als noch währendes Ineinander von Eröffnetem und Verhülltem, noch nicht aus der Hülle Herausgebrachtem. Dergestalt aber, daß – in allen echten, das ist, auch objektiv stimmenden Allegorien, gar Symbolen – das »öffentlich Geheimnis« nicht nur für die auffassenden Menschen eines ist, etwa auf Grund seiner unzureichenden Fassungskraft, sondern ebenso in der vom Menschen unabhängigen Außenwelt Realqualitäten der Bedeutung ausmacht; so die Tendenzgestalten des in seinen jeweiligen Erscheinungen sich bedeutenden charakteristisch Typischen, so das gesamte dialektische Daseinsformen- (Figuren-) Experiment der Welt auf ihre noch latente zentrale Figur. Es ist lehrreich, auch dieses wirklich Öffentliche eines Geheimnisses mit Goethes so realistischer Welt-Eröffnung zu vergleichen: die in der Welt sich lebend entwickelnden Entelechien sind allesamt ebenso viele lebende, objekthaft vorhandene Allegorien und Symbole. Es gibt derart diese Chiffer auch in der Realität, nicht bloß in allegorischen und symbolischen Bezeichnungen dieser Realität; und es gibt eben deshalb solche Real-Chiffern, *weil der Weltprozeß selber eine utopische Funktion ist, mit der Materie des objektiv Möglichen als Substanz.* Die utopische Funktion der menschlich bewußten Planung und Veränderung stellt hierbei nur den vorgeschobensten, aktivsten Posten der in der Welt umgehenden Aurora-Funktion dar: des nächtlichen Tags, worin alle Real-Chiffern, das heißt Prozeßgestalten noch geschehen und sich befinden. Allegorische Figurenbildung, symbolische Zielbildung zeigen darum in der Tat alles Vergängliche als ein Gleichnis, doch als ein solches, das ein eigener realer Weg der Bedeutung ist. Jedes treffende Gleichnis ist darum zugleich ein Wirklichkeit abbildendes, im selben Maß, wie es in seiner Bedeutungsrichtung voll objektiver utopischer Funktion und in seiner Bedeutungsgestalt voll Real-Chiffer ist. Und das Symbol, zum letzten Unterschied von der Allegorie, bewährt sich von hier aus als versuchter Übergang vom Gleichnis zur Gleichung, das heißt zur versuchten Identität von Inwendigkeit und Auswendigkeit. Wobei es eben zur Ehrlichkeit der Aussage selber gehört, daß das Unum necessarium (höchstes Gut) eines solchen Identitäts-Inhalts immer erst in der Stimme eines Chorus mysticus erschienen ist und noch nicht mit jener adäquaten Prädizierung, objekthaften Gelungenheit, die das Grenzziel und die letzte Aufgabe der Weltaufklärung ist. Sehnsucht, Vorwegnahme, Abstand, noch währende Verhülltheit, das sind Bestimmungen im Subjekt wie im Objekt des Allegorisch-Symbolischen. Es sind Bestimmungen von keinerlei bleibender Art, sondern Aufgaben zur wachsenden Erhellung des darin noch Unbestimmten, kurz, zur wachsenden Auflösung des Symbolischen. Doch gerade die realistische Tendenz-Erkenntnis, mit dem Gewissen der Latenz in ihr, hat dem als öffentlich Geheimnis Bezeichneten gerecht zu werden.

> Aber kommt, wie der Strahl aus dem Gewölke kommt,
> Aus dem Gedanken vielleicht, geistig und reif die Tat?
> Folgt die Frucht, wie des Haines
> Dunklem Blatte, der stillen Schrift? *Hölderlin*

Träume wollen ziehen

Wie lange weist es in uns immer nur nach vorwärts? Das Wünschen will doch etwas, ist nicht bloß irgendwie, quält nur selten leer. Beeilt es sich aber zu landen, kommt der Trieb, der in ihm arbeitet, an? Der Trieb vielleicht, eine Zeitlang, auch jede Begierde kann, fürs erste, überraschend gestillt werden. Dem Satten ist nichts gleichgültiger als ein Stück Brot, dem Neugierigen nichts veralteter als die eben erst gelesene Zeitung. Dahinter jedoch steht alles wieder auf, es gibt, mit dem Hunger beginnend, nie gekühlte Wünsche. Und die Bilder, die sich auch ein sich stillender Wunsch vorgemalt hat, stehen zuweilen in der Luft, als könnten sie sich nicht niederschlagen. Der Wunsch und Wille zu ihnen lebt fort, sie selbst leben fort. Auch von erfüllbaren Träumen kommt, wenn sie auf ebenem Boden landen, nicht immer alles an; oft bleibt ein Rest. Er ist luftig, ja windig, ist aber stärker als das Fleisch, ist trotzdem merkbar. Ein Mann erwartet ein Mädchen, das Zimmer ist voll zärtlicher Unruhe; letztes Licht vom Abend ist darin, erhöht die Spannung. Tritt jedoch die Erhoffte über die Schwelle und ist alles gut, alles da, so ist das Hoffen selber nicht mehr da, dieses ist verschwunden. Es hat nichts mehr zu sagen und trug doch noch etwas mit sich, was in der seienden Freude nicht laut wird. Völlige Deckung ist selten, wahrscheinlich noch nie eingetreten. Im Traum von etwas, bevor das Herz sich labt, war's besser oder schien so.

Nicht immer gelingt es, selbst ein gekommenes Jetzt zu pflücken. Das Fleisch kann schwach sein, doch auch ein feinerer Grund ist häufig. Desto bedenklicher gar, auch in guter Lage, wenn vorher zu viel Träume hinzukommen, zu viel überholende. Dann hat die Einbildung den Stoff der bevorstehenden Erfahrung für sich verbraucht, in Liebe wie bei jeder Art von Debüt. Stendhals Schrift »De l'amour« gelangt von hier aus zu ihrer berühmten Diagnose des Fiaskos. Nach Stendhal entsteht unmittelbares Glück nur dort, wo ein Mann die Frau ohne Aufschub, das heißt: im Augenblick des Begehrens besitzt. Sicheres Liebesglück ist nur dann verbürgt, »wenn ein Liebhaber noch keine Zeit gehabt hat, sich nach der Frau zu sehnen und sich mit ihr in der Einbildung zu beschäftigen«. Ja, Stendhal braucht nicht einmal die vollen Spiele der Einbildungskraft, um ein Zurückbleiben hinter der Wirklichkeit zu erklären; er wagt den Satz: »Sowie nur ein Körnchen Leidenschaft ins Herz kommt, ist auch ein Körnchen, eine Möglichkeit des Fiaskos da.« Und weiter, mit gefährlicher, entnervender Erzeugung von Lampenfieber: »Je höher die Liebe eines Mannes ist, desto größere Gewalt muß er sich antun, ehe er es wagt, die Geliebte vertraulich zu berühren. Er wähnt, ein Wesen zu erzürnen, das ihm als etwas Göttliches erscheint, das ihm gleichzeitig grenzenlose Liebe und grenzenlose Ehrfurcht einflößt ... Nun ist die Seele schamerfüllt und damit beschäftigt, diese Scham zu überwinden; die Wollust ist versperrt.« Man vergleiche damit die Unlust romantischer Dichter, ihre Himmelsbilder der Weiblichkeit in Erfahrung fallen zu lassen, fallen zu sehen, vorab bei E. Th. A. Hoffmann. Aus einem so unersättlich wie verdinglicht werdenden Traumwesen stammt nicht zuletzt der romantische Haß gegen die Ehe: »Der Zauber ist vernichtet«, ruft ein Künstler in Hoffmanns »Fermate«, mit übersexuellem Fiasko im Sinn, »und die innere Melodie, sonst Herrliches verkündend, wird zur Klage über eine zerbrochene Suppenschüssel.« Dieselbe Tragikomödie meint ein Gespräch des Kapellmeisters Kreisler mit der Prinzessin in Hoffmanns »Kater Murr«; Kreisler rühmt die »echten Musikanten«, die nicht lieben wollen wie die guten Leute mit der Traumschändung im Ehebett. Damit aber die Künstler weder als verstiegen noch gar als liebesunfähig erscheinen, vergleicht sie Kreisler mit Minnesängern, Höfischkeit, Marienkult und fährt, die »echten Musikanten« betreffend, fort: »Diese tragen die erkorene Dame im Herzen und wollen nichts als ihr zu Ehren singen, dichten, malen, kurz, sie sind in der vorzüglichsten Courtoisie den galanten Rittern vergleichbar.« Nun, das Ende aus Verwirklichung haben mehrere Ehemänner erfahren, auch wenn sie keine Kreisler waren; genau in Kreislers Voraussicht traf es aber einen wirklichen Musiker: Hector Berlioz, und einen der romantischsten dazu. Hier war sogar Bühne vorhanden, worauf das Idol doppelt strahlte: Berlioz verliebte sich in eine junge englische Schauspielerin, die Shakespeares Mädchen und edle Frauen verkörperte. Diese Julia, Ophelia, Desdemona erhöhte ihren Glanz, indem sie alle Annäherungen abwies, wurde für Berlioz dadurch desto vernichtender strahlend. In der Furcht, daß der verzweifelte Liebhaber sich das Leben nehme, haben seine Freunde Chopin und Liszt eine ganze Nacht die Ebene von St. Quentin durchsucht, in deren Richtung man Berlioz, gänzlich von Sinnen, hatte fortstürzen sehen. Als es aber dem berühmt gewordenen Musiker einige Jahre später gelang, die Geliebte zu gewinnen, als das Idol sein Weib wurde, brach die vordem so gewaltige Liebe mit der Verwirklichung (die nicht nur »zerbrochene Suppenschüsseln« mit sich gebracht haben mochte) zusammen. Madame kam gegen das Traumbild, das sie von der Bühne her in einen Jüngling ergossen hatte, nicht auf. Die Erfahrung war nicht nachsichtig gegen die Hoffnung, doch diese auch nicht gegen die Erfahrung; und letztere wurde übertrieben enttäuschend.

Erster Grund der Enttäuschung:
Dort, wo du nicht bist, dort ist das Glück;
zweiter Grund:
Verselbständigter Traum und die Sage der doppelten Helena

Zunächst liegt hier zugrunde, daß das Jetzt und Da zu dicht vor uns steht. Das Erleben in bar versetzt aus dem ziehenden Traum in einen anderen Zustand: in den der unmittelbaren Nähe. Der gerade gelebte Augenblick trübt als solcher, er hat eine zu dunkle

Wärme, und seine Nähe macht gestaltlos. Dem Jetzt und Hier fehlt der Abstand, der zwar entfremdet, doch deutlich und überblickbar macht. Daher wirkt das Unmittelbare, worin Verwirklichung geschieht, von vornherein dunkler als das Traumbild, ja zuweilen wüst und leer. Selbst wenn uferloses Imaginieren nicht das Erdreich weggeschwemmt hat, auf dem die Verwirklichung steht, wenn das Treffen mit der Wirklichkeit auch stattfindet, selbst dort kann das Paradox statthaben, daß der Traum fester und jedenfalls heller erschien als seine Verwirklichung. Die leuchtende Wolke legt sich beim Näherkommen als grauer Nebel um uns her; das Fernblau der Berge verschwindet an Ort und Stelle ganz. Tamino in der »Zauberflöte«, als einer Märchenoper, soll zwar die Pamina genauso, wie sie auf dem Bild dreinsieht, in Sarastros Burghof erblicken. Jedoch trotz des glückhaften Ausrufs: »Sie ist es!« taucht die Frage auf, ob sie es wirklich sei, ob das Gefühl, das sich in Taminos Sehnsuchtslied: »Dies Bildnis ist bezaubernd schön« ausgesprochen hatte, ob dies utopische Imaginieren, mit seiner Imago, an einem noch so vollkommenen Original seine Erfüllung gefunden hat und finden konnte. Man vergleiche zu diesem Bild-Blau zwei Erprobungen, die, wie beim Berlioz-Fall, im Leben sich zugetragen, vorgefallen sind, und zwar bei so verschiedenen Personen wie dem zerrissenen Lyriker Lenau hier, dem eitelstrengen Christologen Kierkegaard dort; es war aber dieselbe Katastrophe an der Fata Morgana. Lenau fuhr nach Amerika, nicht ohne den Willen, das Bild seiner Braut durch die Trennung besser präsent zu haben, als wenn er sie neben sich hätte; mit Ungenügen am bloßen Bild, mit verstärktem Willen zum Original kehrte er heim, nun aber entstand folgendes Gedicht, »Wandel der Sehnsucht« überschrieben:

Wie doch dünkte mir die Fahrt so lang,
o wie schur' ich mich zurück so bang
aus der weiten, fremden Meereswüste
nach der lieben, fernen Heimatküste.

Endlich winkte das ersehnte Land,
jubelnd sprang ich an den teuren Strand,

und als wiedergrüne Jugendträume
grüßten mich die heimatlichen Bäume.

Hold und süßverwandt, wie nie zuvor,
klang das Lied der Vögel an mein Ohr;
gerne, nach so schmerzlichem Vermissen,
hätt' ich gerne jeden Stein ans Herz gerissen.

Doch da fand ich dich, und – todesschwank
jede Freude dir zu Füßen sank,
und mir ist im Herzen nur geblieben
grenzenloses, hoffnungsloses Lieben.

O wie sehn' ich mich so bang hinaus
wieder in das dumpfe Flutgebraus!
Möchte immer auf den wilden Meeren
einsam nur mit deinem Bild verkehren!

Soweit Lenau und seine Unfähigkeit zum realen Wiedersehen:
Pamina zerfiel hier in der Nähe sogleich. Diese Art Liebe hat
die feierliche Eitelkeit, in sich selbst verliebt zu sein; sie ist ein
Fest, das keinen Montag erleben kann. Eben aus gleichem Grund
blieb auch Kierkegaard, der allzu absolute Liebhaber, auf dem
hohen Meer einsam mit dem Bild verkehrend. Kierkegaard löste
das Verlöbnis mit seiner Braut Regine Olsen, Regine nahm einen
ihrer früheren Verehrer zum Mann, und Kierkegaard schrieb in
sein Tagebuch: »Heute sah ich ein schönes Mädchen, das interessiert mich nicht. Kein Ehemann kann seiner Frau treuer sein,
als ich ihr bin.« Und weiter, in der angenommenen Maske des
Lüstlings und ebenso in der des Asketen: »Gut hat sie die Pointe
verstanden, daß sie heiraten muß.« Hier ist die tollste Ver-
schränkung der Platonismen: hier ist das Liebesideal des Trou-
badours und der Asketenliebe zu Maria, doch hier ist eben auch
die Verlegung Paminas an einen Bildhorizont als ihre ideenhafte
Heimat. Der Platoniker, gar der homo religiosus Kierkegaard
versagt sich nicht überall der Gegenwart, aber er beschränkt
sich auf das Absolute, so wie das Absolute sich selber die Gegenwart vorbehält: »Denn dem Absoluten gegenüber gibt es nur

eine Zeit: die Gegenwart; wer mit dem Absoluten nicht gleichzeitig ist, für den ist es gar nicht da.« Infolgedessen ist nach Kierkegaard nicht nur die unbedingte Gegenwart der Liebe schwerst erreichbar, sondern, ganz entsprechend, auch die der christlichen Nachfolge, christlichen Liebe: »Es hat seit den Tagen der Apostel keinen Christen mehr gegeben.« Daß hierbei, sowohl im Verhältnis zum sogenannten Absoluten wie besonders zum Nächsten, nichts mehr erschien als horizontlose Innerlichkeit: dieser tiefe Verlust hebt die Gewalt der Kierkegaardschen Aporie an der Verwirklichung nicht auf. Gegenwart ist hier Bewährung, und zum reaktionären Auftrag in der Romantik paßt es bei Kierkegaard, die Bewährung gerade vor hohen, also der vorhandenen Gesellschaft gegebenenfalls unbequemen Idealen als so schwer wie möglich darzustellen. Kierkegaards Ideale waren im Verhältnis zur damaligen Gesellschaft gewiß nur paradox und alles andere wie revolutionär: dennoch paßt dieser absolut gemachte Bewährungsskrupel – selber nicht paradoxerweise – sehr gut zu dem reaktionären Defaitismus gegenüber den (aufgegebenen) Idealen des ehemals revolutionären Bürgertums selber. So hat sich der Bourgeois zum Lippendienst gegenüber Freiheit, Gleichheit, Brüderlichkeit »resigniert«; so wich aber auch die Sozialdemokratie, indem sie ihren angeblichen Sozialismus aufs höchste »idealisierte«, gerade der Realisierung einer Gesellschaft aus, worin die Menschen – wieder mit absoluter Idealisierung – angeblich Engel werden müßten, vor allem vorher schon wie Engel zu handeln hätten. Und trotzdem steckt im Fortglänzen des großen Bilds vor dem Jetzt und Da seines Inhalts auch echter Ernst; er könnte sonst nicht mißbraucht werden. Was sich sogleich, vollkommen, mit Haut und Haaren, mit Fleisch und Bein verwirklicht, was mitten in unserer Vorgeschichte, unserer doch noch so wenig zum vollen Da-Sein entwickelten Daseinssphäre gar keinen Rest läßt, erscheint auch dem planenden Realisten, den keine absolute Forderung bankerott macht, schwerlich sogleich als das Rechte. Das in der Tat ist der unromantische Rest und Kern in Kierkegaard, selbst in Lenaus so verstiegener, ja defaitischer und impotenter Skrupulosität, – ein Rest, den anderwärts gerade die *Vorsicht* in der Hoffnung merkt. Daher macht die Hoffnung – mit Recht und

Genauigkeit, ja mit der höchsten Art des Gewissens: dem des Ziels – gegen jede allzu dick sich schon gebende Verwirklichung mißtrauisch; Apotheosen sind auch einem Bewußtsein, das nicht Kierkegaards abstrakte Radikalismen ehrt, allemal flach und dekorativ. Selbst noch eine so vollkommene Musik der Erfüllung, wie die, welche in Beethovens »Fidelio« ertönt, wenn Leonore Florestan die Ketten abnimmt, selbst diese unirdische Glücksmusik mediatisiert die vorige Musik der Hoffnung nicht. »Da leuchtet mir ein Farbenbogen, der hell auf dunkeln Wolken ruht« – dieser frühere Gesang Leonores, obwohl er mitten aus der Nacht kommt, hat eine eigene Art von Glück an sich. »Komm, o Hoffnung, laß den letzten Stern der Müden nicht erbleichen, erhell mein Ziel, sei's noch so fern, die Liebe wird's erreichen« – die Musik dieses puren Gebets an die Hoffnung verbleicht nicht ganz vor dem erfüllten Jubel, womit die Oper »Fidelio« schließt und uns entläßt. Die Hoffnungsarie Leonores hat zwar keinesfalls solche Tiefe, wie sie nachher im Augenblick der verwirklichten Hoffnung, im Augenblick der Kettenabnahme erscheint, in der fast stillstehenden Mystik dieses Augenblicks, aber sie behält trotzdem einen ungesenkten Farbenbogen, mit offen scheinendem Raum. Die Nähe also macht schwierig; leichter, selbst füllender als sie erscheint oft noch die Hoffnung, mindestens das Vorgefühl eines baldigen Eintritts des Erhofften.

Als zweites macht der allzu weit ziehende und tönende Flug hier schwierig. Er ist das verselbständigt gewordene Leben im Traum, ein sich sehnsüchtig vermehrendes. Dieses Leben wird an der Erfüllung nicht sterben, will von seiner langgewohnten Bühne nicht restlos abtreten. Selbst dann nicht, wenn Trauminhalt und Erfüllung sich menschenmöglich zu decken scheinen; auch dann tritt ein zum Idol Gewordenes nicht ohne weiteres zurück. Ja die Anomalie ist möglich: das Idol setzt sich als einzig real, und gerade die Erfüllung wirkt dann als Phantom. Das Motiv dieser nicht normalen, doch jedem Wunschbild drohenden Verselbständigung ist in der Sage der ägyptischen Helena gedacht. Ein Drama des Euripides befaßt sich mit diesem eigentümlichen, ja wesenhaft fragmentarischen Stoff; er hätte in der Folge einen Shakespeare verdient und hat nicht einmal einen Hebbel gefunden. Zuletzt hat Hofmannsthal ein Opernlibretto daran gesetzt, das ohne die Straußsche Musik wenig bedeutet, dazu einen Essay. Der Mythos selber ist einer der lebensechtesten, auch bedeutsamsten, die auf der Straße Utopie-Wirklichkeit zu finden sind. Hofmannsthal berichtet über ihn folgendermaßen: »Wir sind in Ägypten oder auf der zu Ägypten gehörigen Insel Pharos, vor einer Königsburg. Menelaos tritt auf, allein auf der Rückfahrt von Troja. Seit Monaten irrt sein Schiff umher, von Strand zu Strand verschlagen, immer von der Heimkehr abgetrieben. Helena, seine zurückeroberte Frau, hat er mit seinen Kriegern in einer verdeckten Bucht zurückgelassen; er sucht einen Rat, eine Hilfe, ein Orakel, das ihn belehren soll, wie er den Heimweg findet. Da tritt ihm aus dem Säulengang der Burg – Helena entgegen, nicht die schöne, allzu berühmte, die er im Schiff zurückgelassen hat, sondern eine andere und doch die gleiche. Und sie behauptet, seine Frau zu sein – die andere dort im Schiff sei niemand und nichts, ein Phantom, ein Trugbild, von Hera (der Beschützerin der Ehe) damals dem Paris in den Arm gelegt, um die Griechen zu narren. Um dieses Phantoms willen sind zehn Jahre Krieg geführt worden, sind Zehntausende der besten Männer gefallen, ist die blühendste Stadt Asiens in Asche gesunken. Sie aber, Helena, die einzig wirkliche, habe indessen – von Hermes übers Meer getragen – hier in dieser Königsburg gelebt.« Rein also, entrückt, treu hat sie gelebt, die schönste Frau, doch eine, die vom Paris nichts weiß, die Helena ohne trojanischen Krieg, nicht die ungeheuerliche Kokotte, nicht das Idol, das bei allen Kämpfen gegenwärtig war, nicht der Siegespreis. Der Wechsel ist zu jäh, der Idol-Entzug zu umfangreich, als daß Menelaos ohne weiteres daran glauben kann, ja eben: glauben will. Zehn Jahre Fixierung an die trojanische Helena stehen der ägyptischen im Wege; auch Euripides läßt derart den Menelaos sagen: »Der Wucht erlittener Leiden trau ich mehr als dir!« Menelaos wendet sich zum Gehen, da kommt vom Schiff ein Bote und meldet, auf dem Schiff habe sich das Wesen, das man für Helena hielt, in feurige Luft aufgelöst. Wonach also an der bloßen Phantom-Existenz der trojanischen Kokotte so wenig ein Zweifel bleibt wie an der Wirklichkeit der ägyptischen Tugendfrau: ein Streif feurige Luft hier (doch noch im Verschwinden, noch im Untergang glühend), ein Leibhaftiges, einzig Reelles dort. In der Tat muß sich Menelaos bei Euripides zufrieden geben, er fährt mit der ägyptischen, nicht der trojanischen Helena nach Hause, in den Königshof nach Sparta, wo sie auch von Homer, im vierten Gesang der Odyssee, geschildert wird. Nicht viel bewundert, viel gescholten, sondern als ruhig waltende fürstliche Gutsfrau, deren Gemüt kaum noch von einer Erinnerung an Troja bewegt wird. Es sei denn von einer kurzen und lächelnden, von einer weniger leichtfertig als unbeteiligt ausgesprochenen (Od. IV. v. 145): die Frau des Menelaos erwähnt, daß um ihres lockenden Hundeblicks willen (ἐμεῖο κυνώπιδος εἵνεκα) die Achäer vor Troja ziehen mußten (die Hündin ist eine alte Allegorie des Hetärischen). Sonst gibt sie an, den Jammer, den sie geschaffen hat, beweint zu haben, und gibt alle Schuld der Aphrodite, die sie entführt hat (v. v. 251–264) – ganz distanziert, ganz als wäre sie stets die ägyptische Helena gewesen. Insoweit scheint nicht nur auf dem Schiff, auch in Sparta alles in Ordnung; um die große Liebesgöttin wurde Menelaos beneidet, zur tugendhaft gebliebenen Ehefrau wird er beglückwünscht. Indes in der *wahren Tiefe der Sache* trägt sich dieses zu: die trojanische oder Traum-Helena hat vor der ägyptischen voraus, daß sie zehn Jahre lang einen Traum bewohnt, ja den Traum als – Traumgestalt erfüllt hat. Eben gegen dieses kommt die spätere reale Erfüllung nur schwer, jedenfalls nicht vollständig auf; es bleibt der leuchtende Rest des Traums, es bleibt ein Streif feurige Luft, es verselbständigt sich Fata Morgana. Denn das Objekt der realen Erfüllung war bei den Abenteuern selber nicht anwesend, zum Unterschied vom Traumobjekt; das Verwirklichte stellt eine sehr späte Bekanntschaft dar. Nur die trojanische, nicht die ägyptische Helena zog mit den Fahnen, hat die Sehnsucht der zehn utopischen Jahre in sich aufgenommen, die Erbitterung und die Haßliebe des Hahnrei, die vielen Nächte fern von der Heimat, das wilde Feldlager und den Vorgenuß des Sieges. So eben tauschen sich leicht die Gewichte: die Luftsirene in Troja, mit der sich eine Welt von Schuld, Leid, vor allem aber von Hoffnung verbindet, bleibt in dieser merkwürdigen Aporie fast das Reale, die Wirklichkeit wird fast zum Phantom. Vom Kokottenglanz der trojanischen Helena ganz abgesehen hat eben die ägyptische nicht den Utopieglanz der trojanischen für sich, sie zog nicht mit in der Sehnsucht der Fahrt, den Abenteuern des Kampfs, dem Wunschbild der Erringung; so scheint die ägyptische Wirklichkeit als solche von geringer Dimension. Mindestens schafft der Untergang der Phantasie an der Realisierung (wenn auch an ihrer eigenen, sie erfüllenden) in letzterer Ausfallserscheinungen, die das Bewußtsein der Realisierung selbst vermindern, wo nicht diese selbst relativieren. Die ägyptische Helena kann viele Namen haben – ihr Euripidesproblem, nicht bloß als literarisch, antiquarisch erscheinend, ist folglich stellvertretend. Es droht weithin, als Verdinglichung des Zieltraums, mindestens als dessen wirklichkeitsähnlich gewordenes Fortleben. In jeder Erfüllung, sofern und soweit diese totaliter schon möglich ist, bleibt ein eigentümliches Element Hoffnung, dessen *Seinsweise* nicht die der vorhandenen oder *vorerst vorhandenen Wirklichkeit* ist, folglich mitsamt ihrem Inhalt übrigbleibt. Jedoch freilich: sie ist, wenn sie nicht abstrakt ist, sondern in der konkreten Verlängerungslinie des von ihr Überholten läuft, *nie ganz außerhalb des objektiv Möglichen* in der Wirklichkeit; vielmehr ist dies trojanisch Helenahafte auch in Helena vorgepunktet. Sonst hätte es an ihr gar keinen Raum gefunden und keine Glaubwürdigkeit des Allbegehrten, des Kampfziels. Und weiterhin: die an einem Objekt entzündbare Imago ist auch als eine nach Erreichung fortschwebende nicht in der Luft, sondern gegebenenfalls in der *noch weiter deutenden real-utopischen Möglichkeit des Objekts* selbst. Dort kann erst die volle Kongruenz von Intentions- und Erreichtheits-Inhalt latent sein, das ist: die Identität des Identischen und des Nicht-Identischen (letzteres hier als Intentions-, als Hoffnungs-Abstand verstanden). Ruhe aber ist der Tag, wo die ägyptische Helena auch den Glanz um die trojanische mitenthält.

Einwand gegen den ersten und zweiten Grund: Odyssee des Stilliegens

Will doch das Träumen keineswegs dauernd nach vorwärts weisen. Der Trieb dahinter wird von lauter Ausgemaltem durchaus nicht satt. Auch das Träumen selbst geht nicht auf Traum, derart, daß es sich nur an Bildern freute. Der Mensch im Wachtraum genießt vielmehr die Vorstellung, wie das wäre, wenn etwas wie das Geträumte wäre, gerade also wirklich würde. Daher gibt es bereits subjektiv ein Gegengewicht gegen die Verdinglichung des Traums und gegen das Hoffen, das in der Ankunft nicht selber ankommt, vielmehr, im doppelten Sinn des Worts, zurückbleibt. Das Gegengewicht ist im Daß des Intendierens, im Wunsch und Willen zum Wirklichwerden selber gesetzt. Der Traum als solcher verwirklicht sich nicht, das ist ein Minus, aber Fleisch und Bein kommen hinzu, das ist ein ersetzendes Plus. Auch sind die Fälle bekannt, wo das Gewünschte, wenn es eintritt, nicht bloß durch die Gewalt des Landens, des Stilliegens, der Verwirklichung überraschen mag, sondern sogar durch ein gewisses inhaltliches Surplus, das nicht geträumt war. Ist die Blüte als solche nicht mehr in der Frucht, so war das *Fruchthafte als solches auch nicht in der Blüte;* und die vorige Traumstraße kann kürzer erscheinen als die nun betretene reale Straße. So wird das Dunkel des Jetzt und Da, wird selbst der Verlust der Traumfarbe zuweilen überpointiert, als wären sie nicht vorhanden. Als gäbe es präsent erfahrene Erfüllung toto coelo bereits im vorhandenen Aggregatzustand des Wirklichseins. Die Hoffnung scheint es denn gar nicht mehr nötig zu haben, enttäuscht an der Entbehrung zu sein, so wenig wie die Erfahrung unnachsichtig gegen die Hoffnung. Das Gefühl erster Liebe gehört hierher, als alle Knospen *sprangen,* das Gefühl packender Begegnung, begeistert *erfahrener* Zeitwende, Zeitgröße. Dauernd merkwürdig, nämlich präsent wirkt hierzu die Bekundung Gottfrieds von Straßburg über Isolde, gerade an Helena erinnernd, als an die schönste Frau:

Von diesem Wahn bin ich gekommen, den hat Isolde mir

benommen,
so daß ich fortan nimmer wähne, die Sonne komme von Mykene.
Solch reiner Glanz ertagte in Griechenland nie, er tagt nur hie!

Es bleibt unbenommen, dies Bewußtsein Gottfrieds auch auf sein anderes, auf ein werkhaftes Über-Griechenland seiner Zeit zu übertragen, etwa aufs Straßburger Münster: als dessen Inschrift im Geist des zeitgenössischen Beschauers. Überhaupt ist Werkstolz selber, im Geist des Produzenten, zu großer Präsenz imstande, am Tag der Vollendung, wenn die Sonne, die so oft herangewachte, als Krone aufgeht. Am deutlichsten scheint dieser Augenblick, endlos antizipiert und trotzdem endlich gelingend, bei Klopstock, nach Beendigung des Messias:

> Ich bin an dem Ziel, an dem Ziel! und fühle, wo ich bin
> Es in der ganzen Seele leben! So wird es (ich rede menschlich
> Von göttlichen Dingen) uns einst, ihr Brüder des,
> Der starb und erstand, bei der Ankunft im Himmel sein!

All dergleichen wirkt als historische Geistesgegenwart schlechthin, als Stilliegen, das doch die ganze vorige Odyssee in sich zu haben scheint. Klopstocks Vergleich weist selber auf jenes stärkste Exempel der Landung hin, das in der Unio mystica mythisch bezeichnet war: keine Erwartung bleibt vor ihr zurück, keine Intention hält sich, nicht einmal die des Sursum corda, erst recht kein Abstand.

Und doch tritt auch hier ein Rest, ein nie verschwundener, auf die Dauer wieder vor. Denn alle diese Berührungen sind noch keine, selbst der Blick auf sie ist bloß Vorblick, selbst das Gefühl, das sie erregen, bloß Vorgefühl. Wenig Ruhenderes wird damit erreicht, als daß das Dunkel des Jetzt und Da sowie der Verlust der Traumfarbe am Erreichten kurz überpointiert werden. Objektiv berechtigt bleibt, auch bei noch so Klopstockschen Krönungen, doch nur Fausts *Vorgefühl* eines höchsten Augenblicks. Es bleibt die Odyssee in Fahrt, so gelingt noch nicht eine Odyssee des Stilliegens mit Identität der Ankunft und des Fahrt-Inhalts. Das Vorgefühl selber, das durchaus doch auf Erreichbarkeit und Ankunft bezogene, ist allerdings höchst wichtig, denn ihm entspricht die auf Realisierung gezielte, Realisierung setzende Daß-Tendenz des Wachtraums und seiner antizipierenden Vollkommenheit. Keinesfalls also schmuggelt sich hier wieder die sogenannte unendliche Annäherung ans Ideal ein, jene Skrupelart, die es mit der Realisierung gar nicht ernst meint. Jedoch das Gegenteil zur unendlichen Annäherung ist eben nicht die schiere Präsenz, nicht die behauptete Total-Gelungenheit der Ankunft im Ziel, sondern das Gegenteil ist die Endlichkeit des Prozesses und des dadurch immerhin überblickbaren Antizipationsabstands zum Ziel hin. Dieses echte, nämlich einen erreichbaren Endzustand implizierende Vorgefühl erfüllt zweifellos am weitesten, demokratischsten, humansten die ungeheuren Augenblicke der glücklich begonnenen, dann sieghaft sich feiernden Revolution. Doch wieder nur und gerade hier nur derart, daß sie auf den Lorbeeren des Präsens nicht ausruht, daß sie vielmehr, in der noch so andringenden Geschafftheit von Sieg, diesen Sieg erst recht als *Aufgabe* erfaßt und so *das glückliche Präsens gleichzeitig als Unterpfand der Zukunft erfaßt*. Die Revolutionen verwirklichen die ältesten Hoffnungen der Menschheit: eben deshalb implizieren sie, verlangen sie die immer genauere Konkretion des als Reich der Freiheit Gemeinten und der ungeschlossenen Fahrt darauf hin. Nur wenn ein Sein wie Utopie selber (folglich die noch völlig ausstehende Realitätsart: Gelungensein) den Treibens-Inhalt des Jetzt und Da ergriffe, wäre auch die Grundbefindlichkeit dieses Treibens: die Hoffnung total in das Gelungensein der Wirklichkeit einbezogen. Bis zu dieser möglichen Erfüllung ist die Intention Wachtraumwelt in Gang; keine Abschlagszahlung läßt sie vergessen. Keine Verabsolutierung eines bloßen Vorgefühls darf das Eingedenken in dieser Intention vergessen lassen. Denn es ist das Eingedenken des Grundinhalts in unserem Treiben, als überhaupt noch nicht ins Bewußtsein, gar ins Gelungensein eingetreten, welcher eben deshalb noch in Utopie steht. Die höchste Gewissenhaftigkeit dieses Eingedenkens ist in dem Psalmwort gesetzt: »Meine Rechte soll verdorren, wenn ich dein vergesse, Jerusalem.« Auch ohne religiöse Akzente, auch ohne Kontrastakzente zu einem sogenannten Exil des Daseins wurde noch nie eine Verwirklichung verabsolutiert, ohne daß ein letzter Teil ihres Wachtraums übriggeblieben, also über das Erlangte zu dessen möglichem Nochbessersein weitergezogen wäre. Ein neuer Gipfel erscheint hinter dem bisher erreichten: dies Plus ultra läßt so die Verwirklichung nicht schwächen, sondern macht sie schärfer zum Zweck hin. Ohnedies haben die Dauer, die Nicht-Entsagung des Hoffnungsbilds im Dauerproblem: Verwirklichung und in den Gründen dieses Problems selber ihren Ursprung.

Auch im Eintreten von etwas ist noch ein Etwas, das hinter sich zurückbleibt. Täter und Tun des Verwirklichens sind nicht herausgeführt, sie leben weiter an sich. Sie bleiben von der Tat, die sich von ihnen loslöst, weg, wie das Werkzeug vom fertigen Gerät wegbleibt oder der Dichter von seinem Gedicht. Und in jeder Erfüllung, selbst in der, die dem Zielbild sozusagen zum Verwechseln ähnlich scheint, steckt ein Stückwerk des Aktiven, das der Schwäche des Verwirklichens zur Last fällt, der quantitativen wie der qualitativen. Aus der quantitativen Schwäche stammt der rastlose Wille zur Fortarbeit ohne Abschluß; gegen diesen Willen ergeht der römische Rat: manum de tabula. Aus der qualitativen Schwäche stammt der Entschluß, sogar ein fertiggestelltes Werk von Grund auf neu zu beginnen, im Einklang mit einem Vollendungsbild, das während der wachsenden Arbeit selber mitgewachsen ist und so doppelt unverwirklicht scheint. Darin liegt der Ursprung eines Fiaskos und eines ägyptischen Helena-Problems auch in dieser Sphäre. Hoffmanns Phantasiestück »Ritter Gluck« läßt den Komponisten der »Armida« (oder den Irren, der ihn verkörpern will) »etwas Weniges« sogar nach seinem Tod umgehen, um »Armida« neu zu spielen, »gleichsam in höherer Potenz«, so zu spielen, wie sie »aus dem Reich der Träume kam«. Das quantitative wie erst recht das qualitative Defizit im *Akt des Verwirklichens selbst* ist bisher kaum noch hinreichend philosophisch durchdacht worden; und das trotz der überwältigenden inneren, äußeren Erfahrung daran. Ein Grund hierfür liegt auch darin, daß die menschliche Tätigkeit als solche erst spät sich ihrer bewußt wurde. Arbeit war Sache der Sklaven und der Handwerker, der Gedanke nahm von deren Vollbringen, Verwirklichen nur kurze Notiz. Schaffen wie Erkennen galten antik als reines Abbilden eines Gegebenen, herrschend ist passive Schau, das Werk zeichnet sie bloß nach. Das auch ethisch: nach Sokrates kann niemand freiwillig Unrecht tun, das Wissen des Guten setzt unweigerlich zugleich dessen Tun. Es gibt hier also weder einen Trotz gegen das sittlich Aufgezeigte noch einen Willen zu ihm; das Verwirklichen ist so passiv und darin scheinbar so selbstverständlich, daß es nicht einmal genannt, geschweige gedacht wird. Diese geringe Achtung auf den eigenen, aktiven Akt des Verwirklichens änderte sich auch grundlegend nicht, als mit der neueren Zeit der homo faber, der Macher, Unternehmer, Erzeuger philosophisch durchaus reflektiert wurden. Ja indem der Akt der Erzeugung ausschließlich rationalisiert, das heißt, als ein rein logischer Akt gefaßt wurde, lieferte die rationalistische, wo nicht panlogische Ideologie ein weiteres Motiv, die Nicht-Reflexion der Verwirklichung betreffend. Damals, im Rationalismus, war aus der anfänglich rein mathematisch gefaßten Erzeugung, die nur Formalgegenstände setzt und bestimmt, schließlich, nach vielen Umqualifizierungen dieser »Konstruktion«, die Weltbildung selber geworden. Sie ist eine noch überwiegend formale, das heißt an Mathematik orientierte, so bei Kant, worin Vernunft die Erfahrungswelt macht. Dann wurde Erzeugung gar eine inhaltlich versuchte, an der künstlerischen Produktion orientierte; so bei Schelling, indem die Spontaneität hier nicht nur der Natur ihre Gesetze vorschreibt, sondern – als die mit Bewußtsein produktive Natur – die Natur schafft, das ist, sie zu ihrer Freiheit belebt und in ihre eigene Entwicklung versetzt. Und Erzeugung wurde schließlich bei Hegel eine vollendet, inhaltlich versuchte, an der Geschichte und ihrer Genesis orientierte, indem hier aus der »gediegenen fortwaltenden Vernunft« sämtliche Forminhalte der Welt dialektisch entspringen sollten. Das also ist in nuce der klassisch-idealistische Gedanke der Erzeugung, des Ursprungs, der Wirklichkeitsbildung, und er wird ersichtlich dem Problem der Verwirklichung, obwohl es gesehen wurde, nicht viel mehr gerecht als die Antike. Denn die Verwirklichung erscheint auch hier nicht als ein eigener Akt, sie erscheint lediglich als ein sich ohnehin entfaltender Logos. Der Erkenntnisgrund bleibt der gleiche wie der Realgrund; denn der Realgrund ist selber nur ein logisch-panlogischer, einer innerhalb des Weltgedankens, aus dem bei Hegel schließlich die ganze Welt besteht. Und vor allem: die antike Passivität des Verwirklichens ist trotz dem homo faber und seiner Philosophie nicht aufgegeben: der Pan-Logos bindet das Erzeugen immer wieder in ein bloßes Offenbarmachen ein. Das macht: dem kontemplativen Denken insgesamt (und jedes idealistische Denken ist kontemplativ) bleibt Verwirklichung bloße »Verleiblichung« einer Ziel-idee, als einer ohnehin existenten und als einer sozusagen fertigen, wie sie sich durch den Täter oder Bildner lediglich noch mit Fleisch bekleidet. Die Verwirklichung kommt hier aus der logischen Konsequenz der Sache selbst; sie kommt daraus sogar bei dem einzigen Denker, der, obwohl er in der Antike lebte, die Verwirklichung wenigstens zur Kategorie, wenn auch nicht zum Problem machte: bei Aristoteles. Er sah die vielfachen Störungen der Realisation, und trotzdem legte er diese, sogar besonders dicht, ans Herz der zur »Entelechie« gewordenen Idee, als deren eigenste Angelegenheit. Verwirklichung ist nach Aristoteles einzig Selbstverwirklichung der den Dingen innewohnenden Gestalt-Idee oder Entelechie; die Entelechie ist so selber die Energie (oder der actus) zu ihrer Realisation. Ein nicht so Logisches allerdings zeigt sich bei dem ersten Denker der Verwirklichung gleichfalls: eben ein nicht so Logisches, das den Störungen, wohl gar Aporien der Verwirklichung von ferne gerecht zu werden versucht. Aristoteles legt das vorhandene, hinter der Entelechie zurückbleibende Stückwerk der Verwirklichung der – mechanischen Materie zur Last, sofern diese »störende Nebenursachen« in die entelechetischen Zweckursachen hineinschickt. Auf diese Weise entsteht das nicht Bestimmte, entsteht das Zufällige in der Natur und das launenhafte Geschick auf dem Gebiet des absichtlichen Geschehens, der Geschichte. Ein immerhin dem Problem zugewandter, obzwar idealistischer Gedanke, und wie verwandt ist ihm das Goethesche im Faust: »Dem Herrlichsten, was auch der Geist empfangen, / Drängt immer fremd und fremder Stoff sich an.« Wie verwandt selbst das Hegelsche, bei aller Einschränkung des Nicht-Panlogismus auf die Natur: »Am größten ist diese Zufälligkeit im Reiche der konkreten Gebilde, die aber als Naturdinge nur unmittelbar konkret sind... Es ist die Ohnmacht der Natur, die Begriffsbestimmungen nur abstrakt zu erhalten und die Ausführung des Besonderen äußerer Bestimmbarkeit auszusetzen« (Enzyklopädie § 230). Und doch zeigt sich auch daran das Problem der Verwirklichung nicht an und in ihr selbst gestellt, sondern es wird auf einen Sündenbock abgeschoben: auf die mechanische Materie oder, bei Hegel, aufs Außersichsein der ganzen Natur selbst, als des »unaufgelösten Widerspruchs«.

Drängen sich aber nicht Täter und Tun selber immer fremd und fremder an? Das ist ein Gedanke, der das Verwirklichen an sich in sein noch dunkles Herz treffen möchte. Zuletzt läßt sich darum von den philosophiegeschichtlichen Erinnerungen, Realisierung und ihre Schwäche betreffend, nicht scheiden, ohne noch auf den späteren Schelling hingewiesen zu haben, der als einziger immerhin das Realisierungs-Problem vom totalen Rationalismus losreißen wollte, es dafür freilich heilloser Mythologie überantwortet hat: der Mythologie vom Sündenfall und vom Abfall Luzifers. Nach dem späteren Schelling folgt aus dem Quid oder dem rational erfaßbaren Wesen einer Sache überhaupt nicht ihr Quod oder ihr Daß-Dasein und Eintritts-Ursprung. Vielmehr: Wirklichwerden der Idee ist an seinem unvordenklichen Ursprung partikulärer Wille, als »Abfall von der Idee«, und zwar einer, der bereits in Gott selbst geschieht, im Abgrund oder Ungrund des göttlichen Grundes. Schellings Schrift »Philosophie und Religion« vereint so den Logos als Schöpfer und setzt eine Art Urverbrechen, den finster-bösen Partikularwillen, an die Quelle des Seins: »Mit einem Wort, vom Absoluten zum Wirklichen gibt es keinen stetigen Übergang, der Ursprung der Sinnenwelt ist nur als vollkommenes Abbrechen von der Absolutheit, durch einen Sprung, denkbar« (Werke VI, S. 38). Damit hat Schelling die Verwirklichung in der Tat auf ein anderes Blatt gebracht als das von der Idee beschriebene; sie hört auf, eine bloße Manifestierungs-Funktion des objektiv Logischen zu sein. Diese Verweisung vom Logischen auf ein Willenhaftes und Daß-Intensives geschah allerdings um den Preis, daß die Verwirklichung sowohl in Mythologie gebracht wie innerhalb dieser Mythologie schlechthin verteufelt worden ist. Wobei noch hinzukommt: nicht nur der irrationale erste Weltanstoß, auch jede Einzel-Verwirklichung in der Welt erzeugt nach Schelling, indem sie vom irrationalen Anstoß her weiterläuft, ausschließlich Zwietracht und Regellosigkeit, Mißgeburt, Krankheit und Tod. So weit also hat Schelling Verwirklichendes und Idee auseinandergerissen, so sinnlos-total hat er die Aporien der Verwirklichung selber zur Unlösbarkeit verabsolutiert. Und die überlieferte Bindung des Realisierens an eine fertige, lediglich zu manifestierende Idee hat auch Schelling nicht gelöst. Die Bindung ist nur als eine negative

ausgesprochen worden: der böse Partikularwille verwirklicht
das dem guten Universalwillen Entgegengesetzte. Offener Horizont ist auch hier weder dem Realisierungsfaktor noch seinem
Zielbild zugebilligt, so wenig wie bei den Optimisten der
Fleischwerdung. Das also sind die Gründe, warum die quantitative wie qualitative Schwäche der Verwirklichung noch recht un-
behandelt vorliegt. Ersichtlich sind deren Aporien – vom Stückwerk bis zur noch vorhandenen Nichtdeckung auch der besten
Verwirklichung mit dem Zielbild – außerhalb des Utopiepro-
blems überhaupt nicht behandelbar. Desto weniger sind sie das,
als ja Utopisches am Verwirklichten so mannigfach übrigbleibt
und nach ihm, zu neuen Zielen, wieder hervortritt.

Wir sagten, auch im Eintreten von etwas sei noch etwas, das
hinter sich zurückbleibt. Es dunkelt etwas an ihm und kommt
von diesem Nicht, diesem Nicht-Da mitten in der unmittelbaren
Nähe des Geschehens nicht ganz los. Oben wurde das Trübende
des gerade gelebten Augenblicks bereits kenntlich gemacht; und
eben dieses Trübe erschwert, auf unmittelbarste Weise, ein Ein-
getretenes ganz als solches zu erfahren. Zugleich aber ist dieses
Unmittelbarste an sich nichts anderes als das Treibende, der Daß-
Faktor, folglich das Intensive des Verwirklichenden selbst. Und
dieses Verwirklichende steht erst recht noch im Nicht-Haben
seines Akts wie Inhalts; das Dunkel des gerade gelebten Augenblicks zeigt genau dieses Sich-Nicht-Haben des *Verwirklichenden* an. Und es ist eben dieses noch Unerlangte im Verwirklichenden, welches primär auch das Jetzt und Da eines Verwirklichten
überschattet. Darin also liegt die letzte, die prinzipielle Lösung
des Nicht-, Noch-Nicht-Carpe diem, durchaus ohne Romantis-
men: das Verwirklichte ist prall und leicht verschattet zugleich,
*weil im Verwirklichenden selber etwas ist, das sich noch nicht
verwirklicht hat.* Das unverwirklicht Realisierende bringt dieses
sein eigentümlichstes Minus ins Plus der Realisierung, sobald
eine solche geschieht. Das ist das Primäre, weshalb, wie Goethe
sagt, die Nähe schwierig macht; weshalb auch eine hinreichend
vollkommen erscheinende Erfüllung rebus sic stantibus noch
ebenso eine Melancholie der Erfüllung mit sich führt. Und weshalb das vorhergehende Zielbild, mit seinem utopisch antizipierten Gehalt, in die Erfüllung doch nicht ganz eingehen mag, also

weitertreibend, oft sogar ins Sinnlose weitertreibend, übrigbleibt. Stand doch der Wunsch- oder Ziel-Inhalt selber nicht in
der Nähe, die der Erreichung des Ziels eignet; gerade der ferne
Zielinhalt war wegen seines Abstands, wegen seines vom Jetzt
und Da Abgehaltenseins noch außerhalb des Dunkels des gerade
gelebten Augenblicks. Indem das Utopisch-Antizipierte jedoch
ins Verwirklichte einrückt, rückt es eben zugleich in den Schatten
jener zentralsten Unmittelbarkeit heran, die als die des Verwirklichenden selbst noch nicht gelichtet ist. Aus diesem Primären
ergibt sich im Weiteren zugleich das ganze Zwielicht, worin auch
der Prozeß der Verwirklichung noch liegt und liegen muß, der
Geschichtsprozeß heißt. Da er, infolge seines noch nicht verwirklichten Treibens- und Ursprungs-Inhalts, noch ein unentschiedener ist, kann seine Mündung ebensowohl das Nichts wie das
Alles, das totale Umsonst wie die totale Gelungenheit sein. Und
so beglückend es in dieser so sehr dunkelhell gesprenkelten Welt
ein Aufblitzen des möglichen Alles gibt, so bedrohend gehen
auch Verfinsterungen des möglichen Nichts vorauf. Weit davon
entfernt, daß das Sein im Tod zentriert ist, gibt es doch einen
Anhauch und Umgang von Negation ohne allen Spaß, auch ohne
automatische Negation der Negation. Jede Lebensgefahr gehört
dazu und jeder individuelle Tod, die Millionen gefallener Jugend
in den Weltkriegen gehören dazu und der durchdringende
Stumpfsinn, der nichts daraus lernt. Das sind die Verzögerungen
oder Vereitlungen, welche die Bedingungen positiver Verwirklichung unterbrechen; item, indem das Nicht im Sich-Nicht-
Haben des Verwirklichenden ebenso zur Nicht-Verwirklichung
des wesentlichen Tendenz-Inhalts, letzthin Realisierungs-Inhalts
führen kann, erzeugt dieser drohende Umgang von Umsonst
und Nichts bereits die Störung, anders den Widerstand im Material, anders den riesengroßen Schlaf der Dummheit oder Dis-
paratheit in dem so schweren Fahrwasser unserer Prozeßwelt.
Dieser Nichts-Umgang ist das, was Aristoteles fälschlich der
mechanischen Materie zur Last legte. Was Schelling gar als den
alten Satan aus der Vernunft heraussetzen, in den Urgrund der
Welt setzen wollte. Beide suchten einen Sündenbock für das Un-
vollkommene in ihrer vollendeten, das heißt, statisch bereits zu
Ende definierten Welt. Dagegen die Einsicht in den Prozeß als

eine Unentschiedenheit – mit Nichts oder Allem in der realen End-Möglichkeit – braucht keinen Sündenbock, weder in Ansehung des vorhandenen Stückwerks noch des nicht ganz eingelösten Zielbilds in seiner denkbar besten Erfüllung. Vielmehr: noch nicht hervorgetretenes Verwirklichtsein des Verwirklichenden und – damit eng zusammenhängend – noch nicht entdecktes, positiv manifestiertes, verwirklichtes Überhaupt und Wesen, das sind die Elemente in den Aporien der Verwirklichung. Nur wenn ein Sein wie Utopie wäre, wenn folglich die noch völlig ausstehende Realitätsart Gelungensein den Treibens-Inhalt des Jetzt und Da selber radikal präsent gemacht hätte, wäre auch der Grundbestand dieses Treibens: die Hoffnung als solche ganz in die verwirklichte Wirklichkeit einbezogen. Der Inhalt des Verwirklichten wäre dann der Inhalt des Verwirklichenden selber, das Was-Wesen (quidditas) der Lösung wäre genau der aufgeschlagene Daß-Grund (quodditas) der Welt. *Das Wesen – die höchstqualifizierte Materie – ist noch nicht erschienen, daher repräsentiert die Vermissung in jeder bisher gelingenden Erscheinung dessen noch nicht manifestiertes Überhaupt.* Aber auch zu dieser Vermissung gibt die Welt Platz, an der Front ihres Prozesses ist der Zielinhalt selber in Gärung und realer Möglichkeit. Auf diesen Zustand des Zielinhalts ist das konkret antizipierende Bewußtsein gerichtet, in ihm hat es seine Offenheit und Positivität.

DIE WELT,
WORIN UTOPISCHE PHANTASIE
EIN KORRELAT HAT
REALE MÖGLICHKEIT, DIE KATEGORIEN FRONT,
NOVUM, ULTIMUM UND DER HORIZONT

> Der Kritiker kann also an jede Form des theoretischen und praktischen Bewußtseins anknüpfen und aus den eigenen Formen der existierenden Wirklichkeit die wahre Wirklichkeit als ihr Sollen und ihren Endzweck entwickeln ... Es wird sich dann zeigen, daß die Welt längst den Traum von einer Sache besitzt, von der sie nur das Bewußtsein besitzen muß, um sie wirklich zu besitzen.
>
> *Marx, Brief an Ruge, 1843*

> Ich halte mich daran, daß der Weltgeist der Zeit das Kommandowort, zu avancieren, gegeben; solchem Kommando wird pariert; dies Wesen schreitet wie eine gepanzerte, festgeschlossene Phalanx unwiderstehlich und mit so unmerklicher Bewegung, als die Sonne schreitet, vorwärts, durch dick und dünn; unzählbare leichte Truppen gegen und für dasselbe flankieren darum herum, die meisten wissen gar von nichts, um was es sich handelt, und kriegen nur Stöße durch den Kopf, wie von einer unsichtbaren Hand. Die sicherste Partie ist wohl, den Avanceriesen fest im Auge zu behalten.
>
> *Hegel, Brief an Niethammer, 1816*

Der Mensch ist nicht dicht

Sich ins Bessere denken, das geht zunächst nur innen vor sich. Es zeigt an, wieviel Jugend im Menschen lebt, wieviel in ihm steckt, das wartet. Dies Warten will nicht schlafen gehen, auch wenn es noch so oft begraben wurde, es starrt selbst beim Verzweifelten nicht ganz ins Nichts. Auch der Selbstmörder flüchtet noch in die Verneinung wie in einen Schoß; er erwartet Ruhe. Auch die enttäuschte Hoffnung irrt quälend umher, ein Gespenst, das den Rückweg zum Friedhof verloren hat, und hängt widerlegten Bildern nach. Sie vergeht nicht an sich selber, sondern nur an einer neuen Gestalt ihrer selbst. Daß man derart in Träume *segeln* kann, daß Tagträume, oft ganz ungedeckter Art, möglich sind, dies macht den großen Platz des noch offenen, noch ungewissen

Lebens im Menschen kenntlich. Der Mensch fabelt Wünsche aus, ist dazu imstande, findet dazu eine Menge Stoff, wenn auch nicht immer vom besten, haltbarsten, in sich selbst. Dies Gären und Brausen oberhalb des gewordenen Bewußtseins ist das *erste Korrelat* der Phantasie, das zunächst nur inwendige, ja in ihr selbst befindliche. Auch die dümmsten Träume sind immerhin seiend als Schäume; die Tagträume enthalten sogar einen Schaum, woraus zuweilen eine Venus gestiegen ist. Das Tier kennt nirgends dergleichen; nur der Mensch, obwohl er viel wacher ist, wallt utopisch auf. Sein Dasein ist gleichsam weniger dicht, obwohl er, mit Pflanze und Tier verglichen, viel intensiver da ist. Das menschliche Dasein hat trotzdem mehr gärendes Sein, mehr Dämmerndes an seinem oberen Rand und Saum. Hier ist gleichsam etwas hohl geblieben, ja ein neuer Hohlraum erst entstanden. Darin ziehen Träume, und Mögliches, das vielleicht nie auswendig werden kann, geht inwendig um.

Vieles in der Welt ist noch ungeschlossen

Freilich ginge auch inwendig nichts um, wäre das Auswendige völlig dicht. Draußen aber ist das Leben so wenig fertig wie im Ich, das an diesem Draußen arbeitet. Kein Ding ließe sich wunschgemäß umarbeiten, wenn die Welt geschlossen, voll fixer, gar vollendeter Tatsachen wäre. Statt ihrer gibt es lediglich Prozesse, das heißt dynamische Beziehungen, in denen das Gewordene nicht völlig gesiegt hat. Das Wirkliche ist Prozeß; dieser ist die weitverzweigte Vermittlung zwischen Gegenwart, unerledigter Vergangenheit und vor allem: möglicher Zukunft. Ja, alles Wirkliche geht an seiner prozessualen Front über ins Mögliche, und möglich ist alles erst Partial-Bedingte, als das noch nicht vollzählig oder abgeschlossen Determinierte. Hierbei freilich muß zwischen dem bloß erkenntnisgemäß oder objektiv Möglichen und dem Real-Möglichen, als dem einzigen, worauf es im vorliegenden Zusammenhang ankommt, unterschieden werden. *Objektiv* möglich ist alles, dessen Eintritt auf Grund einer bloßen Partial-*Erkenntnis* seiner vorhandenen Bedingungen wissenschaftlich erwartbar ist oder wenigstens nicht ausgeschlossen werden kann. *Real* möglich dagegen ist alles, dessen Bedingungen in der Sphäre des *Objekts selber* noch nicht vollzählig versammelt sind; sei es, daß sie erst noch heranreifen, sei es vor allem, daß neue – obzwar mit den vorhandenen vermittelte – Bedingungen zum Eintritt eines neuen Wirklichen entspringen. Bewegtes, sich veränderndes, veränderbares Sein, wie es als dialektisch-materielles sich darstellt, hat dieses unabgeschlossene Werdenkönnen, Noch-Nicht-Abgeschlossensein in seinem Grund wie an seinem Horizont. So daß von hier ab gesagt werden kann: das real Mögliche *zureichend vermittelter, also dialektisch-materialistisch vermittelter Neuheit* gibt der utopischen Phantasie ihr *zweites, ihr konkretes Korrelat:* eines außerhalb eines bloßen Gärens, Brausens im inneren Kreis des Bewußtseins. Und solange die Wirklichkeit noch keine vollständig ausdeterminierte geworden ist, solange sie in neuen Keimen wie neuen Räumen der Ausgestaltung noch unabgeschlossene Möglichkeiten besitzt: solange kann von bloß faktischer Wirklichkeit kein absoluter Einspruch gegen Utopie ergehen. Es kann Einspruch gegen schlechte Utopien ergehen, das heißt gegen abstrakt ausschweifende, schlecht vermittelte, jedoch gerade die konkrete Utopie hat in der *Prozeßwirklichkeit* ein Korrespondierendes: das des vermittelten Novum. Nur diese Prozeßwirklichkeit und nicht eine aus ihr herausgerissene, verdinglicht-verabsolutierte Tatsachenhaftigkeit kann daher über utopische Träume richten oder sie zu bloßen Illusionen herabsetzen. Gibt man jeder bloßen Tatsächlichkeit in der Außenwelt dieses kritische Recht, so verabsolutiert man das fixiert Vorhandene und Gewordene zur Realität schlechthin. Es wird aber allein schon innerhalb der stark gewandelten Wirklichkeit von heute klar, daß die Begrenzung aufs Faktum eine sehr wenig realistische war; daß die Realität selber unaufgearbeitet ist, daß sie Anrückendes, Hervorbrechendes am Rand hat. Der Mensch dieser Zeit versteht sich durchaus auf Grenzexistenz außerhalb des bisherigen Erwartungszusammenhangs von Gewordenheit. Er sieht sich nicht mehr von scheinbar vollendeten Tatsachen umgeben und hält diese nicht mehr für das einzig Reale; mögliches faschistisches Nichts ist, erschütternd, in diesem Realen aufgegangen und vor allem, endlich betreibbar und fällig, der Sozialismus. Ein anderer Realitätsbegriff als der verengte und erstarrte der zweiten Hälfte des neunzehnten Jahrhunderts ist so fällig, ein anderer als der des prozeßfremden Positivismus und auch noch seines Pendants: der unverbindlichen Idealwelt aus purem Schein. Der erstarrte Realitätsbegriff war zuweilen selbst in den Marxismus eingedrungen und machte ihn dadurch schematisch. Es genügt nicht, vom dialektischen Prozeß zu reden, dann aber die Geschichte als eine Reihe aufeinanderfolgender Fixa oder auch geschlossener »Totalitäten« zu behandeln. Hier droht eine Verschmalerung und Schmälerung der Wirklichkeit, eine Abkehr von »Wirkungskraft und Samen« in ihr; und das ist kein Marxismus. Vielmehr: die konkrete Phantasie und das Bildwerk ihrer vermittelten Antizipationen sind im Prozeß des Wirklichen selber gärend und bilden sich im konkreten Traum nach vorwärts ab; antizipatorische Elemente sind ein Bestandteil der Wirklichkeit selbst. Also ist der Wille zur Utopie mit objekthafter Tendenz durchaus verbindbar, ja in ihr bestätigt und zu Hause.

Militanter Optimismus, die Kategorien Front, Novum, Ultimum

Es tut not, daß gerade der geschlagene Mann das Draußen wieder versucht. Was heraufkommt, ist noch nicht entschieden, was als Sumpf steht, kann durch Arbeit ausgetrocknet werden. Durch das Doppelte von Mut und Wissen kommt die Zukunft nicht als Geschick über den Menschen, sondern der Mensch kommt über die Zukunft und tritt mit dem Seinen in sie ein. Das Wissen, das der Mut und das vor allem die Entscheidung braucht, kann aber hierbei nicht die häufigste Weise des bisherigen haben: nämlich eine betrachtende. Denn das nur betrachtende Wissen bezieht sich notwendig auf Abgeschlossenes und so Vergangenes, es ist hilflos gegen Gegenwärtiges und blind für Zukunft. Ja es kommt sich desto mehr als Wissen vor, je weiter zurück seine Gegenstände im Vergangenen und Abgeschlossenen liegen, je weniger es also dazu beiträgt, daß aus der Geschichte – als einer in Tendenz geschehenden – für Gegenwart und Zukunft etwas gelernt werde. Das zur Entscheidung notwendige Wissen hat sinngemäß eine andere Weise: eine nicht nur betrachtende, vielmehr eine mit dem Prozeß gehende, die dem sich durcharbeitend Guten, das ist, Menschenwürdigen des Prozesses aktiv-parteiisch verschworen ist. Überflüssig zu sagen, daß diese Weise des Wissens auch die einzig objektive ist, die einzige, die das Reale in der Geschichte wiedergibt: nämlich das von arbeitenden Menschen hergestellte Geschehen samt den reichen Prozeßverflechtungen zwischen Vergangenheit, Gegenwart und Zukunft. Und das Wissen dieser Art ruft eben dadurch, daß es kein nur betrachtendes ist, durchaus die Subjekte der bewußten Herstellung selber auf. Es huldigt, indem es nicht Quietismus ist, auch in der Beziehung auf die entdeckte Tendenz nicht jenem banalen, automatischen Fortschritts-Optimismus an sich, der nur eine Reprise des kontemplativen Quietismus ist. Er ist diese Reprise, weil er auch die Zukunft als Vergangenheit verkleidet, weil er sie wie ein in sich selber längst Beschlossenes und so Abgeschlossenes anblickt. Vor dem Zukunftsstaat, der derart als abgemachte Konsequenz innerhalb der sogenannten eisernen Logik der Geschichte dasteht, kann dann das Subjekt genauso die Hände in den Schoß legen, wie es sie vor Gottes Ratschluß gefaltet hatte. Dergestalt wurde, beispielsweise, der Kapitalismus, dadurch, daß man ihn zu Ende funktionieren läßt, als sein eigener Totengräber angegeben, und sogar noch seine Dialektik erschien als sich selbst genügsam, als autark. Das alles aber ist grundfalsch, ja so sehr neues Opium fürs Volk, daß cum grano salis selbst ein Schuß Pessimismus dem banal-automatischen Fortschrittsglauben an sich vorziehbar wäre. Denn ein Pessimismus mit realistischem Maß ist immerhin nicht so hilflos überrascht vor Fehlschlägen und Katastrophen, vor den entsetzlichen Möglichkeiten, die gerade im kapitalistischen Fortgang gesteckt haben und weiter stecken. Denken ad pessimum ist jeder Analyse, die es nicht wieder verabsolutiert, ein besserer Mitfahrer als die billige Vertrauensseligkeit; es macht so die kritische Kälte gerade im Marxismus aus. Automatischer Optimismus ist für jede wendende Entscheidung nicht viel weniger Gift als verabsolutierter Pessimismus; denn wenn letzterer ganz offen der unverschämten, der sich bei Namen nennenden Reaktion dient, zum Zweck der Entmutigung, so hilft ersterer der verschämten Reaktion, zum Zweck der augenzwinkernden Duldung und Passivität. Was also statt des falschen Optimismus – zum Zweck des wahren – dem Wissen der Entscheidung, der Entscheidung des erlangten Wissens einzig zugeordnet ist, ist wiederum das *konkret-utopisch begriffene Korrelat in der realen Möglichkeit:* begriffen als eines, worin zwar keineswegs bereits aller Tage Abend ist, doch ebensowenig bereits – im Sinn des nicht-utopischen Optimismus – aller Abende Tag. Die Haltung vor diesem Unentschiedenen, jedoch durch Arbeit und konkret vermittelte Aktion Entscheidbaren heißt *militanter Optimismus.* Mit ihm werden, wie Marx sagt, zwar keine abstrakten Ideale verwirklicht, wohl aber die unterdrückten Elemente der neuen, vermenschlichten Gesellschaft, also des konkreten Ideals, in Freiheit gesetzt. Es ist die revolutionäre Entscheidung des Proletariats, welche heute, im Endkampf der Befreiungen, sich einsetzt, eine Entscheidung des subjektiven Faktors im Bund mit den objektiven Faktoren der ökonomisch-materiellen Tendenz. Und nicht, als wäre dieser subjektive Faktor, als der der Verwirklichung und Weltveränderung, eine andere als eine materielle Tätigkeit; er ist eine solche, so gewiß er auch, wie Marx in der 1. These über Feuerbach betont, als die *tätige Seite* (Erzeugung, Produktivität, Spontaneität des Bewußtseins) zuerst vom Idealismus und nicht vom (mechanischen) Materialismus entwickelt worden ist. Und wieder nicht, als ob die Aktivität, die zur Weltveränderung, also zum militanten Optimismus gehört, auch nur einen Augenblick ohne Bündnis mit den real-gegenwärtigen Tendenzen wirklich eingreifend, haltbar umwälzend sein könnte; denn bleibt der subjektive Faktor isoliert, so wird er lediglich ein Faktor des Putschismus, nicht der Revolution, der Spiegelbergereien, nicht des Werks. Sind jedoch die Anschlüsse der Entscheidung eingesehen – und es ist eben das Wissen in der Entscheidung, das diese Einsicht garantiert –, dann kann die Macht des subjektiven Faktors nicht hoch, auch nicht tief genug eingeschätzt werden, gerade als die *militante Funktion* im militanten Optimismus. Konkrete Entscheidung zum Lichtsieg in der realen Möglichkeit ist das Gleiche wie Gegenzug gegen das Mißlingen im Prozeß. Ist das Gleiche wie der Gegenzug der Freiheit gegen das vom Prozeß abgehobene, ihn aus Stockung und Verdinglichung konterkarierende sogenannte Schicksal. Ist das Gleiche wie der Gegenzug gegen alle diese Todeserscheinungen aus der Familie des Nichts und gegen den Umgang des Nichts als der anderen Alternative der realen Möglichkeit selber. Ist so letzthin

der Gegenzug gegen das durchdringend Ruinöse purer Negation (Krieg, Einbruch der Barbarei), damit durch Umlenkung
dieser Vernichtung auf sich selbst gegebenenfalls auch hier die
Negation der Negation Platz erlange und die Dialektik aktiv
siege. Konkrete Entscheidung steht dabei allemal im Kampf gegen die Statik, doch indem sie eben nicht Putschismus, sondern
als militanter ebenso *fundierter* Optimismus ist, steht sie im
Frieden mit dem Prozeß, der die Todes-Statik selber gegen den
Strich bürstet. Mensch und Prozeß, besser: Subjekt wie Objekt
im dialektisch-materiellen Prozeß stehen demgemäß gleicher-
maßen an der Front. Und es gibt für den militanten Optimismus
keinen anderen Ort als den, welchen die *Kategorie der Front*
eröffnet. Die Philosophie dieses Optimismus, das ist, der materialistisch begriffenen Hoffnung, ist selber, als das pointierte Wissen der Nicht-Betrachtung, mit dem vordersten Abschnitt der
Geschichte beschäftigt, und das auch dann noch, wenn sie sich mit
Vergangenheit beschäftigt, nämlich mit der noch unabgegoltenen
Zukunft in der Vergangenheit. Philosophie der begriffenen Hoffnung steht darum per definitionem an der Front des Weltprozesses, das ist, an dem so wenig durchdachten vordersten Seins-
abschnitt der bewegten, utopisch offenen Materie.

Nicht alles, was bekannt ist, ist auch gekannt, am wenigsten,
wenn Frische vorliegt. So liegt mit dem Begriff der Front auch
der damit so eng verbundene der *Neuheit* im argen. Das Neue:
es geht seelisch in der ersten Liebe um, auch im Gefühl des Früh-
lings; letzteres hat trotzdem kaum einen Denker gefunden. Es
erfüllt, immer wieder vergessen, den Vorabend großer Ereignisse, mitsamt einer höchst bezeichnenden Mischreaktion von
Bangen, Gewappnetsein, Zuversicht; es fundiert, bei verheiße-
nem Novum des Glücks, Adventsbewußtsein. Es geht durch die
Erwartungen fast sämtlicher Religionen, soweit primitives, auch
altorientalisches Zukunftsbewußtsein überhaupt richtig verstanden werden kann; es durchzieht die ganze Bibel, von Jakobs
Segen bis zum Menschensohn, der alles neu macht, und dem
neuen Himmel, der neuen Erde. Trotzdem ist die *Kategorie Novum* nicht im entferntesten zulänglich bezeichnet worden, und
in keinem vormarxistischen Weltbild fand sie Raum. Oder schien
sie ihn zu finden, wie bei Boutroux und vor allem in der Jugend-

stil- oder Sezessionsphilosophie Bergsons, dann wurde das Neue lediglich unter dem Aspekt sinnlos wechselnder Moden betrachtet und so gefeiert; es entstand dadurch nur die andersartige Starre einer immer gleichen Überraschung. Dergleichen wurde bereits bei der Sperre klargestellt, die den Begriff des Noch-Nicht-Bewußten solange verhindert hat; derart, daß die Aufdämmerung, das Incipit vita nova, auch in der sogenannten Lebensphilosophie immer wieder ein Fixum bleibt. So erscheint der Begriff des Neuen bei Bergson lediglich als abstrakter Gegensatz zur Wiederholung, ja oft als bloße Kehrseite mechanischer Gleichförmigkeit; zugleich wurde er jedem Lebensmoment ausnahmslos und deshalb entwertend zugeschrieben. Selbst die Dauer eines Dings, die als fließend vorgestellte durée, wird von Bergson auf fortwährendes Anderssein gegründet; angeblich, weil bei wirklich unverändertem Verharren Anfang und Ende dieses Zustands ununterscheidbar wären, objektiv zusammenfielen und so das Ding gerade nicht dauerte. Und das Novum insgesamt wird bei Bergson nicht durch seinen Weg erläutert, seine Sprengungen, seine Dialektik, seine Hoffnungsbilder und genuinen Produkte, sondern eben immer wieder durch den Gegensatz zum Mechanismus, durch die inhaltlose Beteuerung eines Elan vital an und für sich. Große Liebe zum Novum ist wirksam, große Inklination zur Offenheit springt in die Augen, doch der Prozeß bleibt leer und produziert immer wieder nichts als den Prozeß. Ja, die ewige metaphysische Vitalitätstheorie erlangt schließlich statt des Novum nur Taumel, eben wegen der beständig verlangten, um ihrer selbst willen verlangten Richtungsänderung; so entsteht mit ihr nicht die von Bergson gepriesene Kurve, sondern ein Zickzack, in dem – vor lauter Entgegensetzung zur Gleichförmigkeit – nur die Figur des Chaos ist. Folgerichtig endet auch das abstrakt gefaßte Futurum in einem l'art pour l'art der Vitalität, das Bergson selbst der Rakete vergleicht oder »einem immensen Feuerwerk, das stets neue Feuergarben aus sich heraussprühen läßt« (L'Evolution créatrice, 1907, p. 270). Wie auch an dieser Stelle zu betonen: es gibt bei Bergson überhaupt kein echtes Novum; seinen Begriff hat er aus lauter Übersteigerung eben nur zur kapitalistischen Moden-Novität hingebracht und so stabilisiert; Elan vital und nichts sonst ist und bleibt selber ein Kontemplations-Fixum. Der gesellschaftliche Grund für Bergsons Pseudo-Novum liegt im Spätbürgertum, das überhaupt kein inhaltlich Neues mehr in sich hat. Der dem entsprechende ideologische Grund liegt letzthin in der alten, bemüht reproduzierten Ausschaltung zweier der wesentlichsten Beschaffenheiten des Novum überhaupt: der Möglichkeit und der Finalität. In beiden sieht Bergson die gleiche Schematik des tötenden, wechselfeindlichen Verstands, die er sonst als Verräumlichung, Kausalität, Mechanismus am Werk sieht. Das mächtige Reich der *Möglichkeit* wird ihm derart ein Schein der Retrospektion: es gibt gar kein Mögliches bei Bergson, es ist ihm eine Projektion, die von dem neu Entstehenden in die Vergangenheit hinein entworfen wird. Im Möglichen wird nach Bergson das soeben entspringende Novum nur als »möglich gewesen seiend« gedacht: »Das Mögliche ist nichts anderes als das Wirkliche plus einem geistigen Akt, der das Bild dieses Wirklichen in die Vergangenheit zurückwirft, sobald das Wirkliche entstanden ist... Das wirkliche Hervorquellen unvorhersehbarer, in keinem Möglichen vorhergezeichneter Neuheit ist aber ein Wirkliches, das sich möglich macht, nicht ein Mögliches, das wirklich wird« (La Pensée et le Mouvant, p. 133). Bergson reproduziert damit bezeichnenderweise fast den Anti-Möglichkeits-Beweis des Megarikers Diodoros Kronos, der gerade den Eleaten, den Lehrern einer absoluten Ruhe, nahestand. Und ebenso verschließt sich Bergson dem Begriff des Novum, indem er die *Finalität* als lediglich liche Statuierung eines starren Endziels ansieht, statt als Zielstrebigkeit des Menschenwillens, der in den offenen Möglichkeiten der Zukunft gerade sein Wohin und Wozu erst sucht. Besser: als Zielstrebigkeit einer Arbeit, vor allem einer Planung, die ihr Wohin und Wozu pointiert hat und die Wege dahin geht. Indem Bergson aber alle Vorhersehbarkeit mit statischer Vorausberechnung zusammenfallen läßt, hat er nicht nur die schöpferische Antizipation verfehlt, diese Morgenröte im Menschenwillen, sondern das echte Novum insgesamt, den Horizont der Utopie. Und die beständig pointierte Wetterwendigkeit, Uferlosigkeit machten Bergsons Neuheits-Universum schwerlich zu dem, als was er es, mit dennoch unvermeidlicher Finalität, phantasmagorierte: zur »Maschine, um Götter zu erzeugen«. In Summa: zum

Novum gehört, damit es wirklich eines sei, nicht nur der abstrakte Gegensatz zur mechanischen Wiederholung, sondern selber eine Art spezifischer Wiederholung: nämlich des noch ungewordenen totalen Zielinhalts selber, der in den progressiven Neuheiten der Geschichte gemeint und tendiert, versucht und herausprozessiert wird. Daher weiterhin: Das dialektische Entspringen dieses totalen Inhalts wird nicht mehr durch die Kategorie Novum, sondern durch die *Kategorie Ultimum* bezeichnet, und an dieser freilich hört die Wiederholung auf. Doch nur dadurch hört sie auf, daß im gleichen Maß wie das Ultimum die letzte, also höchste Neuheit darstellt, die Wiederholung (die unablässige Repräsentiertheit des Tendenzziels in allem progressiv Neuen) sich zur letzten, höchsten, gründlichsten Wiederholung: der Identität steigert. Wobei die Neuheit im Ultimum kraft des totalen Sprungs aus allem Bisherigen heraus geradezu triumphiert, doch eines Sprungs zur aufhörenden Neuheit oder Identität. Die Kategorie Ultimum liegt nicht so undurchdacht vor wie die des Novum; das Letzte war allemal ein Gegenstand jener Religionen, die auch der Zeit eine Zeit setzten, und so vor allem der jüdisch-christlichen Religionsphilosophie. Jedoch machte es sich gerade in dieser Kategorialbehandlung kenntlich, daß die ihr sachgemäß vorherzugehende des Novum so gut wie nicht vorhanden war. Denn das Ultimum ist in der gesamten jüdisch-christlichen Philosophie, von Philon und Augustin bis Hegel, ausschließlich auf ein Primum und nicht auf ein Novum bezogen; infolgedessen erscheint das Letzte lediglich als erlangte Wiederkehr eines bereits vollendeten, verloren oder entäußert gegangenen Ersten. Die Form dieser Wiederkehr nimmt die vorchristliche des sich verbrennenden und wieder erneuernden Phönix auf, sie nimmt die Heraklitische und stoische Lehre vom Weltbrand auf, nach der das Zeus-Feuer die Welt in sich zurück nimmt und sie ebenso wieder, in periodischem Kreislauf, aus sich entläßt. Und dieses eben: der *Kreislauf* ist die Figur, welche das Ultimum dermaßen ans Primum heftet, daß es darin logisch-metaphysisch verschießt. Gewiß, Hegel sah in dem Fürsichsein der Idee, das sein Ultimum ist und worin der Prozeß wie in einem Amen aushallt, das Primum des Ansichseins der Idee nicht nur reproduziert, sondern erfüllt: die »vermittelte Unmittelbarkeit«

ist im Fürsichsein erreicht, statt der unvermittelten im Anfang des bloßen Ansichseins. Aber dieses Resultat blieb, wie in jeder einzelnen Gestaltepoche des Weltprozesses, so auch in seiner Gesamtheit, hier dennoch ein zyklisches; es ist der vom Novum gänzlich freie Kreislauf der Restitutio in integrum: »Jeder der Teile der Philosophie ist ein philosophisches Ganzes, ein sich in sich selbst schließender Kreis, ... das Ganze stellt sich daher als ein Kreis von Kreisen dar« (Enzyklopädie § 15). Item, trotz größerer Durchdachtheit wurde hier überall auch das Ultimum entspannt, dadurch, daß sein Omega ohne Macht des Novum sich wieder ins Alpha zurückschlingt. Auch dort gilt das schließlich, wo das Alpha-Omega mechanisch-materialistisch zum Dunstball säkularisiert worden ist, aus dem die Welt stammt und wohin sie sich wieder auflöst. Das Original und der Archetyp von alldem bleibt das Alpha-Omega im Umfassungsring eines Urwesens, zu dem der Prozeß fast als verlorener Sohn zurückkehrt und die Substanz seines Novum ungeschehen macht. Das alles eben sind Gefängnisbildungen gegen die reale Möglichkeit oder eine Desavouierung ihrer, die sogar noch das progressivste historische Produkt einzig als Wiedererinnerung oder Wiederherstellung eines einst Besessenen, Ur-Verlorenen visieren will. Folglich ist, wie gerade am Ultimum erhellt, bei diesem, aber auch bei allem Novum vorher, einzig Anti-Wiedererinnerung, Anti-Augustin, Anti-Hegel philosophisch am Platz, Anti-Kreis und Verneinung des Ring-Prinzips, des bis Hegel und Eduard von Hartmann, ja bis Nietzsche intendierten. Die Hoffnung aber, die an keinem Ende nur so weit sein will, wie sie am Anfang schon war, hebt den scharfen Zyklus auf. Die Dialektik, die in der Unruhe ihren Motor hat und im unerschienenen Wesen ihren keineswegs ante rem vorhandenen Zielinhalt, hebt den zähen Zyklus auf. Die Spannungsfiguren und Tendenzgestalten, die Real-Chiffern in der Welt, auch diese Proben auf ein noch ungelungenes Exempel heben durch ihren besonders hohen Prozentgrad von Utopie den grundsterilen Zyklus auf. Die Humanisierung der Natur hat kein Elternhaus am Anfang, dem sie entlaufen ist, zu dem sie, mit einer Art von Ahnenkult in der Philosophie, wieder zurückkehrt. Entspringen doch im Prozeß selber, noch ohne Problem des Ultimum, eine Unzahl realer Möglichkeiten, die dem

Anfang nicht an der Wiege gesungen worden sind. Und das Ende ist nicht die Wiederbringung, sondern es ist – gerade als Einschlag des Was-Wesens in den Daß-Grund – die Aufsprengung des primum agens materiale. Anders gesagt: das Omega des Wohin erläutert sich nicht an einem urgewesenen, angeblich allerrealsten Alpha des Woher, des Ursprungs, sondern konträr: dieser Ursprung erläutert sich selbst erst am Novum des Endes, ja er tritt als ein an sich noch wesentlich unverwirklichter erst mit diesem Ultimum in Realität. Der Ursprung ist gewiß das Verwirklichende selbst; doch eben: wie gerade im Verwirklichen noch etwas unreif und noch nicht verwirklicht ist, so fängt die Verwirklichung des Verwirklichens, des Verwirklichenden selbst immer erst noch an, zu beginnen. In der Geschichte ist sie die Selbstergreifung des geschichtlichen Täters, als des arbeitenden Menschen; in der Natur ist sie die Verwirklichung dessen, was man hypothetisch natura naturans oder Subjekt der materiellen Bewegung genannt hat, ein noch kaum berührtes Problem, obwohl es mit der Selbstergreifung des arbeitenden Menschen deutlich zusammenhängt und in der Verlängerungslinie der Marxschen »Humanisierung der Natur« liegt. Der Austragsort für beiderlei Selbstergreifung und ihr Novum, ihr Ultimum befindet sich aber einzig an der Front des Geschichtsprozesses und hat überwiegend erst vermittelt-reale Möglichkeit sich gegenüber. *Diese bleibt dasjenige, was der exakten Antizipation, der konkreten Utopie als objektiv-reales Korrelat korrespondiert.* Im gleichen Sinn, wie das konkret Utopische ein objektiv-realer Realitätsgrad an der Front der geschehenden Welt ist, – als Noch-Nicht-Sein der »Naturalisierung des Menschen, Humanisierung der Natur«. Das so bezeichnete Reich der Freiheit bildet sich sinngemäß nicht als Rückkehr, sondern als Exodus – wenn auch ins stets gemeinte, durch den Prozeß gelobte Land.

Das »nach Möglichkeit« und das »in Möglichkeit Seiende«, Kälte- und Wärmestrom im Marxismus

Auf dem Weg zum Neuen muß meist, wenn auch nicht immer, schrittweise vorgegangen werden. Nicht alles ist jederzeit möglich und ausführbar, fehlende Bedingungen hemmen nicht nur,

sondern sperren. Rascherer Gang ist zwar dort erlaubt, ja geboten, wo die Strecke keine anderen Gefahren zeigt als überängst-
lich oder pedantisch ausgedachte. So brauchte Rußland nicht erst
vollkapitalistisch zu werden, bevor es mit Erfolg das sozialistische
Ziel verfolgen konnte. Auch die vollständigen technischen Bedingungen zum sozialistischen Aufbau konnten in der Sowjetunion nachgeholt werden, soweit sie in anderen Ländern bereits
entwickelt und von dort übernehmbar waren. Dagegen kann,
wie selbstverständlich, ein Weg, der überhaupt noch nicht be-
gangen worden ist, nur mit Mißerfolgen überschlagen und über-
sprungen werden. Denn möglich ist zwar alles, wozu die Bedingungen zureichend partiell vorliegen, jedoch ebendeshalb ist
alles noch faktisch unmöglich, wozu die Bedingungen überhaupt
noch nicht vorliegen. Das Zielbild erweist sich dann subjektiv wie
objektiv als Illusion; die Bewegung darauf hin geht dann unter;
bestenfalls setzt sich, wenn sie vorankommt, infolge der vorhandenen und determinierenden ökonomisch-sozialen Bedingungen
ein ganz anderes Ziel durch als das überschlagend-abstrakt intendierte. Gewiß, im bürgerlich-idealen Traum von den Men-
schenrechten waren von Anfang an schon die Tendenzen tätig,
die hernach den reinsten Kapitalismus brachten. Aber selbst hier
schwebte überdies eine Stadt der Bruderliebe, ein Philadelphia
vor, besonders weit von dem wirklichen Philadelphia gelegen,
das auf der Tagesordnung der Wirtschaftsgeschichte stand und so
an den Tag kam. Und nicht viel anderes als ein solches Philadelphia dürfte auch die Frucht der reinen, der schlechthin nur chilia-
stischen Utopien geworden sein, wenn sie nicht untergegangen,
sondern nach dem Maß des damals Möglichen ans Ziel gelangt
wären. Die ökonomischen Bedingungen, die der radikale Wille
zum tausendjährigen Reich von Joachim di Fiore bis zu den englischen Millenariern überschlagen hat und noch überschlagen
mußte, hätten sich doch gemeldet, im Erreichten selbst gemeldet:
und sie wären, wieder kraft der noch bevorstehenden kapitalistischen Tagesordnung, durchaus keine gewesen, die zum Lie-
besreich prädestinieren. All das ist völlig begreifbar geworden mittels der marxistischen Entdeckung, wonach konkrete
Theorie-Praxis aufs engste zusammenhängt mit dem erforschten
Modus objektiv-realer Möglichkeit. Sowohl die kritische Vor-

sicht, die das Tempo des Wegs bestimmt, wie die fundierte Erwartung, die einen militanten Optimismus in Ansehung des Ziels garantiert, werden durch Einsicht in das Korrelat der Möglichkeit bestimmt. Und zwar so, daß dieses Korrelat, wie jetzt spruchreif wird, selber wieder zwei Seiten hat, gleichsam eine Rückseite, auf welche die Maße des *jeweils* Möglichen geschrieben sind, und eine Vorderseite, worauf das Totum des *zu guter Letzt* Möglichen sich als immer noch offen kenntlich macht. Eben die erste Seite, die der *maßgeblich vorliegenden Bedingungen*, lehrt das Verhalten auf dem Weg zum Ziel, während die zweite Seite, die des *utopischen Totum*, grundsätzlich verhüten läßt, daß Partialerreichungen auf diesem Weg für das ganze Ziel genommen werden und es zudecken. Bei alldem muß festgehalten werden: *auch das dergestalt doppelseitige Korrelat: reale Möglichkeit ist nichts anderes als die dialektische Materie.* Reale Möglichkeit ist nur der logische Ausdruck für materielle Bedingtheit zureichender Art einerseits, für materielle Offenheit (Unerschöpftheit des Materie-Schoßes) andererseits. Oben, im vorigen Kapitel (vgl. S. 219), wurde, bei Gelegenheit der »störenden Nebenursachen« während der Verwirklichung, bereits ein Teil der *Aristotelischen Materie-Definitionen herangezogen*. Es wurde erwähnt, daß nach Aristoteles die mechanische Materie (τὸ ἐξ ἀνάγκης) einen Widerstand darstellt, demgemäß die entelechetische Tendenzgestalt sich nicht rein ausprägen kann. Daraus will Aristoteles die vielen Hemmungen, Zufalls-Durchkreuzungen, auch die zahllosen Fortschritts-Torsi erklären, deren die Welt voll ist. An der angegebenen Stelle wurde diese Definition der Materie als die eines Sündenbocks bezeichnet, und das ist sie auch, sofern sie verabsolutiert wird, und sofern sie dazu dienen soll, die Materie zur Entlastung der Entelechie insgesamt zu verteufeln. Doch ist freilich von solchem Insgesamt, solcher Verabsolutierung bei Aristoteles keine Rede, vielmehr ist seine Materie keineswegs auf die mechanische beschränkt, und selbst diese, woraus τὸ ἐξ ἀνάγκης stammt, ist eben dem höchst umfassenden Begriff der δύναμις oder objektiv-realen Möglichkeit bei Aristoteles erstmals zugeordnet. Diese Zuordnung eröffnet nun auch dem Begriff der hemmenden Materie einen neuen, nicht durchkreuzenden, sondern determinierenden Sinn: τὸ ἐξ ἀνάγκης wird ergänzt und erweitert durch κατὰ τὸ δυνατόν, das heißt: durch das *nach Möglichkeit*, nach den Maßen der Möglichkeit Seiende. Materie ist also nach dieser Seite der Ort der Bedingungen, nach deren Maßgabe Entelechien sich ausprägen; τὸ ἐξ ἀνάγκης heißt so nicht nur Mechanik, sondern viel weiter: durchgehender Bedingungszusammenhang. Und erst aus diesem Nach-Möglichkeit-Seienden schreibt sich letzthin die Hemmung her, welche die entelechetische Tendenzgestalt auf ihrem Weg erfährt. Es schreibt sich davon auch die Folge her, daß der Bildhauer, unter »günstigeren Bedingungen« arbeitend, schönere Leiber bilden kann als die physischen, die geboren sind, und daß ein Dichter seinen Gestalten die Zufälligkeit und die Enge vom Pfad entfernt, sie, wie Aristoteles in der »Poetik« sagt, aus dem καθ' ἕκαστον oder jeweils Einzelnen in das καθ' ὅλον oder die reicheren Möglichkeiten eines Ganzen versetzt. All das wäre aber nicht möglich, wenn Aristoteles – und das ist von zentralster Wichtigkeit – nicht bereits auch die andere Seite, die Vorderseite der Möglichkeits-Materie ausgezeichnet hätte, ja sie als die gänzlich hemmungsfreie erkannt hätte; Materie ist nicht nur κατὰ τὸ δυνατόν, nach Möglichkeit, also das nach dem gegebenen Maß des Möglichen jeweils Bedingende, sondern sie ist τὸ δυνάμει ὄν, das *In-Möglichkeit-Seiende*, also der – bei Aristoteles freilich noch passive – *Schoß der Fruchtbarkeit, dem auf unerschöpfte Weise alle Weltgestalten* entsteigen. Mit dieser letzteren Bestimmung ist genau die freundliche, wo nicht die Hoffnungs-Seite der objektiv-realen Möglichkeit eröffnet worden, so lange es auch dauerte, bis sie begriffen wurde; das utopische Totum ist im δυνάμει ὄν impliziert. Wir wiederholen und fassen zusammen: *der kritischen Beachtung des jeweils zu Erreichenden ist das Nach-Möglichkeit-Seiende der Materie vorgeordnet, der fundierten Erwartung der Erreichbarkeit selber das In-Möglichkeit-Seiende der Materie.* Und indem in der pantheistischen Schule der Aristoteliker aus letzterer Bestimmung das Passive gestrichen wurde, indem das δυνάμει ὄν nicht mehr wie bestimmungsloses Wachs erschien, auf dem die Form-Entelechien sich ausprägen, wurde das Potential Materie schließlich Geburt wie Grab wie neuer Hoffnungsort der Weltgestalten überhaupt. Diese Entwicklung des Aristotelischen Materiebegriffs zieht sich über den peripatetischen

Physiker Straton, über den ersten großen Aristoteles-Kommentator Alexander von Aphrodisias, über die morgenländischen Aristoteliker Avicenna, Averroës und seine natura naturans, über den neuplatonisierenden Aristoteliker Avicebron, über die christlichen Ketzerphilosophen des dreizehnten Jahrhunderts Amalrich von Bena und David von Dinant bis hin zur weltschaffenden Materie Giordano Brunos (vgl. dazu Ernst Bloch, Avicenna und die Aristotelische Linke, 1952, S. 30ff.). Ja noch das sich ausgebärende Substrat der Hegelschen Weltidee, diese von Materie sich so bald fortbewegende, enthält trotzdem ein Großteil der Materie-Potentialität, der potenzhaft gewordenen. Lenin merkt im »Philosophischen Nachlaß« (S. 62) dazu besonders den Satz aus Hegels Logik an: »Dies, was als Tätigkeit der Form erscheint, ist ferner ebenso die eigene Bewegung der Materie selbst.« Es gibt mehrere ähnliche Sätze Hegels, auch in seiner Philosophiegeschichte (Werke XIII, S. 33), den Aristoteles-Begriff der Entwicklung betreffend, wo er mindestens das Ansichsein seiner Idee der Aristotelischen δύναμις gleichsetzt. Und die Vermutung ist gerechtfertigt, daß ohne dieses Aristotelisch-Brunosche Erbstück Marx mehreres an der Hegelschen Weltidee nicht so natürlich hätte auf die Füße stellen können. Noch wäre die Dialektik des Prozesses vom sogenannten Weltgeist materialistisch herüberzuretten gewesen und an der Materie als Bewegungsgesetz erfaßbar geworden. So aber erschien eine vom mechanischen Klotz recht verschiedene Materie, die Materie des dialektischen Materialismus, als eine, woran Dialektik, Prozeß, Entäußerung der Entäußerung, Humanisierung der Natur keineswegs nur äußerliche Beiworte sind, gar angeheftete. Soviel hier über die Korrelate zur kritischen *Beachtung des Erreichbaren, zur fundierten Erwartung der Erreichbarkeit selber* innerhalb des umfassenden Korrelats: reale Möglichkeit oder Materie. Kälte wie Wärme konkreter Antizipation sind darin vorgebildet, sind auf diese beiden Seiten des real Möglichen bezogen. Seine *unerschöpfte Erwartungsfülle* bescheint die revolutionäre Theorie-Praxis als Enthusiasmus, seine *strengen unüberschlagbaren Determinierungen* fordern kühle Analyse, vorsichtig genaue Strategie; das letztere bezeichnet kaltes, das erstere warmes Rot.

Diese zwei Weisen Rotsein gehen gewiß stets zusammen,

dennoch sind sie unterschieden. Sie verhalten sich zueinander wie das Unbetrügbare und das Unenttäuschbare, wie Säure und Glauben, jedes an seinem Ort und jedes zum gleichen Ziel verwendet. Der situationsanalytische Akt des Marxismus ist mit dem begeisternd-prospektiven verschlungen. Die beiden Akte sind in der dialektischen Methode, im Pathos des Ziels, in der Totalität des behandelten Stoffs vereint, dennoch zeigt sich deutlich auch die Blick- und Lagen-Verschiedenheit. Sie wurde als eine zwischen der jeweiligen Bedingungs-Erforschung nach Maßgabe des Möglichen und der Aussichts-Erforschung des In-Möglichkeit-Seienden erkannt. Die bedingungsanalytische Forschung zeigt ebenfalls Aussicht, aber mit dem Horizont als einem *begrenzenden*, als dem des begrenzt Möglichen. Ohne solche Abkühlung käme Jakobinertum oder gar völlig verstiegene, abstraktest-utopische Schwärmerei heraus. So wird hier dem Überholen, Überschlagen, Überfliegen Blei in die Sohlen gegossen, indem das Wirkliche erfahrungsgemäß selber einen schweren Gang hat und selten aus Flügeln besteht. Aber die Aussichts-Erforschung des In-Möglichkeit-Seienden geht auf den Horizont im Sinn *unverstellter, ungemessener Weite,* im Sinn des noch unerschöpft und unverwirklicht Möglichen. Das ergibt dann freilich erst Aussicht im eigentlichen Sinne, das ist: Aussicht aufs Eigentliche, auf das Totum des Geschehenden und zu Betreibenden, auf ein nicht nur jeweils vorliegendes, sondern gesamthistorisch-utopisches Totum. Ohne solche Erwärmung der historischen wie erst der aktuell-praktischen Bedingungsanalyse unterliegt letztere der Gefahr des Ökonomismus und des zielvergessenen Opportunismus; dieser vermeidet die Nebel der Schwärmerei nur insofern, als er in den Sumpf des Philistertums gerät, des Kompromisses und schließlich des Verrats. Erst Kälte und Wärme konkreter Antizipation zusammen also bewirken, daß weder Weg an sich noch Ziel an sich undialektisch voneinander abgehalten und so verdinglicht-isoliert werden. Wobei die Bedingungsanalyse auf der ganzen geschichtlich-situationshaften Strecke ebenso als Entlarvung der Ideologien wie als Entzauberung des metaphysischen Scheins auftritt; gerade das gehört zum nützlichsten *Kältestrom* des Marxismus. Dadurch wird der marxistische Materialismus nicht nur zur Bedingungswissenschaft, sondern im gleichen Zug zur Kampf- und Oppositionswissenschaft gegen alle ideologischen Hemmungen und Verdeckungen der Bedingungen letzter Instanz, die immer ökonomische sind. Zum *Wärmestrom* des Marxismus gehören aber die befreiende Intention und materialistisch-humane, human-materialistische Realtendenz, zu deren Ziel all diese Entzauberungen unternommen werden. Von hier der starke Rekurs auf den erniedrigten, geknechteten, verlassenen, verächtlich gemachten Menschen, von hier der Rekurs auf das Proletariat als die Umschlagstelle zur Emanzipation. Das Ziel bleibt die in der sich entwickelnden Materie angelegte Naturalisierung des Menschen, Humanisierung der Natur. Diese letzte Materie oder der Inhalt des Reichs der Freiheit nähert sich im Aufbau des Kommunismus, als seinem einzigen Raum, erst an, hatte noch nirgends Präsenz; das ist ausgemacht. Doch ebenso ist ausgemacht, daß dieser Inhalt im historischen Prozeß steht und daß der Marxismus sein stärkstes Bewußtsein, sein höchst praktisches Eingedenken darstellt. Marxismus als Wärmelehre ist dergestalt einzig auf jenes positive, keiner Entzauberung unterliegende In-Möglichkeit-Sein bezogen, das die wachsende Verwirklichung des Verwirklichenden, zunächst im menschlichen Umkreis, umfaßt. Und das innerhalb dieses Umkreises das utopische Totum bedeutet, eben jene Freiheit, jene Heimat der Identität, worin sich weder der Mensch zur Welt noch aber auch die Welt zum Menschen verhalten als zu einem Fremden. Das ist Wärmelehre im Sinn der Vorderseite, der Front der Materie, also der Materie nach vorwärts. Der Weg eröffnet sich darin als Funktion des Ziels, und das Ziel eröffnet sich als Substanz im Weg, in dem auf seine Bedingungen hin erforschten, auf seine Offenheiten hin visierten. In diesen Offenheiten ist Materie nach Richtung ihrer objektiv-realen Hoffnungsinhalte latent: als Ende der Selbstentfremdung und der mit Fremdem behafteten Objektivität, als Materie der Dinge für uns. Auf dem Weg dazu hin geschieht das objektive Übersteigen des Vorhandenen in Geschichte und Welt: dies transzendenzlose Transzendieren, welches Prozeß heißt und durch die menschliche Arbeit so gewaltig auf der Erde beschleunigt wird. Materialismus nach vorwärts oder Wärmelehre des Marxismus ist derart Theorie-Praxis eines Nachhause-Gelangens oder des Ausgangs aus unangemessener

Objektivierung; die Welt wird dadurch zur Nicht-mehr-Entfremdung ihrer Subjekte-Objekte, also zur Freiheit entwickelt. Das Freiheitsziel selber wird zweifellos erst vom Standort einer klassenlosen Gesellschaft her als bestimmtes In-Möglichkeit-Sein deutlich visierbar. Immerhin ist es jener Selbstbegegnung kaum fern, die unter dem Namen Kultur bildhaft gesucht worden ist; mit so viel Ideologien, doch auch mit so mancherlei Vor-Schein, Antizipationen im Horizont. Das Mittel der ersten Menschwerdung war die Arbeit, der Boden der zweiten ist die klassenlose Gesellschaft, ihr Rahmen ist eine Kultur, deren Horizont von lauter Inhalten fundierter Hoffnung, als dem wichtigsten, dem positiven In-Möglichkeit-Sein, umzogen ist.

Künstlerischer Schein als sichtbarer Vor-Schein

Vom Schönen wird gesagt, daß es erfreue, ja sogar genossen werde. Doch hat es seinen Lohn damit noch nicht dahin, Kunst ist keine Speise. Denn sie bleibt auch nach ihrem Genuß, sie hängt selbst in den süßesten Fällen noch in ein »vorgemaltes« Land hinaus. Der Wunschtraum geht hier ins unstreitig Bessere hinaus, dabei ist er, zum Unterschied von den meisten politischen, bereits werkhaft geworden, ein *gestaltet* Schönes. Allein: lebt in dem so Gestalteten mehr als einiges scheinendes Spiel? Das zwar äußerst kunstvoll sein mag, doch zum Unterschied vom Kindlichen auf nichts Ernstes vorbereitet und es bedeutet. Ist in dem ästhetischen Klingeln oder auch Klingen irgend bare Münze, irgendeine Aussage, die unterschrieben werden kann? Gemälde reizen weniger zu dieser Frage, denn die Farbe steht nur in sinnlicher Gewißheit, ist sonst aber schwächer mit Wahrheitsanspruch belastet als das Wort. Dient doch das Wort nicht nur der Dichtung, sondern auch der wahrheitsgemäßen Mitteilung; Sprache macht für letztere empfindlicher als Farbe, selbst als Zeichnung. Jede gute Kunst freilich beendet in gestalteter Schöne ihre Stoffe, trägt Dinge, Menschen, Konflikte in schönem Schein aus. Wie steht es aber *ehrlich* mit diesem Ende, mit einer Reife, in der doch nur Erfundenes reift? Wie verhält es sich mit einem Reichtum, der nur illusionär, im Augenschein, im Ohrenschein sich mitteilt? Wie verhält es sich andererseits mit Schillers

immerhin prophetischem Satz, daß, was als Schönheit hier empfunden, uns als Wahrheit einst entgegengehen werde? Wie verhält es sich mit dem Satz Plotins, dann Hegels, daß Schönheit
sinnliche Erscheinung der *Idee* sei? Nietzsche, in seiner positivi-
stischen Periode, stellt dieser Behauptung die bedeutend massi-
vere entgegen, daß alle Dichter lügen. Oder: die Kunst mache
den Anblick des Lebens erträglich dadurch, daß sie den Flor des
unreinen Denkens darüberlege. Francis Bacon sieht die goldenen
Äpfel in silbernen Schalen erst recht nicht weit vom Blendwerk,
sie gehören zu den überlieferten Idola theatri. Er vergleicht die
Wahrheit dem nackten, hellen Tageslicht, worin die Masken,
Mummereien und Prunkzüge der Welt nicht halb so schön und
stattlich erscheinen wie im Kerzenlicht der Kunst. Hiernach sind
Künstler von Anfang bis Ende dem Schein verschworen, sie haben
keinen Hang zur Wahrheit, sondern den entgegengesetzten. In
der gesamten Aufklärung liegen Prämissen zu dieser Antithese:
Kunst-Wahrheit, und sie haben die künstlerische Phantasie vom
Tatsachensinn her verdächtig gemacht. Das sind die *empirischen*
Einwände gegen das Einschmeichelnd-Trübe, gegen den goldenen Nebel der Kunst, und sie sind nicht die einzigen, die aus der
Aufklärung stammen. Denn neben ihnen stehen die *rationalen*
Einwände, die zwar ursprünglich dem Platonischen Begriffslogos
und dessen besonders berühmter, besonders radikaler Kunstfeindschaft zugehören, die aber in der kalkulatorischen Verstan-
desrichtung der bürgerlichen Neuzeit sich gegen die Kunst aufs
neue vornehm machten. Das auch dort, wo sich die von Marx
bezeichnete spezifische Kunstfeindschaft des Kapitalismus im
neunzehnten Jahrhundert (mit l'art pour l'art als Gegenschlag
und der Kriegserklärung der Goncourts ans »Publikum«) noch
nicht bemerkbar machen konnte. Allein schon die skurrile Erkun-
digung jenes französischen Mathematikers gehört hierher, der
nach Anhören der Racineschen »Iphigénie« fragt: »Qu'est-ce
que cela prouve?« So skurril, auch fachfetischistisch diese Frage
dreinsieht, so steht sie doch als *rein rationale* in einer eigenen
und großen Schule von Kunstfremdheit, in einer der empirischen
ebenbürtigen. Bedeutsam fällt in allen großen Verstandessyste-
men der rationalistischen Neuzeit die ästhetische Schicht aus; die
darin wohnenden Vorstellungen gelten als wissenschaftlich über-

haupt nicht diskutierbar. Überwiegend nur kunst*technische* Lehren, wenn auch bedeutender Art, vorab die Poetik betreffend, blühten im französisch-klassizistischen Rationalismus, und einzig die mathematische Seite der Musik fand bei Descartes Interesse. Jedoch sonst weiß man weder bei Descartes noch gar bei Spinoza, daß es eine Kunst im Ordnungs-Zusammenhang der Ideen und der Sachen gibt. Selbst der universale Leibniz zog aus ihr höchstens einige Beispiele an, so über die die Harmonie erhöhende Wirkung von Schatten und Dissonanzen, weil ihm dergleichen für viel Wichtigeres: für den Beweis der besten aller möglichen Welten brauchbar war. Das harmonisch Schöne ist bei Leibniz zwar eine Art Andeutung der wissenschaftlich erkennbaren Weltharmonie, aber es ist eine nur verworrene Andeutung, und die Wahrheit kann ihrer deshalb entraten. Folgerichtig begann die Ästhetik des Rationalismus, als sie endlich sehr spät, von dem Wolffianer Baumgarten, zur philosophischen Disziplin gemacht wurde, recht seltsam; sie begann nämlich mit ausgesprochener Geringschätzung ihres Gegenstands, ja mit Entschuldigungen ihres Daseins. Der ästhetische Gegenstand war einzig das in der sinnlichen Wahrnehmung und ihren Vorstellungen wirksame sogenannte niedere Erkenntnisvermögen. Und wenn Schönheit auch Vollkommenheit in diesem Gebiet darstellte, so war sie an Wert mit der vollständigen Deutlichkeit begrifflicher Erkenntnis doch nicht vergleichbar. Die *rationalistische* Herabsetzung der Kunst reiht sich nach alldem der empirisch-positivistischen an; – und doch ist auch damit die Feindesgruppe noch nicht erschöpft. Ja, Kunsthaß wird erst dort völlig grell, wo er nicht aus der Vernunft, sondern, oft umgekehrt, aus dem Glauben, mindestens aus der Setzung eines *spirituell* Wahren herstammt. Dann ergeht Bildersturm – dieses Falls nicht gegen den goldenen Nebel Kunst, wie das empiristisch und schließlich auch rationalistisch üblich war, sondern gegen das Festland Kunst, das ist, gegen die in ihr überakzentuierte Erscheinung. Die Schönheit, so lautet hier das Verdikt, verführt zur Oberfläche, vergafft sich in die wesenlose Außenseite und lenkt so vom Wesen der Dinge ab. »Was ist Gutes daran, die Schatten der Schatten nachzuahmen?« fragt Platon und macht damit seinen Begriffslogos fast schon geistlich schroff. Andererseits: »Du sollst dir kein

Bildnis noch irgendein Gleichnis machen, weder des, das oben im Himmel noch unten auf der Erde noch im Wasser unter der Erde ist«, gebietet in der Bibel das vierte Gebot und gibt das Stichwort zum Bildersturm von der Unsichtbarkeit Jahves, vom Verbot jedes Götzendienstes her. Kunst insgesamt wird so gleißende, letzthin luziferische Vollendung, die der wahren ungleisnerischen im Weg steht, ja, sie verleugnet. Das ist Kunstfeindschaft als *religiöse* und *spirituelle;* ihr entspricht in der Moralität nicht grundlos die Abwendung von der allzu großen Sichtbarkeit der »Werke«, die Hinwendung zum Unsichtbar-Echten der »Gesinnung«. Puritanertum in solch umfassendem (bis auf Bernhard von Clairvaux zurückreichendem) Sinn kulminierte zuletzt noch in Tolstois ungeheuerlichem Shakespeare-Haß, gegen das Buhlwerk Schönheit insgesamt. Ein Horror pulchri hat selbst im Katholizismus, unter dem Papst Marcellus, bis zum geplanten Verbot der reichen Kirchenmusik geführt, und dem Protestantismus gab dieser Horror, aufs Sichtbare angewandt, den kahlen Gott, der in moralischem Glauben, im Wort, das die Wahrheit ist, angebetet sein will. So verschiedener Gestalt also, empiristisch-rationalistisch, spirituell-religiös, tritt der Wahrheitsanspruch gegen das Schöne hervor. Und sind diese verschiedenen Wahrheitsansprüche (denn subjektiv ist auch der spirituelle einer gewesen) noch so untereinander entzweit, ja gegen sich selber höchst gegensätzlich aufgetreten, so sind sie trotzdem geeint im Willen zum Ernst gegen das Spiel des Scheins.

Der Fall hat auch die Künstler allemal bewegt, gerade indem sie selber ernste waren. Gerade diese fühlten sich, indem sie keine Spieler sein wollten, abgeriegelte oder dekadente, der Wahrheitsfrage verpflichtet. Wie hinreichend will Schönes auch bildhaft wahr sein in den Beschreibungen und Erzählungen großer realistischer Dichter. Das nicht nur in der Schicht sinnlicher Gewißheit, sondern auch in derjenigen breit eröffneter gesellschaftlicher Zusammenhänge, naturhafter Prozesse. Wie legitim ist der Realismus Homers, ein Realismus von solch genauer Fülle, daß sich mit ihm fast die ganze mykenische Kultur vergegenwärtigen läßt. Und vom Buch Hiob, seinem 37. Kapitel, bekundet zwar kein französischer Mathematiker, wohl aber Alexander von Humboldt, als Naturforscher: »Die meteorologischen Prozesse, welche in der Wolkendecke vorgehen, die Formbildung und Auflösung der Dünste bei verschiedener Windrichtung, ihr Farbenspiel, die Erzeugung des Hagels und des rollenden Donners werden mit individueller Anschaulichkeit beschrieben; auch viele Fragen sind vorgelegt, die unsere heutige Physik in wissenschaftlicheren Ausdrücken zu formulieren, aber nicht befriedigend zu lösen vermag« (Kosmos II, Cotta, S. 35). Dergleichen Präzision und Wirklichkeit ist jeder großen Dichtung zweifellos eigen und wesentlich, oft auch in entschieden spirituell-religiöser Dichtung, wie im Bildwerk der Psalmen. Und die Forderung des bedeutenden, des jeder Oberfläche, aber auch jeder Verstiegenheit fremden Realismus, diese Ehre Homers, Shakespeares, Goethes, Kellers, Tolstois, wird in der Kunst selber (neuerer Zeit mindestens im Roman) so sehr anerkannt, wo nicht, an Höhepunkten, erfüllt, als hätte es nie ein Mißtrauen aus Wahrheitsliebe gegen den Magister ludi und sein Spielwerk gegeben. Und doch haben die Künstler, auch als noch so konkrete, die ästhetische Wahrheitsfrage nicht *erledigt*, sie haben sie höchstens auf wünschenswerte und bedeutende Weise ihrerseits vermehrt und präzisiert. Denn gerade am realistischen Kunstwerk zeigt sich: es ist als *Kunstwerk* doch noch etwas anderes als ein Quell historischer, naturkundlicher Kenntnisse, gar Erkenntnisse. Es eignen ihm kostbare Worte, die das durch sie so treffend Bezeichnete doch ebenso über seinen gegebenen Stand hinaus übertreiben, es eignet ihm vor allem eine Ausfabelung, welche mit einer der Wissenschaft höchst fremden Lizenz zwischen Personen und Ereignissen schaltet und waltet. Als eine Ausfabelung und, im doppelten Sinn des Worts, als eine Kunst-Fertigkeit dazu, mittels derer Erfundenes die Zwischenräume im konkret Beobachteten ausfüllt und die Handlung in wohlgeschwungene Bogen rundet. Ein Schein des Rundens, Überrundens ist jedenfalls auch in noch so realistischen Kunstgebilden, besonders Kunstromangebilden unübersehbar. Und ganz »überbietend« wirkt großer Schein in jenen Kunstwerken, die sich selbst nicht als primär realistisch anbieten, sei es, daß sie neben oder über der Vorhandenheit bewußt romantisieren, sei es, daß sie weit über ein bloßes »Sujet« hinaus – Mythos fruktifizieren, diesen ohnehin ältesten Nährstoff der Kunst. Giottos »Erweckung des Lazarus«,

Dantes »Paradiso«, der Himmel im Schlußteil des Faust: wie verhalten sie sich – jenseits aller Realistik in Einzelheiten – zu der Philosophenfrage nach Wahrheit? Sie sind zweifellos nicht wahr im Sinn aller unserer erworbenen Welterkenntnis, aber was bedeutet dann, in legitimer, auf Welt bezogener Weise, die ungeheure Betroffenheit von dem, doch untrennbaren, Form-Inhalt dieser Werke? So wird nun doch, erstaunlicherweise, ob-zwar auf ganz anderer Ebene, das »Qu'est-ce que cela prouve?« jenes französischen Mathematikers unabweisbar, auch ohne Mathematik und ganz ohne Skurrilität. Anders gesagt: die Frage nach der Wahrheit der Kunst wird philosophisch die nach der gegebenenfalls vorhandenen Abbildlichkeit des schönen Scheins, nach seinem Realitätsgrad in der keineswegs einschichtigen Realität der Welt, nach dem Ort seines Objekt-Korrelats. Utopie als Objektbestimmtheit, mit dem Seinsgrad des Realmöglichen, erlangt so an dem schillernden Kunstphänomen ein besonders reiches Problem der Bewährung. Und die Antwort auf die ästhetische Wahrheitsfrage lautet: Künstlerischer Schein ist überall dort nicht nur bloßer Schein, sondern eine in Bilder eingehüllte, nur in Bildern bezeichenbare Bedeutung von Weitergetriebenem, wo *die Exaggerierung und Ausfabelung einen im Bewegt-Vorhandenen selber umgehenden und bedeutenden Vor-Schein von Wirklichem darstellen*, einen gerade ästhetisch-immanent spezifisch darstellbaren. Hier wird belichtet, was gewohnter oder ungestumpfter Sinn noch kaum sieht, an individuellen Vorgängen wie an gesellschaftlichen, wie an naturhaften. Eben dadurch wird dieser Vor-Schein erlangbar, daß Kunst ihre Stoffe, in Gestalten, Situationen, Handlungen, Landschaften zu Ende treibt, sie in Leid, Glück wie Bedeutung zum ausgesagten Austrag bringt. Vor-Schein selber ist dies Erlangbare dadurch, daß das Metier des *Ans-Ende-Treibens in dem dialektisch offenen Raum geschieht, worin jeder Gegenstand* ästhetisch dargestellt werden kann. Ästhetisch dargestellt, das bedeutet: immanent-gelungener, ausgestalteter, wesenhafter als im unmittelbar-sinnlichen oder unmittelbar-historischen Vorkommen dieses Gegenstands. Diese Ausgestaltung bleibt auch als Vor-Schein Schein, aber sie bleibt nicht Illusion; vielmehr alles im Kunstbild Erscheinende ist zu einer Entschiedenheit hin geschärft oder verdichtet, die

die Erlebniswirklichkeit zwar nur selten zeigt, die aber durchaus in den Sujets angelegt ist. Das macht die Kunst mit fundiertem Schein kenntlich, in der Schaubühne als paradigmatischer Anstalt betrachtet. Sie bleibt virtuell, doch im selben Sinn, wie ein Spiegelbild virtuell ist, das heißt, einen Gegenstand außerhalb seiner, mit aller Tiefendimension, auf der Reflexionsfläche wiedergibt. Und der Vor-Schein bleibt, zum Unterschied vom religiösen, bei allem Transzendieren immanent: er erweitert, wie Schiller gerade den ästhetischen Realismus am Exempel Goethes definierte, er erweitert die »Natur, ohne über sie hinauszugehen«. Schönheit, gar Erhabenheit sind derart stellvertretend für ein noch nicht gewordenes Dasein der Gegenstände, für durchformte Welt ohne äußerlichen Zufall, ohne Unwesentlichkeit, Unausgetragenheit. Dergestalt lautet die Losung des ästhetisch versuchten Vor-Scheins: wie könnte die *Welt vollendet werden, ohne daß diese Welt, wie im christlich-religiösen Vor-Schein, gesprengt wird und apokalyptisch verschwindet* (vgl. dazu: Ernst Bloch, Geist der Utopie, 1923, S. 141). Kunst mit ihren jederzeit einzeln-konkreten Gestaltungen sucht diese Vollendung nur in ihnen, mit dem Totalen als durchdringend angeschautem Besonderen; indes Religion allerdings utopische Vollendung in Totalität sucht und noch das Heil der individuellen Sache gänzlich ins Totum hineinstellt, in das: »Ich mache alles neu«. Der Mensch soll hier wiedergeboren werden, die Gesellschaft zur Civitas dei verwandelt, die Natur ins Himmlische verklärt werden. Kunst dagegen bleibt gerundet, als »klassische« liebt sie Küstenschiffahrt ums Gegebene, selbst als gotische hat sie, bei allem Überschreiten, Ausgeglichenes, Homogeneisiertes in sich. Sprengend, im offenen Raum geschehend, wirkt nur Musik, als welche Kunst deshalb auch stets ein Exzentrisches gegenüber den anderen Künsten an sich trägt, gleich als wäre sie auf die Ebene des Schönen oder Erhabenen nur transponiert. Alle übrigen Künste betreiben die Darstellung des reinen Karats an einzelnen Gestalten, Situationen, Handlungen der Welt, ohne daß diese Welt gesprengt ist; daher die vollkommene Sichtbarkeit dieses Vor-Scheins. So ist Kunst Nicht-Illusion, denn sie wirkt in einer Verlängerungslinie des Gewordenen, in seiner gestaltet-gemäßeren Ausprägung. Das geht so weit, daß ein antiker Schriftsteller, Juvenal, um alle möglichen Schrecken eines Ungewitters auszudrücken, dasselbe »poetica tempestas« nennt. Das geht so tief, daß Goethe, in seinen Anmerkungen zu Diderots »Versuch über die Malerei«, gegen den bloß reproduzierenden Naturalismus die Konzentration als Realismus setzt: »Und so gibt der Künstler, dankbar gegen die Natur, die auch ihn hervorbrachte, ihr eine zweite Natur, aber eine gefühlte, eine gedachte, eine menschlich vollendete zurück.« Diese humanisierte Natur ist aber zugleich eine in sich selbst vollendetere; nicht zwar in der Weise des sinnlichen Scheinens einer ohnehin fertigen Idee, wie Hegel lehrt, wohl aber in der Richtung auf wachsend entelechetische Ausprägung hin, wie Aristoteles angibt. Ja eben dieses entelechetisch oder wie Aristoteles auch sagt: typisch zum Austrag Bringende ist kräftig neu erinnert in dem Engelsschen Satz, realistische Kunst sei Darstellung typischer Charaktere in typischen Situationen. Wobei das Typische in der Engelsschen Definition selbstverständlich nicht das Durchschnittliche bedeutet, sondern das bedeutsam Charakteristische, kurz, das an exemplarischen Instanzen entschieden entwickelte Wesensbild der Sache. In dieser Linie liegt also die Lösung der ästhetischen Wahrheitsfrage: *Kunst ist ein Laboratorium und ebenso ein Fest ausgeführter Möglichkeiten*, mitsamt den durcherfahrenen Alternativen darin, wobei die Ausführung wie das Resultat in der Weise des fundierten Scheins geschehen, nämlich des welthaft vollendeten Vor-Scheins. In großer Kunst sind Übersteigerung wie Ausfabelung am sichtbarsten aufgetragen auf tendenzielle Konsequenz und konkrete Utopie. Ob allerdings der Ruf nach Vollendung – man kann ihn das gottlose Gebet der Poesie nennen – auch nur einigermaßen praktisch wird und nicht bloß im ästhetischen Vor-Schein bleibt, darüber wird nicht in der Poesie entschieden, sondern in der Gesellschaft. Erst beherrschte Geschichte, mit eingreifendem Gegenzug gegen Hemmungen, mit ausführender Beförderung der Tendenz, verhilft dazu, daß Wesenhaftes im Abstand der Kunst auch wachsend Erscheinung im Umgang des Lebens werde. Das ist dann allerdings dasselbe wie richtig gewordener – Bildersturm, nicht als Vernichtung der Kunstbilder, doch als Einbruch in sie – zum Zweck der Fruktifizierung des in ihnen, gegebenenfalls, nicht nur typisch, sondern paradigmatisch, also beispielgebend Enthaltenen. Und überall dort, wo Kunst sich nicht zur Illusion verspielt, ist Schönheit, gar Erhabenheit dasjenige, was eine Ahnung künftiger Freiheit vermittelt. Oft gerundet, nie geschlossen: diese goethische Lebensmaxime ist auch die der Kunst – mit dem Gewissens- und Gehalt-Akzent letzthin auf dem Ungeschlossenen.

Falsche Autarkie; Vor-Schein als reales Fragment

Oft gerundet: es paßt nicht zu einem schönen Bild, sich als unfertig zu geben. Das Unbeendete ist ihm äußerlich, unzugehörig, und der Künstler, der das Seine nicht fertigmachte, ist darüber unglücklich. Das ist völlig richtig und selbstverständlich, sofern und soweit es sich um die zureichende Formkraft handelt. Der Quell der Kunstfertigkeit ist das Können, das seine Sache versteht und so völlig besorgen will. Aber freilich muß gerade um des nichtisolierten Besorgens willen immer wieder auch die Bedrohung durch jene Kunstfertigkeit notiert sein, die nicht aus dem Können, sondern aus dem Anteil des *bloßen Scheins* entspringt, den selbst der Vor-Schein hat. Dem bloßen Schein genügt der Reiz der wohlgefälligen Anschauung und ihrer Darstellung, wie imaginär das Dargestellte auch gegebenenfalls sein mag. Ja, das Imaginäre oder imaginär Gewordene kann dem bloßen Schein eine besonders dekorative Gerundetheit verleihen, eine, worin der Ernst der Sache das schön zusammenhängende Spiel am wenigsten stört, gar unterbricht. Gerade indem der bloße Schein die Bilder besonders leicht, besonders irreal beisammen wohnen läßt, garantiert er jenen wohlgefälligen Oberflächenzusammenhang, der keinerlei Interesse und Anwesenheit einer Sache jenseits der glatten Illusion zeigt. Der Unglaube an die dargestellte Sache kann der reibungslosen Illusion sogar eine Hilfe sein, mehr noch als die Skepsis. Das zeigte sich in der Renaissancemalerei, antiken Göttern gegenüber, bei deren Abbildung der Maler nicht zu befürchten brauchte, sich gegen das Heilige nicht umwittert genug verhalten zu haben; das gleiche zeigte sich wenig später in der mythologisch-gerundeten Dichtung. Camões in den »Lusiaden« läßt seine Göttin Themis ganz ironisch und doch in den blühendsten Versen sagen, sie selber wie auch Saturn, Jupiter und alle anderen auftretenden Götter seien »eitle Fabelwesen, die blinder Wahn den Sterblichen gebar, nur dazu dienend, dem Liede Reiz zu geben«. Zwar wurden hierbei durch den Gebrauch des schönen Scheins mythologische Gehalte in Erinnerung gehalten, ja eben zu den möglichen Allegorien eines Vor-Scheins eingebracht, doch mit den Mitteln jener fertigen Gefülltheit, zu der der nirgends unterbrochene Schein besonders einladet. Und schließlich, eine weitere Einladung hierzu ergeht von der Seite der *Immanenz ohne sprengenden Sprung*, wie sie jede Kunst umgibt, nicht nur die antik oder antikisierendklassische. Gerade das Mittelalter gibt in seiner Kunst manches Beispiel einer abgerundeten Befriedigung ästhetischer Art, trotz des religiös-transzendenten Gewissens. Die Gotik enthält dies Gewissen, doch in ihr selbst gab es ebenso eine merkwürdige, vom griechisch-klassischen Gleichgewicht herstammende Harmonie. Der frühere Lukács hat seinerzeit recht scharf, wenn auch übertreibend festgestellt: »So ward aus der Kirche eine neue Polis . . ., aus dem Sprung die Stufenleiter der irdischen und himmlischen Hierarchien. Und bei Giotto und Dante, bei Wolfram und Pisano, bei Thomas und Franziskus wurde die Welt wieder rund, übersichtlich, der Abgrund verlor die Gefahr der tatsächlichen Tiefe, aber sein ganzes Dunkel ward, ohne an schwarzleuchtender Kraft etwas einzubüßen, zur reinen Oberfläche und fügte sich so in eine abgeschlossene Einheit der Farben zwanglos ein; der Schrei nach Erlösung ward zur Dissonanz im vollendeten rhythmischen System der Welt und machte ein neues, aber nicht minder farbiges und vollendetes Gleichgewicht möglich als das griechische: das der inadäquaten, der heterogenen Intensitäten« (Die Theorie des Romans, 1920, S. 20 f.). Deutsche Sezessionen der Gotik wie die Grünewalds sind von dieser Art Vollendung allerdings nicht betroffen. Desto geschlossener jedoch blickt uns, wenn auch keinesfalls in klassischer Stärke, aus dem mittelmeerisch bestimmt gebliebenen Mittelalter diese Hypostase des Ästhetischen an. Und darin ist eine Ausgewogenheit und eine Fertigkeit des Zusammenhangs, die nicht nur eine idealistische ist, sondern ihrer letzten Herkunft nach aus dem – großen Pan stammt, diesem Urbild aller Rundung. Pan ist das Ein und Alles der Welt, das ebenso als jenes Ganze verehrt worden war, dem nichts fehlt. Von daher die letzthinnige Verführung zu nichts als Rundung, von daher aber auch das griechische Gleichgewicht als säkularisierte Weise des völlig heidnischen, also *sprunglosen Weltbilds: des Astralmythos.* In ihm war der Kosmos wirklich »Schmuck«, nämlich ausgeglichen schön; er war ein unaufhörlich in sich Kreisendes und Hen kai pan ein Kreis selber und keine offene Parabel, eine Kugel und kein Prozeßfragment. Nicht grundlos ist daher Kunst in dieser allzu rundenden Gestalt sehr oft pantheistisch angelegt, und nicht grundlos wirkt umgekehrt ein fertig gefügtes System auch in außerkünstlerischem Vorkommen als wohlgefällig schön. Die Lust an der sinnlichen Erscheinung, an der Gottheit lebendigem Kleid, trägt gewiß zu diesem pantheistischen Zug das ihre bei, doch stärker verführt zu ihm der harmonisch-ungestörte Zusammenhang, der »Kosmos« auch ohne »Universum«. Das alles mithin sind die verschiedenen Gründe, weshalb im Kunstwerk auch eine veritable Kunst-Fertigkeit, eine Autarkie der scheinhaften Abgeschlossenheit leben kann, die als übersteigert-immanent den Vor-Schein zunächst verdeckt. Doch ebenso, und das eben ist das entscheidend Andere, entscheidend Wahre – zeigt alle große Kunst das Wohlgefällige und Homogene ihres werkhaften Zusammenhangs überall dort gebrochen, aufgebrochen, vom eigenen Bildersturm aufgeblättert, wo die Immanenz nicht bis zur formalinhaltlichen Geschlossenheit getrieben ist, wo sie sich selber als noch *fragmenthaft* gibt. Dort öffnet sich – ganz unvergleichbar mit bloßer Zufälligkeit des Fragmentarischen im vermeidbaren Sinn – noch ein Hohlraum sachlicher, höchst sachlicher Art, mit *ungerundeter Immanenz.* Und gerade darin zeigen die *ästhetisch-utopischen Bedeutungen* des Schönen, gar Erhabenen ihren Umgang. Nur das Zerbrochene im allzu gestillten, mit Galerieton versetzten Kunstwerk als einem zum bloßen Objet d'art gewordenen oder aber, weit besser: das selber bereits gestaltet Offene im großen Kunstwesen gibt das Material und die Form zu einer Chiffer des Eigentlichen.

Nie geschlossen: so schlägt es gerade dem allzu Schönen gut an, wenn der Lack springt. Wenn die Oberfläche bleicht oder nachdunkelt, wie am Abend, wo das Licht schräg fällt und die Gebirge hervortreten. Das Zertrümmern der Oberfläche wie weiter auch des bloß kulturhaft-ideologischen Zusammenhangs, worin die Werke gestanden haben, legt Tiefe frei, wo immer sie vorhanden ist. Gemeint ist hierbei nicht die sentimentale Ruine und auch nicht jene Art Torso, die, wie öfter bei griechischen Statuen, die Figur enger zusammenhält, größere Blockeinheit und plastische Strenge herstellt. Dergleichen ist zwar gegebenenfalls Formverbesserung, aber nicht unbedingt die Chifferverstärkung, worauf es hier ankommt. Diese geschieht lediglich durch die Risse des Zerfalls, in dem ganz spezifischen Sinn, den Zerfall am Objet d'art und als Verwandlung des Objet d'art besitzt. Es entsteht auf diese Weise statt Ruine oder Torso ein *nachträgliches* Fragment, und zwar eines, das gerade dem Tiefeninhalt der Kunst besser gerecht werden kann als die Beendetheit, die das Werk an Ort und Stelle aufweisen mochte. Ein nachträgliches Fragment wird dergestalt, im Zerfall zur Verwesentlichung, jede große Kunst, auch eine an sich so völlig geschlossene wie die Ägyptens; denn der utopische Grund geht auf, in den das Kunstwerk eingetragen war. Wenn die Aneignung des Kulturerbes immer kritisch zu sein hat, so enthält diese Aneignung, als besonders wichtiges Moment, die Selbstauflösung des zum musealen Objet d'art Gemachten, aber auch der falschen Abgeschlossenheit, die das Kunstwerk an Ort und Stelle haben mochte und die sich in der musealen Kontemplation noch steigert. Das Inselhafte springt, eine Figuren-Folge voll offener, versucherischer Symbolbildungen geht auf. Wie sehr erst, wenn sich das Phänomen des nachträglichen Fragments mit dem *im Kunstwerk selbst geschaffenen* verbindet: eben nicht im üblichen, gar platten Sinn des Fragmentarischen als des Ungekonnten oder durch Zufall nicht Beendeten, sondern im konkreten Sinn des bei höchster Meisterschaft Ungeschlossenen, des *durch utopischen Druck Transformierten*. Das ist der Fall bei der großen Gotik, zuweilen auch im Barock, die bei aller Werkgewalt, ja wegen ihrer, einen Hohlraum hatten und dahinter eine fruchtbare Finsternis. So führt gerade die völlig ausgeführte Gotik, trotz des Pan auch hier, ein Fragment aus zentralem Nicht-Enden-Können aus. Eigentümlich, wenn danach sogar im üblichen Sinn der Abgebrochenheit Fragmente entstehen, jedoch im unüblichen, obzwar einzig legitimen Sinn eines nur angedeutet erscheinenden Ultimum. So bei Michelangelo, der mehr Fragmente hinterlassen hat als irgendein anderer großer Meister, und zwar nachdenklicherweise in seiner eigensten Angelegenheit, in seiner Plastik, nicht in seiner Malerei. Denn hierin hat er alles Angefangene beendet, wogegen er an Bildsäulen, auch in Architektur ganz unverhältnismäßig viel Halbvollendetes beiseite geschoben, nie wieder vorgenommen, zurückgelassen hat. Vasari gab der Kunstgeschichte das Signal, sich über die geringe Zahl des völlig zu Ende Geführten bei Michelangelo zu wundern und desto mehr zu wundern, als die Übergröße im vorgenommenen Ziel doch so völlig der Kraft und Natur dieses Genius entspreche. Was aber der Kunstrundung, Kunstvollendung hier Widerstand leistete, war gerade das Entsprechende zur Übergröße in Michelangelo selbst, war das Einverständnis zwischen einer übergewaltigen Natur und dem Übergewaltigen einer Aufgabe, dergestalt, daß nichts Ausgeführtes dieser Adäquation Genüge leisten konnte, ja die Vollendung selber, als eine so tief ins Überhaupt getriebene, ein Fragment wird. Solche Art Fragment ist dann nichts Geringeres als ein Ingrediens des Un-Tempelhaften, des unharmonisiert Kathedralischen, ist das Gewissen: Gotik auch noch post festum. Die Tiefe der ästhetischen Vollendung bringt selber das Unvollendete in Gang: insofern reicht sogar das im üblichen Sinn Nicht-Fragmentarische bei Michelangelo, die Figuren des Mediceergrabs so gut wie die Petersdomkuppel, in jenes Unmaß, das das Maß des Ultimum in der Kunst ist. Von daher schließlich das legitim, nämlich sachlich Fragmentarische an allen Werken dieser ultimativen Art, im Westöstlichen Diwan, in Beethovens letzten Quartetten, im Faust, kurz, überall dort, wo das Nichtendenkönnen im Enden groß macht. Und sucht man den ideologisch durchaus fortwirkenden Grund für solch inneren Bildersturm in der groß vollendeten Kunst und gerade in ihr, so liegt er im Weg- und Prozeßpathos, im eschatologischen Gewissen, das durch die Bibel in die Welt kam. Die Totalität ist in der Religion des Exodus und des Reichs einzig eine total verwandelnde und sprengende, eine utopische; und vor dieser Totalität erscheint dann nicht nur unser Wissen, sondern auch das gesamte bisherige Gewordensein, worauf unser Gewissen sich bezieht, als Stückwerk. Als Stückwerk oder objektives Fragment gerade auch im produktivsten Sinn, nicht nur in dem der krea-türlichen Begrenztheit, gar der Resignation. Das »Siehe, ich mache alles neu«, im Sinn der apokalyptischen Sprengung, steht darüber und influenziert alle große Kunst mit dem Geist, nach dem Dürer sein gotisches Gebilde Apocalypsis cum figuris be-nannt hat. Der Mensch ist noch undicht, der Gang der Welt ist noch unbeschlossen, ungeschlossen, und so ist es auch die Tiefe in jeder ästhetischen Information: *dieses Utopische ist das Para-dox in der ästhetischen Immanenz, das ihr selber am gründlich-sten immanente.* Ohne solche Potenz zum Fragment hätte die ästhetische Phantasie zwar Anschauung in der Welt genug, mehr als jede andere menschliche Apperzeption, aber sie hätte letzthin kein Korrelat. Denn die Welt selber, wie sie im argen liegt, so liegt sie in Unfertigkeit und im Experiment-Prozeß aus dem Argen heraus. Die Gestalten, die dieser Prozeß aufwirft, die Chiffern, Allegorien und Symbole, an denen er so reich ist, sind *allesamt selber noch Fragmente, Realfragmente, durch die der Prozeß ungeschlossen strömt und zu weiteren Fragmentformen dialektisch vorangeht.* Das Fragmentarische gilt auch fürs Sym-bol, obwohl das Symbol nicht auf Prozeß, sondern auf das Unum necessarium darin bezogen ist; aber gerade durch diese Beziehung und dadurch, daß sie nur erst eine Beziehung ist und kein An-gelangtsein, enthält auch das Symbol Fragment. Das Realsymbol selber ist ja nur eines, weil es, statt bloß für den Betrachter ver-hüllt und an und für sich klar zu sein, genau an und für sich noch nicht manifest ist. Das also macht die Bedeutung des Fragments aus, von der Kunst und nicht bloß von der Kunst her gesehen; das Fragment steckt in der Sache selber, es gehört, rebus sic imperfectis et fluentibus, noch zur Sache der Welt. Konkrete Utopie als Objektbestimmtheit setzt konkretes Fragment als Objektbestimmtheit voraus und involviert es, wenn auch gewiß als ein letzthin aufhebbares. Und deshalb ist jeder künstlerische, erst recht jeder religiöse Vor-Schein nur aus dem Grund und in dem Maße konkret, als ihm das Fragmentarische in der Welt letzthin die Schicht und das Material dazu stellt, sich als Vor-Schein zu konstituieren.

An den Dingen zu kleben, sie zu überfliegen, beides ist falsch. Beides bleibt äußerlich, oberflächlich, abstrakt, kommt, als Unmittelbares, von der Oberfläche nicht los. Das Kleben hält sich an sie ohnehin, das Überfliegen hat sie in seinem eigenen ungeregelten Innen wie in dem anderen, bloß verdunstet Unmittelbaren, wohin es entflieht. Dennoch freilich gehört das Überfliegen einem höheren Menschentyp zu als das Nehmen der Dinge, wie sie sind. Und vor allem: das Kleben an diesen Dingen bleibt auch als überlegtes flach, nämlich empiristisch, während die Schwärmerei als überlegte durchaus aufhören kann, bodenlos zu sein. Der flache Empirist wie der überschwengliche Schwärmer sind von dem Fluß des Wirklichen, den sie beide nicht erfassen, stets überrascht, aber der erstere, als Fetischist der sogenannten Tatsachen, bleibt verstockt, während der Phantast gegebenenfalls belehrbar ist. In der Welt entspricht nur die Verdinglichung, welche einzelne Momente des Prozesses festhält und zu Tatsachen verfestigt, dem Empiristen, und er steht und fällt mit ihr. Das Überfliegen dagegen ist selber mindestens in Bewegung, also in einem Verhalten, das mit der wirklichen Bewegung nicht grundsätzlich unvermittelbar bleiben muß. In der Gestaltung hat das Überfliegen die Kunst für sich, wenn auch mit viel Schein, viel bedenklicher Flucht nach einem geradezu absichtlich unwahren Traum-Schein. Aber die konkrete Berichtigung des Überfliegens eröffnet in der Kunst, und nicht allein in der Kunst, Bilder, Einsichten, Tendenzen, welche im Menschen wie in dem ihm zugeordneten Objekt zugleich geschehen. Gerade dies Konkrete geht nicht vom kriecherischen Empirismus und dem ihm ästhetisch entsprechenden Naturalismus her auf, welcher von der Feststellung dessen, was faktisch ist, niemals zur Erforschung dessen, was wesentlich geschieht, vordringt. Wogegen die Phantasie, sobald sie als konkrete auftritt, nicht nur den sinnlichen Überfluß, sondern ebenso die Vermittlungs-Relationen in der wie hinter der erlebniswirklichen Unmittelbarkeit zu vergegenwärtigen versteht. Statt des isolierten Fakts und des vom Ganzen gleichfalls isolierten Oberflächenzusammenhangs der abstrakten Unmittelbarkeit geht nun die Beziehung der Erscheinungen zum Ganzen ihrer Epoche auf und zum utopischen Totum, das sich im Prozeß befindet. Die Kunst wird mittels einer so beschaffenen Phantasie Erkenntnis, nämlich durch treffende Einzelbilder und Gesamtgemälde charakteristisch-typischer Art; sie geht dem »Bedeutenden« der Erscheinungen nach und führt es aus. Die Wissenschaft erfaßt mittels einer so beschaffenen Phantasie das »Bedeutende« der Erscheinungen durch Begriffe, als niemals abstrakt bleibenden, niemals das Phänomen verblassenden oder gar verlierenden. Und das »Bedeutende« ist in Kunst wie Wissenschaft das Besondere des Allgemeinen, die jeweilige Instanz für den dialektisch-offenen Zusammenhang, die jeweilige charakteristisch-typische Figur des Totum. Und das eigentliche Totum, dieses, worin auch das erfaßt epochal Ganze aller epochalen Momente selber wieder ein Moment ist, stellt sich gerade in den breit vermittelten Großwerken nur am Horizont dar, nicht in einer bereits ausgestalteten Realität. Alles Lebendige, sagte Goethe, hat eine Atmosphäre um sich her; alles Wirkliche insgesamt, indem es Leben, Prozeß ist, Korrelat der objektiven Phantasie sein kann, hat einen Horizont. Einen inneren, gleichsam senkrecht sich erstreckenden, im Selbstdunkel, einen äußeren von großer Weite, im Weltlicht; und beide Horizonte sind in ihrem Dahinter mit derselben Utopie gefüllt, folglich im Ultimum identisch. Wo der prospektive Horizont ausgelassen ist, erscheint die Wirklichkeit nur als gewordene, als tote, und es sind die Toten, nämlich Naturalisten und Empiristen, welche hier ihre Toten begraben. Wo der prospektive Horizont durchgehends mit visiert wird, erscheint das Wirkliche als das, was es in concreto ist: als Wegegeflecht von dialektischen Prozessen, die in einer unfertigen Welt geschehen, in einer Welt, die überhaupt nicht veränderbar wäre ohne die riesige Zukunft: reale Möglichkeit in ihr. Mitsamt jenem Totum, das nicht das isolierte Ganze eines jeweiligen Prozeßabschnitts darstellt, sondern das Ganze der überhaupt im Prozeß anhängigen, also noch tendenzhaft und latent beschaffenen Sache. Das allein ist Realismus, er ist allerdings jenem Schematismus unzugänglich, der schon vorher alles weiß, der seine einförmige, ja selber formalistische Schablone für Realität hält. Die Wirklichkeit ohne reale Möglichkeit ist nicht vollständig, die Welt ohne zukunfttragende

Eigenschaften verdient so wenig wie die des Spießers einen Blick, eine Kunst, eine Wissenschaft. *Konkrete Utopie steht am Horizont jeder Realität; reale Möglichkeit umgibt bis zuletzt die offenen dialektischen Tendenzen-Latenzen.* Von ihnen ist die unabgeschlossene Bewegung der unabgeschlossenen Materie – und Bewegung ist, nach dem tiefen Aristotelischen Wort, »unvollendete Entelechie« – erzrealistisch durchzogen.

18   DIE SCHICHTEN DER KATEGORIE MÖGLICHKEIT

Wie oft stellt sich etwas so dar, daß es sein kann. Oder gar, daß es anders sein kann als bisher, weshalb etwas daran getan werden kann. Das wäre aber selber nicht möglich ohne Mögliches in ihm und vor ihm. Hier ist ein weites Feld, es muß mehr als je befragt werden. Bereits daß ein Kannsein gesagt und gedacht werden kann, ist keinesfalls selbstverständlich. Da ist noch etwas offen, kann anders als bisher gemeint werden, kann in Maßen umgestellt, anders verbunden, verändert werden. Wo nichts mehr zu können und möglich ist, steht das Leben still. »Nun muß sich alles, alles wenden«, wie wäre dieser durchaus junge Ausruf sonst selber möglich? Gewiß, es ist viel Vages im bloß Möglichen, auch Schlüpfriges, nicht nur Flüssiges oder dasjenige, was flüssig hält. Aber wie der Mensch vorzugsweise das Geschöpf ist, das sich ins Mögliche hineinbegibt und es vor sich hat, so weiß er auch, daß dieses mit Vagem nicht zusammenfällt, daß gerade sein Offenes durchaus nichts Beliebiges ist. Auch das Kannsein ist gesetzlich, selbst im bloßen Spiel der Worte wie gar im bald eintretenden Ernst. Und der vorliegende Stoff, der so manch Luftiges in sich hat, ist zugleich einer der schwersten und verlangt, streng behandelt zu werden. Anders werden vor allem die verschiedenen Schichten des Kannseins nicht sichtbar.

Das formal Mögliche

Zunächst freilich kann viel zu viel nur so dahin gesagt werden. Sprechen läßt sich an sich alles, Worte lassen sich sinnlos zusammenstellen. Gefüge sind möglich wie: »ein Rundes oder«; »ein Mensch und ist«. Außer diesem, daß sie *sagbar* sind, ist gar kein Mögliches darin; sie sind bedeutungsloser *Unsinn*. Anders aber liegt bereits der Fall bei den nicht unsinnigen, sondern widersinnigen Aussagen, bei solchen, wo der Hörer sich immerhin an den Kopf greift. Dann nämlich, wenn die Aussage sich unmittelbar widerspricht, wie in dem Begriff »rundes Viereck« oder in dem Urteil: »Er besteigt ein Schiff, das abgefahren war.« Eine solche, sich im Merkmal oder Prädikat unmittelbar widersprechende Bedeutung ist absurd, jedoch durchaus nicht Unsinn, sondern eben *Widersinn*. Dieser ist zum Unterschied vom bloß sagbaren Unsinn durchaus ein Denkmögliches, ein *formales* Kannsein; denn denkmöglich ist alles, was überhaupt als in Beziehung stehend gedacht werden kann. Ja selbst Beziehungen, deren Glieder sich nicht nur absurd, sondern völlig *disparat* zueinander verhalten, jedoch als disparate immer noch eine formal notierbare Beziehung darstellen, nämlich eben eine disparate, gehören zum Denkmöglichen. So die Aussagen: »jähzorniges Dreieck« oder: »belesene Kettenbrücke« oder: »das Pferd, das Donner ist« und anderes Unverträgliche mehr. Solche Zuspitzung zeigt zugleich, wie uferlos das bloß Denkmögliche sein kann. Hatte doch selbst die Beziehung in der Aussage, daß es zwischen den Dingen überhaupt keine Beziehung gebe, im Denkmöglichen einen unfruchtbaren Platz. Wie es Fülle im Denken aus Ungenauigkeit geben kann, schlechte Fülle also, so gibt es im Denkmöglichen auch schlechte Offenheit. Und diese neben der guten, die vor allem im formalen Kannsein des Sich-Widersprechenden sich eröffnet.

Das sachlich-objektiv Mögliche

Nicht nur gesagt, auch gedacht werden kann also noch viel zu vieles. Bestimmter sieht darum das nicht nur im Denken, sondern im Erkennen anzutreffende Kannsein drein. Dies Mögliche ist kein uferloses, sondern ein jeweils benennbares und ein nach Maßgabe der bekannten Bedingungen gradweise angebbares. Indem solche Benennungen und Grade zunächst aber nur Grade des Kennens-Erkennens ausdrücken, nicht Grade der inneren

Bedingungsreife des sachhaften Gegenstands selbst, ist das Mögliche hier noch kein streng sachhaftes, sondern ein sachliches, das ist, erkennend-sachgemäßes. So gibt es sich als Aussage der Vorsicht, danach als eine des begründeten Dafürhaltens, der begründeten *Vermutung* seines Seinkönnens, kurz als sachlich-objektiv begründete Möglichkeit. Die *Begründung* ist es, die hier für die Bedingung oder den Realgrund steht, dergestalt aber, daß die Begründung, also die erkenntnismäßig vorhandene Bedingung zu einer bejahenden, sachlich gültigen Aussage selber nicht vollständig vorliegt. Denkmöglich ist alles, wobei überhaupt etwas als in Beziehung stehend gedacht werden kann, doch darüber hinaus gilt *für alle weiteren Arten* des Kannseins: *Mögliches ist partiell Bedingtes,* und nur als dieses ist es möglich. An der so gegebenen Definition ist von hier ab festzuhalten, denn sie enthält das Kriterium für das Mögliche in allen seinen Abwandlungen. Mit anderen Worten: jedes Mögliche jenseits des bloß Denkmöglichen bedeutet eine Offenheit infolge eines noch nicht vollständig zureichenden, also mehr oder minder unzureichend vorliegenden Bedingungsgrunds. Indem nur einige, jedoch nicht alle Bedingungsgründe vorliegen, läßt sich von dem dergestalt Möglichen noch nicht auf das Wirkliche schließen, daher gilt der alte scholastische Grundsatz: a posse ad esse non valet consequentia. Zurück nun zum sachlich Möglichen selber, um das es hier geht, so ist es ebenfalls partielle Bedingtheit, jedoch des Genaueren einzig sachlich-partielle *Kenntnis-Erkenntnis* der Bedingtheit. Partiell ist diese Bedingtheit und muß es sein, weil vollzählig versammelte Bedingungen den Eintritt eines Ereignisses nicht mehr bloß vermutbar, mehr oder minder wahrscheinlich, also sachlich möglich, sondern unbedingt gewiß machten. So ist es unfair, nach voller Kenntnis voll vorhandener Bedingungen noch auf den Eintritt eines Ereignisses zu wetten; so ist es feige oder dumm, mit solcher Kenntnis in der Tasche noch den Fabius Cunctator zu spielen. Das sachlich-objektive Mögliche (wie übrigens auch das sachhaft-objekthaft und das real Mögliche, wovon später) wird in einem hypothetischen Urteil ausgesagt oder, bei noch geringerer Gewißheit, in einem problematischen. Das hypothetische Urteil unterscheidet sich, in dieser Beziehung, vom problematischen dadurch, daß es noch nicht bestätigte Vordersätze voraussetzt, während das problematische Urteil, das in seiner Form die Vordersätze verschweigt: »es kann heute regnen«, »Leukippos hat vielleicht gelebt«, »möglicherweise kommen die Höhenstrahlen von einer Sterngruppe in der Milchstraße her« – außer den noch nicht bestätigten Vordersätzen noch unbekannte voraussetzt. Das problematische Urteil ist daher das eigentlich entwickelte Urteil der Möglichkeit als einer sachlich modalen Bestimmung: P ist im Modus des Kannseins S zugeordnet. Einen hierher gehörigen Sonderfall stellen noch die uneigentlichen, ja unechten Urteile der Möglichkeit dar; es sind die der nicht forschend, sondern nur aufnehmend unzureichenden Kenntnis. Man hat dieses unechte sachliche Kannsein bisher kaum von dem echten getrennt, und doch springt der Unterschied, der um des Rangs des Möglichen willen so wichtige, in die Augen. Ein unechtes Modalurteil ist etwa dieses: »Wasser kann durch den elektrischen Strom zerlegt werden.« Wirklich aber wird das Wasser stets durch den elektrischen Strom zerlegt (falls keine neuen, gegebenenfalls störenden Bedingungen vorliegen). Ebenso ist die Kenntnis dieses Vorgangs völlig begründet, es liegen alle Bedingungen zu ihr vor; wonach der genannte Urteilsinhalt unbezweifelbar ist. Nicht so unbezweifelbar ist einzig der Wissensstand des den Lehrsatz aufnehmenden Bewußtseins, und nur in diesem psychologisch-pädagogischen, also außerlogischen Betracht ist das angezogene Urteil modal geformt, modal verkleidet. Sachlich ist es ein kategorisches oder assertorisches Urteil durch und durch, kein hypothetisches oder problematisches. Weshalb also nur nicht-pädagogische Aussagen nur Forschungs-Aussagen, bei denen ein non liquet der Kenntnis-Bedingungen zur kategorischen oder assertorischen Form vorliegt, echte sachlich-modale sind. Sachlich-objektive Möglichkeit bezeichnet derart allemal einen Gradzustand der wissenschaftlich-objektiven Begründetheit gemäß der unvollständigen wissenschaftlichen *Bekanntheit* der sachlich vorliegenden Bedingungen.

So wird hier das Urteil in Schwebe gelassen, ist nur mehr oder weniger von der Frage entfernt. Vielmehr das Bejahen und Verneinen des Urteils bleibt in Schwebe, also die bloße Beurteilung oder das qualitative Urteil über ein Urteil. Und nur in diesem

Urteil über ein Urteil wohnt das sachlich Mögliche, hierin allerdings durchaus; es beginnt darin zu wohnen, bevor es weiterhin abbildlich wird. Sachliche Möglichkeit ist dieser Art bereits in der Annahme oder den Vermutungen, die zu einer formulierten Fragestellung an naturwissenschaftliche oder historisch-gesellschaftswissenschaftliche Gegebenheiten führen. Die Vermutung antizipiert in einem problematischen Urteil die hauptsächliche Bedingung oder einen Gruppenzusammenhang der Bedingungen, auf Grund derer der Untersuchungsgegenstand in seinem Realgrund geklärt und demnach in seinem Verlauf verstanden werden kann. Diese methodische Vermutung leitet die Fragestellungen und Bedingungsvariationen des naturwissenschaftlichen Experiments, sie erfüllt aber auch den eigentümlichen Überschlag, dieses also, was man das vorläufige, das arbeitshypothetische Bild von einer Sache genannt hat. Der Ausdruck Arbeitshypothese enthält zwar Bedenkliches in sich selbst, sofern er von den spätbürgerlichen Relativisten strapaziert wurde; daher sei der ältere und solidere Ausdruck gebraucht: heuristisches Prinzip. Ein solches wirkt etwa in der hypothetischen Vereinfachung oder in einer hypothetischen Analogie zu bereits Bekannterem, womit an die Erforschung unübersichtlicher oder verwickelter Erscheinungen historisch-gesellschaftswissenschaftlicher Art zunächst herangetreten werden mag. Die Fragestellung dieses sachlich Möglichen im methodischen Gebrauch wird bestätigt oder nicht bestätigt durch Induktionen, welche in Richtung des vermuteten Bedingungszusammenhangs angestellt werden. Wobei freilich auch eine noch so umfassende Induktion ihr Resultat nie anders als wieder in einem Urteil der sachlich-objektiven Möglichkeit aussprechen kann. Denn selbst die vollständigste Induktion vermag keine vollzählige zu sein, das ist, eine Kenntnis sämtlicher Bedingungselemente als gleichartiger in allen Gegenden des Raumes oder gar gleichbleibender in der Zeit. So findet sich auch in der induktiven Bestätigung einer methodischen Vermutung noch jener Rest eines sachlich Möglichen, eines nicht total Gewissen, welcher – in Gradstufen bis hinauf zur »astronomischen Sicherheit« – komparative Wahrscheinlichkeit heißt. Und die Deduktion, die angeblich allemal ausgemachte Großform eines erschöpfend zureichenden, wesenhaft-allgemeinen Bedingungsgrunds? Es ist wahr, sie läßt nicht nur die Besonderheiten der induktiven Empirie als Momente eines Gesamtzusammenhanges erkennen, von dieser Allgemeinheit des Besonderen her, sie will auch, in einem überliefert-höchsten Anspruch, die Erkenntnis dieser Besonderheiten *mit Notwendigkeit* ableiten, folglich mit nicht partieller, sondern totaler Bedingtheit. Das ganz deutlich im ersten Modus der ersten Schlußfigur: Cajus ist auf Grund seines Menschseins notwendig sterblich. Der Mittelbegriff Menschsein gibt hier den vollständig ausreichenden »Wesensgrund« des Sterblichseins her; so entsteht das, was Aristoteles einen vollkommenen Schluß nennt, das heißt eben: einen Schluß der Notwendigkeit. »Vollkommen nenne ich einen Schluß, der, damit seine Notwendigkeit einleuchtet, außer den Voraussetzungen keiner weiteren Bestimmung bedarf« (Aristoteles, Erste Analytik, 1. Kapitel): – das sachliche Seinkönnen weicht so dem sachlichen Seinmüssen. Indes, die so behauptete Unmöglichkeit des Anders-Seinkönnens, gar des Gegenteil-Seinkönnens, findet sich nur in künstlich rein gemachten Gebieten höchster Abstraktion, und auch da nur bei Begrenzung auf das aus Axiomen Ableitbare oder auch auf das in Theoremen beherrschend Enthaltene. Die Axiome (mathematische, logische, in kopierter Form sogar die früheren naturrechtlichen) sind zwar nicht willkürlich gesetzt, also bloße Spielregeln, wie das – mit heilloser Beliebigkeit – manche luftidealistische, angeblich tatsachenfreie »Grundlagenforschung« des Mathematischen behauptet. Die Axiome enthalten vielmehr durchaus eine Abbildung außergedanklicher Sachverhalte, wenn auch in abstraktest abgekürzter und allgemeiner Form. Jedoch sie sind auf bestimmte Gebiete ihrer rein konstruktiven Herrschaft begrenzt, und diese Grenzen sind vor allem fließend (man denke nur an den bloßen »Grenzfall« unseres euklidischen Raums und seiner Axiome oder an die Wandlung des Satzes vom Widerspruch in der elementaren, gleichsam euklidischen, und dann in der dialektisch entwickelten Logik). Sodann aber sind alle diese Axiome weit davon entfernt, mit dem von Aristoteles bezeichneten »Wesensgrund« (dem wirkenden Totum der Sache, der »Entelechie«) zusammenzufallen; sie sind dafür viel zu abstrakt gehalten. Und der »Wesensgrund« selber, etwa das angegebene

Menschsein des Cajus als Mittelbegriff im ersten Modus der ersten Schlußfigur: auch der Mittelbegriff dieses Menschseins, worin Aristoteles sowohl den vollkommenen logischen Erkenntnisgrund wie zugleich den unausweichlichen Realgrund des Sterblichseins erblicken wollte, ergibt keine ein für allemal ausgemachte Notwendigkeit, im Sinn des strengen Deduktionsbeweises. Denn auch das Menschsein (wie jeder andere »Wesensgrund«) steht im *Prozeß*, kann also, im strengen Sinn, nicht einmal einer so ausnahmslosen Erscheinung wie der Sterblichkeit logische Notwendigkeit verleihen. Folglich erweist sich sachlich Notwendiges auch in der Deduktion nur als sachlich Mögliches, obzwar gegebenenfalls als eines kleinsten Grades. Insgesamt: die Bedingungsvordersätze des schließenden Erkennens können, ohne in geschlossen-weltfremden Schematismus zu fallen, nicht vollständiger sein als das unabgeschlossene Sachhafte selber, das das Sachliche auf seine Weise, in Begriff, Urteil, Schluß abzubilden hat. Auch im Sachlich-Objektiven ist das Gebiet des Möglichen, sui generis, sehr groß; es kann hier, contra Faulbett und fixiertes Ableiten, zum Leben der Forschung gehören.

Das sachhaft-objektgemäß Mögliche

Soviel über offen Bleibendes, das es ist, weil es nicht oder nicht starr ausgemacht ist. Das Kannsein dieser Art gibt derart sachliche Vorsicht in Urteilen wieder, meist in der Weise einer noch mitschwingenden Frage, eines sachlichen Vorbehalts. Anders aber als dies sachlich Mögliche ist das nun auftauchende *sachhaft* Mögliche beschaffen; insofern nämlich, als es nicht unsere Kenntnis von etwas, sondern dieses Etwas selber, als so oder so werden könnendes, betrifft. Das sachhaft Mögliche lebt nicht von den unzureichend *bekannten*, sondern von den unzureichend *hervorgetretenen* Bedingungsgründen. Es bezeichnet mithin nicht eine mehr oder minder ausreichende *Kenntnis* der Bedingungen, sondern es bezeichnet das mehr oder minder ausreichend Bedingende in den *Gegenständen selbst und in ihren Sachverhalten*. Sachverhalt, das ist das »Verhalten von Sachen« als *Gegenständen* der Erkenntnis; zum Sachverhalt gehören einmal die Arten des Habens von gegenständlichen Beschaffenheiten und

Beziehungen, dann des Stehens in gegenständlichen Beziehungen. Modale Sachverhalte, als die Gegenstände der Erkenntnis, fallen mithin nirgends mit modalen Aussagen zusammen, als den bloßen *Verfahrensweisen* der Erkenntnis, von der Art der Annahmen, der Vermutungen, des antizipierenden Überschlags, der induktivwahrscheinlichen oder auch deduktiven Schlüsse. Sondern eben: es ergibt sich ein noch offen Mögliches auch bei sonst hinreichend abgeschlossener Kenntnis der vorhandenen Bedingungen; mithin: das Mögliche erscheint hier als *gegenständlich-strukturelles So-Verhalten* selber. Damit ist die Abbild-Schicht der Sachhaftigkeit, der Objektgemäßheit betreten, zum Unterschied von der bloßen Sachlichkeit, der Objektivität. Das bedingt auch einen Unterschied der Disziplin, in der das sachhaft Mögliche zu behandeln ist. Während die Sachlichkeit einzig die Erkenntnis betrifft und darum das Anliegen ihrer Objektivität ein erkenntnistheoretisches ist, betrifft die Sachhaftigkeit den Gegenstand der Erkenntnis, der ja nicht, nach Angabe der Neukantianer, die Erkenntnis selber ist; das reale Anliegen dieser Objektgemäßheit ist demgemäß ein kategorial gegenstandstheoretisches. Der Begriff Gegenstandstheorie trat zuerst deutlich bei Meinong auf, doch war er hier rein apriorisch auf die angeblich daseinsfreie Beschaffenheit eines Soseins bezogen, das unabhängig vom Dasein oder Nicht-Dasein der Gegenstände spuken sollte. Als Muster dieses »daseinsfreien Wissens« galt hier, wie erst recht in der späteren Husserlschen Phänomenologie, die Mathematik, soll freilich heißen: eine von all ihrem abbildlichen Realbezug künstlich entfernte, in ihrer Abstraktheit heillos verdinglichte. Und so erst recht wurde hier die Logik verdinglicht, im Sinn einer rein apriorischen »Beschreibung« ihrer Akte, einer rein apriorischen »Bedeutungsanalyse« ihrer Kategorien – mit »eingeklammertem Dasein«. Real bezogene Gegenstandstheorie dagegen ist eine, in der das Apriori noch weniger eine Verführung darstellt als in der Erkenntnistheorie. Denn obwohl die Gegenstände und ihre Sachverhalte nicht nur vom Sachlichen des Erkenntnisverfahrens, sondern auch von den eigentlichen Objekten und ihrem Realverhalten noch unterschieden werden müssen, fungieren sie gerade als die tunlichst treuesten Gestalten realistischer Abbildung. Und das hier notierte Vorangelegtsein einer Gegenstandstheorie vor der Objektstheorie enthält deshalb keinen Idealismus, weil die forschend-materialistische Abbildung selber zu der Gegenstandstheorie gehört, erst im Angesicht des Objekthaft-Realen, nicht in ihm am Werk ist und nicht mit ihm zusammenfällt. Weiter: die Abbildung der strukturellen Sachverhalte gehört nicht mehr zum methodischen Erkenntnis-Verfahren, weil sie ein Erkenntnis-*Resultat* ist, und sie ist ein solches Resultat, indem und sofern sie, als objektgemäßes, genau auf das reale Objekt bezogen ist. Die Form des Erkenntnisresultats ist die *Realdefinition,* als Angabe nicht bloß von sprachlichen Kennzeichen, begrifflichen Merkmalen, sondern von gegenständlich-konstitutiven Eigenschaften; und genau diese Realdefinition, als bezeichnenderweise »konzise«, nicht ausgebreitete, repäsentiert das Objekt nach seiner strukturellen Gegenstandsseite. Um ein Beispiel zu geben: Die sozialistische Realdefinition der Nation bildet ohne alle fremd hergeholten nationalistischen Schnurrbärte oder auch kosmopolitischen Groß-Chicagos, Hotelsaucen, Einebnungen von heute genau die konzise Gegenstandsseite des Realen ab, das heißt eben: sie macht am Objekt seine konstitutiv-reale Struktur kenntlich. Die Gegenstandslehre ist so der *Ort der Kategorien* als allgemeinster und sodann als charakteristisch-typischer Daseinsweisen, Daseinsformen. (Wäre sie nicht dieser spezifische Ort und an ihm, so fiele die Kategorienlehre mit der gesamten Realphilosophie zusammen und diese ebenso mit der Kategorienlehre.) Dergestalt nun muß, innerhalb der so beschaffenen Schicht der Sachhaftigkeit, der strukturellen Objektgemäßheit, auch die Möglichkeit in dieser Schicht eigens und als eigen bestimmte ausgezeichnet werden. Wichtig dazu ist die angegebene Unterscheidung zwischen Gegenstand und realem Objekt: die rein strukturelle Möglichkeit der Anlage zu etwas ist noch nicht das gleiche wie diese reale Anlage selber, wie die Disposition in all den reich verflochtenen, auch reich gestörten, gehemmten, wieder siegreichen Metamorphosen der Wirklichkeit. Das *sachhaft-objektgemäß Mögliche, gegenstandstheoretisch erfaßt und definiert,* macht also durchaus eine eigene Differenzierung in der Kategorie der Möglichkeit aus und ist nicht etwa eine überflüssige Verdopplung des objekthaft-real Möglichen. Das sachhaft Mögliche ist das sachhaft-partiell Bedingte gemäß dem strukturellen Genus, Typus, Gesellschaftszusammenhang, Gesetzeszusammenhang der Sache. Partiell Bedingtes erscheint hier mithin als eine strikt im Gegenstand fundierte und so erst der hypothetischen oder problematischen Erkenntnis mitgeteilte Offenheit mehr oder minder strukturell-determinierter Art.

Es treten dabei überall zweierlei Bedingungen auf, innere und äußere. Sie *verflechten* sich wechselwirkend, so jedoch, daß beider Eigenart durchaus erhalten bleibt. Aber das sachhaft bloß Mögliche bleibt bestehen, auch wenn eine von den beiden Bedingungen, die innere oder die äußere, fast erfüllt sein sollte. So kann eine Blüte die Frucht mit vollzähliger innerer Bedingtheit sicher in sich heranreifen lassen, fehlt indes die vollzählige äußere Bedingung des guten Wetters, dann ist die Frucht dennoch bloß möglich. Noch herabsetzender als die fehlende äußere wirkt umgekehrt die Schwäche innerer Bedingungen bei gleichzeitiger Fülle äußerer. Die Menschheit stellt sich zwar immer nur Aufgaben, die sie lösen kann, findet jedoch der große Moment zur Lösung ein kleines Geschlecht, dann ist diese Lösung erst recht bloß möglich, nämlich nur noch schwach möglich. Die revolutionäre Folgenlosigkeit des 9. November 1918 in Deutschland gibt davon ein Beispiel, oder, in anderer Sphäre, die ungereifte Frucht einer großen deutschen Malerei nach Dürer, obwohl doch die äußeren Bedingungen, auch im noch so kleinstaatlichen Ideologie- und Bestellerkreis, dazu vorhanden waren. Die partielle Bedingtheit darf also in *keiner der beiden Bedingungsarten* unter einen bestimmten Bruchteil sinken, sonst ist Überkompensierung durch die andere Bedingungsart selber unmöglich. Doch die Verflechtung freilich bleibt, was besonders deutlich wird, wenn die Struktur der inneren wie der äußeren Bedingung schärfer gefaßt wird, das heißt, mit Aufhebung jener *Aequivokation,* die gerade in der Gegenstandskategorie Möglichkeit seit alters enthalten ist. Möglichkeit bedeutet hier nämlich sowohl inneres, aktives Können wie äußeres, passives Getanwerdenkönnen; mithin: Anders-Seinkönnen zerfällt in Anders-Tunkönnen und Anders-Werdenkönnen. Sobald diese beiden Bedeutungen konkret unterschieden sind, dann tritt die innere partielle Bedingung als *aktive Möglichkeit,* das ist, als *Vermögen, Potenz* hervor und die äußere partielle Bedingung als *Möglichkeit im passiven Sinn,* als *Poten-*

tialität. Verflochten eben sind beide: es gibt kein tätiges Können des Vermögens und seiner aktiven »Anlage« ohne die Potentialität in einer Zeit, Umgebung, Gesellschaft, ohne die brauchbare Reife dieser äußeren Bedingungen. Die politische Gestalt der aktiven Möglichkeit ist das Vermögen des subjektiven Faktors; und er am wenigsten kann ohne Verflechtung, ohne Wechselwirkung mit den objektiven Faktoren der Möglichkeit wirken, das heißt, mit den Potentialitäten dessen, was nach Maßgabe der Reife der äußeren Bedingungen wirklich geschehen oder wenigstens in die Wege geleitet werden kann. Aber nicht, als ob hierbei die äußeren Bedingungen selber aus der Möglichkeit in ihrem bedeutendsten Sinn, nämlich aus der Offenheit fatalisierend herausfielen. Konträr: wenn die Möglichkeit als Vermögen das Anders-Tunkönnen, das nicht Aufhebende, wohl aber *Umdeterminierende* in allen Determinierungen ist, so ist die Möglichkeit als objektive Potentialität das Anders-Werdenkönnen, das nicht Aufhebbare, wohl aber Lenkbare, *Umdeterminierbare* in allen Determinierungen. Und dieses stets mit solcher Verflechtung, daß ohne Potentialität des Anders-Werdenkönnens weder das Anders-Tunkönnen der Potenz Raum hätte, noch ohne das Anders-Tunkönnen der Potenz das Anders-Werdenkönnen der Welt einen mit den Menschen vermittelbaren Sinn hätte. Folglich auch enthüllt sich die Gegenstandskategorie Möglichkeit dominierend als das, was sie nicht durch sich selber, wohl aber durch den fördernden Eingriff der Menschen in das noch Veränderbare ist: als möglicher *Heilsbegriff*. Sie enthüllte sich zum Teil freilich ebenso als möglicher Unheilsbegriff, und zwar eben wegen des Anders-Tunkönnens, aber auch wegen des Anders-Werdenkönnens in ihm, das nicht minder einer Wendung zum Schlechteren Raum gibt, gemäß dem Prekären, das gerade in der Veränderlichkeit, hier also *Unsicherheit* einer Lage liegen kann. Dieses Prekäre, als negativer Bestand der sachhaften Möglichkeit, reicht von dem Unfall, der zustoßen kann, bis zu dem faschistischen Höllenausbruch, der als Möglichkeit im letzten Stadium des Kapitalismus steckte und immer noch steckt. Der Unheilscharakter des Möglichen konterkariert so dem angegebenen Heilscharakter, Hoffnungscharakter des Möglichen, als welcher nicht minder in der Veränderlichkeit einer Lage liegt, hier aber nicht in ihrer

Unsicherheit, sondern in ihrer *Kassierbarkeit, positiven Aufheb-barkeit.* Dieses Nicht-Prekäre, sondern Segensreiche, als der so höchst positive andere Bestand sachhafter Möglichkeit, reicht von dem Glücksfall, dem Menschen begegnen können, bis zu dem Reich der Freiheit, das als sozialistische Möglichkeit in der Geschichte sich entwickelt und endlich wirklich zu werden beginnt. Alles derart Wendungsfähige (fortuna vertit) enthält freilich stets ein Stück Zufall, doch wiederum auf verschiedene Art. Es gibt das bloß Singuläre und Unvermittelte eines Unfalls oder Glücksfalls. Es gibt aber auch ein Anders-Seinkönnen, das nicht so an der Oberfläche geschieht. Hegel hat solcher Art die äußere Zufälligkeit vom dialektisch vermittelten Wandel des Prozesses mit großer Eindringlichkeit unterschieden; und zwar, indem er die äußere Zufälligkeit auf die bloß äußere Notwendigkeit begrenzt, ja sie mit ihr identisch erklärt. Demgemäß wird die Kontingenz von Hegel allein im unmittelbar-, nicht im vermittelt-Konkreten gesehen oder eben nur am Rand des Prozesses: »Das unmittelbar Konkrete nämlich ist eine Menge von Eigenschaften, die außereinander und mehr oder weniger gleichgültig gegeneinander sind, gegen die eben darum die einfache, für sich seiende Subjektivität« (das beginnende Zentrierende des Prozesses) »ebenfalls gleichgültig ist und sie äußerlicher, somit zufälliger Bestimmung überläßt« (Enzyklopädie § 250). Das ist die Zufälligkeit im überhaupt nicht vertrauenswürdigen Sinn, diejenige, welche mehr noch in der bisherigen Geschichte als in der Natur die normale und typische Entwicklung äußerlich zerstreut und verstört. Dialektisch-vermittelt-*Unabgeschlossenes* aber, als die Möglichkeitsstruktur des währenden Prozesses, hat gar nichts gemein mit schlecht-vermittelt-*Beliebigem.* Freilich wieder nicht, als wäre nun das im Anders-Seinkönnen des Prozesses Umgehende das strikte Gegenteil von jeder Art Zufall und Kontingenz. Das riesige Experiment des vermittelten Anders-Seinkönnens im Prozeß besitzt dieses Gegenteil noch nicht und hat noch weder Beruhigung noch auch einen Rechtstitel dazu, es zu besitzen. Vielmehr arbeitet in diesem Anders-Seinkönnen Möglichkeit gerade wieder dasjenige, was *Kontingenz auf höchster Stufe* genannt werden kann, mit dem Charakter dauernder, doch eben partieller Vermittlung. Diese Art Kontingenz, im endlich vertrauenswürdigen Sinn der Sache, heißt *schöpferischer, zu Bildungen und Schöpfungen offener Reichtum der Variabilität.* Es ist das eine nicht äußerliche, sondern gesetzmäßig-sachhaft vermittelte Variabilität, doch eben eine der unvereitelten Richtungsänderung, vor allem der unerschöpften Neubildung. Hier ist selbst eine sogenannte Zufälligkeit nicht mehr mit bloß äußerer Notwendigkeit zusammenfallend, sondern sie bildet, als eine mit dem gesetzhaft Notwendigen dialektisch vermittelte, gerade das Blühende, Charakteristische, die geordnete Entwicklungsfülle der offenen Welt. Kontingenz dieser Art ist zwar gleichfalls noch situationshaft, jedoch nicht im Sinn des Prekären, sie erfüllt vielmehr den mundus situalis des Neues gebärenden Prozesses. Striktes Gegenteil von jeder Kontingenz wäre erst das abgeschlossen Notwendige, das der Variabilität nicht mehr fähige, jedoch auch nicht bedürftige. Erst diese *strukturell abgeschlossene Notwendigkeit* wäre das schlechthin Vollbedingte, worin die inneren wie vor allem die äußeren Bedingungen nicht bloß völlig gereift sind, sondern zusammenfallen. Freilich ist noch keine Gegenständlichkeit der Sache in ihr so auf den Grund gegangen, daß die Gegenständlichkeit selber mit ihrer totalen Begründung zusammenfiele; wodurch sie eben strukturell notwendig wäre. Dieser Zusammenfall war bei Spinoza in der Definition der Gott-Natur als der causa sui gedacht und – mit viel größerer Hypostase logischer Identität – bei Anselm von Canterbury in der Selbstbegründung, der »Aseitas« (a se esse) Gottes. Wonach das vollkommenste Wesen notwendig existiere, indem es aus seiner eigenen Wesenhaftigkeit existiere, folglich seine Essenz ebenso notwendig seine Existenz einschließe wie seine Existenz seine Essenz. Es braucht nicht versichert zu werden, daß solche Objekthaftigkeiten jenseits ihrer Definition nicht vorliegen, es sei denn in bloßen mehr oder minder konkret antizipierbaren Wertidealen des vollkommenen Zusammenfalls von Grund und Manifestierung. Der Rahmen eines solchen Wertideals ist – auch außerhalb und gegen alle Theologie – das »Eine, was nottut«, mithin das seit alters als »höchstes Gut« Bezeichnete. Jedoch da rebus sic imperfectis auch das so Bezeichnete noch keinesfalls wirklich, sondern bestenfalls im Prozeß ist, so steht auch das strukturell Notwendige dieser Art doch wiederum erst in – struktureller Möglichkeit. Letztere allerdings erweist sich nun, mit dem *Horizont* der causa sui oder der gelungenen Identität von Existenz und Essenz, als entschiedenste Heilskategorie. Denn der ideale Punkt, wo Wesen und Erscheinung zusammenfallen, ist allemal zugleich der absolute Richtpunkt für die Strukturlinie des human-positiv Möglichen.

Das objektiv-real Mögliche

Das Kannsein würde fast nichts bedeuten, wenn es folgenlos bliebe. Folgen hat das Mögliche aber nur, indem es nicht bloß als formal zulässig oder auch als objektiv vermutbar oder selbst als objektgemäß offen vorkommt, sondern indem es im Wirklichen selber eine zukunfttragende Bestimmtheit ist. Es gibt derart real-particille Bedingtheit des *Objekts*, die in diesem selber seine reale Möglichkeit darstellt. So ist Mensch die reale Möglichkeit alles dessen, was in seiner Geschichte aus ihm geworden ist und vor allem mit ungesperrtem Fortschritt noch werden kann. Er ist eine Möglichkeit mithin, die nicht bloß wie eine Eichel in der abgeschlossenen Verwirklichung des Eichbaums erschöpft ist, sondern das Ganze ihrer inneren wie äußeren Bedingungen, Bedingungsdeterminanten noch nicht gereift hat. Und im unerschöpften Ganzen der Welt selber: die Materie ist die reale Möglichkeit zu all den Gestalten, die in ihrem Schoß latent sind und durch den Prozeß aus ihr entbunden werden. In diesem umfassendsten Begriff realer Möglichkeit hat das dynamei on (In-Möglichkeit-Sein) seinen Ort, als das eben Aristoteles die Materie bestimmt hat. Denn wie Heraklit als erster den Widerspruch in den Dingen selber sah, so hat Aristoteles als erster die Möglichkeit realiter, im Weltbestand selber erkannt. Real Mögliches wird von hier ab begreifbar als Substrat: »Alles, was von Natur oder Kunst wird, hat Materie, denn jedes Werdende ist vermögend (dynaton) zu sein und nicht zu sein, das (was sein und nicht sein kann) ist aber in jedem die Materie« (Aristoteles, Metaphysik VII, 7). Und es ist lehrreich, daß das tätig in dieser Potentialität sich Ausprägende: die sich selbst verwirklichende Form (Entelechie), die bei Aristoteles noch dualistisch von der Materie getrennt wird, im gleichen Maße zurücktritt und selber

materiell wird, wie zum Begriff der passiven Potentialität der der
aktiven Potenz hinzutritt. Ex contrario beweisend ist hierfür
der Kampf arabischer strenger Theisten, der sogenannten Mota-
khalim (das heißt, Lehrer des Worts, des geoffenbarten Glaubens) gegen die Gleichung: reale Möglichkeit = Materie. Um die
Allmacht der höchsten Form (des göttlichen actus purus) absolut
zu halten, mußten sie statt des dynamei on das gänzlich nichtige
Nichts in einem Primum vor der Welt ausbreiten: Gott hat die
Welt aus dem Nichts geschaffen, nicht aus der Materie heraus-
gerufen, aus der realen Möglichkeit. Umgekehrt dagegen wird
bei pantheistisch-materialistischen Philosophen des Mittelalters,
so bei Avicenna, Averroës, Amalrich von Bena, David von Dinant,
die reale Möglichkeit Materie zum gesamten Grund der Welt,
und der göttliche Schöpfungswille ist stets ein Moment der Materie; ja, Gott und Materie werden identisch. Entwicklung ist bei
Averroës »eductio formarum ex materia«, mit dem »dator formarum« im Weltall selbst. So erscheint die Schöpfung – mit Wegfall jedes Dualismus – einzig als Selbstbewegung, Selbstbefruch-
tung der Gottmaterie; in ihr ist die Potentialität und zugleich
jene ihr immanente Potenz, welche einen außerweltlichen Bewe-
ger überflüssig macht. Und dieser halbe Materialismus realer
Möglichkeit mehrt sich renaissancegemäß bei Giordano Bruno,
bei ihm wird die Welt völlig zur Realisierung der Möglichkeiten,
die in der einheitlichen Materie und als sie enthalten sind. Natura
naturans und natura naturata fallen nun unten wie oben zusammen »in der dauernden, ewigen, zeugenden, mütterlichen Materie«. Das Substrat reale Möglichkeit wird dadurch, in kühner
Erweiterung des Aristoteles, zugleich die Quelle, nicht nur das
Gefäß der Formen: »Daher muß die Materie, die . . . immer
fruchtbar bleibt, das bedeutsame Vorrecht haben, als einziges
substanzielles Prinzip und als das, was ist und bleibt, anerkannt
zu werden . . . Darum haben auch einige unter jenen, da sie das
Verhältnis der Formen in der Natur wohl erwogen hatten, soweit
man es aus Aristoteles und anderen von ähnlicher Richtung erkennen konnte, zuletzt geschlossen, daß die Formen nur Akzi-
denzien und Bestimmungen an der Materie seien und daß deshalb
auch das Vorrecht, als Actus und Entelechie zu gelten, der Materie
angehören müsse« (Bruno, Von der Ursache, dem Prinzip und

dem Einen, Meiner, S. 60 f.). Das also sind die ersten Konsequenzen, wenn die reale Möglichkeit als so real genommen wird, daß sie den Schoß und die Zeugung, das Leben und den Geist, geeint in der Materie, zugleich umgreift. Wobei der Schoß auch weiter fruchtbar bleibt, die Tendenz-Latenz dessen, was realiter werden kann, im materiellen Substrat nicht abgeschlossen ist. Diese Bestimmung des dynamei on ist freilich eine, die im bloß mechanischen, im mechanistischen Materialismus unterging. Materie als Fülle mußte zunächst mit Recht hier schrumpfen, weil die quantitative Naturwissenschaft nichts davon zeigte und weil totale Mechanik die beste Brechstange gegen Jenseiterei war. Aber nicht minder war diese Schrumpfung möglich, weil die christliche Scholastik selber den Aristotelischen Materiebegriff und gar den mannigfach vorsokratischen (auf den sich Bruno ebenfalls bezieht) aus dem keimträchtigen Gebiet der Natura naturans entfernt hatte. Weshalb auch für den mechanischen = allzu mechanischen Materiebegriff, vor allem für seine tote Nachwirkung im vorigen Jahrhundert, das Wort des englischen Naturforschers John Tyndall gelten mag: »Wenn der Stoff als ein Bettler in die Welt tritt, so darum, weil die Jakobe der Theologie ihn seines Erstgeburtsrechts beraubt haben.« Die nur mechanisch gefaßte Materie wurde jedenfalls in der Folge ein geschichtsfremder Klotz, dem seine ganze reale Möglichkeit bereits statische Wirklichkeit geworden ist, im Sinn eines gleichsam von Geburt an erfrorenen Anfangs. Jedoch die fortwirkende Aristotelische Bestimmung, die mutationsfähig gewordene des dynamei on, geht – selber mutatis mutandis – ein in den historisch-dialektischen Materialismus. Subjektiver Faktor, Reife der Bedingungen, Umschlag der Quantität in Qualität, gar Veränderbarkeit: alle diese dialektisch-materialistischen Entwicklungsmomente sind in einer Klotz-Materie substratlos. Das Dialektische fällt von ihr, als einem zwar mechanisch bewegten, doch sogleich mechanisierten Quantum, ab oder bleibt an ihr ein Epitheton ornans; Übergang aus dem Reich der Notwendigkeit in das der Freiheit hat nur an unabgeschlossener Prozeßmaterie Land. Genau die bisher entferntest gehaltenen Extreme: Zukunft und Natur, Antizipation und Materie – schlagen in der fälligen Gründlichkeit des historisch-dialektischen Materialismus zusammen. *Ohne Materie ist kein*

Boden der (realen) Antizipation, ohne (reale) Antizipation kein Horizont der Materie erfaßbar. Die reale Möglichkeit wohnt derart in keiner fertig gemachten Ontologie des Seins des bisher Seienden, sondern in der stets neu zu begründenden Ontologie des Seins des Noch-Nicht-Seienden, wie sie Zukunft selbst noch in der Vergangenheit entdeckt und in der ganzen Natur. Im alten Raum pointiert sich so folgenreichster Weise sein neuer Raum: reale Möglichkeit ist das kategoriale Vor-sich der materiellen Bewegung als eines *Prozesses;* sie ist der spezifische Gebietscharakter *gerade der Wirklichkeit, an der Front ihres Geschehens.* Wie anders sonst die zukunfttragenden Eigenschaften der Materie? – es gibt keinen wahren Realismus ohne die wahre Dimension dieser Offenheit.

Das wirklich Mögliche beginnt mit dem Keim, worin das Kommende angelegt ist. Das darin Vorgebildete treibt dahin, sich zu entfalten, aber freilich nicht, als wäre es vorher schon, auf engstem Platz eingeschachtelt. Der »Keim« sieht selber noch vielen Sprüngen entgegen, die »Anlage« entfaltet sich in der Entfaltung selber zu immer neuen und präziseren Ansätzen ihrer potentia-possibilitas. Das real Mögliche in Keim und Anlage ist folglich nie ein eingekapselt Fertiges, das als ein erst Klein-Vorhandenes lediglich auszuwachsen hätte. Vielmehr bewährt es seine Offenheit als wirklich entwickelnde Entfaltung, nicht als bloße Ausschüttung oder Ausfaltung. Potentia-possibilitas macht die ursprüngliche Wurzel und Origo prozessual fortdauernder Erscheinung immer wieder auf neuer Stufe originär, mit neu latentem Inhalt. So reicht der arbeitende Mensch, diese Wurzel der Menschwerdung, verwandelt durch seine ganze weitere Geschichte und entwickelt sich in ihr immer genauer. Ja man kann sagen, auch der aufrechte Gang des Menschen, dieses unser Alpha, worin die Anlage zur vollen Ungebeugtheit, also zum Reich der Freiheit liegt, geht selber immer wieder verwandelt und genauer qualifiziert durch die Geschichte der immer konkreteren Revolutionen. Bis zum klassenlosen Menschen, der insgesamt die letzthin intendierte Anlagemöglichkeit der bisherigen Geschichte darstellt. Das real Mögliche hält daher nicht nur, als Anlage zu seinem Wirklichen, diese treibend, sondern verhält sich ebenso, als das immer weiter sich entwickelnde letzthinnige Totum dieser

Anlage, zu der bereits gewordenen Wirklichkeit essentiell. Derart ist das bisher Wirkliche sowohl vom ständigen Plus-ultra essentieller Möglichkeit durchzogen wie an seinem vorderen Rand von ihr umleuchtet. Diese Umleuchtung, ein vor-scheinendes Horizontlicht, das auch in fast allen Sozialutopien, auf mehr oder minder abstrakte Weise, reflektiert war, gibt sich *psychisch* als *Wunschbild* nach vorwärts, *moralisch* als menschliches *Ideal*, *ästhetisch* als naturobjekthaftes *Symbol*. Die Wunschbilder nach vorwärts haben das mehr oder minder erfaßt Mögliche eines besseren Lebens überhaupt zum Inhalt; sie sind deshalb heiter-vorspielend. Die Ideale haben in der Hauptsache das mehr oder minder realisiert Mögliche eines versucht vollkommenen Menschseins, vollkommener gesellschaftlicher Verhältnisse zum Inhalt; sie sind deshalb, in ihren Leitbildern, Leittafeln, anfeuernd-vorbildlich. Hierher gehören der unverzerrte und unverdinglichte, der schöne Menschentyp, das klassenlose Verhältnis, worin er Platz hat. Die Symbole schließlich haben, erst recht in der Hauptsache, das überall nur andeutungsweise realisiert Mögliche eines unentfremdeten Identischseins von Existenz und Essenz in der Natur insgesamt zum Inhalt; Symbole sind daher betroffen-tiefenhaltig. Sie sind, zum Unterschied von den Idealen, verhüllt, das heißt, sie bedeuten das Ihre mit besonders starkem Pathos der »Bedeutung«, und das deshalb, weil sie nicht wie die Ideale ein mehr oder minder realisiert Mögliches, sondern eben ein in sich selber nur andeutungsweise realisiert Mögliches zum Inhalt haben. Und weiterhin vor allem: dieser Inhalt steht deshalb so sehr in der »Bedeutung« oder, wie sich bei Symbolen spezifischer sagen läßt: in der »Chiffer«, weil er zentraler, folglich vorerst weniger manifestierbar ist als der Inhalt der Ideale. Die jeweiligen Träger, Existenzen einer symbolischen Bedeutung sind zwar weit zahlreicher, ja fast beliebiger als die des Ideals, jedoch sie sind dafür allemal weit umfassender in der ganzen Natur auf Essentielles bezogen. Und sie sind zentral darauf bezogen; was andererseits den Unterschied des Symbols von der Allegorie ausmacht, als dem Gleichnis eines Dings mit wieder lauter anderen Dingen, ohne daß also das Gebiet von lauter Mannigfaltigem verlassen wird. Das Verweisen des Symbols dagegen geht, wie gesehen, gerade auf eine *Einheitlichkeit* der Bedeutung; weshalb

auch, zum Unterschied von der allemal vieldeutigen Mannigfal-
tigkeits-Verweisung der Allegorien, die echten Symbole in ihrer
Bedeutung schließlich konvergieren, nämlich eben im Zentralen
ihrer Bedeutung. Die gesellschaftlich bedingte jeweilige Rich-
tungslinie aufs Zentrale hat in der – lange Strecken durch Religion
führenden – Geschichte des Symbols differiert, nicht differiert
aber hat der jeweils immer wieder gemeinte Grundbezug des
Symbol-Gleichnisses auf ein »Unum Verum Bonum« der Essenz.
Indem jedoch gerade diese Essenz nur im andeutungsweise realisiert Möglichen liegt und noch nirgends anders liegen kann, ist
das Symbolische – was nun entscheidend wichtig – nicht nur in
seinem *Ausdruck*, sondern, bei allen echten Symbolen, ebenso
in seinem *Inhalt selber* noch verhüllt. Denn der echte symbolische
Inhalt selber ist noch im Abstand von seiner vollen Erscheinung,
er ist darum auch objektiv-real eine Chiffer. Genau vom Licht
des real Möglichen her geschieht dieser Art die fällige Notierung
eines realen Kerns im Begriff des Symbolischen, eines Begriffs
also, der bisher, einige objektiv-idealistische Fassungen in Hegels
Ästhetik abgerechnet, fast ausschließlich subjektiv-idealistisch
gefaßt worden war. Subjektiv-idealistisch deshalb, weil eben
jeder Symbol-Inhalt nur als ein für den beschränkten Menschen-
verstand verhüllter dargestellt wurde, während der Inhalt als
völlig ausgemacht galt – ohne jeden Abstand zu sich, in transzen-
dent vorhandener Statik strahlend. Konträr zu dem ist die Wahrheit aber so: das Symbolische teilt sich einzig vom Objektinhalt
her seinem Ausdruck mit, differenziert die einzelnen Symbole
vom objektiv realen Material her, dessen verschieden situierten
Verhülltheits-Inhalt, Sachidentitäts-Inhalt sie als dies Verhüllte
und Sachidentische jeweils abbilden. Und es ist einzig diese Abbildlichkeit einer *Realchiffer*, eines *Realsymbols*, welche schließlich Symbolen ihre Echtheit mitteilt. Die Echtheit eines Konver-
gierens der Bedeutung, welche sich mit der Realität dieser
Bedeutung in bestimmten besonders latenzhaltigen Objekten der
Außenwelt verbindet. Hierher gehören Symbole wie der Turm,
der Frühling, gehören die Abendlüfte in Mozarts Figaro, sodann
der Schneesturm in Tolstois »Tod des Iwan Iljitsch«, der Sternhimmel über dem zu Tod verwundeten Andrej Bolkonskij in
Tolstois »Krieg und Frieden«, das Hochgebirge am Schluß des

Faust, überhaupt alle Symbole der Erhabenheit. Die Dichtung hat kraft ihres Bildcharakters die Symbolgegend des real Möglichen deutlicher erfaßt als die bisherige Philosophie, aber die Philosophie nimmt diese Gegend mit der Strenge des Begriffs und dem Ernst der Zusammenhänge auf. Beide aber, realistische Dichtung wie Philosophie, eröffnen: die Welt selber ist voller Realchiffern und Realsymbole, voller »signatura rerum« im Sinn zentral bedeutungshaltiger Dinge. Sie weisen in dieser ihrer Bedeutsamkeit ganz realiter auf ihre Tendenz und Latenz von »Sinn«, von einem den Menschen und seine Angelegenheit möglicherweise einst ganz empfangenden. Die partielle Bedingtheit, also Möglichkeit zur Reifung dieser Anlage geht durch sämtliche Proben aufs humane Sinn-Exempel, an denen die Welt so reich ist. Doch eben mit mehr oder minder großem Abstand vom Exempel, mit mehr oder minder großem Noch-Nicht der vollen Erscheinung, mit jenem Abstand also, der so vielfach erst Wunschbilder, Ideale, Symbole statt der Gelungenheit darbietet. Und der das essentielle Totum der Welt im schweren Prozeß seiner Heraufbringung zeigt, noch nirgends als Resultat. Wird der Abstand unterschlagen, so entsteht abstrakt-ruchloser Optimismus; wird der Abstand aber als die vermittelte Perfektibilität begriffen, die er ist, mit aller Beschaffenheit der Gefahr, so entsteht das Gegenteil der Ruchlosigkeit: militanter Optimismus. So viel hier über das real Mögliche und die Essenz darin im Anlagezustand jenes Perfektibeln, das den Menschen – mit einer Ahnung seiner künftigen Freiheit – empfängt. Die Essenz des Perfektibeln ist nach der allerkonkretesten Marxschen Antizipation »die Naturalisierung des Menschen, die Humanisierung der Natur«. Das ist die Abschaffung der Entfremdung in Mensch und Natur, zwischen Mensch und Natur oder der Einklang des unverdinglichten Objekts mit dem manifestierten Subjekt, des unverdinglichten Subjekts mit dem manifestierten Objekt. Solche Perspektive absoluter Wahrheit, das ist hier, völligen Realseins im Wirklichen selbst – und ihre Weite wie Tiefe ist unumgänglich, bei Strafe des mündungslosen Relativismus – eröffnet freilich wieder erst real-essentielle Möglichkeit, noch nicht die, in ihr selber erst angelegte *real-essentielle Notwendigkeit*. Denn diese wäre eine mit völlig zureichenden, also unausweichlichen Bedingungen zur

Existenz der Essenz, zur Essenz der Existenz. Diesseits dieser äußersten Nicht-Kontingenz oder Situationslosigkeit ist auch die real-essentielle Notwendigkeit nur erst – Möglichkeit, ja eine mit realiter kaum erst partiell vorliegenden Bedingungen. Während der Prozeß, tätiges, mit der Tendenz vermitteltes Hoffnungsbild einer besseren Welt, anfeuerndes Ideal, tiefenhaltiges Symbol, das bleiben die selber antizipierenden Realperspektiven der realen Möglichkeit – als der Frontdimensionen katexochen.

Erinnerung: Logisch-statischer Kampf gegen das Mögliche

Leicht zu sehen, wie noch manches Blatt sich wenden kann. Ein Noch-Nicht lebt überall, so vieles ist in dem Menschen noch nicht bewußt, so vieles in der Welt noch nicht geworden. Beiderlei Noch-Nicht aber wäre nicht, wenn es sich nicht im Möglichen bewegen und dessen Offenheit sich zuwenden könnte. Dennoch ist das Kannsein noch erstaunlich wenig durchdacht, in Griff gebracht. Die Kategorie des Möglichen, obgleich so wohl bekannt und stündlich gebraucht, war logisch eine Crux. Diese Kategorie ist unter den Begriffen, welche philosophisch im Lauf der Jahrhunderte herausgearbeitet und zur Schärfe gebracht worden sind, wohl die bis jetzt unbestimmteste geblieben. Sicher ist sie die am wenigsten ontologisch durchverfolgte; daher kommt sie herkömmlicherweise fast nur in der formalen Logik vor. Auch wenn die Kategorienlehre sich mit dem Möglichen befaßt, wird es überwiegend nur als Erkenntnis-, nicht als Objekt-Bestimmung bezeichnet. Gewiß, Logiker wie Joh. v. Kries, kleinere und größere Epigonen des Üblichen, so Verweyen, so zuletzt N. Hartmann, der sich sogar einen Ontologen nennt, haben diverse eigene Bücher über Möglichkeit geschrieben. Aber da bei letzteren Epigonen das Mögliche nur als Begriffsverhältnis anerkannt wird, haben sie so gut wie nichts, das heißt, nichts Reelles darüber geschrieben. Hier überall, doch nicht minder auch bei originalen Philosophen, wovon sogleich, geschieht die auffallende Entleerung des Möglichen zunächst durch Nicht-Unterscheidung von noch partieller Kenntnis der Bedingungen und partiell vorliegenden Bedingungen selbst. So wird immer von neuem das problematisch *schwankende* Urteil über einen objektiv-*entschie-*

denen Sachverhalt gleichgesetzt mit dem assertorisch *entschiedenen* Urteil über einen objektiv *schwankenden* Sachverhalt, also über die objektiv vorhandene Möglichkeit. Das problematische Urteil: »Es ist möglich, daß Luise zu Hause ist«, überzieht so das assertorische Urteil: »Es steht fest, daß in absehbarer Zeit die Fahrt eines Raketenflugzeugs auf den Mond möglich ist.« Der Unterschied zwischen dem ersten und dem zweiten Urteil weist aber deutlich auf den nicht nur logisch-, gar psychologisch-immanenten, sondern eben auf den *Außenwelt-Charakter eines großen Teils der Modalität* hin. Wird die Kategorie Möglichkeit ausschließlich auf die bloße Kenntnis-Schicht des Vermutens reduziert, dann allerdings muß objektive Möglichkeit in der Außenwelt subjektiv-idealistisch verdampfen. Das Mögliche wird dann wegdemonstriert, als ob sich noch nie ein Mensch ins Modale einer Gefahr begeben hätte, als ob er ihr nie real entgangen, ausgewichen oder zur Beute gefallen wäre. Das Mögliche wird dann zur bloßen »anthropomorphen Introjektion« gemacht, als ob nicht sämtliche Organismen mit ihrem Reflex- und Reaktions-apparat auf eine objektiv-reale Welt der Möglichkeit eingestellt wären; von der Seeanemone bis zum witternden Wild, bis zur Umsicht des homo sapiens. Das Mögliche wird zur »Fiktion« entwirklicht, als ob der Begriff objektive Möglichkeit nicht das Zivilrecht wie Strafrecht erfüllte (Haftpflicht, impossibilium nulla obligatio, Bedingungsklausel, Fahrlässigkeit und so fort). Trotzdem sieht auch Sigwart, obwohl er bloße Möglichkeit richtig definiert als ein dem Einzelnen Zukommendes, »sofern es den partiellen Grund dessen enthält, was sein wird« (Logik I, 1904, S. 274), im Möglichen nur einen Ausdruck subjektiver Unentschiedenheit oder auch der Resignation unseres beschränkten Wissens. Übersteigerung der problematischen Urteilsmodalität, Verkennung der Gegenstands- und Objektsmodalität geben so das *erste Motiv* für die idealistische Leugnung realer Möglichkeit ab. Hinzu kommt aber noch ein *zweites Motiv* für die Leugnung der realen Möglichkeit, und es findet sich auch bei großen Denkern, bei solchen zudem, die in keinem Punkt subjektiv-idealistisch sind. Die Sperre ist hier die gleiche wie diejenige, welche auch die Schwesterkategorie des Möglichen: das Neue bis jetzt undurchdacht gelassen hat. Die Sperre ist die klassenmäßig bedingte Küstenschiffahrt rings ums Gegebene, ja Vergangene, ist die Abneigung des *statischen Denkens* gegen den Weltbegriff der tätigen Offenheit und Bläue. Diese Abneigung findet sich auch bei so prozessualen Philosophen wie Aristoteles und Hegel, trotz der riesigen Konzeption eines realen dynamei on beim ersten, der realen Dialektik beim zweiten. Die Setzung eines fertigen Ein und Alles, eines Universums, bei dem alles Mögliche wirklich ist (»Possest«, vollendetes »Könnensein« nennt Nikolaus von Cusa Gott, und selbst Giordano Bruno läßt im Ganzen der Welt nichts unverwirklicht Mögliches übrig): diese statische Setzung hat den Raum des Offen-Möglichen vor allem verstellt. So liegt der Kategorialbegriff Möglichkeit insgesamt in fast lauter jungfräulichem Land; er ist der Benjamin unter den großen Begriffen.

Stets scheint es das Frische, Kommende zu sein, dessen hier nicht gedacht werden soll. Selbst die Sophisten, bei denen alles Feste geistig ins Wanken geriet, zogen aus dem Möglichen nichts als Spott. So daß ebenso alles wie nichts möglich sei, da, wie Gorgias sagt, überhaupt nichts sei, weder Nichtsseiendes noch Seiendes noch aber auch etwas dazwischen, das vergehen oder werden könne, also zum einen oder anderen sich als möglich verhielte. Nicht noch radikaler, aber noch zentrierter wurde die Leugnung des Möglichen in der megarischen Schule, wo sie sich auch deutlich mit der eleatischen Lehre des unbewegten Seins verband. Der Megariker Diodoros Kronos erfand, charakteristischerweise im Anschluß an Zenos Demonstration gegen die Bewegung, seinen angeblichen Beweis gegen das Mögliche. Dieser angebliche Beweis blieb (unter dem Namen des Kyrieuon) noch Jahrhunderte hindurch berühmt, sowohl als angebliches dialektisches Meisterstück, wie vor allem eben wegen des Interesses, das das statitische Denken an ihm nahm (vgl. darüber Zeller, Sitzungsberichte der Berliner Akademie, 1882, S. 151 ff.). Diodoros bildete einen Syllogismus: aus Möglichem kann nichts Unmögliches hervorgehen; da aber ein Mögliches, das nicht wirklich würde, Unmögliches aus sich hervorgehen ließe, nämlich ein anderes Ist als das Ist, das ist, so ist dieses Mögliche selber unmöglich und das Wirkliche als das einzig Mögliche bewiesen. So schwach dieser Syllogismus ist, so hat ihn doch noch die römische Stoa übernommen;

er spielt bei Epiktet und bei Marc Aurel eine bedeutende Rolle in der Zufriedenheit mit der möglichkeitsfreien, notwendigkeitsvollen Weltordnung und wurde durch Cicero (De fato 6, 7) dem späteren amor fati übermittelt. Verneinung des Möglichen, Neustoizismus, amor fati reichen sich in großer Verwandtschaft die Hand bei Spinoza: sub specie aeternitatis sehen (Ethik II, Lehrsatz 44, Zusatz 2), heißt per definitionem, alles Mögliche schon als notwendig-wirklich sehen. Denn unter dem Gesichtspunkt der spinozistischen Ewigkeit gibt es, weil sie mit unbedingtem Grund-Folge-Verhältnis zusammenfällt (als dem mathematischen Fatum der Welt), kein partiell Bedingtes, also kein Mögliches mehr. Was für Spinozas Gott die Wahl zwischen den unendlich zahlreichen logischen Möglichkeiten ausschließt, die ein Leibniz vor seinem Gott (als Realisator) allerdings noch ausgebreitet sein ließ. Sogar innerhalb der vorhandenen Welt, als einer von ihrem Schöpfer aus unendlich viel möglichen realisierten, kennt Leibniz noch Möglichkeit als Anlage, obzwar als eine, die ebenfalls nichts realiter Neues, das heißt, in der ganzen bisherigen Welt nicht Enthaltenes entwickeln kann. Und gibt Leibniz, dieser einzige große Denker des Möglichen seit Aristoteles, auch einer unendlichen Zahl möglicher anderer Weltzusammenhänge Raum, so leben auch diese »primae possibilitates« wieder nur im Verstand des Schöpfers und nicht als noch realisierfähige in diese nun einmal realisierte Welt hineinragend. Spinoza jedoch bestimmt, mit aller Grundgewalt des amor fati, auch noch gegen die Möglichkeiten in Gott: »Die Dinge konnten auf keine andere Weise und in keiner anderen Ordnung von Gott hervorgebracht werden, als sie hervorgebracht sind« (Ethik I, Lehrsatz 33). Das also ist, in Ansehung des Möglichen, Diodoros Kronos großen Stils in der Metaphysik. Und wieder nicht, als wäre damit die Unlust zum Möglichen beendet, als lebte diese Unlust nicht auch in Philosophien, die dem Möglichen ziemlich offen huldigen könnten; so bei Kant, so konkreter bei Hegel. Kant hat das Ideal ausgesteckt, Hegel den Fortschritt im Bewußtsein der Freiheit; trotzdem pointiert die »Kritik der reinen Vernunft« das Mögliche ebensowenig wie, mutatis mutandis, Hegels Logik und Enzyklopädie. Kant also bringt die Möglichkeit (sowohl die »der Dinge durch Begriffe a priori« wie diejenige, »die nur aus der Wirklichkeit in der Erfahrung kann abgenommen werden«) auf die Seite der reinen Denkformen. Zwar konstituiren alle reinen Denkformen oder Kategorien, also auch die modalen, hier die Erfahrung, als das durch die Kategorien gegründete »System der Erscheinungen«, doch für die Kategorien der Modalität (Möglichkeit, Wirklichkeit, Notwendigkeit) mahnt Kant gerade im Hinblick auf Erfahrung zu betonter Vorsicht. Daher der Satz: »Die Kategorien der Modalität haben das Besondere an sich, daß sie den Begriff, dem sie als Prädikat beigelegt werden, als Bestimmung des Objekts nicht im mindesten vermehren, sondern nur das Verhältnis zum Erkenntnisvermögen ausdrücken« (Werke, Hartenstein, III, S. 193). Objektiv-real Mögliches kennt Kant folglich überhaupt nicht, objektiv-real Wirkliches kommt zu dem modal Wirklichen auch nur durch Anschauung und nicht im mindesten durch Anschluß an ein assertorisches Urteil, also an ein Wirklichkeitsurteil der Modalität hinzu. Trotzdem muß Kant, wenn auch um den Preis des Dualismus, der Möglichkeit Raum geben, nämlich in dem eigentümlichen Denkgebiet über der erkennbaren Erfahrung, welches der moralischen »Vernunft«, nicht dem erkennenden »Verstand« zugehört; welches also vom »Postulat« und vom »Ideal« bewohnt wird. Das von Fichte nachher so stark mobilisierte Postulat: »Du kannst, denn du sollst«, meint Möglichkeit als Vermögen, als *Potenz*. Das bei Kant durchgehends herrschende, abstrakt auch der Politik vorgeordnete Ideal: »Ausbreitung der Herrschaft sittlicher Freiheit« – meint andererseits Möglichkeit als *Potentialität* einer, leider unendlichen, Annäherung an dieses Ideal in der Geschichte. Doch ist die so gefaßte Möglichkeit keine objekthaft-reale; es gibt in der Erfahrungswelt des transzendentalen Idealismus keine Wege zu ihr. Und sie wird auch als Möglichkeit des Sollens, des Postulats, des Ideals durchaus nicht eigens ausgezeichnet; im geschichtslosen Sehfeld eines »Bewußtseins überhaupt« gab es für die Zukunft, für die »Hoffnung der Zukunft«, wie Kant in den »Träumen eines Geistersehers« sagte (Werke II, S. 357), wohl Zuneigung, doch keinen konstitutiven Platz. So hat sich nicht nur der »Verstand« der Erfahrungskategorien, sondern auch die »Vernunft« als »Mutter der Ideen« ihren Raum fürs Mögliche beengt. Und wie steht die Möglichkeit schließlich bei Hegel da, dem betonten Denker der (konkreten) Vernunft statt des (abstrakten) Verstandes? Der sonst so objektiv-idealistische Hegel zitiert überraschenderweise mit Zustimmung die oben angegebene Kantstelle, die die Modalität vom realen Objekt fernhält, eine Zustimmung zu Kant, die bei Hegel ja selten ist. Er fügt dem Kantzitat hinzu: »In der Tat ist die Möglichkeit die leere Abstraktion der Reflexion-in-sich, das, was vorhin das Innere hieß, nur daß es nun als das aufgehobene, nur gesetzte, äußerliche Innere bestimmt, und so allerdings als eine bloße Modalität, als unzureichende Abstraktion, konkreter genommen nur dem subjektiven Denken angehörig, auch *gesetzt* ist... Insbesondere muß in der Philosophie von dem Aufzeigen, daß etwas möglich oder daß auch noch etwas anderes möglich, und daß etwas, wie man es auch ausdrückt, denkbar sei, nicht die Rede sein« (Enzyklopädie, § 143). Und auch dort, wo Hegel die Möglichkeit nicht nur als leere Abstraktion der Reflexion-in-sich faßt, sondern ebenso als ein An-sich-Moment der Wirklichkeit, wird diese bei ihm so genannte reale Möglichkeit gänzlich vom Kreis der gewordenen Wirklichkeit umschlossen: »Was daher real möglich ist, das kann nicht mehr anders sein; unter diesen Bedingungen und Umständen kann nicht etwas anderes erfolgen« (Logik, Werke IV, S. 211). Hegel spricht hier ersichtlich auch als Feind des leeren Meinens, des müßigen Umstellens der Geschichte nach dem, was hätte geschehen können, des abstrakten Ideals, des »Mädchens, wie es sein soll«, des »Staats, wie er sein soll« und so fort. Aber er spricht auch als Nichtdenker der Zukunft, als Kreis-Dialektiker des Vergangenen oder, was aufs Gleiche herauskommt, des ewig Geschehenden, ewig in seine Kreise Zurückkehrenden, kurz, hier spricht jenes Reaktionäre an Hegel, dem die Philosophie, um zu verändern, ohnehin immer zu spät kommt. Dem der Gedanke, laut Vorrede zur Rechtsphilosophie, ohnehin erst in der Zeit erscheint, »nachdem die Wirklichkeit ihren Bildungsprozeß vollendet und sich fertig gemacht hat«. Auch noch in diesem Satz ist ein Stück Diodoros Kronos, groß gewordenen Stils, diesesfalls als Feier der Vergangenheit, der angeblich die ganze Welt umfassenden. Genau dieses Pathos der Statik, so erstaunlich am gewaltigen Dialektiker, ließ also Hegel die Möglichkeit hintansetzen oder ins untergeordnet

Abgetane versetzen. Hierher gehört auch folgender, den Prozeß abschließender Lehrsatz Hegels: »Was innerlich ist, ist auch äußerlich vorhanden und umgekehrt; die Erscheinung zeigt nichts, was nicht im Wesen ist, und im Wesen ist nichts, was nicht manifestiert ist« (Enzyklopädie, § 139). Dazu halte man freilich die frühere Bekundung aus der Vorrede zur Phänomenologie: »Es ist... nicht schwer zu sehen, daß unsere Zeit eine Zeit der Geburt und des Übergangs zu einer neuen Periode ist. Der Geist hat mit der bisherigen Welt seines Daseins und Vorstellens gebrochen und steht im Begriffe, es in die Vergangenheit hinab zu versenken, und in der Arbeit seiner Umgestaltung« (Werke II, S. 10). So wäre denn die Konsequenz aus dieser Bekundung, die Hegel nur nicht gezogen hat, allerdings diese: wo eine Zeit der »Geburt« ist, ist auch der Schoß eines real Möglichen, dem sie entspringt, und wo »Arbeit der Umgestaltung« ist, muß die Potenz des Umgestaltens wie die Potentialität des Umgestaltbaren mehr sein als nur leere Abstraktion der Reflexion-in-sich. Item, die Logik und Ontologie des weiten Reichs des Möglichen ist erdrückt worden von dem statischen Wahn, daß alles Mögliche im Wirklichen bereits ausgestaltet sei. Daß es deshalb so gleichgültig sei wie die Ähre, aus der das Korn heraus ist, oder wie Schachfiguren nach beendetem Spiel. Die Wahrheit ist aber die Marxsche, die von aller bisherigen Philosophie sich abhebende, daß es darauf ankomme, die Welt als richtig interpretierte, das heißt eben als dialektisch-materialistisch prozeßhafte, als unabgeschlossene, zu verändern. Veränderung der veränderbaren Welt ist die Theorie-Praxis des realisierbar real Möglichen an der Front der Welt, des Weltprozesses. Und an diesem Ende ist das real Mögliche, das in jeder kontemplativ-statischen Philosophie heimatlose, das Realproblem der Welt selber: als das noch Unidentische von Erscheinung und wirklichem Wesen, schließlich von Existenz und Essenz in ihr.

Möglichkeit verwirklichen

Der Mensch ist dasjenige, was noch vieles vor sich hat. Er wird in seiner Arbeit und durch sie immer wieder umgebildet. Er steht immer wieder vorn an Grenzen, die keine mehr sind, indem er sie wahrnimmt, er überschreitet sie. Das Eigentliche ist im Menschen wie in der Welt ausstehend, wartend, steht in der Furcht, vereitelt zu werden, steht in der Hoffnung, zu gelingen. Denn was möglich ist, kann ebenso zum Nichts werden wie zum Sein: das Mögliche ist als das nicht voll Bedingte das nicht Ausgemachte. Daher eben ist dieser realen Schwebe gegenüber von vornherein, wenn der Mensch nicht eingreift, ebenso Furcht wie Hoffnung angemessen, Furcht in der Hoffnung, Hoffnung in der Furcht. Deshalb haben die Stoiker – weise oder auch allzu passiv weise – geraten, der Mensch solle sich nicht in der Nähe von Verhältnissen ansiedeln, über die er keine Macht hat. Doch indem beim Menschen das aktive Vermögen besonders zur Möglichkeit gehört, so macht der Einsatz dieser Aktivität und Tapferkeit, sobald und soweit er stattfindet, ein Übergewicht der Hoffnung. Tapferkeit dieses Sinns ist Gegenzug gegen die negative Möglichkeit des Abwegs ins Nichts. Sie ist aber nur Gegenzug, indem sie, statt der raschen, abstrakten Heldentat, sich der genauesten Vermittlung mit den gegebenen Bedingungen versichert. Das ist: mit der Reife dieser Bedingungen sich vermittelt und mit ihrem auf der gesellschaftlichen Tagesordnung stehenden Inhalt. Nur dieses ist Praxis nach Maßgabe des jeweils Möglichen im Feld des insgesamten Möglichkeit-Seins der unabgeschlossenen Geschichte und Welt. Nur solche Praxis kann die im Geschichtsprozeß anhängige Sache: die Naturalisierung des Menschen, die Humanisierung der Natur aus der realen Möglichkeit zur Wirklichkeit überführen. Ein Zukunftsland, wie alles Totum des Möglichen, aber es ist voll genau verfolgbarer geschichtlichtendenzieller Vermittlung. Wie die Zeit, nach Marx, der Raum der Geschichte ist, so ist der *Zukunftsmodus* der Zeit der Raum der *realen Möglichkeiten der Geschichte*, und er liegt allemal am Horizont der jeweiligen Tendenz des Weltgeschehens. Das ist theoretisch-praktisch an der Front des Weltprozesses, wo die Entscheidungen fallen, neue Horizonte aufgehen. Und der Prozeß in diese Zukunft ist einzig der der Materie, die sich durch den Menschen als ihrer höchsten Blüte zusammenfaßt und zu Ende bildet.

Das Unsere wie auch das noch nicht Unsere hat diesen Weg vor sich, er ist rauh und offen. Menschen und Dinge sind in dieser

Bahn vereint, auf diese Art hängen Mensch und Welt am besten zusammen. Wobei durch die Menschen, vor nicht mehr als einigen tausend Jahren, der entscheidende Stoß gekommen ist, durch den eröffnet wurde, was man in unbescheidener, doch nur vorläufig übertriebener Weise Weltgeschichte nennt. Der Mensch und seine Arbeit ist derart im historischen Weltvorgang ein Entscheidendes geworden; mit der Arbeit als Mittel zur Menschwerdung selber; mit den Revolutionen als Geburtshelfern der künftigen Gesellschaft, womit die gegenwärtige schwanger ist; mit dem Ding für uns, der Welt als vermittelter Heimat, wozu die Natur in kaum erst betretener, gar aufgesprengter Möglichkeit ist. Der subjektive Faktor ist hierbei die unabgeschlossene Potenz, die Dinge zu wenden, der objektive Faktor ist die unabgeschlossene Potentialität der Wendbarkeit, Veränderbarkeit der Welt im Rahmen ihrer Gesetze, ihrer unter neuen Bedingungen sich aber auch gesetzmäßig variierenden Gesetze. Beide Faktoren sind miteinander stets verflochten, in dialektischer Wechselwirkung, und nur die isolierende Überbetonung des einen (wodurch das Subjekt zum letzten Fetisch wird) oder des anderen (wodurch das Objekt, in scheinbarem Selbstlauf, zum letzten Fatum wird) reißen Subjekt und Objekt entzwei. Die subjektive Potenz fällt zusammen nicht nur mit dem Wendenden, sondern mit dem Realisierenden in der Geschichte, und desto mehr fällt sie damit zusammen, je mehr die Menschen bewußte Hersteller ihrer Geschichte werden. Die objektive Potentialität fällt zusammen nicht nur mit dem Veränderbaren, sondern mit dem Realisierbaren in der Geschichte, und desto mehr fällt sie damit zusammen, je mehr die vom Menschen unabhängige Außenwelt ebenso eine wachsend mit ihm vermittelte ist. Realisierendes ist gewiß auch, mit wilder Wirkungskraft und Samen, auch großer Breite, in der vormenschlichen und außermenschlichen Welt. Ist hier, obzwar mit keinem oder schwachem Bewußtsein, von der gleichen intensiven Wurzel, aus der dann auch die menschlich subjektive Potenz entsprungen ist. Doch noch gewisser faßt der Mensch als Realisierendes – vor allem sofern und nachdem es nicht mehr mit falschem Bewußtsein versehen ist – die zentrale Potenz in der Potenz-Potentialität der prozessualen Materie zusammen. Diese zentrale Potenz steht derart wachsend in der Möglichkeit, das treibende Kern-Interesse alles Geschehens, diesen Ursprung und Inhalt der letzten realen Möglichkeit, selber wachsend zu treffen, anzutreffen, ihn zu identifizieren, ja sich mit ihm manifest-identisch zu machen. So transfinit auch alle dergleichen Ausrichtungen sind, so liegen sie doch in der strengen und konsequenten Verlängerungslinie des mit bewußter Herstellung der Geschichte Bezeichneten – contra undurchschautes Schicksal. Wonach eben die Realisierung des Realisierenden selber, das heißt, die adäquate Manifestierung des Geschichtsbildenden, Prozeß-Erregenden, als des Kerns der Realmöglichkeit, die ebenso entlegenste wie positiv-tiefste Realmöglichkeit ausmacht; mit kaum erst partiell vorliegenden Bedingungen. Dennoch ist hier das Ganze des bewußten Herstellens der Geschichte sichtbar: erfaßte, erlangte, ausgebreitete causa sui in Gesellschaft und Natur. Wodurch die Realisierung des Realisierenden, diese letzte Realmöglichkeit, das gleiche ist wie das letzte Realproblem· Gesellschaft wie Natur in die Angeln zu heben. Und eben die Welt dieser letzten Realmöglichkeit, die wenigstens definitorisch antizipierbare Welt der causa sui, stellt sich im Exempel dar als: Einklang des unverdinglichten Objekts mit dem manifestierten Subjekt, des unverdinglichten Subjekts mit dem manifestierten Objekt. Das sind die – einer nahen wie fernen Zukunft zugekehrten – Grundproportionen der menschlichen Entwicklung. Die Angel in der menschlichen Geschichte aber ist ihr Erzeuger – der arbeitende Mensch, der endlich nicht mehr veräußerte, entfremdete, verdinglichte, für den Profit seiner Ausbeuter unterjochte. Marx ist der verwirklichte Lehrer dieser Aufhebung des Proletariats, dieser möglichen, wirklich werdenden Vermittlung der Menschen mit sich selbst und ihrem normalen Glück. Die Angel in der Geschichte der Natur aber, die der Mensch zum Unterschied von seiner eigenen Geschichte zwar beeinflußt, doch nicht macht, ist jenes mit uns kaum noch vermittelte, ja noch hypothetische Agens des außermenschlichen Geschehens, das abstrakt Naturkraft heißt, unhaltbar-pantheistisch natura naturans genannt worden war, das jedoch in dem Augenblick konkret zugänglich gemacht werden kann, wo der arbeitende Mensch, dieser stärkste, höchstbewußte, von der übrigen Natur keinesfalls abgetrennte Teil des universalen materiellen Agens, aus dem halben Inkognito seiner bisherigen Entfremdung herauszutreten beginnt. Marx ist der essentielle Lehrer dieser sich annähernden Vermittlung mit dem Produktionsherd des Weltgeschehens insgesamt, der, wie Engels sagt, Verwandlung des angeblichen Dings an sich zum Ding für uns im Maß einer möglichen Humanisierung der Natur. Freies Volk auf freiem Grund, so total gefaßt, das ist das Endsymbol der Realisierung des Realisierenden, also des radikalsten Grenzinhalts im objektiv-real Möglichen überhaupt.

19 WELTVERÄNDERUNG
ODER DIE ELF THESEN VON MARX
ÜBER FEUERBACH

Das Denken nach vornhin ist seit langem angesagt und zu hören. Nur die Feigen reden sich aus allem heraus, und die Lügner bleiben allgemein. Nur sie verstecken sich in weiten oder spinösen Gewändern, suchen immer woanders zu sein als dort, wo man sie ertappt. Aber das Wahre kann überhaupt nicht genug bestimmt sein, auch dann und gerade dann, wenn die Sache vor dem Blick noch dämmert. Durch diesen frühen Spürsinn fürs Wesentliche gelangen bereits dem neunzehnjährigen Marx, im erhaltenen Brief an seinen Vater, scharf gefaßte Hauptsätze schlechthin. Diese Art will von Anfang an in den Kern der Sache, verspielt sich nirgends ins Unnütze, wirft es, sobald es erkannt ist, sogleich ab. So ist sie fähig, bei allem breit Erblickten, lang Durchdachten, das hinzukommt, jederzeit wieder in Form zu sein, zuschlagend und pointierend. Das Erfaßte, das sich so zu fassen versteht, zeigt die Pointen auf dem Weg. Mit und an ihnen schärft sich nun der Zug nach vorwärts, damit ihm selbst mögliche Umschweife noch dienen. Freilich auch ist dies Weisende, in seiner Folge, nicht immer so rasch überblickbar, wie es, in seiner Kürze, zitierbar ist. Denn bedeutende Kürze ist zusammenhängend, darum ist ihr Wort am wenigstens schnell fertig.

So muß sich der Verstand an solchen Sätzen immer wieder neu bewähren. Das nirgends frischer als an der gedrängten Sammlung gedrängtester Weisungen, die als die Elf Thesen über Feuerbach bekannt sind. Marx hat sie im April 1845 in Brüssel niedergeschrieben, höchst wahrscheinlich im Zug der Vorarbeit zur »Deutschen Ideologie«. Veröffentlicht wurden die Thesen erst 1888 durch Engels, als Anhang zu dessen »Ludwig Feuerbach und der Ausgang der klassischen deutschen Philosophie«. Hierbei hat Engels den zuweilen nur skizzierten Text von Marx stilistisch leicht redigiert, selbstredend ohne die leiseste inhaltliche Veränderung. Engels schreibt in der Vorbemerkung zu seinem »Ludwig Feuerbach« über die Thesen: »Es sind Notizen für spätere Ausarbeitung, rasch hingeschrieben, absolut nicht für den Druck bestimmt, aber unschätzbar als das erste Dokument, worin der geniale Keim der neuen Weltanschauung niedergelegt ist.« Feuerbach hatte vom reinen Gedanken auf die sinnliche Anschauung, vom Geist auf den Menschen, samt der Natur als seiner Basis, zurückgerufen. Wie bekannt, hatte diese so »humanistische« wie »naturalistische« Absage an Hegel (mit Mensch als Hauptgedanke, Natur statt Geist als Prius) auf den jungen Marx einen starken Einfluß. Feuerbachs »Das Wesen des Christentums«, 1841, seine »Vorläufigen Thesen zur Reform der Philosophie«, 1842, auch noch seine »Grundsätze der Philosophie der Zukunft«, 1843, wirkten desto befreiender, als auch die linke Hegelschule von Hegel nicht loskam, vielmehr über eine lediglich innerhegelsche Kritik am Meister des Idealismus nicht hinausging. »Die Begeisterung«, sagt Engels im »Ludwig Feuerbach« noch an die fünfzig Jahre später, rückblickend, »war allgemein: wir waren alle momentan Feuerbachianer. Wie enthusiastisch Marx die neue Auffassung begrüßte, und wie sehr er – trotz aller kritischen Vorbehalte – von ihr beeinflußt wurde, kann man in der ›Heiligen Familie‹ lesen« (Ludwig Feuerbach, Dietz, 1946, S. 14). Die deutsche Jugend von damals glaubte statt Himmel endlich Land zu sehen, menschlich, diesseitig.

Indessen hat sich Marx von diesem allzu vagen diesseitigen Menschsein recht bald gelöst. Die Tätigkeit an der »Rheinischen

Zeitung« hatte ihn in weit engeren Kontakt mit politischen und ökonomischen Fragen gebracht, als die Links-Hegelianer, aber auch Feuerbachianer besaßen. Eben dieser Kontakt führte Marx von der Kritik der Religion, auf die Feuerbach sich beschränkte, *wachsend* zur Kritik des Staats, ja bereits der gesellschaftlichen Organisation, die – wie die »Kritik der Hegelschen Staatsphilosophie« 1841–1843 erkennt – die Form des Staats bestimmt. In Hegels Unterscheidung zwischen bürgerlicher Gesellschaft und Staat, von Marx pointiert, steckte schon selber mehr ökonomisches Bewußtsein als bei seinen Epigonen, auch bei Feuerbachianern. Die Ablösung von Feuerbach geschah hochachtungsvoll und zunächst nur wie eine Korrektur oder gar bloße Ergänzung, doch der gänzlich andere, der gesellschaftliche Blickpunkt ist von Anfang an klar. Am 13. März 1843 schreibt derart Marx an Ruge: »Feuerbachs Aphorismen sind mir nur in dem Punkt nicht recht, daß er zu sehr auf die Natur und zu wenig auf die Politik hinweist. Das ist aber das einzige Bündnis, wodurch die jetzige Philosophie eine Wahrheit werden kann« (MEGA I, 1/2, S. 308). Die »Ökonomisch-philosophischen Manuskripte«, 1844, enthalten noch eine bedeutende Feier Feuerbachs, freilich als Gegensatz zur Hirnweberei Bruno Bauers; sie rühmen so unter Feuerbachs Taten vor allem die »Gründung des wahren Materialismus und der reellen Wissenschaft, indem Feuerbach das Verhältnis ›des Menschen zum Menschen‹ ebenso zum Grundprinzip der Theorie macht« (MEGA I, 3, S. 152). Doch sind die »Ökonomisch-philosophischen Manuskripte« bereits viel weiter, als sie aussprechen, über Feuerbach hinaus. Das Verhältnis »des Menschen zum Menschen« bleibt in ihnen kein abstrakt-anthropologisches überhaupt, wie bei Feuerbach, vielmehr dringt die Kritik der menschlichen Selbstentfremdung (von der Religion auf den Staat übertragen) bereits zum ökonomischen Kern des Entfremdungsvorgangs. Das nicht zuletzt in den großartigen Partien über die Hegelsche Phänomenologie, in denen die geschichtsbildende Rolle der Arbeit kenntlich gemacht wird, in denen Hegels Werk daraufhin interpretiert wird. Zugleich aber kritisieren die »Ökonomisch-philosophischen Manuskripte« dieses Werk, weil es die menschliche Arbeitstätigkeit nur als geistige, nicht als materielle auffaßt. Der Durchbruch zur politischen Ökonomie, also weg von Feuerbachs allgemeinem Menschen, vollzieht sich in dem ersten zusammen mit Engels unternommenen Werk, in der »Heiligen Familie«, ebenfalls 1844. Die »Ökonomisch-philosophischen Manuskripte« enthielten bereits den Satz: »Arbeiter selbst ein Kapital, eine Ware« (l. c. S. 103), wonach also vom Feuerbachschen Menschsein hier nichts übrigbleibt als seine Negation im Kapitalismus; die »Heilige Familie« notierte den Kapitalismus selber als den Quell dieser stärksten und letzten Entfremdung. Statt des Feuerbachschen Gattungsmenschen, mit seiner gleichbleibenden abstrakten Natürlichkeit, erschien nun deutlich ein historisch wechselndes Ensemble gesellschaftlicher Verhältnisse und vor allem: ein klassenmäßig antagonistisches. Die Entfremdung freilich umfaßte beide: die Ausbeuterklasse wie die der Ausgebeuteten, vor allem im Kapitalismus, als der stärksten Form dieser Selbstentäußerung, Verobjektivierung. »Aber«, sagt die »Heilige Familie«, »die erste Klasse fühlt sich in dieser Selbstentfremdung wohl und bestätigt, weiß die Entfremdung als *ihre eigene Macht* und besitzt in ihr den Schein einer menschlichen Existenz; die zweite fühlt sich in der Entfremdung vernichtet, erblickt in ihr ihre Ohnmacht und die Wirklichkeit einer unmenschlichen Existenz« (MEGA I, 3, S. 206). Was eben die jeweils arbeitsteilige, klassenhafte Produktion und Austauschweise, zuhöchst die kapitalistische, als den endlich entdeckten Quell der Entfremdung erwies. Spätestens von 1843 ab war Marx Materialist; die »Heilige Familie« hat 1844 die materialistische Geschichtsauffassung geboren, mit ihr den wissenschaftlichen Sozialismus. Und die »Elf Thesen«, *zwischen der »Heiligen Familie« von 1844/45 und der »Deutschen Ideologie« von 1845/46 entstanden*, stellen so den formulierten Abschied von Feuerbach dar, zusammen mit höchst originalem Erbantritt. Politisch-empirische Erfahrung aus der rheinischen Zeit plus Feuerbach haben Marx gegen den »Geist« und wieder »Geist« der linken Hegelschule immun gemacht. Der bezogene Standpunkt des *Proletariats* hat Marx ursächlich-konkret, also wahrhaft (aus dem Fundament) humanistisch werden lassen.

Wie sich von selbst versteht, ist der Abschied hier kein völliger Bruch. Beziehungen zu Feuerbach gehen durch weite Teile des Marxschen Werks, auch nach dem Abschied der »Elf Thesen«. Am nächsten steht dem verlassenen Land, schon aus zeitlichen Gründen, die den Thesen unmittelbar nachfolgende» Deutsche Ideologie«. Manche kritische Fassung der Thesen kehrt in ihr wieder, wobei freilich die Kritik an Feuerbach und die mörderische Erledigung schlechter Hegelepigonen sich hier sehr unterscheiden. Feuerbach gehörte noch zur bürgerlichen Ideologie, also mußte die Auseinandersetzung mit ihren scheinradikalen Zerfallserscheinungen, wie Bruno Bauer und Stirner, auch ihn in die »Deutsche Ideologie« verwickeln. Doch so, daß der Philosoph stellenweise noch selber den Griff der konsequenten Waffe lieferte, mit der Marx auch gegen ihn, vor allem aber gegen die Linkshegelianer dreinfuhr. Demgemäß beginnt die »Deutsche Ideologie« grundlegend mit dem Namen Feuerbach und kritisiert, von seiner Religionskritik ausgehend, die lediglich inneridealistische »Überwindung« des Idealismus. »Keinem von diesen Philosophen ist es eingefallen, nach dem Zusammenhange der deutschen Philosophie mit der deutschen Wirklichkeit, nach dem Zusammenhange ihrer Kritik mit ihrer eigenen materiellen Umgebung zu fragen« (MEGA I, 5, S. 10). Marx betont auf der anderen Seite jedoch Feuerbachs »großen Vorzug vor den ›reinen‹ Materialisten, daß er einsieht, wie auch der Mensch ›sinnlicher Gegenstand‹ ist«. In der Tat ist mit der angegebenen Anerkennung genau so die Wichtigkeit Feuerbachs für die Heranbildung des Marxismus bezeichnet wie mit der Kritik an seinem abstrakten, geschichtslosen Menschwesen das Un-, ja Anti-Feuerbachsche des ausgebildeten Marxismus selbst. Die Anerkennung sagt: ohne den Menschen als ebenfalls »sinnlichen Gegenstand« wäre Menschliches als Wurzel aller gesellschaftlichen Dinge sehr viel schwerer materialistisch herausgearbeitet worden. Feuerbachs anthropologischer Materialismus bezeichnet so den erleichtert möglichen Übergang vom bloß mechanischen Materialismus zum historischen. Die Kritik sagt: ohne die Konkretisierung des Menschlichen zu wirklich existierenden, vor allem gesellschaftlich tätigen Menschen, mit wirklichen Verhältnissen zueinander und zur Natur, wären Materialismus und Geschichte eben dauernd auseinandergefallen, trotz aller »Anthropologie«. Hierbei bleibt aber Feuerbach für Marx stets bedeutend, sowohl als Durchgang wie als der einzige zeitgenössische Philosoph, mit dem eine Auseinandersetzung überhaupt möglich, klärend und fruchtbar ist. Die Grundgedanken, auf die Marx derart kritisch reagiert, über die er produktiv wegschreitet, stehen wesentlich in Feuerbachs Hauptschrift »Das Wesen des Christentums«,von 1841.Weiter kommen in Betracht Feuerbachs »Vorläufige Thesen zur Reform der Philosophie«, von 1842, und die »Grundsätze der Philosophie der Zukunft«, von 1843. Die früheren Schriften des Philosophen dürften für Marx kaum Bedeutung gehabt haben, da Feuerbach mindestens bis 1839 zu unoriginell war, zu sehr unter Hegels Einfluß stand. Erst von da ab hat Feuerbach den Hegelschen Begriff der Selbstentfremdung auf die Religion angewandt. Erst von da ab sagte der frühere Hegelianer, sein erster Gedanke sei Gott gewesen, sein zweiter Vernunft, sein dritter und letzter sei der Mensch. Das heißt: so wie die Hegelsche Vernunftphilosophie den Kirchenglauben überwunden habe, so setze nun die Philosophie den Menschen (mit Einschluß der Natur als seiner Basis) an Hegels Statt. Bei alldem aber konnte Feuerbach den Weg nicht finden zur Wirklichkeit; gerade das Wichtigste an Hegel: die historisch-dialektische Methode warf er fort. Erst die »Elf Thesen« wurden die Wegweiser aus bloßem Anti-Hegel in die veränderbare Wirklichkeit, aus dem Materialismus der Etappe in den der Front.

Frage der Gruppierung

Eine alte und neue Frage ist, wie die Thesen geordnet werden müssen. Denn so, wie sie dastehen, zur Selbstverständigung, nicht für den Druck bestimmt, überschneiden sie sich mehrfach. Bringen auch den gleichen Inhalt an anderer Stelle, machen den Einteilungs- und Abfolgegrund nicht überall sichtbar. Bedürfnisse des Unterrichts haben daher mancherlei Versuche gezeitigt, die Thesen nach ihrer Zusammengehörigkeit umzuordnen und sie so in Gruppen zu gliedern. Dabei wird zuweilen versucht, die Nummernabfolge bestehen zu lassen, gleich als wären die »Elf Thesen« hintereinander, in Reih und Glied subsumierbar. Solch nummerntreue Gruppierung sieht etwa folgendermaßen aus: Thesen 1, 2, 3 stehen unter: Einheit von Theorie und Praxis im Denken, Thesen 4 und 5 unter: Verständnis der Wirklichkeit in Widersprüchen, Thesen 6, 7, 8, 9 unter: Die Wirklichkeit selber in Widersprüchen, Thesen 10,11 unter: Ort und Aufgabe des dialektischen Materialismus in der Gesellschaft. Das ist die Ordnung nach *Ziffern;* indem es noch mehrere solcher gibt und inhaltlich ganz verschiedene, ergibt sich, wie wenig der bloße Stellenwert der Zahlen hier lehrt. Jede solcher Ordnungen behandelt die Reihenfolge einerseits zu hoch, indem sie sie ewig eingegraben sein läßt, wie im Zwölftafelgesetz oder in den Zehn Geboten, andererseits behandelt sie sie so niedrig und formalistisch, als ob sie eine Briefmarkenserie wäre. Numerierung aber ist nicht Systematik, und am wenigsten hat Marx diesen Ersatz nötig. Daher also muß philosophisch, nicht arithmetisch gruppiert werden, daß heißt, die Reihenfolge der Thesen ist einzig die ihrer *Themen* und *Inhalte.* Es gibt, soweit zu sehen ist, noch keinen Kommentar zu den Elf Thesen; erst mit ihm aber, als aus der gemeinsamen Sache selber geschehend, geht auch der sich fortproduzierende Zusammenhang ihrer Kürze wie Tiefe auf. Dann erscheint: Erstens die erkenntnistheoretische Gruppe, *Anschauung und Tätigkeit* betreffend (Thesen 5, 1, 3); zweitens die anthropologisch-historische Gruppe, *Selbstentfremdung, ihre wirkliche Ursache und den wahren Materialismus* betreffend (Thesen 4, 6, 7, 9, 10); drittens die zusammenfassende oder Theorie-Praxis-Gruppe, *Beweis und Bewährung* betreffend (Thesen 2, 8). Zuletzt erfolgt die wichtigste These, als das *Losungswort,* woran sich nicht nur die Geister endgültig scheiden, sondern mit dessen Gebrauch sie aufhören, nichts als Geister zu sein (These 11). Sachgemäß wird die erkenntnistheoretische Gruppe mit These 5 eröffnet, die anthropologisch-historische mit These 4; denn diese Thesen bezeichnen die beiden Grundlehren Feuerbachs, die Marx relativ anerkennt, und über die er in den übrigen Thesen der jeweiligen Gruppen hinausgeht. Die übernommene Grundlehre ist in These 5 die Abkehr vom abstrakten Denken, in These 4 die Abkehr von der menschlichen Selbstentfremdung. Und entsprechend dem ersten Grundzug der materialistischen Dialektik, dessen Abbildung sich hier anmeldet, besteht zwischen den einzelnen Thesen innerhalb der jeweiligen Gruppe freie, sich ergänzende Bewegung der Stimmen; so wie zwischen den Gruppen selber ständige Wechselbeziehung geschieht, ein zusammenhängendes einheitliches Ganzes.

Erkenntnistheoretische Gruppe: Die Anschauung und Tätigkeit

Thesen 5, 1, 3

Anerkannt wird hier, daß auch denkend nur vom Sinnlichen auszugehen ist. Die Anschauung, nicht der von ihr nur abgezogene Begriff ist und bleibt der Anfang, an dem jedes materialistische Erkennen sich ausweist. Daran hatte Feuerbach in einer Zeit erinnert, wo noch jede akademische Straßenecke von Geist, Begriff und wieder Begriff widerklang. These 5 betont dieses Verdienst: Feuerbach ist mit dem Kopfwesen »nicht zufrieden«, er will die Füße auf dem angeschauten Boden. Aber These 5, sodann vor allem These 1 machen zugleich kenntlich, daß bei *betrachtender* Sinnlichkeit, wie Feuerbach sie einzig kennt, die Füße noch nicht gehen können und der Boden selber ungangbar bleibt. Der so Anschauende versucht auch gar keine Bewegung, er bleibt im Stand des bequemen Genießens. Daher lehrt These 5: bloßes Anschauen »faßt die Sinnlichkeit nicht als praktische, als menschlich-sinnliche Tätigkeit«. Und These 1 wirft dem ganzen bisherigen Materialismus vor, daß die Anschauung nur »unter der Form des Objekts« gefaßt wird, »nicht aber als menschliche sinnliche Tätigkeit, Praxis, nicht subjektiv«. Daher geschah es, daß die tätige Seite, im Gegensatz zum Materialismus, »vom Idealismus entwickelt wurde – aber nur abstrakt, da der Idealismus natürlich die wirkliche sinnliche Tätigkeit als solche nicht kennt«. An Stelle der untätigen Betrachtung, worin aller bisherige Materialismus, einschließlich des Feuerbachschen, verharrt, tritt so der Faktor menschliche Tätigkeit. Und das bereits innerhalb des sinnlichen, also unmittelbaren, als grundlegendanfangenden Wissens: Sinnlichkeit als Kenntnis, als wirkliche Basis der Erkenntnis ist so keineswegs dasselbe wie (kontemplative) Anschauung. Der von Marx nun in These 1 derart betonte *Begriff Tätigkeit* stammt eben aus der idealistischen Erkenntnistheorie, und zwar nicht aus der idealistischen schlechthin, sondern erst aus der in bürgerlicher Neuzeit entwickelten. Denn dieser Begriff setzt eine Gesellschaft als Basis voraus, wo die herrschende Klasse sich selber in Tätigkeit, also Arbeit sieht oder sehen möchte. Das aber ist erst in der kapitalistischen Gesellschaft der Fall, sofern hier die Arbeit, soll heißen: der Arbeits-*schein* um die herrschende Klasse, zum Unterschied von allen vorbürgerlichen Gesellschaften nicht mehr schändet, sondern geehrt wird. Das aus Notwendigkeit des Profits, der in dieser Profitgesellschaft sich entfesselnden Produktivkräfte. Die in der antiken Sklavenhalter-, auch in der feudalen Leibeigenengesellschaft verachtete Arbeit (sogar die Bildhauer zählten in Athen zu den Banausen) reflektiert sich selbstverständlich auch in den *Gedanken* der herrschenden Klasse nicht, gänzlich eben zum Unterschied von der Ideologie des Unternehmers, des Bourgeois, des sogenannten homo faber. Dessen in der Neuzeit freiwerdende, die bürgerliche Neuzeit bildende, noch lange fortschrittliche Profitdynamik sich auch im Überbau durchaus kenntlich macht und die Basis selber aktiviert. Das sowohl moralisch, in Gestalt eines sogenannten *Arbeitsethos*, wie erkenntnistheoretisch, in Gestalt eines Begriffs der Tätigkeit, eines *Arbeitslogos* in der Erkenntnis. Das Arbeitsethos, vorzüglich von den Calvinisten zwecks Kapitalsbildung gepredigt, diese kapitalistische vita activa setzte sich gegen die aristokratische Muße ab, auch gegen die vita contemplativa der beschaulichen, mönchisch-gelehrten Existenz. Parallel unterschied sich der Arbeitslogos in der Erkenntnis, dieser vorzüglich im bürgerlichen Rationalismus übersteigerte Begriff des »Erzeugens«, von dem antiken wie noch scholastischen Erkenntnisbegriff des bloßen Empfangens: der Schau, der visio, der passiven Abbildung. Wie sie im Begriff der »Theoria« selber erhalten ist, gemäß dem ursprünglichen Schau-Sinn des Worts. Auch Platon ist derart am Ende, cum grano salis, empfangender Sensualist; denn wie immer ideal und wie immer rein auf Ideen bezogen sich seine Schau gibt, so ist sie doch eben wesenhaft rezeptive Schau, und der Denkvorgang wird durchgehends entsprechend der sinnlichen Anschauung gefaßt. Nun aber steht selbst Demokrit, also der erste große, ja der bis Marx tonangebende *Materialist*, ebenfalls in dieser arbeitsfremden, *den Arbeitsvorgang nicht reflektierenden* Ideologie. Auch Demokrit faßt die Erkenntnis nur als passive; das Denken, wodurch bei ihm das wahrhaft Wirkliche erkannt wird, das Wirkliche der Atome samt ihrem Mechanismus, wird hier einzig durch den Eindruck entsprechender Bilderchen (eidola) erklärt, die von der Oberfläche der Dinge sich ablösen und in den Wahrnehmend-Erkennenden einfließen. Im Punkt erkenntnistheoretische Nicht-Tätigkeit ist zwischen Platon und Demokrit mithin gar kein Unterschied; beide Erkenntnistheorien eint die Sklavenhalter-gesellschaft, das ist hier: die Abwesenheit der verachteten Arbeits-tätigkeit im philosophischen Überbau. Und nun: das Paradox erscheint, daß der Rationalismus, der *Idealismus* der Neuzeit, der sich von Platon oft weit entfernt hat, viel stärker den Arbeits-vorgang erkenntnistheoretisch reflektierte als der *Materialismus* der Neuzeit, der sich von seinem antiken Stammvater Demo-krit ja nie so weit entfernt hat. Der ruhend abbildende Spiegel, diese Auslassung des Arbeitsbegriffs, ist derart, bis Feuerbach einschließlich, materialistisch häufiger als das Pathos der »Er-zeugung«, gar der dialektischen Wechselabbildung von Subjekt-Objekt, Objekt-Subjekt aufeinander. Unter den neueren Mate-rialisten lehrt einzig Hobbes rationale »Erzeugung«, mit dem Grundsatz, der bis zu Kant gilt: Nur solche Gegenstände sind erkennbar, die mathematisch konstruierbar sind. Doch so sehr Hobbes mittels dieses Grundsatzes die Philosophie gerade als Lehre von der mathematisch-mechanischen Bewegung der Kör-per, mithin als Materialismus definieren konnte, so wenig kam er doch auch seinerseits über die von Marx gerügte »Form des Objekts«, nämlich über bloß kontemplativen Materialismus hin-aus. Ein anderes geschah innerhalb des Idealismus dort, wo die »Erzeugung« aus der *geometrischen Konstruktion* in die wirk-liche Arbeitsgestalt der *historischen Genesis* überging. Das ge-lang entschieden erst bei Hegel; erst die »Phänomenologie des Geistes« machte mit der Dynamik des erkenntnistheoretischen Arbeitsbegriffes immerhin *historisch*-idealistischen Ernst. Dieser lag auch weit über dem bloß *mathematisch*-idealistischen »Er-zeugungs«-Pathos, wie es bei den großen Rationalisten der Ma-nufakturperiode, bei Descartes, Spinoza, Leibniz, in ihren Halb-oder Ganz-Idealismus hineingewirkt hatte. Kein besserer Zeuge für diese Bedeutung der Hegelschen Phänomenologie, der von Feuerbach überhaupt nicht verstandenen, als Marx in den »Öko-

nomisch-philosophischen Manuskripten«: die Größe der Phänomenologie wird von Marx eben darin gesehen, daß sie »das
Wesen der Arbeit faßt und den gegenständlichen Menschen,
wahren, weil wirklichen Menschen, als Resultat seiner eigenen
Arbeit begreift« (MEGA I, 3, S. 156). Dieser Satz also erläutert
aufs beste das angegebene Manko des bloß anschauenden Materialismus, bis Feuerbach einschließlich: dem bisherigen Materialismus fehlt *die dauernd oszillierende Subjekt-Objekt-Beziehung, die Arbeit heißt.* Daher eben faßt er den Gegenstand, die
Wirklichkeit, Sinnlichkeit nur »unter der Form des Objekts«,
mit Auslassung der »menschlich-sinnlichen Tätigkeit«. Hegels
Phänomenologie dagegen stand, wie Marx sagt, »auf dem Standpunkt der modernen Nationalökonomie« (l. c. S. 157). Feuerbach aber stand erkenntnistheoretisch noch auf dem Standpunkt
der Sklavenhaltergesellschaft oder auch der Leibeigenschaft,
wegen des Nicht-Tätigen, noch Betrachterischen in seinem
Materialismus.

Dabei macht Marx selbstverständlich klar, daß die bürgerliche
Tätigkeit noch keine ganze, rechte ist. Sie kann das nicht sein,
weil sie eben nur Arbeits*schein* ist, weil die Werterzeugung nie
vom Unternehmer, sondern vom Bauern, Handwerker, zuletzt
Lohnarbeiter ausgeht. Und weil der abstrakte, verdinglichte,
unübersichtliche Warenumlauf auf freiem Markt gar nichts anderes als ein letzthin passives, äußerliches, abstraktes Verhältnis zu
ihm zuließ. Deshalb betont These 1: auch der erkenntnistheoretische Reflex der Tätigkeit konnte nur ein abstrakter sein, »da
der Idealismus natürlich die wirkliche, sinnliche Tätigkeit als
solche nicht kennt«. Jedoch auch der bürgerliche Materialist
Feuerbach, der vom abstrakten Denken weg will, der statt ver-
dinglichter Gedanken wirkliche Gegenstände sucht, läßt die
menschliche Tätigkeit aus diesem wirklichen Sein aus; er faßt sie
»selbst nicht als gegenständliche Tätigkeit«. Das wird in der
Einleitung zur »Deutschen Ideologie« schlagend weiter ausgeführt: »Feuerbach spricht namentlich von der Anschauung der
Naturwissenschaft, er erwähnt Geheimnisse, die nur dem Auge
des Physikers und Chemikers offenbar werden; aber wo wäre
ohne Industrie und Handel die Naturwissenschaft? Selbst diese
›reine‹ Naturwissenschaft erhält ja ihren Zweck sowohl wie ihr

Material erst durch Handel und Industrie, durch sinnliche Tätigkeit der Menschen. So sehr ist die Tätigkeit, dieses fortwährende sinnliche Arbeiten und Schaffen, diese Produktion die Grundlage der ganzen sinnlichen Welt, daß, wenn sie auch nur für ein Jahr unterbrochen würde, Feuerbach eine ungeheure Veränderung nicht nur in der natürlichen Welt vorfinden, sondern auch die ganze Menschenwelt und sein eigenes Anschauungsvermögen, ja seine eigene Existenz sehr bald vermissen würde. Allerdings bleibt dabei die Priorität der äußeren Natur bestehen, und allerdings hat dies alles keine Anwendung auf die ursprünglichen, durch generatio aequivoca erzeugten Menschen; aber diese Unterscheidung hat nur insofern Sinn, als man den Menschen als von der Natur unterschieden betrachtet. Übrigens ist diese, der menschlichen Gesellschaft vorhergehende Natur ja nicht die Natur, in der Feuerbach lebt, nicht die Natur, die heutzutage, ausgenommen etwa auf einigen australischen Korallen-Inseln neueren Ursprungs, nirgends mehr existiert, also auch für Feuerbach nicht existiert« (MEGA I, 5, S. 33 f.). Wie entscheidend ist mit diesen Sätzen die menschliche Arbeit, die gerade als Gegenstand bei Feuerbach ganz heimatlose, als wichtiger, wenn nicht wichtigster Gegenstand in der die Menschen umgebenden Welt hervorgehoben.

Wonach also das Sein, das alles bedingt, nun selber tätige Menschen in sich hat. Das bringt ganz erstaunliche Folgen, sie machen vor allem These 3 besonders wichtig – nicht nur gegen Feuerbach, auch gegen Vulgärmarxisten. Zwei weitere Begriffe der »sinnlichen Welt«, ein schlechter und ein oft mißverstandener, sind deshalb in diesem wahrhaft gegenständlichen Zusammenhang bemerkenswert, sie gehören engstens zu ihm. Betreffen sie doch die empiristischen Lieblingskinder oder auch Trümpfe jener angeblich tätigkeitsfremden Anschauung, die die »Umstände« nur als das sieht, was um die Menschen herumsteht. Da ist einmal die sogenannte *Gegebenheit*, ein besonders objekthaft, also scheinbar materialistisch bezogener Begriff. Jedoch abgesehen davon, daß es bedeutungsgemäß ein Wechselbegriff ist, der nicht gälte, wenn es kein Subjekt gäbe, dem allein etwas gegeben wird oder gegeben sein kann, ist in der Welt, die die Umgebung der Menschen ausmacht, kaum ein Gegebenes, das nicht ebenso ein *Bearbeitetes* wäre. Marx spricht daher vom »Material«, wie es die Naturwissenschaft ja erst durch Handel und Industrie erhält. In der Tat zeigt nur die Oberflächenbetrachtung Gegebenes; bei einigem Eindringen dagegen enthüllt sich jeder Gegenstand unserer normalen Umgebung als ein keineswegs schieres Datum. Er erweist sich vielmehr als Endresultat vorhergehender Arbeitsvorgänge, und noch der Rohstoff, außer dem, daß er gänzlich verändert ist, wurde mit Arbeit aus dem Wald geholt oder aus Felsen gehauen oder aus der Erdtiefe gefördert. So viel über den ersten passiven Trumpf, der ersichtlich gar keiner ist, sondern nur am Standort der Oberfläche gilt und sticht. Der zweite Trumpf angeblich tätigkeitsfremder Anschauung benutzt zunächst allerdings einen völlig legitimen, ja entschieden materialistischen Begriff, nämlich das *Prius des Seins vor dem Bewußtsein.* Erkenntnistheoretisch spricht sich dieses Prius aus als die unabhängig vom menschlichen Bewußtsein existierende Außenwelt, geschichtlich als Priorität der materiellen Basis vor dem Geist. Aber Feuerbach wiederum hat diese Wahrheit einseitig verhärtet, er hat sie mechanistisch übertrieben, indem er auch hier die Tätigkeit ausgelassen hat. Unabhängigkeit des Seins vom Bewußtsein ist im Bereich der normalen menschlichen Umgebung keineswegs das Gleiche wie Unabhängigkeit des Seins von menschlicher Arbeit. Durch die Arbeitsvermittlung mit der Außenwelt wird die Unabhängigkeit dieser Außenwelt vom Bewußtsein, ihre Gegenständlichkeit vielmehr so wenig aufgehoben, daß sie gerade dadurch endgültig formuliert wird. Denn wie die menschliche Tätigkeit selber eine gegenständliche ist, also aus der Außenwelt nicht herausfällt, so ist auch die Subjekt-Objekt-Vermittlung, indem sie geschieht, ebenso ein Stück Außenwelt. Auch diese Außenwelt existiert unabhängig vom Bewußtsein, indem sie ja selber nicht unter der Form des Subjekts, aber freilich auch nicht nur »unter der Form des Objekts« erscheint. Sondern eben die *wechselwirkende Vermittlung von Subjekt und Objekt* darstellt, dergestalt, daß zwar überall das Sein das Bewußtsein bestimmt, aber gerade wieder das historisch entscheidende Sein, nämlich das ökonomische, außerordentlich viel objektives Bewußtsein enthält. Alles Sein aber ist für Feuerbach autarkes Prius als rein vormenschliche Basis, Naturbasis, mit dem Menschen als Blüte, doch eben lediglich als Blüte, nicht als eigener Naturkraft. Die menschliche Produktionsweise, der im Arbeitsprozeß geschehende und regulierte Stoffwechsel mit der Natur, gar die Produktionsverhältnisse als Basis, all das hat aber einleuchtenderweise selber Bewußtsein in sich; ebenso wird die materielle Basis in jeder Gesellschaft vom Bewußtseins-Überbau wieder aktiviert. Was die Wechselwirkung in dieser Seins-Bewußtseins-Relation angeht, bei aller Priorität des ökonomischen Seins, so gibt eben These 3 darüber vorzüglichen Aufschluß. Es ist ein Aufschluß, der allerdings dem Vulgärmaterialismus keine Freude bereitet; dafür aber gibt er dem menschlichen Bewußtsein den reellsten Platz in den »Umständen«, also gerade innerhalb der von ihm mitgebildeten Außenwelt. Die mechanistische Milieutheorie behauptet, »daß die Menschen Produkte der Umstände und der Erziehung, veränderte Menschen also Produkte anderer Umstände und geänderter Erziehung sind«. Über diese einseitige, auch oft ganz naturalistische Abbildlehre (Milieu gleich Boden, Klima) setzt nun These 3 die dem bisher üblichen Materialismus so überlegene Wahrheit, »daß die Umstände eben von den Menschen verändert werden, und daß der Erzieher selbst erzogen werden muß«. Das bedeutet selbstverständlich nicht, daß diese Veränderung der Umstände nun ohne Bezug auf jene objektive Gesetzmäßigkeit geschehen könnte, welche auch den Subjekt- und Aktivitätsfaktor bindet. Marx führt vielmehr einen Zweifrontenkrieg an diesem Punkt, er kämpft sowohl gegen die mechanistische Milieutheorie, im Seins-Fatalismus endend, wie gegen die idealistische Subjekttheorie, im Putschismus, mindestens in übersteigertem Tätigkeits-Optimismus endend. Eine Stelle aus der »Deutschen Ideologie« ergänzt derart These 3 durchaus, und zwar auf Grund der heilsamsten Wechselbewegung von Menschen und Umständen, von Subjekt-Objekt-Vermittlung dauernd wechselwirkender, dauernd dialektischer Art. Dergestalt, daß in der Geschichte »auf jeder Stufe ein materielles Resultat, eine Summe von Produktionskräften, ein historisch geschaffenes Verhältnis zur Natur und der Individuen zueinander sich vorfindet, die jeder Generation von ihrer Vorgängerin überliefert wird, eine Klasse von Produktivkräften, Kapitalien und Umständen, die zwar einerseits von der neuen Generation

modifiziert wird, ihr aber auch andererseits ihre eigenen Lebens-
bedingungen vorschreibt und ihr eine bestimmte Entwicklung,
einen speziellen Charakter gibt – daß also die Umstände eben-
sosehr die Menschen wie die Menschen die Umstände machen«
(MEGA I, 5, S. 27 f.). Wie gesagt, die Wechselwirkung zwischen Subjekt und Objekt wird an dieser Stelle besonders betont, auch mit hörbarer Voranstellung der *Umstand*-Mensch-
Relation vor die umgekehrte, so jedoch, daß der Mensch und
seine Tätigkeit allemal das Spezifische der materiellen Geschichts-
basis bleiben, ja gleichsam deren Wurzel darstellen und ebenso
deren Umwälzbarkeit. Selbst die Idee (in der Theorie) wird nach
Marx eine materielle Gewalt, wenn sie die Massen ergreift; wie
sehr erst ist die technisch-politische Veränderung der Umstände
eine solche Gewalt, und wie deutlich bleibt auch der so verstandene Subjektfaktor innerhalb der materiellen Welt. Eine letzte
Ausführung zu These 3 gibt das »Kapital«, den Menschen nun
ganz entschieden zur Außenwelt schlagend, ja zur Natur: »Die
seiner Leiblichkeit angehörigen Naturkräfte, Arme und Beine,
Kopf und Hand, setzt er in Bewegung, um sich den Naturstoff in
einer für sein eigenes Leben brauchbaren Form anzueignen. Indem er durch diese Bewegung auf die Natur außer ihm wirkt und
sie verändert, verändert er zugleich seine eigene Natur... Die
Erde selbst ist ein Arbeitsmittel, setzt jedoch zu ihrem Dienst als
Arbeitsmittel in der Agrikultur wieder eine ganze Reihe anderer
Arbeitsmittel und eine schon relativ hohe Entwicklung der
Arbeitskraft voraus« (Das Kapital I, Dietz, 1947, S. 185, 187).
Damit also ist die menschliche Tätigkeit mit ihrem Bewußtsein
selber als Stück Natur erklärt, als wichtigstes dazu, eben als um-
wälzende Praxis gerade an der Basis des materiellen Seins, das
primär wieder das folgende Bewußtsein bedingt. Jener Feuerbach, der keinerlei revolutionären Auftrag spürte, der auch über
den Menschen als naturhaftes Gattungswesen nie hinauskam,
hatte für dieses vermehrte, *um die menschliche Aktivität vermehrte* Prius Natur keinerlei Sinn. Das ist allerletzt der Grund,
weshalb die Geschichte in seinem rein anschauenden Materialismus nicht vorkommt und weshalb er über das kontemplative
Verhalten nicht hinausgelangt. So bleibt sein Verhältnis zum
Objekt antik-aristokratisch, in inkonsequentem Gegensatz zum

Pathos des Menschen, das er – wieder nur rein theoretisch und eben als bloße Blüte der vorhandenen Natur – in den Mittelpunkt seiner Religionskritik (und keiner anderen) stellte. Hoch sieht er daher auf die Praxis herab, die er nur als gemeines Geschäft kennt: »Die praktische Anschauung ist eine schmutzige, vom Egoismus befleckte Anschauung« (Feuerbach, Das Wesen des Christentums, 1841, S. 264). Es ist diese Stelle, auf die sich Marx in der These 1 zuletzt bezieht, wenn er sagt, daß bei Feuerbach »die Praxis nur in ihrer schmutzig-jüdischen Erscheinungsform gefaßt und fixiert wird«. Und wieviel Hochmut dieser Art gab es erst später, als die immer mehr »vom Egoismus befleckte Anschauung«, eine sogenannte *reine* Anschauung, dann eine sogenannte Wahrheit um ihrer selbst willen sich ideologisch beibog. Wieviel »equestrische Wissenschaft« entstand da, hoch zu Roß, au dessus de la melée (außer dem Schmutz in ihr selber); wieviel Aristokratie des Wissens (ohne aristoi), verständnisinnig der schmutzigen Praxis verschworen, von der rechten abhaltend. Ahnungsvoll setzte Marx bereits gegen ein so reines Unverständnis wie dasjenige Feuerbachs das Pathos der »revolutionären, der praktisch-kritischen Tätigkeit«. Derart betont Marx gerade als Materialist, gerade innerhalb des Seins selber, den subjektiven Faktor der Produktionstätigkeit, als welcher, genau wie der objektive, ein *gegenständlicher* ist. Und das hat gewaltige, gerade auch anti-vulgärmaterialistische Konsequenzen; sie machen diesen Teil der Feuerbach-Thesen besonders kostbar. Ohne den begriffenen Arbeitsfaktor selber kann das Prius Sein, das ja keinerlei factum brutum oder Gegebenheit ist, in der Menschengeschichte nicht begriffen werden. Es kann erst recht nicht mit dem Besten der tätigen Anschauung, womit These 1 schließt, vermittelt werden: mit »der revolutionären, der praktisch-kritischen Tätigkeit«. Der arbeitende Mensch, diese in allen »Umständen« lebendige Subjekt-Objekt-Beziehung, gehört bei Marx entscheidend mit zur materiellen Basis; auch das Subjekt in der Welt ist Welt.

Anerkannt wird hier, daß menschlich stets von der Entfremdung auszugehen ist. These 4 gibt das Thema an: Feuerbach entschleierte die Selbstentfremdung in ihrer religiösen Gestalt. Seine Arbeit bestand also darin, »die religiöse Welt in ihre weltliche Grundlage aufzulösen. Aber«, fährt Marx fort, »er übersieht, daß nach Vollbringung dieser Arbeit die Hauptsache noch zu tun bleibt.« Feuerbach hatte, wie These 6 genauer bestimmt, das religiöse Wesen auf eine weltliche Grundlage insofern gebracht, als er es in das menschliche Wesen auflöste. Das war an sich ein bedeutendes Unternehmen, zumal da es scharf auf den Anteil menschlicher Wünsche blickte. Feuerbachs »anthropologische Kritik der Religion« leitete die gesamte transzendente Sphäre aus Wunschphantasie ab: die Götter sind die in wirkliche Wesen verwandelten Herzenswünsche. Zugleich entsteht durch diese Wunsch-Hypostase eine Verdoppelung der Welt in eine imaginäre und eine wirkliche; wobei der Mensch sein bestes Wesen aus dem Diesseits in ein überirdisches Jenseits schafft. Es gilt also, diese Selbstentfremdung aufzuheben, das heißt, durch anthropologische Kritik und Ursprungsbezeichnung den Himmel zu den Menschen wieder zurückzuholen. Hier nun aber setzt die Marxsche Konsequenz ein, die bei dem Abstrakt-Genus Mensch, dem klassenmäßig-geschichtlich ganz ungegliederten, nicht haltmachte. Feuerbach, der Hegel so sehr wegen seiner Begriffs-Verdinglichungen getadelt hatte, lokalisiert zwar sein Abstrakt-Genus Mensch empirisch, doch nur dergestalt, daß er es dem einzelnen Individuum innewohnen läßt, gesellschaftsfrei, ohne Sozialgeschichte. These 6 betont darum: »Aber das menschliche Wesen ist kein dem einzelnen Individuum innewohnendes Abstraktum. In seiner Wirklichkeit ist es das Ensemble der gesellschaftlichen Verhältnisse.« Ja, Feuerbach ist mit diesem seinem hohlen Bogen zwischen einzelnem Individuum und abstraktem Humanum (unter Auslassung der Gesellschaft) wenig anderes als ein Epigone der Stoa und ihrer Nachwirkungen im Naturrecht, in den Toleranzideen der bürgerlichen Neuzeit. Auch die stoische Moral hatte sich, nach dem Untergang der griechischen öffentlichen Polis, aufs private Individuum zurückgezogen: das war, sagt Marx in seiner Doktor-Dissertation, »das Glück ihrer Zeit; so sucht der Nachtschmetterling, wenn die allgemeine Sonne untergegangen, das Lampenlicht des Privaten« (MEGA I, 1/1, S. 133). Andererseits aber sollte sich in der Stoa, unter Überspringung aller nationalgesellschaftlichen Verhältnisse, das Abstrakt-Genus Mensch als einziges Universale über den einzelnen Individuen geltend machen, als Ort der communis opinio, der recta ratio zu allen Zeiten, unter allen Völkern: das ist, als das allgemeine Menschenhaus, eingeordnet in das ebenso allgemein-gute Welthaus. Dieses Menschenhaus war nur nicht die verschwundene Polis, sondern es war halb – mit dienstfertiger Ideologie – die Pax romana, das kosmopolitische Imperium Roms, halb – mit abstrakter Utopie – ein Menschheits-Bruderbund weise gewordener Individuen. Nicht grundlos ist derart der Begriff humanitas, als Gattungs- und Wertbegriff zugleich, am Hof des jüngeren Scipio entstanden, und der Stoiker Panaitios war sein Urheber. Feuerbach nun hat mit seinem Abstrakt-Genus Mensch vor allem den Neu-Stoizismus aufgenommen, wie er – wiederum mit hohem Bogen zwischen Individuum und Allgemeinheit – in der bürgerlichen Neuzeit hervorgetreten war. Das zuletzt im abstrakt-erhabenen Citoyenbegriff und im Kantischen Pathos einer Menschheit überhaupt, das den Citoyen deutsch-moralisch reflektierte. Die Individuen der Neuzeit freilich sind Kapitalisten, keine stoischen Privat-Säulen, und ihr Universale war nicht die antike Ökumene, die die Völker auslöschen sollte, sondern – mit Idealisierung gerade der antiken Polis – die Generalität der bürgerlichen Menschenrechte mit dem abstrakten Citoyen darüber, diesem moralisch-humanen Gattungs-Ideal. Trotzdem sind hier wichtige ökonomisch bedingte Entsprechungen (es hätte ja sonst keinen Neu-Stoizismus im siebzehnten und achtzehnten Jahrhundert gegeben): hier wie dort ist die Gesellschaft in Individuen atomisiert, hier wie dort hebt sich über sie ein Abstrakt-Genus, Abstrakt-Ideal von Menschheit, Menschlichkeit. Marx aber kritisiert genau dieses Abstraktum über bloßen Individuen, definiert das menschliche Wesen eben als »Ensemble der gesellschaftlichen Verhältnisse«. Deshalb wendet sich These 6 sowohl gegen Feuerbachs geschichtslose Betrachtung der Menschlichkeit an sich wie – damit zusammenhängend – gegen den rein anthropologischen Gattungsbegriff dieser Menschheit, als einer die vielen Individuen bloß natürlich verbindenden Allgemeinheit. Den *Wert*begriff Menschheit behält Marx freilich noch durchaus bei; so deutlich in These 10. Der Ausdruck »realer Humanismus«, womit die Vorrede der »Heiligen Familie« beginnt, wird zwar von der »Deutschen Ideologie« aufgegeben, im Zusammenhang mit der Absage an jeden Rest bürgerlicher Demokratie, mit der Gewinnung des proletarisch-revolutionären Standpunkts, mit der Schöpfung des dialektisch-historischen Materialismus. Aber These 10 sagt trotzdem mit allem Wertakzent einer humanistischen Entgegensetzung, eines »realen Humanismus« also, der jedoch nur als sozialistischer gilt und gelten gelassen wird: »Der Standpunkt des alten Materialismus ist die bürgerliche Gesellschaft; der Standpunkt des neuen die menschliche Gesellschaft oder die vergesellschaftete Menschheit.« Das Humanum steht also nicht überall in jeder Gesellschaft »als innere, stumme, die vielen Individuen bloß *natürlich* verbindende Allgemeinheit«, es steht überhaupt nicht in irgendeiner vorhandenen Allgemeinheit, es befindet sich vielmehr in schwierigem Prozeß und gewinnt sich einzig mit dem Kommunismus zusammen, als dieser. Eben deshalb hebt der neue, der proletarische Standpunkt den Wertbegriff Humanismus so wenig auf, daß er ihn praktisch überhaupt erst nach Hause kommen läßt; und je wissenschaftlicher der Sozialismus, desto konkreter hat er gerade die *Sorge um den Menschen im Mittelpunkt, die reale Aufhebung seiner Selbstentfremdung im Ziel.* Indes gewiß nicht in Feuerbachs Manier, als eines Abstrakt-Genus, versehen mit allzu erhabenen Human-Sakramenten an sich. Marx nimmt daher in These 9 genau das Motiv der erkenntnistheoretischen Thesengruppe auf, dieses Falls contra Feuerbachs Anthropologie: »Das Höchste, wozu der anschauende Materialismus es bringt, das heißt, der Materialismus, der die Sinnlichkeit nicht als praktische Tätigkeit begreift, ist die Anschauung der einzelnen Individuen in der ›bürgerlichen Gesellschaft‹.« Eine Klassenschranke ist damit endgültig notiert, die gleiche Schranke, welche in der Erkenntnistheorie Feuerbachs die revolutionäre *Tätigkeit* versperrte, in seiner Anthropologie nun die *Geschichte und Gesellschaft.* Marxens Fortführung der Feuerbachschen Anthropologie, als einer Kritik der religiösen Selbstentfremdung, ist daher nicht nur Konsequenz, sondern erneute Entzauberung, nämlich Feuerbachs selbst oder der letzten, der anthropologischen Fetischisierung. So führt Marx vom generell-idealen Menschen, über bloßen Individuen, auf den Boden der wirklichen Menschheit und möglichen Menschlichkeit.

Dazu war der Blick auf die Vorgänge vonnöten, die der Entfremdung wirklich zugrunde liegen. Die Menschen verdoppeln ihre Welt nicht nur deshalb, weil sie ein zerrissenes, wünschendes Bewußtsein haben. Vielmehr entspringt dieses Bewußtsein, samt seinem religiösen Widerschein, einer viel näheren Entzweiung, nämlich einer gesellschaftlichen. Die gesellschaftlichen Verhältnisse selber sind zerrissen und geteilt, zeigen ein Unten und Oben, Kämpfe zwischen diesen beiden Klassen und dunstwelche Ideologien des Oben, von denen die religiöse nur eine unter mehreren ist. Dieses Nähere der weltlichen Grundlage zu finden, war für Marx eben die Arbeit, die der Hauptsache nach noch zu tun blieb, – selber ein Diesseits gegenüber dem abstrakt-anthropologischen Diesseits von Feuerbach. Dafür hatte der geschichtsfremde, undialektische Feuerbach keinen Blick, aber die These 4 gewinnt ihn: »Die Tatsache nämlich, daß die weltliche Grundlage sich von sich selbst abhebt und sich, ein selbständiges Reich, in den Wolken fixiert, ist eben nur aus der Selbstzerrissenheit und dem Sichselbst-Widersprechen dieser weltlichen Grundlage zu erklären. Diese selbst muß also erstens in ihrem Widerspruch verstanden und sodann durch Beseitigung des Widerspruchs praktisch revolutioniert werden. Also zum Beispiel, nachdem die irdische Familie als das Geheimnis der heiligen Familie entdeckt ist, muß nun erstere selbst kritisiert und praktisch umgewälzt werden.« Die Kritik der Religion verlangt also, um wahrhaft radikal zu sein, das ist, nach Marxens Definition: um die Dinge an der radix, der »Wurzel« zu fassen, die Kritik der dem Himmel zugrunde liegenden Verhältnisse, ihres Elends, ihrer Widersprüche und ihrer falschen, imaginären Lösung der Widersprüche. Bereits in der »Einleitung zur Kritik der Hegelschen Rechtsphilosophie«, von 1844, hatte Marx das so packend wie unmißverständlich formuliert: »Die Kritik der Religion endet ... mit dem kategorischen Imperativ, alle Verhältnisse umzuwerfen, in denen der Mensch ein erniedrigtes, ein geknechtetes, ein verlassenes, ein verächtliches Wesen ist« (MEGA I, 1/1, S. 614 f.). Erst nach dieser auch praktisch revolutionär fortgeschrittenen Kritik wird ein Zustand erreicht, der keiner Illusionen mehr bedarf, weder als Täuschung noch aber auch als Ersatz: »Die Kritik hat die imaginären Blumen an der Kette zerpflückt, nicht damit der Mensch die phantasielose, trostlose Kette trage, sondern damit er die Kette abwerfe und die lebendige Blume breche« (l. c. S. 608). Dazu eben muß erst die irdische Familie als das Geheimnis der himmlischen entdeckt werden, bis hin zu jener gereiften ökonomisch-materialistischen »Geheimwissenschaft«, die Marx im »Kapital« dann sagen läßt: »Es gehört übrigens wenig Bekanntschaft zum Beispiel mit der Geschichte der römischen Republik dazu, um zu wissen, daß die Geschichte des Grundeigentums ihre Geheimgeschichte bildet« (Das Kapital I, Dietz, 1947, S. 88). Folglich geht die Analyse der religiösen Selbstentfremdung, damit sie eine wahrhaft wurzelhafte sei, grundsätzlich über die Ideologien zur näheren Rolle des Staats, zur allernächsten politischen Ökonomie und erlangt hier erst die reale »Anthropologie«. Erlangt sie als gesellschaftswissenschaftliche Grundeinsicht in die »Beziehung der Menschen zu Menschen und zur Natur«. Indem, wie These 7 pointiert, »das religiöse Gemüt selbst ein gesellschaftliches Produkt ist«, kann und darf also über dem Produkt das Produzieren nicht vergessen werden, wie Feuerbach, der unhistorische, undialektische, es tut. Gerade auf diese letzte Halbheit, also Unhaltbarkeit des Feuerbachschen Auflösens ist folgende Stelle noch im »Kapital« bezogen: »Es ist in der Tat viel leichter, durch Analyse den irdischen Kern der religiösen Nebelbildungen zu finden, als umgekehrt aus den jedesmaligen wirklichen Lebensverhältnissen ihre verhimmelten Formen zu *entwickeln*. Die letztere ist die einzig materialistische und daher wissenschaftliche Methode. Die Mängel des abstrakt naturwissenschaftlichen Materialismus, der den *geschichtlichen* Prozeß ausschließt, ersieht man schon aus den abstrakten und ideologischen Vorstellungen seiner Wortführer, sobald sie sich über ihre Spezialität hinauswagen« (Das Kapital I,

Dietz, 1947, S. 389). Weiter: »Bei Feuerbach fallen Materialismus und Geschichte ganz auseinander«, sagt die »Deutsche Ideologie«, hiermit den Grundunterschied des dialektisch-historischen Materialismus vom alten mechanischen statuierend: »Soweit Feuerbach Materialist ist, kommt die Geschichte bei ihm nicht vor, und soweit er die Geschichte in Betracht zieht, ist er kein Materialist« (MEGA 1, 5, S. 34). Feuerbach selber hatte das so ausgedrückt, daß er nach rückwärts (also in Ansehung der Naturbasis) Materialist, nach vorwärts aber (also in Ansehung der Ethik und selbst Religionsphilosophie) Idealist sei. Gerade die Auslassung von Gesellschaft, Geschichte und ihrer Dialektik in Feuerbachs Materialismus, gerade die dadurch bewirkte Lebensvermissung am alten mechanischen Materialismus, den Feuerbach einzig kannte, bedingt zwangsläufig bei diesem Philosophen, am Ende seiner Philosophie, einen Idealismus von verlegener Art. Er machte sich in seiner Lebensethik kenntlich, er zeigt sich in den Anmutungen einer gewissen Sonntags-Bruder-Empfindsamkeit. Wieder regiert hier nur, wie These 9 sagt, »die Anschauung der einzelnen Individuen in der ›bürgerlichen Gesellschaft‹«, wieder macht sich aber auch die scheinbar erledigte *Religion* bei Feuerbach bemerkbar, als eine von ihm nur anthropologisch abgeleitete, nicht gesellschaftlich kritisierte. Das in der Weise, daß Feuerbach nicht eigentlich die religiösen Inhalte kritisiert, sondern wesentlich nur deren Verlegung in ein Jenseits und damit die Schwächung des Menschen und seines Diesseits. Sofern er dadurch die »menschliche Natur« an ihren verschleuderten Reichtum wieder erinnern wollte, stecken zwar in dieser Reduktion zweifellos Probleme. Wer wollte gerade die Tiefe der Humanität, die Humanität der Tiefe in religionsgeladener Kunst verkennen, bei Giotto, bei Grünewald, bei Bach und zuletzt vielleicht noch bei Bruckner? Aber Feuerbach, mit Herz, Bruderherz und Seelenschmelz ohnegleichen, macht aus alldem fast eine Art freireligiöse *Pektoral-Theologie*. Überdies läßt er, in der unvermeidlichen Leere seines »Idealismus nach vorwärts«, fast sämtliche Attribute des Vatergottes übrig, sozusagen als Tugenden an sich, und nur der Himmelsgott ist von ihnen gestrichen. Statt: Gott ist barmherzig, ist die Liebe, ist allmächtig, tut Wunder, erhört Gebete – muß es dann einzig heißen: die

Barmherzigkeit, die Liebe, die Allmacht, das Wundertun, das Gebeterhören sind göttlich. Wonach also der ganze theologische Apparat erhalten bleibt, er ist nur aus dem himmlischen Ort in eine gewisse Abstrakt-Gegend umgezogen, mit verdinglichten Tugenden der »Naturbasis«. Auf diese Art aber entstand nicht ein Problem: humanes Erbe der Religion, wie Feuerbach es wohl im Sinn hatte, sondern es kam Religion zu herabgesetztem Preis, einem schlecht entzauberten Gewohnheits-Philisterium zuliebe, das Engels mit Recht an Feuerbachs abgestandenen Religionsresten kenntlich macht. Der Marxismus dagegen ist auch in Ansehung der Religion kein »Idealismus nach vorwärts«, sondern *Materialismus nach vorwärts, Fülle des Materialismus* ohne einen schlecht entzauberten Himmel, der auf die Erde geführt werden müßte. Die wahrhaft totale Erklärung der Welt aus sich selbst, die dialektisch-historischer Materialismus heißt, setzt auch die Verwandlung der Welt aus sich selbst. In ein Jenseits der Beschwerde, das weder mit dem Jenseits der Mythologie, noch gar mit ihren Herrn- oder Vater-Inhalten das Mindeste gemein hat.

Theorie-Praxis-Gruppe: Beweis und Bewährung
Thesen 2, 8

Nicht anerkannt wird hier, daß der Gedanke blaß und kraftlos sei. These 2 setzt ihn über die sinnliche Anschauung, mit und an der er bloß anhebt. Feuerbach hatte den Gedanken schlecht gemacht, weil er vom Einzelnen ins Allgemeine wegführe; das war nominalistisch gewertet. Bei Marx aber zielt der Gedanke durchaus nicht ins schlecht Allgemeine, Abstrakte, sondern umgekehrt: er erschließt genau den vermittelten, den Wesenszusammenhang der Erscheinung, als einen, der der bloßen Sinnlichkeit an der Erscheinung noch verschlossen ist. So ist gerade der Gedanke, den Feuerbach nur als abstrakten zuläßt, als vermittelter ein konkreter, während umgekehrt das gedankenlose Sinnliche ein abstraktes ist. Der Gedanke muß zwar wieder auf Anschauung führen, um sich an ihr, als durchdrungener, zu beweisen, aber diese Anschauung ist auch an diesem Ende keineswegs die passive, unmittelbare Feuerbachs. Der Beweis kann vielmehr nur in der Vermitteltheit der Anschauung liegen, also einzig in jener Sinnlichkeit, die theoretisch *bearbeitet* und so *Ding für uns* geworden ist. Das aber ist am Ende die Sinnlichkeit der theoretisch vermittelten, theoretisch gewonnenen *Praxis*. Die Denkfunktion also ist mehr noch als die sinnliche Anschauung eine Tätigkeit, eine kritische, eindringliche, aufschließende; und der beste Beweis ist deshalb die praktische Probe auf diese Entschlüsselung. Wie alle Wahrheit eine Wahrheit wozu ist und es keine um ihrer selbst willen gibt, außer als Selbsttäuschung oder als Spintisiererei, so gibt es keinen vollen Beweis einer Wahrheit aus ihr selbst als einer bloß theoretisch bleibenden; mit anderen Worten: es gibt *keinen theoretisch-immanent möglichen vollen Beweis.* Nur ein partialer ist rein theoretisch vollziehbar, so am meisten noch in der Mathematik; aber auch hier erweist er sich nur als ein partialer spezifischer Art, indem er nämlich über bloße innere »Stimmigkeit«, logisch-konsequente »Richtigkeit« nicht hinauskommt. Richtigkeit aber ist noch nicht Wahrheit, das heißt: Abbildung der Wirklichkeit sowie Macht, in die Wirklichkeit nach Maßgabe ihrer erkannten Agentien und Gesetzmäßigkeiten einzugreifen. Mit anderen Worten: Wahrheit ist kein Theorie-Verhältnis allein, sondern *ein Theorie-Praxis-Verhältnis durchaus.* Derart bekundet These 2: »Die Frage, ob dem menschlichen Denken gegenständliche Wahrheit zukomme, ist keine Frage der Theorie, sondern eine praktische Frage. In der Praxis muß der Mensch die Wahrheit, das heißt, die Wirklichkeit und Macht, die Diesseitigkeit seines Denkens beweisen. Der Streit über die Wirklichkeit oder Nichtwirklichkeit eines Denkens, das sich von der Praxis isoliert, ist eine rein scholastische Frage.« Soll heißen, eine schulmäßige im Sinn geschlossener Gedanken-Immanenz (einschließlich mechanisch-materialistischer Gedanken); dieses kontemplative Internat war der Raum aller bisherigen Wahrheitsbegriffe. Mit dem Theorie-Praxis-Verhältnis ist These 2 also völlig schöpferisch und neu; die bisherige Philosophie erscheint demgegenüber wirklich als »scholastisch«. Denn entweder hatte, wie bemerkt, die antike und die mittelalterliche Erkenntnistheorie die Tätigkeit nicht reflektiert, oder aber die Tätigkeit war als bürgerlich-abstrakte keine mit ihrem Objekt wahrhaft vermittelte. In beiden Fällen, zur Zeit der antiken und feudalen Arbeitsverachtung wie zur Zeit des bürgerlichen Arbeitsethos (ohne Arbeitskonkretheit) galt die Praxis, die technische wie politische, bestenfalls als »Anwendung« der Theorie. Nicht als Bezeugung der Theorie, daß sie eine konkrete sei, wie bei Marx, nicht als Umfunktionierung des Schlüssels zum Hebel, der wahren Abbildung zum seinsmächtigen Eingriff.

So wird der rechte Gedanke mit der Tat des Rechten endlich eines und dasselbe. Tätigkeit, dazu parteiische Haltung ist von vornherein in ihm darin, tritt mithin als wahrer Schluß am Ende wieder hervor. Die Farbe der Entschließung ist in diesem Schluß seine eigene, keine nachträgliche, von woanders her. Jede philosophiegeschichtliche Konfrontierung bestätigt diesesfalls das Novum des Theorie-Praxis-Verhältnisses gegenüber bloßer »Anwendung« der Theorie. Das selbst dann, wenn ein Teil der Theorie schon auf Praxis abgezielt war: so bei Sokrates, so bei Platon, als er in Sizilien seine Staatsutopie durchführen wollte, so in der Stoa, mit der Logik als bloßer Mauer, der Physik als bloßem Baum, der Ethik aber als der Frucht. So bei Augustin, dem Ortsgründer der mittelalterlichen Papstkirche, so am Ende des Mittelalters bei Wilhelm von Occam, dem nominalistischen Destruktor der Papstkirche zugunsten der heraufkommenden Nationalstaaten. Ein gesellschaftlich-praktischer Auftrag war bei diesen allen zweifellos dahinter, doch die Theorie führte trotzdem ihr abstraktes, praktisch unvermitteltes Eigenleben. Sie ließ sich zur »Anwendung« auf die Praxis nur herab, wie ein Fürst zum Volk, bestenfalls wie eine Idee zu ihrer Verwertung. Und selbst Bacon, im scharfen bürgerlich-praktischen Utilitarismus der Neuzeit: er lehrte zwar, Wissen sei Macht, er wollte die gesamte Wissenschaft neu gründen und abzielen als ars inveniendi, doch bei aller Gegnerschaft zum rein theoretischen Wissen und der kontemplativen Erkenntnis bleibt die Wissenschaft autark, und nur ihre Methode soll geändert werden. Geändert im Sinne des induktiven Schlußverfahrens, des methodisch gezielten Experiments; der Beweis jedoch liegt nicht in der Praxis, diese gilt vielmehr auch hier nur als Frucht und Lohn der Wahrheit, nicht als deren letztes Kriterium und als Demonstration. Noch weniger haben die mehreren »Philosophien der Tat«, wie sie aus Fichte und aus Hegel, dann wieder, zurückgehend auf Fichte, in der linken Hegelschule entsprungen waren, mit dem Marxschen Praxis-Kriterium eine Ähnlichkeit. Fichtes »Tathandlung« selber, sie zeigte zwar an wichtigen nationalpolitischen Punkten Kraft und Linie, doch zuletzt wurde sie allemal Äther. Sie diente am Ende nur dazu, die Welt des Nicht-Ich durch Bearbeitung weniger zu bessern als gänzlich aufzuheben. Sozusagen bewiesen wurde durch diese au fond weltfeindliche »Praxis« nur der ohnehin ausgemachte subjektive Ausgangspunkt des Fichteschen Ich-Idealismus, nicht aber eine objektive Wahrheit, die sich mit und an der Welt erst herausbildet. Am nächsten kommt noch Hegel der Ahnung eines Praxiskriteriums, und zwar bezeichnenderweise auf Grund der Arbeitsbeziehung in seiner Phänomenologie. Weiter geschieht in Hegels Psychologie ein Übergang vom »theoretischen Geist« (Anschauung, Vorstellung, Denken) zur Antithese »praktischer Geist« (Gefühl, Triebwille, Glückseligkeit), woraus dann, synthetisch, der »freie Geist« resultieren sollte. Also proklamierte sich diese Synthese als der sich wissende Wille, als Wille, der sich denkt und weiß, der schließlich, im »vernünftigen Staat«, will, was er weiß, und weiß, was er will. Ebenso findet sich schon in der Hegelschen Logik eine Überordnung der »praktischen Idee« über die »Idee des betrachteten Erkennens«, sofern dem praktisch Guten »nicht nur die Würde des Allgemeinen, sondern auch des schlechthin Wirklichen« zukomme (Werke V, S. 320 f.). »Alles das«, notiert Lenin, »im Kapitel ›Die Idee des Erkennens‹…, was unzweifelhaft bedeutet, daß bei Hegel die Praxis als Kettenglied in der Analyse des Prozesses der Erkenntnis steht … Marx knüpft folglich unmittelbar an Hegel an, wenn er das Kriterium der Praxis in die Erkenntnistheorie einführt; siehe die Thesen über Feuerbach« (Aus dem philosophischen Nachlaß, Dietz 1949, S. 133). Indes Hegel führt am Ende seiner Logik, genauso wie am Ende seiner Phänomenologie und des ausgeführten Systems, die Welt (den Gegenstand, das Objekt, die Substanz) doch fast so ins Subjekt zurück wie Fichte; wonach am Ende doch nicht die Praxis, sondern »Er-innerung« die Wahrheit krönt, »Wissenschaft des erscheinenden Wissens« und sonst nichts. Auch kommt nach Hegels berühmtem Satz, am Schluß der Vorrede zu seiner Rechtsphilosophie, »ohnehin die Philosophie immer zu spät. Als der *Gedanke* der Welt erscheint sie erst in der Zeit, nachdem die Wirklichkeit ihren Bildungsprozeß vollendet und sich fertiggemacht hat.« Der geschlossene Kreislauf-Denker Hegel, das Antiquarium des unverrückbar Vorhandenen, sie haben so den dialektischen Prozeßdenker mit seiner Krypto-Praxis letzthin besiegt. Bleibt noch – um den Abstand der Marxschen Praxislehre auch unmittelbar in der Umgebung seiner Jugend zu ermessen – die Praxis, bald auch Praktik der Hegelschen Linken und was damit zusammenhängt. Das war die »Waffe der Kritik«, die sogenannte »Philosophie der Tat«, zur Zeit des jungen Marx. Doch hier eben wirkte wesentlich nur ein Rückgang vom objektiven Idealismus Hegels zum subjektiven Fichtes; Feuerbach selber hat das an Bruno Bauer festgestellt. Begonnen wurde die Reihe der sogenannten Philosophien der Tat durch die sonst nicht uninteressante Schrift Cieszkowskis: »Prolegomena zur Historiosophie«, 1838, eine Schrift, die es ausdrücklich als notwendig darstellt, die Philosophie für eine Veränderung der Welt zu benützen. So finden sich in diesen »Prolegomena« sogar Aufrufe zu einer rationalen Tendenzforschung der Geschichte: damit richtig gehandelt werden könne; damit nicht instinkthafte, sondern bewußte Taten die Weltgeschichte bilden; damit der Wille auf dieselbe Höhe gebracht werde, auf die die Vernunft durch Hegel gebracht worden sei; damit dergestalt eine nicht nur vor-, sondern nachtheoretische Praxis Raum gewinne. Das alles klingt bedeutend und blieb doch nur deklarativ, auch in den weiteren Schriften Cieszkowskis völlig folgenlos, ja das »Interesse der Zukunft« wurde bei ihm immer mehr irrational, obskur. Die Absage Cieszkowskis an die Spekulation wurde zu einer an die Vernunft, die Tätigkeit wurde eine der »tätigen Intuition«, und der ganze Zukunftswille endete zuletzt in einer Theosophie des – Amen in der orthodoxen Kirche, herausgegeben zur Zeit des »Kommunistischen Manifests«. Im Marx-Kreis selber lebte schließlich noch Bruno Bauer, ebenfalls eine »Philosophie der Tat«, sogar eine des Weltgerichts, doch in facto die subjektivste von allen. Als die Reaktion unter Friedrich Wilhelm IV. diese »Waffe der Kritik« auf die Probe stellte, zog sie sich bei Bruno Bauer sogleich in Individualismus, ja in massenverachtende Egozentrik zurück. Bauers »kritische Kritik« war lediglich ein Gefecht in und zwischen Gedanken, eine Art l'art pour l'art-Praxis des Hochmutsgeistes mit sich selbst, schließlich wurde Stirners »Einziger und sein Eigentum« daraus. Marx selber hat das Entscheidende darüber in der »Heiligen Familie« gesagt, in eigener Sache, wie ersichtlich, zum Zweck der echten Praxis und ihrer Unverwechselbarkeit. Zum Zweck der revolutionären Praxis: mit dem Proletariat beginnend, versehen mit dem Fruchtbaren an der Hegelschen Dialektik und nicht mit Abstraktionen aus der »verwelkten und verwitweten Hegelschen Philosophie« (MEGA I, 3, S. 189), gar des Fichteschen Subjektivismus. Fichte, der tugendhaft Zornige, hatte immerhin noch energische Weisungen jeweils im Blick, vom »Geschlossenen Handelsstaat« bis zu den »Reden an die Deutsche Nation«, er hat die Franzosen aus Deutschland hinausphilosophiert; die »kritische Kritik« dagegen ritt einzig im Tattersall des Selbstbewußtseins. Und, näher zu Marx, so hatte selbst bei dem grundehrlichen Sozialisten Moses Heß das Handeln eine Tendenz, sich von der gesellschaftlichen Tätigkeit abzulösen, sich auf Reform des moralischen Bewußtseins zu reduzieren – eine »Philosophie der Tat« ohne ausgebildete ökonomische Theorie hinter sich, ohne Fahrplan dialektisch begriffener Tendenz in sich. *Die Praxisbegriffe bis Marx sind also völlig verschieden von dessen Theorie-Praxis-Konzeption, von der Lehre der Einheit zwischen Theorie und Praxis.* Und statt der Theorie nur angeklebt zu sein, dergestalt also, daß der Gedanke seine »Anwendung« rein wissenschaftlich gar nicht braucht, daß die Theorie ihr Selbstleben wie ihre immanente Selbstgenügsamkeit auch im Beweis weiterführt, oszillieren eben, nach Marx wie Lenin, Theorie und Praxis beständig. Indem beide wechselnd und wechselseitig ineinander schwingen, setzt die Praxis ebenso Theorie voraus, wie sie selber wieder neue Theorie zum Fortgang einer neuen Praxis entbindet und nötig hat. Höher ist der konkrete Gedanke nie gewertet worden als hier, wo er das Licht zur Tat wurde, und höher nie die Tat als hier, wo sie zur Krönung der Wahrheit wurde.

Hierbei will auch dem Denken, indem es ein helfendes ist, durchaus Wärme innewohnen. Die Wärme des Helfenwollens selber, der Liebe zu den Opfern, des Hasses gegen die Ausbeuter. Ja diese Gefühle bringen die Parteilichkeit in Gang, ohne die überhaupt kein wahres Wissen mit guter Tat sozialistisch möglich ist. Aber Liebesgefühl, das selber nicht von Erkenntnis erleuchtet ist, versperrt gerade die helfende Tat, zu der es sich doch aufmachen möchte. Es sättigt sich allzu leicht an seiner eigenen Vortrefflichkeit, wird zum Dunst eines neuen scheinaktiven Selbstbewußtseins. Dieses Falls eines nicht l'art pour l'art-kritischen, wie bei Bruno Bauer, sondern eines sentimental-kritiklosen, einer Schwüle und Vagheit. So bei Feuerbach selbst: er hat statt Praxis allemal wieder seine Äquivokation »Empfindung« gesetzt. Er entspannt die Liebe zur allgemeinen Gefühlsbeziehung zwischen Ich und Du, er offenbart den Ausfall jeder gesellschaftlichen Erkenntnis auch hier durch einen Rückzug auf lauter bloße Individuen und ihre ewig schmelzende Beziehung. Er effiminiert so die Humanität: »Die neue Philosophie ist in Beziehung auf ihre Basis(!) selbst nichts anderes als das zum Bewußtsein erhobene Wesen der Empfindung – sie bejaht nur in und mit der Vernunft, was jeder Mensch – der wirkliche Mensch – im Herzen bekennt« (Werke II, 1846, S. 324). Dieser Satz ist aus den »Grundsätzen der Philosophie der Zukunft«, in Wahrheit ist er der Tat-Ersatz aus der Vergangenheit, aus einer spießbürgerlichen, pfäffischen, ja, wie oft, tartüffehaft-sabotierenden. Aus einer Vergangenheit, die eben wegen ihrer abstrakt-deklamierenden Menschenliebe die Welt heute erst recht nicht zum Guten verändern will, sondern im Schlechten verewigen. Feuerbachs Bergpredigt-Karikatur schließt jede Härte in der Verfolgung des Unrechts aus, jede Laxheit im Klassenkampf ein; genau deshalb empfiehlt sich genereller Liebes-»Sozialismus« allen Krokodilstränen einer kapitalistisch interessierten Philanthropie. Daher Marx und Engels: »Man predige eben der schlechten Wirklichkeit, dem Hasse gegenüber das Reich der Liebe ... Wenn aber die Erfahrung lehrt, daß diese Liebe in 1800 Jahren nicht werktätig geworden ist, daß sie die sozialen Verhältnisse nicht umzugestalten, ihr Reich nicht zu gründen vermochte, so geht daraus doch deutlich hervor, daß diese Liebe, die den Haß nicht besiegen konnte, nicht die zu sozialen Reformen nötige energische Tatkraft verleiht. Diese

Liebe verliert sich in sentimentalen Phrasen, durch welche keine wirklichen, faktischen Zustände beseitigt werden; sie erschlafft den Menschen durch den enormen Gefühlsbrei, mit dem sie ihn füttert. Also die Not gibt dem Menschen Kraft; wer sich selbst helfen *muß*, der hilft sich auch. Und darum sind die wirklichen Zustände dieser Welt, der schroffe Gegensatz in der heutigen Gesellschaft von Kapital und Arbeit, von Bourgeoisie und Proletariat, wie sie in dem industriellen Verkehr am entwickeltsten hervortreten, die *andere,* mächtiger sprudelnde Quelle der sozialistischen Weltanschauung, des Verlangens nach sozialen Reformen ... Diese eiserne Notwendigkeit schafft den sozialistischen Bestrebungen Verbreitung und tatkräftige Anhänger, und sie wird den sozialistischen Reformen durch Umgestaltung der gegenwärtigen Verkehrsverhältnisse eher Bahn brechen als alle Liebe, die in allen gefühlvollen Herzen der Welt glüht« (Rundschreiben gegen H. Kriege, einen Anhänger Feuerbachs, 11. Mai 1846). Seitdem hat sich das, was Thomas Münzer nicht nur »gedichteten Glauben«, sondern »gedichtete Liebe« genannt hätte, noch ganz anders als zu Feuerbachs relativ harmlosen Zeiten ausgebreitet, unter Renegaten und Pseudosozialisten. Deren erheuchelte Menschenliebe ist allerdings nur die Kriegswaffe eines noch viel totaleren Hasses: nämlich gegen den Kommunismus; und nur um des Kriegs willen ist die neugedichtete Liebe da. Mitsamt dem Mystizismus, der schon bei Feuerbach nicht fehlt, hier immerhin noch »Idealismus nach vorwärts«, also ein progressiver sein möchte, und der im gestaltlosen Sausen seiner Herzenserfüllung, seiner anthropologisch gemachten Gottväterlichkeit noch kein schlimmeres Manko hatte als das angegebene schlecht entzauberte, freireligiöse Philistertum. Aber die Mysterien des heutigen, des nicht einmal mehr idealistischen Tiefsinngeschwätzes – vom Mystizismus Feuerbachs fast so verschieden wie dieser von der Mystik Meister Eckeharts – machen aus dem Herzen eine Mördergrube, und statt des leeren Rosennebels steht heute ein von der Bourgeoisie gebrauchtes Nichts. These 8 sagt: »Alle Mysterien, welche die Theorie zum Mystizismus verleiten, finden ihre rationelle Lösung in der menschlichen Praxis und in der rationellen Lösung dieser Praxis.« Das freilich unterscheidet zwei Arten von Mysterien: nämlich diejenigen, welche Ungeklärtes, Aporien, Dickicht unbegriffener Widersprüche in der Wirklichkeit noch unbegriffen darstellen, und diejenigen, eigentliche Mystizismen genannt, welche Idolatrie des Dunkels um seiner selbst willen sind. Aber auch bloße Undurchschautheiten, gar die Nebel-Linie in ihnen können zum Mystizismus verleiten; eben deshalb ist hier einzig rationelle Praxis die menschliche Lösung, und die rationelle Lösung einzig die menschliche Praxis, die bei der Menschheit (statt dem Dickicht) sich haltende. Und auch das Wort Mystizismus wird nicht ohne Grund von Marx bei Gelegenheit Feuerbachs gebraucht, eben gegen das Nicht-Schwert abstrakter Liebe wird es gebraucht, das den gordischen Knoten beläßt. Wir wiederholen: Feuerbachs Mysterien, die Liebesmysterien ohne Klarheit, haben mit dem, was später als Fäulnis und Nacht-Irratio hervortrat, gewiß nichts gemein; Feuerbach steht vielmehr auf jener deutschen Heilslinie, die von Hegel zu Marx führt, so wie die deutsche Unheilslinie von Schopenhauer zu Nietzsche und den Folgen führt. Und die Menschenliebe, sofern sie sich klar als eine zu den Ausgebeuteten faßt, sofern sie zu wirklicher Erkenntnis fortgeht, ist zweifellos ein unerläßliches Agens im Sozialismus. Doch wenn schon das Salz dumm werden kann, wie sehr erst der Zucker, und wenn schon Gefühlschristen im Defaitismus bleiben, wie sehr erst Gefühlssozialisten, im pharisäischen Verrat. Daher schlägt Marx auch an Feuerbach eine gefährliche Verblasenheit, eine, die es sich bei sich wohl sein läßt, eine letztlinige *Pektoral-Praxis*, die das Gegenteil von dem bewirkt, was ihr angepredigter Altruismus und ihre unsäglich universelle Liebe bezwecken. Ohne Parteiung in der Liebe, mit ebenso konkretem Haßpol, gibt es keine echte Liebe; ohne *Parteilichkeit* des revolutionären Klassenstandpunkts gibt es nur noch Idealismus nach rückwärts statt Praxis nach vorwärts. Ohne den Primat des Kopfes bis zuletzt gibt es nur noch Mysterien der Auflösung statt der Auflösung der Mysterien. Am ethischen Schluß von Feuerbachs Philosophie der Zukunft fehlen so Philosophie wie Zukunft; Marxens Theorie um der Praxis willen hat beide in Funktion gesetzt, und die Ethik wird endlich Fleisch.

Anerkannt wird hier, daß das Zukünftige am nächsten und wichtigsten sei. Doch eben nicht in der Weise Feuerbachs, die nicht auf die Schiffe geht. Die sich von Anfang bis Ende mit der Betrachtung begnügt, welche die Dinge läßt, wie sie sind. Oder noch schlimmer: die nicht umhin zu können glaubt, die Dinge umzustellen, jedoch nur im Buch, und die Welt selber merkt nichts davon. Sie merkt schon deshalb nichts davon, weil die Welt gerade in falschen Darstellungen so leicht umgestellt werden kann, daß Wirkliches im Buch gar nicht vorkommt. Jeder Schritt nach außen wäre hier dem zusammengereimten, in seinem eigenen Schutzpark wohnenden Buch schädlich und störte das Selberleben erfundener Gedanken. Doch auch tunlichst sachgetreue Bücher, Lehren zeigen oft die typisch betrachterische Lust, sich in ihrem gerahmten Zusammenhang, als einem nun einmal »werkhaft« gelungenen, Genüge zu tun. Wonach sie eine aus ihnen möglicherweise entspringende Veränderung der dargestellten Welt sogar fürchten, indem das Werk – und stelle es selbst, wie das Feuerbachsche, Grundsätze der *Zukunft* auf – dann nicht mehr so autark durch die Zeiten schweben könnte. Kam gar, wie wieder bei Feuerbach, eine erstrebte oder naive politische Gleichgültigkeit hinzu, so wurde das Publikum gänzlich auf den gleichfalls betrachtenden Leser begrenzt; seine Arme, sein Handeln wurden nicht angesprochen. Der Standpunkt mochte ein neuer sein, doch er blieb ein bloßer Aussichtspunkt; der Begriff ergab so keine Anweisung zum Eingriff. Daher setzt Marx kurz und antithetisch die berühmte These 11: »Die Philosophen haben die Welt nur verschieden interpretiert; es kommt aber darauf an, sie zu verändern.« Ein Unterschied zu *jedem* bisherigen Denkantrieb ist damit packend bezeichnet.

Kurze Sätze scheinen, wie eingangs bemerkt, zuweilen rascher überblickbar, als sie es sind. Und berühmte Sätze haben es zuweilen an sich, sehr wider ihren Willen, daß sie kein Nachdenken mehr erregen, oder daß man sie zu roh herunterschlingt. Sie verursachen dann mitunter Beschwerden, diesesfalls intelligenzfeindliche, mindestens intelligenzfremde, wie sie dem Sinn des Satzes nicht ferner sein könnten. Was ist also mit der These 11 genau gedacht, wie muß sie im allemal philosophischen Präzisionssinn von Marx verstanden werden? Sie darf nicht verstanden oder besser: *mißbraucht* werden in irgendeiner Vermischung mit dem Pragmatismus. Letzterer stammt aus einer dem Marxismus völlig fremden Gegend, aus einer ihm feindlichen, geistig inferioren, zuletzt schlechthin ruchlosen. Trotzdem hängen sich immer wieder busy bodies, wie man gerade in Amerika sagt, Betriebsamkeiten also, am Marxsatz an, gleich als wäre er – amerikanische Kulturbarbarei. Dem amerikanischen Pragmatismus liegt die Meinung zugrunde, Wahrheit sei überhaupt nichts anderes als geschäftliche Brauchbarkeit der Vorstellungen. Es gibt danach ein sogenanntes Aha-Erlebnis der Wahrheit, sobald und sofern diese auf einen praktischen Erfolg abgezielt ist und sich auch tatsächlich geeignet zeigt, ihn herbeizuführen. Bei William James (»Pragmatism«, 1907) sieht der Geschäftsmann, als »american way of life«, noch gewissermaßen allgemeinmenschlich aus, ist sozusagen human, auch geradezu lebensfördernd-optimistisch garniert. Das sowohl wegen der damals noch möglichen Rosapackung des amerikanischen Kapitalismus, wie vor allem wegen der Tendenz jeder Klassengesellschaft, ihr Spezialinteresse als das der ganzen Menschheit auszugeben. Deshalb gab sich der Pragmatismus anfangs auch als Gönner jener verschiedenen, auswechselbaren logischen »Instrumente«, mittels deren der Geschäftsmann höherer Ordnung geradezu »Humanerfolg« erzielt. Aber es gibt so wenig und noch weniger einen humanen Geschäftsmann, wie es einen marxistischen Lebemann gibt; so hat sich der Pragmatismus in Amerika, in der gesamten Weltbourgeoisie rasch nach James als das kenntlich gemacht, was er ist: als letzten Agnostizismus einer von jedem Wahrheitswillen entblößten Gesellschaft. Zwei imperialistische Kriege, der erste generell-imperialistische von 1914 bis 1918, der zweite partial-imperialistische der Nazi-Aggressoren, haben den Pragmatismus gar zur Roßtäuscher-Ideologie reif gemacht. Auf Wahrheit kommt es nun überhaupt nicht mehr an, auch nicht im Sinn, als wäre sie ein immerhin zu pflegendes »Instrument«; und die Rosapackung des »Humanerfolgs« ging völlig zum Teufel, der von Anfang an darin war. Nun schwankten und änderten sich die Ideen wie Börsenpapiere, je nach der Kriegslage, Geschäftslage; bis endlich der volle Schandpragmatismus der Nazis erschien. Recht war, was dem deutschen Volk, soll heißen: dem deutschen Finanzkapital nützte; Wahrheit war, was das Leben, soll heißen: den Maximalprofit förderte, ihm zweckdienlich erschien. Das also wurden, nachdem die Zeit erfüllt war, die Konsequenzen des Pragmatismus; und wie harmlos, ja wie täuschend mochte er doch ebenfalls nach »Theorie-Praxis« aussehen. Wie scheinhaft wurde auch hier eine Wahrheit um ihrer selbst willen abgelehnt und nicht gesagt, daß es wegen einer Lüge um des Geschäfts willen geschieht. Wie schein-konkret wurde auch hier von der Wahrheit die Bewährung in der Praxis verlangt, sogar in der »Veränderung« der Welt. Wie groß also ist die Verfälschbarkeit der These 11 im Kopf von Intelligenz-verächtern und Praktizisten. Gewiß, was die Praktizisten in der sozialistischen Bewegung angeht, so haben sie moralisch, wie sich von selbst versteht, mit den Pragmatisten nicht das Mindeste gemein; ihr Wille ist sauber, ihre Absicht revolutionär, ihr Ziel human. Doch indem sie den Kopf dabei auslassen, folglich nichts Geringeres als den ganzen Reichtum der marxistischen Theorie mitsamt der kritischen Aneignung des Kulturerbes in ihr, entsteht doch, am Ort der »trial-and-error-method«, der Handwerkelei, des Praktizismus, jene grausame Verfälschung der These 11, die an Pragmatismus methodisch erinnert. Praktizismus, der an Pragmatismus angrenzt, ist eine Konsequenz dieser Verfälschung, eine wie immer unbegriffene; doch Unkenntnis einer Konsequenz schützt nicht vor Verdummung. Die Praktizisten, mit dem bestenfalls kurzfristigen Kredit für Theorie, gar für komplizierte, machen mitten im marxistischen Lichtwesen die Finsternis ihrer eigenen privaten Ignoranz und des Ressentiments, das mit Ignoranz sich so leicht verbindet. Zuweilen sogar ist nicht einmal Praktizismus, also doch immerhin eine Tätigkeit nötig, um solche Theoriefremdheit zu erklären; denn Schematismus der Gedankenlosigkeit lebt auch aus eigener, aus untätiger Antiphilosophie. Kann aber so noch weniger auf die kostbarste These über Feuerbach sich berufen; aus Mißverständnis wird dann Blasphemie. Immer wieder muß darum betont werden: *bei Marx ist nicht deshalb ein Gedanke wahr,*

weil er nützlich ist, sondern weil er wahr ist, ist er nützlich.
Lenin formuliert das Gleiche in dem schlagenden Diktum:
»Die Lehre von Marx ist allmächtig, weil sie wahr ist.« Und
fährt fort: »Sie ist die rechtmäßige Erbin des Besten, was die
Menschheit im neunzehnten Jahrhundert in Gestalt der deutschen Philosophie, der englischen politischen Ökonomie und des
französischen Sozialismus geschaffen hat.« Und bekundet wenige
Zeilen vorher: »Die ganze Genialität Marxens besteht gerade
darin, daß er auf die Fragen Antwort gegeben hat, die das fort-
geschrittene Denken der Menschheit bereits gestellt hatte« (Lenin, Drei Quellen und drei Bestandteile des Marxismus, Ausgewählte Werke I, S. 63 f.). Mit anderen Worten: Wirkliche Praxis
kann keinen Schritt tun, ohne sich ökonomisch und philosophisch
bei der Theorie erkundigt zu haben, der fortschreitenden. Sowie
es daher an sozialistischen Theoretikern gefehlt hat, bestand allemal die Gefahr, daß gerade der Kontakt mit der Wirklichkeit
Einbuße erlitt, dieser nie schematisch und simplizistisch zu in-
terpretierenden, wann anders Praxis sozialistisch gelingen soll.
Sind das offene Türen, die der Antipragmatismus der größten
Praxis-Denker, weil treuesten Wahrheits-Zeugen offenhält, so
können sie doch durch eine interessierte Fehlinterpretation der
These 11 immer wieder geschlossen werden. Durch eine, welche
groteskerweise aus dem – in These 11 geschehenden – höchsten
Triumph der Philosophie eine Abdankung der Philosophie, eben
eine Art unbürgerlichen Pragmatismus herauszuhören glaubt.
Genau jenem Zukünftigen ist damit schlecht gedient, das nicht
weiter unbegriffen auf uns zukommt, sondern dem umgekehrt
unsere tätige Erkenntnis hinzukommt; – Ratio wacht auf dieser
Strecke der Praxis. So wie sie auf jeder Strecke humaner Heimkehr wacht: gegen das Irrationale, das sich letzthin auch in der
begrifflosen Praxis zeigt. Denn wenn die Zerstörung der Vernunft ins barbarische Irrationale zurücksinkt, so die Unkenntnis
der Vernunft ins dumme; wobei letzteres zwar nicht Blut ver-
gießt, aber den Marxismus ruiniert. *Auch die Banalität ist so
Gegenrevolution gegen den Marxismus selber;* denn er ist der
Vollzug (nicht die Amerikanisierung) der fortschrittlichsten
Gedanken der Menschheit.

Soviel über falsches Verstehen, ganz zuletzt, wo es auftaucht.

Das Falsche bedarf ebenfalls der Beleuchtung, gerade weil These 11 die *wichtigste* ist – corruptio optimi pessima. Zugleich ist diese These die am prägnantesten gefaßte; so muß ein Kommentar hier viel mehr als bei den anderen aufs Wörtliche gehen. Was also ist in These 11 der Wortlaut, was ist ihr scheinbarer Gegensatz zwischen Erkennen und Verändern? Der Gegensatz ist keiner; selbst das hier nicht konträre, sondern erweiternde Partikel »aber« fehlt im Marxschen Original (vgl. MEGA I, 5, S. 535); ebensowenig findet sich ein Entweder-Oder. Und den bisherigen Philosophen wird zum Vorwurf gemacht, oder besser: es wird an ihnen als Klassenschranke kenntlich gemacht, daß sie die Welt nur verschieden *interpretiert* haben, nicht etwa, daß sie – philosophiert haben. Interpretation aber ist der Kontemplation verwandt und folgt aus ihr; *nicht*-kontemplative Erkenntnis also wird nun als neue, als wahrhaft zum Sieg tragende Fahne ausgezeichnet. Doch als Fahne der *Erkenntnis,* als die gleiche Fahne, die Marx – freilich mit Aktion, nicht mit betrachtender Ruhe – seinem Hauptwerk gelehrter Forschung aufgesetzt hat. Dies Hauptwerk ist lautere Anweisung zum Handeln, doch es heißt »Das Kapital«, nicht »Führer zum Erfolg« oder auch »Propaganda der Tat«; es ist keinerlei Rezept zur raschen Heldentat ante rem, sondern steht mitten in re, in sorgfältiger Untersuchung, philosophierender Zusammenhangs-Erforschung schwierigster Wirklichkeit. Mit dem Kurs auf begriffene Notwendigkeit, auf Erkenntnis der dialektischen Entwicklungsgesetze in Natur und Gesellschaft insgesamt. Von den Philosophen also, die »die Welt nur verschieden *interpretiert* haben«, und von sonst nichts stößt die Kenntlichmachung des ersten Satzteils ab; sie geht auf die Schiffe, doch eben auf höchst durchdachte Fahrt, wie sie der zweite Satzteil kenntlich macht: auf die einer neuen, einer aktiven Philosophie, einer zur Veränderung so unumgänglichen wie tauglichen. Zweifellos hat Marx scharfe Worte durchaus gegen Philosophie gerichtet, doch nicht einmal gegen kontemplative *schlechthin,* wann immer sie eine bedeutende aus großer Zeit war. Sondern genau gegen eine *bestimmte Art* kontemplativer Philosophie, nämlich die der Hegel-Epigonen seiner Zeit, welche vielmehr eine Nicht-Philosophie war. Am härtesten polemisiert daher, bezeichnenderweise, die gegen diese Epigonen gezielte »Deutsche Ideologie«: »Man muß die Philosophie beiseite liegenlassen, man muß aus ihr herausspringen und sich als ein gewöhnlicher Mensch an das Studium der Wirklichkeit begeben, wozu auch literarisch ein ungeheures, den Philosophen natürlich unbekanntes Material vorliegt; und wenn man dann wieder einmal Leute wie Kuhlmann oder Stirner vor sich bekommt, so findet man, daß man sie längst ›hinter‹ und unter sich hat. Philosophie und Studium der wirklichen Welt verhalten sich zueinander wie Onanie und Geschlechtsliebe« (MEGA I, 5, S. 216). Die Namen Kuhlmann (ein damaliger pietistischer Theologe) und gar Stirner zeigen überdeutlich, an welche Adresse oder Art Philosophie diese mächtige Invektive gerichtet war; sie war an philosophische Windbeutelei gerichtet. Nicht war sie an die Hegelsche Philosophie und andere große der Vergangenheit gerichtet, so kontemplativ diese auch gehalten war; Marx war der letzte, der am konkreten Hegel, am kenntnisreichsten Enzyklopädisten seit Aristoteles, ein »Studium der wirklichen Welt« vermißt hätte. Dergleichen haben grundsätzlich andere Köpfe als Marx und Engels Hegel vorgeworfen, es waren die Köpfe der preußischen Reaktion, später des Revisionismus und ähnliche »Realpolitiker«, wie bekannt. Von der wirklichen bisherigen Philosophie dagegen spricht Marx auch in der »Deutschen Ideologie« ganz anders, nämlich im Sinn eines schöpferischen reellen Erbantritts. Vorher hatte das die »Einleitung zur Kritik der Hegelschen Rechtsphilosophie«, von 1844, bereits dahin klargestellt, daß die Philosophie nicht aufgehoben werden könne, ohne sie zu *verwirklichen*, nicht verwirklicht werden könne, ohne sie *aufzuheben*. Das erstere, mit dem Akzent auf der *Verwirklichung*, ist für die »Praktiker« gesagt: »Mit Recht fordert daher die *praktische* politische Partei in Deutschland die *Negation der Philosophie*. Ihr Unrecht besteht nicht in der Forderung, sondern in dem Stehenbleiben bei der Forderung, die sie ernsthaft weder vollzieht noch vollbringen kann. Sie glaubt, jene Negation dadurch zu vollbringen, daß sie der Philosophie den Rücken kehrt und abgewandten Hauptes einige ärgerliche und banale Phrasen über sie hermurmelt. Die Beschränktheit ihres Gesichtskreises zählt die Philosophie nicht ebenfalls in den Bering der *deutschen*

Wirklichkeit oder wähnt sie gar *unter* der deutschen Praxis und den ihr dienenden Theorien. Ihr verlangt, daß man an *wirkliche Lebenskeime* anknüpfen soll, aber ihr vergeßt, daß der wirkliche Lebenskeim des deutschen Volkes bisher nur unter seinem Hirnschädel gewuchert hat. Mit einem Worte: *Ihr könnt die Philosophie nicht aufheben, ohne sie zu verwirklichen.*« Das zweite, mit dem Akzent auf der *Aufhebung*, ist für die »Theoretiker« gesagt: »Dasselbe Unrecht, nur mit *umgekehrten* Faktoren, beging die *theoretische,* von der Philosophie her datierende politische Partei. Sie erblickte in dem jetzigen Kampf *nur den kritischen Kampf der Philosophie mit der deutschen Welt*, sie bedachte nicht, daß die *seitherige Philosophie* selbst zu dieser Welt gehört und ihre, wenn auch ideelle *Ergänzung* ist. Kritisch gegen ihren Widerpart verhielt sie sich unkritisch zu sich selbst, indem sie von den *Voraussetzungen* der Philosophie ausging und bei ihren gegebenen Resultaten entweder stehenblieb oder anderweitig hergeholte Forderungen und Resultate der Philosophie ausgab, obgleich dieselben – ihre Berechtigung vorausgesetzt – im Gegenteil nur durch die *Negation der seitherigen (!) Philosophie*, der Philosophie als Philosophie, zu erhalten sind. Eine näher eingehende Schilderung dieser Partei behalten wir uns vor« (sie geschah in der »Heiligen Familie« und der »Deutschen Ideologie«, mit schwerster Kritik der verkommenen Kontemplation, der kritischen »Ruhe des Erkennens«). »Ihr Grundmangel läßt sich dahin reduzieren: *Sie glaubte, die Philosophie verwirklichen zu können, ohne sie aufzuheben*« (MEGA I, 1/1, S. 613). Marx gibt also beiden damaligen Parteien ein Antidoton zu ihrem Verhalten, eine jeweils umgekehrte Medicina mentis: er legt den Praktikern von damals ein Mehr-Verwirklichen von Philosophie auf, den Theoretikern von damals ein Mehr-Aufheben von Philosophie. Jedoch auch die »Negation« der Philosophie (ein selber so höchst philosophisch geladener, aus Hegel stammender Begriff) bezieht sich hier ausgesprochenerweise auf die »*seitherige* Philosophie«, nicht auf jede mögliche und künftige überhaupt. Die »Negation« bezieht sich auf Philosophie mit Wahrheit um ihrer selbst willen, also auf autark-kontemplative, auf eine die Welt lediglich antiquarisch interpretierende, sie bezieht sich nicht auf eine die Welt revolutionär verändernde.

Ja auch innerhalb der »seitherigen Philosophie«, der von den Hegel-Epigonen freilich so grundverschiedenen, gibt es, bei aller Kontemplation, so viel »Studium der wirklichen Welt«, daß eben die deutsche klassische Philosophie nicht ganz unpraktisch unter den »drei Quellen und drei Bestandteilen des Marxismus« figuriert. Das schlechthin Neue in der marxistischen Philosophie besteht in der radikalen Veränderung ihrer Grundlage, in ihrem proletarisch-revolutionären Auftrag; aber das schlechthin Neue besteht nicht darin, daß die einzige zur konkreten Weltveränderung fähige und bestimmte Philosophie keine – Philosophie mehr wäre. Weil sie das ist wie nie, daher gerade der Triumph der Erkenntnis im zweiten Satzteil der These 11, die *Veränderung* der Welt betreffend; Marxismus wäre gar keine Veränderung im wahren Sinn, wenn er vor und in ihr kein theoretisch-praktisches Prius der *wahren Philosophie* wäre. Der Philosophie, die, mit langem Atem, mit vollem Kulturerbe, nicht zuletzt auf Ultraviolett sich versteht, soll heißen: auf die zukunfttragenden Eigenschaften der Wirklichkeit. Verändern im unwahren Sinn läßt sich freilich vielfach, auch ohne Begriff; die Hunnen haben gleichfalls verändert, es gibt auch eine Veränderung durch Cäsarenwahnsinn, durch Anarchismus, ja durch die Geisteskrankheit der Faselei, die Hegel ein »vollkommenes Abbild des Chaos« nennt. Aber *gediegene* Veränderung, gar die zum *Reich der Freiheit,* kommt einzig durch gediegene Erkenntnis zustande, mit immer genauer beherrschter Notwendigkeit. Durchaus Philosophen haben seitdem dergestalt die Welt verändert: Marx, Engels, Lenin. Praktizisten aus der hohlen Hand, Schematiker mit Zitatenschatz haben sie nicht verändert und auch nicht jene Empiristen, die Engels »Induktionsesel« genannt hat. Philosophische Veränderung ist eine mit unaufhörlicher Kenntnis des Zusammenhangs; denn wenn Philosophie auch keine eigene Wissenschaft über den anderen Wissenschaften darstellt, so ist sie doch das eigene Wissen und Gewissen des Totum in allen Wissenschaften. Sie ist das fortschreitende Bewußtsein des fortschreitenden Totum, da dieses Totum selber nicht als Faktum steht, sondern einzig im riesigen Zusammenhang des Werdens mit dem noch Ungewordenen umgeht. Philosophische Veränderung ist derart eine nach Maßgabe der analysierten Lage, der dialektischen Tendenz, der objektiven Gesetze, der realen Möglichkeit. Darum also geschieht philosophische Veränderung letzthin wesentlich im Horizont der überhaupt kontemplationsunfähigen, interpretierungs-unfähigen, wohl aber marxistisch erkennbaren Zukunft. Und unter diesem Aspekt erhob sich Marx auch über die oben angegebene, nur antithetisch gesetzten Wechselakzente: Verwirklichung oder Aufhebung der Philosophie betreffend (Verwirklichung akzentuiert gegen die »Praktiker«, Aufhebung akzentuiert gegen die »Theoretiker«). Die *dialektische Einheit* der recht verstandenen Akzente lautet, am Ende der zitierten »Einleitung« (MEGA I, 1/1, S. 621), wie bekannt: »Die Philosophie kann sich nicht verwirklichen ohne die Aufhebung des Proletariats, das Proletariat kann sich nicht aufheben ohne die Verwirklichung der Philosophie.« Und die Aufhebung des Proletariats, sobald es nicht nur als Klasse, sondern ebenso, wie Marx lehrt, als schärfstes Symptom der menschlichen Selbstentfremdung gefaßt wird, ist ohne Zweifel ein langer Akt: die völlige Aufhebung dieser Art fällt mit dem letzten Akt des Kommunismus zusammen. Des Sinns, den Marx in den »Ökonomisch-philosophischen Manuskripten« ausdrückt, mit einer Perspektive, die sich gerade aufs philosophisch äußerste »Eschaton« versteht: »Erst hier ist ihm (dem Menschen) sein *natürliches* Dasein sein *menschliches* Dasein und die Natur für ihn zum Menschen geworden. Also die *Gesellschaft* ist die vollendete Wesenseinheit des Menschen mit der Natur, die wahre Resurrektion der Natur, der durchgeführte Naturalismus des Menschen und der durchgeführte Humanismus der Natur« (MEGA I, 3, S. 116). Hier leuchtet die von Marx zu formulieren gesuchte letzte Perspektive des Veränderns der Welt. Ihr Gedanke (das Wissen-Gewissen jeder Praxis, worin das noch ferne Totum sich spiegelt) verlangt zweifellos ebensoviel Neuheit der Philosophie, wie er Resurrektion der Natur schafft.

Der archimedische Punkt;
Wissen nicht nur auf Vergangenes, sondern wesentlich
auf Heraufkommendes bezogen

Erstmals wurde der Geist so mächtig, endlich versteht er sich darauf. Und genau deshalb, weil er sich seines früheren, oft falsch erhabenen Wesens begeben hat. Weil er ein wahrhaft politisches Lied geworden ist, sich endlich selber aus dem Betrachteten und Vergangenen zur Gegenwart herausmachte. Zu einer damaligen Gegenwart überdies, die den Geist nicht als Äther zuließ, sondern als materielle Gewalt brauchte. Hierfür ist erneut der Zeitpunkt wichtig, wo mit den anderen Frühschriften auch die »Elf Thesen« an dieses kräftige Licht traten. Marx schrieb darüber im »Kommunistischen Manifest«, 1848, also wenig später: »Auf Deutschland richten die Kommunisten ihre Hauptaufmerksamkeit, weil Deutschland am Vorabend einer bürgerlichen Revolution steht, und weil es diese Umwälzung unter fortgeschritteneren Bedingungen der europäischen Zivilisation überhaupt und mit einem viel weiter entwickelten Proletariat vollbringt als England im siebzehnten und Frankreich im achtzehnten Jahrhundert, die deutsche Revolution also nur das unmittelbare Vorspiel einer proletarischen Revolution sein kann.« Von daher also der besondere Anstoß, ein von Feuerbach nicht empfundener, der die neue Philosophie sogleich, in statu nascendi, auf die Barrikaden brachte. Bereits in der These 4 war der archimedische Punkt entdeckt, von dem dergestalt die alte Welt aus den Angeln, die neue in die Angeln zu heben ist, der archimedische Punkt in der »weltlichen Grundlage« von heute: »Diese selbst muß also erstens in ihrem Widerspruch verstanden und sodann durch Beseitigung des Widerspruchs praktisch revolutioniert werden.« Und nun, *was ist es endgültig*, was den Ansatzpunkt der »Elf Thesen«, also die beginnende *Philosophie der Revolution* entdeckt hat? Es ist doch nicht der neue, der proletarische Auftrag allein, so entscheidend er von der Betrachtung losriß, die Dinge nicht hinnehmen, gar verewigen ließ, wie sie sind. Auch ist es nicht nur das kritisch-schöpferisch angetretene Erbe der deutschen Philosophie, der englischen politischen Ökonomie, des französischen Sozialismus, so notwendig diese drei Fermente, vorab Hegels Dialektik und Feuerbachs erneuerter Materialismus, für die Herausbildung des Marxismus waren. Sondern dasjenige, was endgültig zum archimedischen Punkt führte und mit ihm zur Theorie-Praxis, kam in gar keiner Philosophie bisher vor, ja ist in und an Marx selber noch kaum völlig reflektiert worden. »In der bürgerlichen Gesellschaft«, sagt das Kommunistische Manifest, »herrscht die Vergangenheit über die Gegenwart, in der kommunistischen die Gegenwart über die Vergangenheit.« Und es herrscht die Gegenwart *zusammen mit dem Horizont in ihr,* der der Horizont der Zukunft ist, und der dem Fluß der Gegenwart den spezifischen Raum gibt, den Raum neuer, betreibbar besserer Gegenwart. Also wurde die beginnende Philosophie der Revolution, das ist, der Veränderbarkeit zum Guten, allerletzt am und im *Horizont der Zukunft* eröffnet; mit Wissenschaft des Neuen und Kraft zu seiner Leitung.

Alles Wissen aber war bisher wesentlich auf Vergangenes bezogen, indem nur dieses betrachtbar ist. Das Neue blieb so außer seinem Begriff, die Gegenwart, in der das Werden des Neuen seine Front hat, blieb eine Verlegenheit. Das Denken in Warenform hat diese alt überkommene Ohnmacht besonders gesteigert; denn das kapitalistische Zur-Ware-Werden aller Menschen und Dinge gibt ihnen nicht nur Entfremdung, sondern es erhellt: die Denkform Ware ist selber die gesteigerte Denkform Gewordenheit, Faktum. Über diesem Faktum wird das Fieri besonders leicht vergessen und so über dem verdinglichten Produkt das Produzierende, über dem scheinbaren Fixum im Rücken der Menschen das Offene vor ihnen. Aber die falsche Wechselbeziehung zwischen Wissen und Vergangenheit ist sehr viel älter, ja ihren Ursprung hat sie eben dort, wo der Arbeitsvorgang in der Erkenntnis überhaupt nicht reflektiert war, so daß das Wissen nicht nur, wie oben gezeigt, schlechthin Schau, sondern der Gegenstand des Wissens schlechthin Ausgestaltetes, die Wesenheit schlechthin Ge-wesenheit sein mußte. Hier hat die Platonische Anamnesis ihren Ort: »Denn wahrlich«, sagt Sokrates im Dialog »Menon« (81 B – 82 A) und weist auf Schau gerade in der Urvergangenheit der Seele, »Suchen und Lernen sind ganz und gar nur – Erinnerung.« Es ist der Bann dieses kontemplativen Antiquariums, der – aller gesellschaftlichen Veränderungen des Erkenntnisbegriffs ungeachtet – die Philosophie bis Marx nicht nur in der Betrachtung, sondern eben auch in der bloßen, jeder Betrachtung eingeschriebenen, *Relation zur Gewordenheit* gehalten hat. Selbst dem Entwicklungsdenker Aristoteles ist das Wesen das τὸ τὶ ἦν εἶναι, das »Was-war-Sein«, im Sinn der abgeschlossenen Bestimmbarkeit, statuarischen Ausgeprägtheit. Selbst dem großen dialektischen Prozeßdenker Hegel ist das Geschehen völlig unter seine fertige Geschichte gebeugt, und das Wesen ist die gewordene Wirklichkeit, worin es »mit seiner Erscheinung eins ist«. Nicht zuletzt bei Feuerbach notiert Marx selber diese Sperre: »Feuerbachs ganze Deduktion in Beziehung auf das Verhältnis der Menschen zueinander geht nur dahin, zu beweisen, daß die Menschen einander nötig haben und *immer gehabt haben.* Er will das Bewußtsein über diese Tatsache etablieren, er will also, wie die übrigen Theoretiker, nur ein richtiges Bewußtsein über ein *bestehendes* Faktum hervorbringen, während es dem wirklichen Kommunisten darauf ankommt, das Bestehende umzustürzen« (Deutsche Ideologie, MEGA I, 5, S. 31). Der Effekt von alldem war nun der, daß der Geist der Anamnesis seine Erkenntniskraft gerade dort gesucht hat, wo *am wenigsten Gegenwart, gar Zukunft* zur Entscheidung steht. Während also die bloße Relation: Wissen-Vergangenheit zu Fragen der Gegenwart gar zu Entscheidungsproblemen der Zukunft in einem fast nur kannegießernden Verhältnis steht oder im Verhältnis des kurzsichtigsten bürgerlichen Klassenstandpunkts, wird ihr (freilich ohne daß der verewigte Klassenstandpunkt aufhörte) erst in der *Abgeschiedenheit des Präteritum* gleichsam heimatlich zumute. Und zwar desto heimatlicher, je ferner die Objekte zeitlich zurückliegen, je adäquater also ihre Abgeschlossenheit zu der Ruhe der Kontemplation erscheint. Daher erlauben in der Relation: Wissen-Vergangenheit die Kreuzzüge sozusagen mehr »Wissenschaftlichkeit« als die beiden letzten Weltkriege, Ägypten wiederum, das noch fernere, mehr als das Mittelalter. Gar das scheinbare totale Vorbei der physischen Natur steht oder stand da als eine Art Über-Ägypten oder Potenz von Ägypten, ganz weit zurück, mit der granitnen Gewordenheit einer Materie, die, nicht ohne methodischen Jubel, tot genannt wurde. Wie anders aber das alles im Marxismus, wie groß ist dessen Macht gerade an der Gegenwart geraten. Wie bewährt sich seine *neue*, seine *durchgängige Geschehens- und Veränderungs-Wissenschaft* gerade an der Front des Geschehens, in der Aktualität der jeweiligen Entscheidung, in der Tendenz-Beherrschung zur Zukunft hin. Marxistisch ist auch die Vergangenheit nicht wachsend antiquarisch gestaffelt, denn die Geschichte als urkommunistische wie als eine von Klassenkämpfen macht auch ihre weitest zurückliegende Epoche zu keinem Museum; noch weniger aber macht sie die näherliegende, wie in der bürgerlichen Kontemplation, zum wissenschaftsfreien Moratorium. Wonach so große Teile der bürgerlichen Gelehrsamkeit, ohne alles konkrete Wissensverhältnis zur Gegenwart, dieser, als sie Entscheidung verlangte, entweder hilflos gegenüberstanden oder, in letzter Zeit, sich dem Anti-Bolschewismus noch über alles Klasseninteresse hinaus mit skandalöser Unwissenheit, Unweisheit verkauften. Sogar noch die damit unvergleichlichen wissenschaftlichen Bahnbrecher der bürgerlichen Gesellschaft, die gewiß zur Gegenwarts- und Zukunfts-Relation gehaltenen großen und reinen Ideologen des siebzehnten und achtzehnten Jahrhunderts standen dem Heraufkommenden ihrer eigenen revolutionären Klasse allemal mit Illusionen oder unkonkret überschießenden Idealen gegenüber; das also nicht nur wegen der jeweiligen Klassenschranke, sondern ebenso wegen der Schranke vor der Zukunft, die bis Marx mit der Klassenschranke durchgehends gesetzt war. Dies alles eint sich, je länger, je mehr, eben mit der Anamnesis oder der kontemplativ-statischen Wissperre gegen das wirklich Anrückende, Heraufkommende. Und ebenso, nun völlig entschieden: wo das *Wissen-Vergangen-heits-Verhältnis* in der Gegenwart nur Verlegenheit sieht und in der Zukunft Spreu, Wind, Gestaltlosigkeit, dort erfaßt das *Wissen-Tendenz-Verhältnis* das Wozu seines Wissens überhaupt: als den vermittelten Neubau der Welt. Die dialektisch-historische Tendenzwissenschaft Marxismus ist derart die vermittelte *Zukunftswissenschaft* der *Wirklichkeit plus der objektiv-realen Möglichkeit in ihr;* all das zum Zweck der *Handlung.* Der Unterschied zur Anamnesis des Gewordenen, samt ihren sämtlichen Abwandlungen, könnte nicht einleuchtender sein; er gilt sowohl für die erleuchtende marxistische Methode wie für die in ihr erleuchtete unabgeschlossene Materie. *Erst der Horizont der Zukunft, wie ihn der Marxismus bezieht, mit dem der Vergangenheit als Vorraum, gibt der Wirklichkeit ihre reelle Dimension.* Unvergeßlich ist hier auch der neue Ort des archimedischen Punktes selber, von dem her in die Angeln gehoben wird. Er liegt gleichfalls nicht weit hinten, im Vergangenen, Abgetanen, zu dem der frühere, bloß betrachtende Materialismus die Welt herunteranalysiert hatte. Das wirkte in der Folge, gerade als seine entzaubernde Rolle längst dahin war, hemmungslos retrograd; er löste die historischen Erscheinungen in biologische, diese in chemisch-physikalische auf, bis herab auf die atomare »Basis« von allem und jedem. Dergestalt, daß auch von historisch höchst geladenen Erscheinungen, etwa der Schlacht bei Marathon, nur noch Muskelbewegungen übrigblieben, also die Griechen und Perser samt dem gesellschaftlichen Inhalt dieser Schlacht in gänzlich unterhistorische Muskelbewegungen verschwanden. Diese lösten sich dann wieder aus der Physiologie in organisch-chemische Vorgänge auf, und die organische Chemie wiederum, die ohnehin allen Lebewesen gemeinsame, landete schließlich beim Tanz der Atome, eben als der generellsten »Basis« von allem und jedem. Damit war freilich nicht nur die Schlacht bei Marathon, die doch erklärt werden sollte, völlig verschwunden, sondern die ganze gebaute Welt zeigte sich im Allgemeinen einer totalen Mechanik untergegangen – mit Verlust sämtlicher Erscheinungen und ihrer Unterschiede. Der mechanische Materialismus erblickte in dieser Zerlegung auf Atomistik und sonst nichts des Pudels Kern; in Wahrheit war hier wirklich erst jene Nacht, von der einmal Hegel sprach, die Nacht, wo alle Kühe schwarz sind. Dasjenige fehlte, was gerade Demokrit, der erste große Materialist, διασώζειν τὰ φαινόμενα, Retten der Erscheinungen genannt und methodisch gefordert hatte. Hier leistete Feuerbach mit seinem nicht physikalischen, sondern »anthropologischen« Materialismus dem jungen Marx allerdings einen großen Dienst, einen im ganzen Tenor der »Elf Thesen« anerkannten. Atome und dann die ganze Biologie liegen zwar entwicklungsgeschichtlich jedem weiteren Bau zugrunde, doch der »starting point«, wie später Engels in der »Dialektik der Natur« das nannte, dann der archimedische Punkt (für die Geschichte) ist dem Marxismus der arbeitende Mensch. Seine gesellschaftlichen Weisen der Bedürfnisbefriedigung, das »Ensemble der gesellschaftlichen Verhältnisse«, wie es an Stelle des Feuerbachschen Mensch-Abstraktums trat, der gesellschaftliche Austauschprozeß mit der Natur selber: all das wurde nun als die einzig relevante und wirkliche Basis erkannt, was das Reich der Geschichte und Kultur angeht. Es war das gleichfalls eine materielle Basis, ja eine viel ausgeprägter materielle als die der unsichtigen Atomvorgänge, doch gerade als ausgeprägtere, als historisch-charakteristische machte sie die geschichtlichen Erscheinungen und Charaktere nicht zur Nacht. Sie brachte vielmehr erstmals Licht, ein genuines Licht, worin zugleich der archimedische Punkt lag, der heißt: Beziehung der Menschen zu Menschen und zur Natur. Und eben weil der historische Materialismus, zum Unterschied vom einseitig naturwissenschaftlichen, kein betrachtender war, entdeckte er am spezifischen Ort seines archimedischen Punkts nicht nur den Schlüssel der Theorie, sondern den Hebel der Praxis. Marxismus also zerstört am wenigsten diesen Hebel und, dem entsprechend, nicht die höhere, die neue Organisation lebendiger Materie, zu der der Hebel hebt. So nochmals These 10: »Der Standpunkt des alten Materialismus ist die ›bürgerliche‹ Gesellschaft, der Standpunkt des neuen die *menschliche* Gesellschaft oder die vergesellschaftete Menschheit.« Und Weltveränderung dieser Art geschieht sinngemäß einzig in einer Welt der *qualitativen Umschlagbarkeit, Veränderlichkeit selber,* nicht in der des mechanischen Immer-Wieder, der puren Quantität, des historischen Umsonst. Es gibt ebenso keine veränderbare Welt ohne den erfaßten Horizont der objektiv-realen Möglichkeit in ihr; sonst wäre selbst ihre Dialektik eine des Auf-der-Stelle-Tretens. Ja noch viel mehr Gewalt der Schöpfung hat sich in der weltumfassenden Dialektik des Marxismus erkennbar gemacht und kommt zur Wissenschaft. Die Hoffnung, die Herder im »Genius der Zukunft« hymnisch anzurufen suchte: »...denn was ist Lebenswissen! und du, / Der Götter Geschenk, Prophetengesicht! und der Ahndung / Vorsingende Zauberstimme!«, – gerade die *Hoffnung des Lebenswissens* wurde, damit es wirklich eines sei, bei Marx Ereignis. Das Ereignis ist nicht abgeschlossen, denn es ist selber ein einziges Vorwärts in der veränderbaren, Glück implizierenden Welt. So bekundet die Gesamtheit der »Elf Thesen«: Die vergesellschaftete Menschheit im Bund mit einer ihr vermittelten Natur ist der Umbau der Welt zur Heimat.

20   ZUSAMMENFASSUNG
        ANTIZIPATORISCHE BESCHAFFENHEIT
                  UND IHRE POLE:
    DUNKLER AUGENBLICK – OFFENE ADÄQUATHEIT

Wer aber treibt in uns an? Einer, der sich selbst nicht innehat, noch nicht hervorkommt. Mehr ist auch jetzt nicht zu sagen, dies Innen schläft. Das Blut läuft, das Herz schlägt, ohne daß zu verspüren ist, was den Puls in Gang setzt. Ja, tritt keine Störung hinzu, so ist überhaupt nichts unter unserer Haut spürbar. Was in uns reizfähig macht, reizt sich selber nicht. Das gesunde Leben schläft, als in sich webend. Es steckt ganz in dem Saft, worin es kocht.

Puls und gelebtes Dunkel

Daß man lebt, ist eben deshalb nicht zu empfinden. Gerade dieser unmittelbare Puls schlägt einsam. Akte wie Vollzug des Wollens, Vorstellens und so fort treten aus dem unmittelbaren Dunkel ihres Geschehens nicht heraus. Aber am meisten dunkel bleibt schließlich das Jetzt selber, worin wir als Erlebende uns jeweils befinden. Das Jetzt ist der Ort, worin der unmittelbare Herd des Erlebens überhaupt steht, in Frage steht; so ist das gerade Gelebte selber am meisten unmittelbar, also am wenigsten bereits erlebbar. Nur wenn ein Jetzt gerade vergangen ist oder wenn und solange es erwartet wird, ist es nicht nur ge-lebt, sondern auch er-lebt. Als unmittelbar daseiend, liegt es im Dunkel des Augenblicks. Nur das gerade Heraufkommende oder das gerade Vergangene hat den Abstand, den der Strahl des Bewußtwerdens braucht, um zu bescheinen. Das Daß und Jetzt, der

Augenblick, worin wir sind, wühlt in sich und empfindet sich nicht. Dementsprechend also wird der jeweilige Inhalt des gerade Gelebten nicht wahrgenommen.

Platz für möglichen Vormarsch

Aber was im Jetzt treibt, stürzt zugleich dauernd vorwärts. Es bleibt darum nie in sich selber webend, denn das Daß des Lebens ist gierig. So ungeäußert sein Innen noch sein mag, darin äußert es sich, daß es das Seine nicht hat, vielmehr draußen sucht und meint, also daß es Hunger hat. Und das Draußen, in das das Subjektive greift, muß wenigstens so liegen, daß sich nach ihm greifen läßt. Wäre um das Drängen nach dem, was ihm fehlt, nichts als lauter enge, erstickende, fest gewordene Mauer, dann wäre nicht einmal Drängen da. So aber ist ihm noch etwas offen, sein Drängen, Wünschen, Tun hat Platz. Was nicht ist, kann noch werden, was verwirklicht wird, setzt Mögliches in seinem Stoff voraus. Es gibt im Menschen dies Offene, und Träume, Pläne wohnen darin. Das Offene ist ebenso in den Dingen, an ihrem vorderen Rand, dort, wo noch Werden möglich ist. Und das Drängen hat daran nicht nur den Auslauf oder das Freie, wo noch gegangen, noch gewählt, noch geschieden, Weg eingeschlagen, Weg gelegt werden kann, sondern außer dem Weg ist im objektiv Möglichen ein uns möglicherweise Entsprechendes, woran das Drängen nicht endlos ungesättigt weitergeht. Das Entsprechende ist als solches nicht selber ausgemacht und garantiert, es ist nicht empfangend, gar lösend, aber es ist seines Möglichen gewärtig und so immerhin als Gewärtiges empfangend. In den Dingen ist ein Treiben, worin unsere Angelegenheiten noch betrieben werden können, eine Front, worin unsere Zukunft, gerade diese, entschieden werden kann. Solch Veränderbares ist keinesfalls selbstverständlich: es könnte ja auch nichts Neues mehr unter der Sonne geschehen. So aber gibt es im Fluß der Dinge, also der Ereignisse, noch durchaus ein Noch und Noch-Nicht, was dasselbe ist wie echte, das heißt, aus nie so Gewesenem bestehende Zukunft. Zeiten, in denen nichts geschieht, haben das Gefühl fürs Novum fast verloren; sie leben in Gewohnheit und das Kommende ist keines, sondern abgezirkelt wie das Gestrige auch. Aber Zeiten wie die heutige, in denen Geschichte, vielleicht für Jahrhunderte, auf der Waage steht, haben das Gefühl fürs Novum extrem, sie spüren, was Zukunft ist, mit angehaltenem Atem, mit befördernder Arbeit am Heraufziehenden, heraufziehend Möglichen. Solche Zeiten sind der Ort, um das Korrelat des Möglichen besonders zu erfahren, über zersprungener Gewordenheit. Das Jetzt des Treibens hat nur unter ungeschlossenen Dingen Platz, um zu verwirklichen, um seine Inhalte wachsend manifest zu machen.

Quell und Mündung: das Staunen als absolute Frage

Wird recht verwirklicht, so kommt das Leben dorthin, wo es noch nie war, nämlich nach Hause. Zwei Momente aber machen, in dieser möglichen Verwirklichung eines noch Möglichen, *letzthin* Quell und Mündung aus. Der Quell ist bezeichnet durch das *Dunkel des Jetzt*, worin Verwirklichen entspringt, die Mündung durch die *Offenheit des objekthaften Hintergrunds*, wohin die Hoffnung geht. Es wurde erkannt: im Verwirklichen ist selber etwas unreif und noch nicht verwirklicht, daher schwächt es (vgl. S. 221); dieses Unreife macht sich kenntlich im Dunkel des gelebten Augenblicks. Es wurde weiter erkannt: im objekthaften Hintergrund oder Korrelat ist Offenheit, noch entscheidbar Real-Mögliches, ist Utopie als Frontbestimmtheit der Objekte selbst (vgl. S. 235); dies Reifbare macht sich kenntlich als immer noch während Tendenz, immer noch dämmernde Latenz. Dunkler Augenblick hier, adäquate Offenheit dort bezeichnen folglich Quell und Mündung des Heraufkommens; sie sind die Pole des antizipierenden Bewußtseins wie dessen, was ihm objekthaft entspricht. Mündung allerdings, das bezeichnet ein Moment des Endzustands, der noch mehr bedeutet als adäquate Offenheit, vielmehr: in dem sich diese als offene *Adäquatheit* gibt. Invarianz eines stets Gemeinten oder utopischen Endes, das in der Richtung ist, diese einzig gültige Invarianz wurde ebenfalls ausgezeichnet (vgl. S. 255); sie ist Unum necessarium in der Richtung, ist überal identisch angelegtes Element des utopischen Endzustands. Und nun: die offene Adäquatheit macht sich nicht in Erfahrungen des *weiterlaufenden* Weltprozesses kenntlich, mit experimentierter Mündung, sondern in kurzer, seltsamer Erfahrung eines *antizipierten Stillehaltens.* Erfahren wurden in diesem Stillehalten allemal knappste *Symbolintentionen eines Überhaupt,* subjektiv zunächst, ja lyristisch scheinend und doch erzphilosophisch in der Sache selbst fundiert, nämlich in einem Aufblitzen von utopischem Endzustand. Solche Erfahrungen eines utopischen Endzustandes fixieren ihn gewiß nicht, sonst wären sie keine Erfahrungen bloßer *Symbolintention* und keine utopischen, gar zentralutopischen. Aber sie betreffen in der Tat den *Kern der Latenz,* und zwar als letzte Frage, in sich selbst widerhallend. Diese Frage ist auf keine bereits vorhandene Antwort hin konstruierbar, auf kein irgendwo in der vorhandenen Welt bereits geschlichtetes Material beziehbar. Beispiele hierfür sind in dem Buch »Spuren« gegeben, wo »das fragende, das bodenlose Staunen« an einer Stelle aus Hamsun erläutert wird (Ernst Bloch, Spuren, 1930, S. 274 ff.). Besonders aber im »Geist der Utopie«, worin solch letzthinnige Symbolintention als »Gestalt der unkonstruierbaren Frage«, das heißt eben, als Gestalt der auf keine bereits vorhandenen Lösungen hinbiegbaren, hinkonstruierbaren Fragen zuerst bezeichnet worden ist: »Ein Tropfen fällt, und es ist da; eine Hütte, das Kind weint, eine alte Frau in der Hütte, draußen Wind, Heide, Herbstabend, und es ist wieder da, genauso, dasselbe; oder wir lesen, daß sich Dimitri Karamasow im Traum verwundert, wie der Bauer immer ›Kindichen‹ sagt, und wir ahnen, hier wäre es zu finden; ›die Ratte, die raschle, solange sie mag! Ja wenn sie ein Bröselein hätte!‹, und wir fühlen, bei diesem kleinen, schnöden, sonderbaren Vers aus Goethes ›Hochzeitslied‹, hier, in dieser Richtung liegt das Unsagbare, das, was der Knabe liegenließ, als er wieder aus dem Berg herauskam, ›vergiß das Beste nicht!‹ hatte der Alte zu ihm gesagt, aber noch keiner konnte dieses Unscheinbare, tief Versteckte, Ungeheure jemals im Begriff entdecken« (Ernst Bloch, Geist der Utopie, 1918, S. 364). Man sieht daran, es sind ganz uneigentliche Anlässe und Inhalte, zu denen derart das Subjekt gegebenenfalls inkliniert, doch in ihnen, den für jeden Menschen verschiedenen, obzwar allemal bedeutungsidentischen Anlässen und Inhalten, kündigt sich der Gehalt des tiefsten Staunens an, zwischen Subjekt und Objekt, beide in durchdringender

Betroffenheit auf einen Augenblick identifizierend. So läuft die unkonstruierbare, die absolute Frage allerdings auch wieder auf den Augenblick zu, in sein Dunkel hinein. Nicht als Lichtung, doch als unverwechselbarer Hinweis auf das unmittelbare Dunkle des Jetzt, sofern dessen inhaltlich zentrale Latenz sich immerhin in solch staunendem Fragen, fragendem Staunen abbildet. Wäre der Inhalt des im Jetzt Treibenden, im Da Berührten positiv heraus, ein »Verweile doch, du bist so schön«, dann wären gedachte Hoffnung, gehoffte Welt am Ziel.

Nochmals: Dunkel des gelebten Augenblicks; Carpe diem

Was in uns reizfähig macht, wurde gesagt, reizt sich selber nicht. Es schläft als warm und zugleich verdunkelt, weckt sich selber am wenigsten empfindend auf. Auch das Empfinden innerer und äußerer Reize nimmt an dem Punkt, wo diese ins Jetzt eintauchen, an dessen Dunkel teil. So wenig wie das Auge an der Stelle des blinden Flecks sieht, wo der Nerv in die Netzhaut tritt, so wenig wird von irgendeinem Sinn das gerade Erlebte wahrgenommen. Dieser blinde Fleck in der Seele, dieses Dunkel des gelebten Augenblicks muß bei alledem vom Dunkel vergessener oder vergangener Vorgänge durchaus unterschieden werden. Wenn sich Vergangenes zunehmend mit Nacht bedeckt, so ist das aufhebbar, Erinnerung hilft auf, Quellen und Funde können ausgegraben werden, ja historisch Vergangenes steht, wenn auch lückenhaft, gerade fürs betrachtende Bewußtsein besonders objektivierbar da. Das Dunkel des gerade gelebten Augenblicks dagegen bleibt in seiner Schlafkammer; aktuelles Bewußtsein ist gerade nur in bezug auf ein eben vergangenes oder für ein erwartet anrückendes Erlebnis und seinen Inhalt da. Der gelebte Augenblick selber bleibt mit seinem Inhalt wesenhaft unsichtbar, und zwar desto sicherer, je energischer Aufmerksamkeit sich darauf richtet: an dieser Wurzel, im gelebten Ansich, in punktueller Unmittelbarkeit ist alle Welt noch finster. In punktueller Unmittelbarkeit: – geschieht freilich alles *Erleben* punktuell und atomistisch, folglich *in Augenblicken und als diese?* Das wird von vitalistischen Psychologen verneint, sie lassen Seelisches pulslos fließen. So sieht James, ungeachtet daß er »transitive parts of the consciousness« zuläßt, psychisches Leben als einen Strom. Teilung gilt bei Vitalisten insgesamt, besonders bei Bergson, als künstlich, als wissenschaftlich-ideale Abstraktion, angeblich nach mathematischem Muster hergestellt; auch der Augenblick wäre danach kein unmittelbares Sichbefinden, gleitend und diskret zugleich, sondern eine hergestellte Fiktion. Jedoch all diese vitalistische Augenblicksleugnung bleibt im vorliegenden Fall gänzlich unzuständig; denn eben zum Leben gehört der punktuelle Puls, er ist an ihm keine Abstraktion. Abstrakt dagegen ist der Strom der Bewußtseins-Vitalisten selber; denn ihm fehlt gerade der schlagende Puls, dies Element des Lebensstroms zum Unterschied von einem wellenlosen, ununterbrochenen Geschiebe. Das Bild des Bewußtseinsstroms zeigt seine eigene Abstraktheit darin, daß es von einem wirklichen Strom fast nichts mehr enthält, vielmehr in sich selber stationär ist. Der Bewußtseinsstrom der Vitalisten ist auch darin so wenig wirklicher Strom, daß er weder Quell noch Mündung aufweist, und vor allem hat er mit dem einzigen konkreten Begriff des Stroms, mit dem des Prozesses, nichts gemein, als welcher dezidiert aus Unterbrechungen besteht, nämlich aus dialektischen Momenten des dialektischen Zusammenhangs. So gewiß der Prozeß aus ihnen nicht »zusammengesetzt« ist, nach einer selber verdinglicht-mechanistischen Auffassung, so verdankt er ihnen doch seinen diskontinuierlichen Charakter, eben den »Puls der Lebendigkeit«, wie Hegel sagt. James, auch Bergson sind in diesem Punkt nicht nur hinter Hegel, sondern selbst hinter den ihnen so viel näherstehenden, nämlich undialektischen Hume zurückgefallen. Dessen Lehre von den »indivisible moments of time and consciousness« ist bedeutend konkreter als die bloße Oberflächenanschauung: Bewußtseinsstrom, mit der pulslosen Abstraktheit, wozu sie verdinglicht worden ist. Selbst von Husserl wäre hier das Rechte zu erfahren, wenigstens was das Zeithafte im angeblichen »Aktkontinuum« angeht: »Während eine Bewegung wahrgenommen wird, findet Moment für Moment ein Als-Jetzt-Erfassen statt, darin konstituiert sich die aktuelle Phase der Bewegung selbst.« Und weiter: »Das Fließen ist nicht nur überhaupt Fließen, sondern jede Phase ist von einer und derselben Form... Die Form besteht darin, daß ein Jetzt sich konstituiert durch eine Impression, und daß an diese ein Schwanz von Retentionen sich angliedert und ein Horizont der Protentionen« (Zur Phänomenologie des inneren Zeitbewußtseins, 1928, S. 391, 476). Kein Fluß kann überhaupt gedacht, gar dialektisch verstanden werden ohne jenes Jetzt-Inmitten in seiner Zeit, welches nicht einmal selber Zeit ist, sondern »das sonderbare Etwas«, nach Platons Wort, woraus die Zeit (nicht nur die Zeitauffassung) des wirklichen Bewegungsstroms entspringt und worin Bewegung mit unruhiger Ruhe selber geeint ist. Platon, der sich besser als James und Bergson auf das diskontinuierliche Kontinuum versteht, zeichnet eben deshalb den Augenblick (τὸ ἐξαίφνης, das Plötzliche) entschieden aus. Er figuriert hier als Momentum des Übergangs zwischen Bewegung und Ruhe, Ruhe und Bewegung: »Denn aus der Ruhe geht nichts über, solange es noch ruht, noch aus der Bewegung während es sich noch bewegt, in die Ruhe; sondern der Augenblick, dieses sonderbare Etwas, liegt zwischen der Bewegung und der Ruhe, keiner Zeit angehörig; und in ihm, aus ihm geht das Bewegte in die Ruhe über und das Ruhende zur Bewegung« (Parmenides, 156 D-E). Und zuletzt – den Fluß als einen zur Mündung (Ruhe) betreffend – hat sowohl der Tenor des Faustplans wie der ihm verwandte der Mystik den Augenblick als keine Abstraktion in sich. »Verweile doch, du bist so schön«: es soll zum Augenblick als einem höchsten gesagt werden können, auch zu jenem vollkommen erfüllten und so standhaften, bestandhaften der in Eckardts Mystik als das Nu (nunc stans) der Vollkommenheit pointiert ist. Derart einen sich alle diese, untereinander so verschiedenartigen, Bekundungen in der Anerkennung eines realen Jetzt; zum Unterschied vom Abstraktionsstrom der Vitalisten. Und es bleibt letzthin der Puls, der auch dem intermittierenden Augenblickscharakter des Bewußtseins das Modell gibt oder besser: als Entsprechung im Leib geschieht. Vom Pulsschlag her wird der seelische Augenblick im Klopfen seines Jetzt erfahren, im Vorwärtsstürzenden, auch Transitiven aller Augenblicke. Mehr allerdings geht in dieser Unmittelbarkeit noch nicht davon auf, auch erstreckt sich das Gewahrwerden nur so weit, daß der gelebte Augenblick eben als dunkler erfahren und bezeichnet werden kann. Wobei das Entscheidende hinzutritt, das ohnehin im ganzen Bisherigen das

Problem über bloße Psychologie hinaustrieb: das Dunkel des gelebten Augenblicks ist abbildlich für das Dunkel des objektiven. Also für das Sich-nicht-Haben jenes intensiven Zeitelements, das sich noch nicht selber in die Zeit und den Prozeß als inhaltlich manifestiert entfaltet hat. Nicht das Fernste also, sondern *das Nächste ist noch völlig dunkel* und ebendeshalb, weil es das Nächste, das Immanenteste ist; *in diesem Nächsten steckt der Knoten des Daseinsrätsels.* Das Leben des Jetzt, das eigentlichst intensive, ist noch nicht vor sich selbst gebracht, als gesehen, als aufgeschlossen zu sich selbst gebracht; so ist es am wenigsten Da-Sein, gar Offenbar-Sein. Das Jetzt des Existere, das alles treibt und worin alles treibt, ist das Unerfahrenste, was es gibt; es treibt noch ständig unter der Welt. Es macht das Realisierende aus, das sich am wenigsten realisiert hat – ein tätiges Augenblicks-Dunkel seiner selbst.

Woraus auch das Seltsame aufgeht, daß noch kein Mensch richtig da ist, lebt. Denn Leben heißt doch Dabeisein, heißt nicht nur Vorher oder Nachher, Vorgeschmack oder Nachgeschmack. Es heißt den Tag pflücken, im einfachsten wie gründlichen Sinn, heißt sich zum Jetzt konkret verhalten. Aber indem gerade unser nächstes eigentlichstes, unaufhörliches Dabeisein keines ist, lebt noch kein Mensch wirklich, gerade von dieser Seite her nicht. Carpe diem im raschen, gedankenlosen Genuß, es scheint so einfach, auch verbreitet, ist jedoch so selten, daß es als wirkliches Pflücken gar nicht vorkommt. Nichts ist gerade gegenwartsflüchtiger als jenes übliche Carpe diem, das ganz im Genuß des Jetzt aufzugehen scheint, nichts weniger seinsmächtig, nichts mehr Banalität ante rem. So rasch also läßt sich das Pflücken des Tags nicht vollziehen, es sei denn, das Verweile doch, zum Augenblick gesprochen, wird in der Tat mit einem Faulbett verwechselt. So sehr urkräftiges Behagen seine Ehre hat, so ist es doch nur scheinbar in Auerbachs Keller oder gar in philisterhafter Besitzeslust zu Hause. Oben bereits (vgl. S. 207 ff.) wurden Lenau und Kierkegaard als nicht unbedenkliche, doch sehr bedenkenswerte Nicht-Meister des Carpe diem erinnert. Sie waren beide dazu verdammt, das Bild der Geliebten mit ihr selber im Gedränge zu sehen. Das mag oft Lebensschwäche sein, jedoch das gewaltige Sujet der ägyptischen Helena zeigt an, daß mit Schwäche, auch mit romantischem Überschwang, auch mit einer Art utopischer Neurose der Fall nicht erschöpft ist. Über das bloße Impressible, über die Oberfläche des Lust- und Schmerzmoments kommt das übliche Carpe diem nicht hinaus, ja es ist – konträr zu seiner Horazischen Lesart – das Zerstreute, das Unverweilende, das Gegenwartlose selber. Kurz: so wenig wie die Neugier utopisch ist, so wenig ist das übliche Carpe diem, das doch gerade von einem »Augenblick« zum anderen springende, den Tag im Tag vertuende, seinsmächtig. Echtere Berührung des Moments gibt es einzig in starken Erlebnissen und an scharfen Wendestellen des Daseins, sei es des eigenen, sei es der Zeit, sofern sie von geistesgegenwärtigem Auge bemerkt werden. Außerordentliche Tatmenschen scheinen ein echtes Carpe diem zu bieten, als Entscheidung im geforderten Augenblick, als Kraft, dessen Gelegenheit nicht zu versäumen. Mommsen exemplifiziert diese Kraft an Cäsar, nennt sie »geniale Nüchternheit« und fährt bedeutsam fort: »Ihr verdankte er das Vermögen, unbeirrt durch Erinnern und Erwarten energisch im Augenblick zu leben; ihr die Fähigkeit, in jedem Augenblick mit gesammelter Kraft zu handeln.« Aber hat Cäsar, haben die meisten Täter der Klassengesellschaft, das heißt hier: der *undurchschauten* Geschichte, den Augenblick, den sie taten, auch ebenso nach seinem geschichtlichen Inhalt erfaßt? Dieser Fall ist so selten, daß sich als einziges Beispiel fast nur das Goethesche anbietet, eines Mannes zudem, der kein Täter war, wohl aber ein Konkretblick ohnegleichen. So gehört Goethes Satz am Tag der Kanonade von Valmy hierher: »Von hier ab und heute geht eine neue Epoche der Weltgeschichte aus, und ihr könnt sagen, ihr seid dabei gewesen«; es gibt aber dergleichen Vergegenwärtigungen nicht viele. Nicht viele solcher Bemerkungen eines sonst unbemerkten Augenblicks: als eines transitorischen, mit fruchtbarstem Motiv, als einer Treffstelle weitverzweigter Vermittlungen zwischen Vergangenheit und Zukunft – mitten im unsichtigen Jetzt. Ein plötzliches, nicht historisch-horizontales, sondern senkrecht einschlagendes Licht fällt dann auf Unmittelbarkeit, so daß sie fast vermittelt zu sein scheint, ohne freilich aufzuhören, unmittelbar oder überdichte Nähe zu sein. Das großartigste Beispiel für *durchschaute* Vergegenwärtigung geben die Situationsanalysen von Marx und

Engels, an der Spitze der »Achtzehnte Brumaire«. Und Lenin hat sein Leben lang Gegenwärtiges mit historischem Durchblick erfaßt, bis zu jenem durchdachten Carpe diem, welches Große Sozialistische Oktoberrevolution heißt. All das setzte freilich bereits ein völlig unkontemplatives Verhalten voraus, nämlich Begreifen-Ergreifen der aktuellen Triebkräfte des Geschehens selbst. Das ist der Klassengesellschaft unvollziehbar, die notwendig über dem Produkt das wirklich Produzierende übersah; doch der rechte Weg zur aktiven Aktualität ist auch mit der Situationsanalyse erst begonnen. Sein Ziel bleibt die Erhellung dessen, was im letzten Daßgrund des Geschehens so treibt wie sich noch verborgen ist. Gewiß auch: durch alle Gesellschaften hindurch ziehen sich die keineswegs nur lyristischen, vielmehr erzphilosophischen Erfahrungen der unkonstruierbaren Frage, als des absoluten Staunens, ein beginnendes Carpe diem des unüblichen, echten Sinns; doch wie viel Scheu, wie viel bloße Symbol-*Intention* wiederum ist in dieser unscheinbaren Alltags-Mystik, der einzigen, die geblieben ist, die wert ist, zu bleiben. Sonst überall ist Nicht-Da der Zustand des Jetzt und selbst noch das Hier dieses Nicht-Da bildet eine *Zone des Schweigens genau dort, wo die Musik gespielt wird.* Dadurch steht nicht nur das Existieren, sondern vor allem doch das Subjekt des Existierens im Inkognito, gerade also das Treibende, letzthin Inhaltliche des Existierenden selbst. Hierfür erst wäre das *volle Carpe diem* entscheidend, dergestalt, daß das Existierend-Aktuelle und seine zeitlich räumlich angrenzende Umgebung durch die Nähe, die diese noch unmittelbare Erlebnisschwierigkeit hat, keineswegs trübe und schwierig gemacht würde. Aber die Augenblicke schlagen noch ungehört, ungesehen, ihr *Präsens* ist bestenfalls im Vorhof *seiner noch nicht bewußten, noch nicht gewordenen Präsenz.*

Dunkel des gelebten Augenblicks, Fortsetzung: Vordergrund, schädlicher Raum, Melancholie der Erfüllung, Selbstvermittlung

Das gelebte Dunkel ist so stark, daß es nicht einmal auf seine unmittelbarste Nähe begrenzt ist. Vielmehr wirkt es auch in seine Umgebung ein, in die ans gerade Jetzt sich anschließende Zeit, sodann in den ans gerade Hier sich anschließenden Raum. Diese Wirkung verhindert, daß die erlebniswirkliche Nähe, besonders als *geschehende,* in gehörigen und beruhigenden Abstand kommt, also auf übliche Weise betrachtet werden kann. Dadurch entsteht das eigentümliche, nicht leicht betrachtbare, aber auch nicht leicht faßbare und wißbare Zwielicht des jeweils aktuellen Vordergrunds. Einige Sprichwörter wissen darüber besser Bescheid als die meisten bisherigen Denker; so etwa: Was er webt, weiß kein Weber, oder: Am Fuß des Leuchtturms ist kein Licht. Und merkte nicht Ödipus, weil er sich selber im Licht stand, als letzter, daß er seine eigene Mutter geheiratet hatte? Das Rätsel der Sphinx, das von außen betrachtbare, hatte er leidlich gelöst, zu seinem eigenen Fall aber, als einem unmittelbar nahen, verhielt er sich hilflos. Und so weiter im unverstandenen Text der Jetzt-Zeit, des Hier-Raums, wo immer bloße Betrachtung, vom Abstand, vom Gewohnten her, sich dazu vorwagt. Am verräterischsten erscheint dergleichen, wie oft bemerkt (vgl. S. 330), sobald die verdinglichte Betrachtung, als die eines Erstarrten, Gewordenen, in der Gegenwart ankommt und zu diesem Nahen, Geschehenden, Werdenden ihr Wort zu sagen versucht. Dann zerreißt die Gewöhnung an die Art Zusammenhänge, zu der das Abstandhafte weit hinten in der Vergangenheit Anlaß gegeben hatte. Schon die relative Nähe des neunzehnten Jahrhunderts macht die bürgerlichen Historiker, wenn sie bei diesem Jahrhundert im Verlauf ihrer Darstellung ankommen, charakteristisch verlegen; Meinungen schieben sich an Stelle der bisherigen Zusammenhangsurteile. Und die vollends verblüffende Unwissenschaftlichkeit dieser Historiker ist erinnerlich, als die Geschichte zum Weltkrieg ging; aus dem Gelehrten wurde der kannegießernde oder auch hurrapatriotische Oberlehrer. Das aber nicht nur wegen des klassenmäßig bedingten unkonkreten Verhaltens des Bourgeois zu den Annexen des Jetzt, sondern diese besondere Sehschwäche, samt dem ideologischen Fälschungsinteresse dazu, wird durch den allgemeinen Einsturz der sozusagen objektiven Betrachtung, wie ihn die Nähe bewirkt, zentral begünstigt, und die Fehlurteile der bürgerlichen Parteilichkeit schlagen sich besonders interessiert in die Bresche der aktuellen Unmittelbarkeit, der durch bloße Betrachtung nie zu bewältigenden. All das mag, indem es und soweit es die Schwierigkeit des Aktuellen samt dem sich daran anschließenden *Jetzt-Vordergrund, Hier-Vordergrund* angeht, durch ein Problem der *Landschaftsmalerei* verdeutlicht werden. Das Problem des Aktuellen lautet malerisch: Wo denn fängt in einem Bild die dargestellte Landschaft an? Der Maler malt nicht sich selber mit, obwohl er sich unmittelbar, als innerster Ring des Unmittelbaren, ebenfalls in der Landschaft befindet. Indes auch der zweite Ring der Unmittelbarkeit: der eigentliche Vordergrund des Bilds, ist nur schwierig objektivierbar; sie hat immer noch zuviel Nähe zum Standort des Malers. Und genau das Durcheinander aus Nähe bewirkt die relative Undurchformtheit auch des räumlichen Vordergrunds, seine Unzugehörigkeit zur eigentlichen Landschaft. Die dargestellte Landschaft beginnt also nicht nur, wie selbstverständlich, außerhalb des Malers, der sie malt, sondern auch jenseits der noch zerstreuten Gegenstände seiner näheren Umgebung. Mit einem Begriff, der aus der Physik der Luftpumpe entnehmbar ist, wird klar: der Vordergrund ist für die Darstellung *schädlicher Raum,* das heißt, ein solcher, aus dem die Atmosphäre noch nicht ganz entwichen ist. Dieses Falls die Atmosphäre der Unmittelbarkeit, das währende Dunkel und die währende Unordnung des Jetzt und Hier, der Nähe. Auf die Frage: wo fängt die Landschaft an? wo beginnt zusammenhängende Objektivierung? kann daher nur geantwortet werden: jenseits des schädlichen Raums, im Abstand von ihm, genau dort, wo das Dunkel der Unmittelbarkeit samt ihren Ausläufern aufzuhören beginnt. Und da zwischen Subjekt und Objekt der Betrachtung überall dieser merkwürdige Zwischenraum liegt, eben als schädlicher Raum sui generis, aus dem die Atmosphäre der unvermittelten Unmittelbarkeit noch nicht hinreichend entfernt ist: so entspricht der schwierige Vordergrund des Landschaftsbilds und sein Problem methodisch scharf der angegebenen Schwierigkeit *geschehender, in der Zeit geschehender* Aktualität. Innerhalb dieser allerdings ist die Einwirkung des gelebten Dunkels noch unvergleichlich folgenreicher als im räumlichen Beachtungsrelief die Sache selbst, und ist nicht nur ein Exempel ihrer, wie in der malerischen Komposition. Das zeigt sich schon daran, daß der Hier-Raum als *räumlicher Vordergrund* doch schließlich in Landschaft übergehen, mit ihr gleichsam abschließen kann, daß ein unerledigter Rest von Nähe in der Ruhe dieses Abschlusses sich nicht meldet. Die Jetzt-Zeit dagegen als *Vordergrund der Zeit* läuft nicht ohne weiteres in Faßbares, Gestaltbares, Wißbares über, und zwar – eine neue Schwierigkeit – auch nicht *ohne weiteres in die Wißbarkeit*, die keine passive Betrachtung, sondern *aktive Tendenzkunde* ist. Denn sonst müßte diese Wißbarkeit das die Jetzt-Zeit nachher Umgebende, also die *Zukunft*, so völlig in den objektiven Griff bekommen wie, mutatis mutandis, das Landschaftsbild die Landschaft hinter dem Hier-Raum. Was höchst bekanntlich in Ansehung der Zukunft, außer den nächst, übernächst zu vollziehenden Schritten und der großen Perspektive, nicht der Fall sein kann, auch nicht in der Grundwissenschaft des beherrschten Geschehens, in der endlich konkreten Tendenzwissenschaft: Marxismus. Und zwar deshalb nicht, weil das Zukünftige – anders als das Raumferne – selber so *unbeherrschtes* Jetzt, also Dunkel enthält, wie das Jetzt selber noch *unaufgeschlossene* Zukunft, also Neuheit enthält und sich nach dorthin vorwärtsstürzt. Vergangenheit, dieses auch nur scheinbar, auch nur für die Betrachtung Geschlossene und so mit der objektivierbaren Raum-Landschaft scheinbar Vergleichbare, kommt im Zeitbewußtsein wie in der Zeitphase erst später, erst nach dem Stürzen in Zukunft auf und ist mit der objektivierten Landschaft, wie sie direkt an die Raum-Aktualität sich anschließt und hinter ihr als fertig dasteht, deshalb doch nicht vergleichbar. Konträr: Das Zukunfthaltige der Jetzt-Aktualität setzt sich – über alle Vergangenheitsformen hinweg – auch in seiner Vordergrundsaktualität und in allen ihren Horizont-Umgebungen immer wieder fort. Indem aber Zukunft derart zur Aktualität gehört, nimmt auch sie, die Zukunft, mit allen ihren Vordergrunds- und Horizont-Objektivitäten am Dunkel des gelebten Augenblicks teil. Und sie nimmt daran in einer Weise teil, die die *wesentlichste Eigenschaft der Zukunft* ausmacht: der Betrachtung verschlossen, aber auch der Tendenzkunde noch relativ unbekannt zu sein. Dieser *Zusammenhang von Augenblicks- und Zukunftsdunkel* wurde im »Geist der Utopie« erstmals so formuliert: »Das Dunkel verstärkt sich, sobald nicht nur wir, sondern auch die andere, gedrehte Seite unentschieden bleibt, sobald wir uns also dem *Zukünftigen* zuwenden, das selber, sofern es vor allem logisch neu ist, nichts anderes bedeutet als unser *vergrößertes Dunkel*, als unser Dunkel in der Ausgebärung seines Schoßes, in der Vergrößerung seiner weiteren Geschichte; und ebenso verstärkt es sich Gott als dem Problem des radikal Neuen gegenüber, der nicht etwa für uns nur sichtbar werden muß, um zu sein, so daß sich der ganze Weltprozeß elastisch zu einer Bewegungsbeziehung zwischen zwei ›getrennten‹ Realitäten reduzierte, sondern der sich *selber* nur als *Hoffnung*, als Nicht-Fürsichsein, gleich uns im schattenhaft Ungeschehenen, noch Unrealen innehat« (Geist der Utopie, 1918, S. 372). Gemäß dieser unheimlichen Formulierung fällt also das Dunkel des gelebten Augenblicks in seiner völligen Tiefe mit der essentiellen, doch nicht da-seienden Existenzweise des Zielinhalts selber zusammen, der einmal unter der mythologischen Bezeichnung Gott intendiert war, und der nach der zitierten Stelle eben der noch nicht da-seiende, noch nicht herausgebrachte Zielinhalt des Existierens selber ist. Das Carpe diem oder Präsens des absoluten Zielinhalts steht aber in dem gleichen Grund, in dem das Subjekt des Existierens steht, und aus dem gleichen Grund wie dieses steht der Zielinhalt als realisierter noch aus: aus dem Grund jenes ungelichteten Existenzherds, der *mit unmythologischer Bezeichnung Agens wie Kern der sich entwickelnden Materie ist.* So weit, so tief also reicht das Wurzeldunkel des gelebten Augenblicks; so genau ist es dem Novum in beiden zugeordnet, dem Ultimum des Inhalts. Und es ist ebenso die gleiche Zukunft: das in der Zeiten Schoß Enthaltene, welches das im Augenblick Enthaltene zu erschließen berufen ist. Einzig das Seinkönnen, das leitungsmächtig beförderte und aufgeschlossene, bringt das unmittelbare Sein des treibend-verborgenen Augenblicks zu sich und herauf; einzig dieses aufgeschlossene Transzendere ins Novum schließt das immanente Existieren inhaltlich auf. Je näher hierbei die Anwesenheit zum existentiellen Erzeuger des Geschehens, also – geschichtlich – zum Menschen, je radikaler die Selbstergreifung des geschichtsbildenden Subjekts, desto mehr löst sich die blinde Aktualität, desto eingreifender kann sie als Durchgangspunkt weitverzweigter dialektischer Vermittlungen erkannt werden. Das eigentliche, metaphysische Dunkel des gelebten Augenblicks erhellt sich mittels solch geschichtlicher Subjekterfassung noch nicht oder erst in Anfängen, doch das Vordergrundproblem, mit dem Riß des Jetzt und Hier in den Abbildungen des Weltzusammenhangs, wird endlich in Griff gebracht. Es wird zum Problem des vermittelten Durchgangspunkts und darin der aktuell-konkreten Entscheidung an der Front des Weltgeschehens aufgehoben.

Nicht, daß dieser Riß im Leben, also selbst bei einem nicht betrachtenden, damit verschwände. Denn letzthin ist die Wirkung des gelebten Dunkels auch auf die angegebenen mannigfachen Vordergründe nicht beschränkt. Sondern der blinde Fleck, dieses Nicht-Sehen des unmittelbar eintretenden Jetzt und Hier, tritt eben auch bei jeder *Verwirklichung* auf. Ja, das Sehen wird durch allzu nahen Abstand nur getrübt, während die bis jetzt vorhandene Art des Verwirklichens nicht an irgendeinem Vordergrund, sondern im Verwirklichten selber sich verfinstert. Auch echtes Carpe diem ist von dieser Melancholie nicht ausgenommen, dann nämlich, wenn es nicht bloß geistesgegenwärtig ist, sondern die Früchte einer erfüllten Hoffnung pflückt. Und die Erfahrungen des zentralen Staunens, in der unkonstruierbaren Frage, werden von dieser Melancholie nur deshalb verschont, weil sie eben nur blitzhafte Anzeichen eines da-seienden Jetzt, Hier und Da enthalten, und das an stellvertretenden, oft skurrilen Gegenständen, aber nicht, noch nicht an der verwirklichten Sache an und für sich selbst. Sonst überall ist ein Riß, ja Abgrund im Verwirklichen selbst, im aktuiert-aktuellen Eintreten des so schön Vorhergesehenen, Ausgeträumten; und dieser Abgrund ist der des ungefaßten Existere selbst. Also gibt das Dunkel der Nähe auch den *letzten Grund für die Melancholie der Erfüllung:* kein irdisches Paradies bleibt beim Eintritt ohne den Schatten, den der Eintritt noch wirft. Es ist ja nicht nur so, daß ein Fiasko droht, wenn zu weit überholende Träume verwirklicht werden sollen oder wenn allzu erhabene Träume ihren Vollzug gefährden. Ein Rest im Realisieren selbst wird auch dort noch gefühlt und liegt vor, wo angemessene Ziele realisiert worden sind, oder wo monumentale Traumbilder mit Haut und Haaren, mit Leib und Seele in Wirklichkeit getreten zu sein scheinen. Es gibt ein

Verwirklichen, das von der Tat der Verwirklicher selber absieht und sie nicht enthält; es gibt Ideale, die sich als abgehobene, tendenzfremde, abstraktfixe geben und so auch das Unfertige, Unverwirklichte ihrer Verwirklicher unterschlagen. Gerade in der Melancholie der Erfüllung meldet sich genauso dies zutiefst noch nicht Erfüllte im Subjekt, wie sich das Unzureichende im Fixierten des Ideals darin kritisiert. *Auch das Element des Verwirklichens also gilt es, im gleichen Zug mit dem Element der künftigen Gesellschaft, wachsend in Freiheit zu setzen.* Derart eben wurde beim Problem der Verwirklichung bereits gesehen (ägyptische Helena): der Wunsch- oder Idealinhalt kommt, gerade wenn er sein Verwirklichungsziel erreicht, an einem Punkt dunklerer Wirklichkeit an, als er sie vorher, im schwebenden, utopischen, bloß wesenden Realcharakter besaß. Wie zu wiederholen: Realisierung, so sehr sie den kontemplativen Abstand aufhebt, wirkt nie schon gänzlich als Realisierung, *weil im Subjektfaktor der Realisierung selbst etwas ist, das sich noch nirgends verwirklicht hat.* Der Subjektfaktor der Daseinsgebung ist selber noch nicht da, er ist nicht prädiziert, nicht objektiviert, nicht realisiert; das zuletzt kündet sich im Dunkel des gelebten Augenblicks. Und dies Inkognito bleibt noch das mitgehende Grundhindernis in jeder Verwirklichung, als einer vollen. Es zu entfernen, den Erzieher selbst zu erziehen, den Erzeuger selbst zu erzeugen, den Realisierenden selbst zu realisieren, darauf gehen alle humanistischen Wunschträume; sie sind die radikalsten wie die praktischsten. *Wachsende Selbstvermittlung des Herstellers der Geschichte* ist derart nicht bloß die Hilfe, um konkrete Tendenz-Antizipationen konkret zu verwirklichen, sie ist auch die Hilfe, um Verwirklichung ohne ihren eigentümlich bitteren Rest einzuleiten. Ohne jenes bleibende Minus, das das dunkel gebliebene Unmittelbare des Existierens selber bezeichnet und letzthin das Stück Nicht-Ankunft in der Ankunft ausmacht. Ein Menschsein, das in seinem Daseinskreis mit nichts ihm Fremden mehr behaftet ist, ein Realisierendes, das selber realisiert ist: dieses ist der Grenzbegriff der Verwirklichung als Erfüllung.

Nochmals Staunen als absolute Frage, in Angst- wie
Glücksgestalt; der schlechthin utopische Archetyp: höchstes Gut

Was im Jetzt treibt, wurde gesagt, stürzt ebenso zukünftig in ein
Offenes vorwärts. Dies Offene aber hat einen seelisch doppelten
Ort hinter sich, von dem her seine Früchte erwartet, auch getrieben werden. Der *eine Ort* bleibt die Angst, eben als solche, die
desto größer ist, je ungewisser sie ihre Anlässe von überall her
erwarten kann. Nicht mehr die neurotische Angst, die aus un-
verwendbarer Libido stammen mag, auch nicht die normale Real-
angst in gefährlichen Lagen ist hier zuständig, wohl aber eine
ebenso unbedingte wie auf Endgültiges bezogene. Auch Angstträume, wie angegeben, selbst Kindergrauen vor der Dunkelheit,
selbst Gespensterfurcht grenzen an sie nur atavistisch an, doch
sie bezeichnen die Richtung. Die Hölle war dem Gläubigen mit
lauter solchen Phobien bevölkert, auch dann noch, als die äußere
Angst, die vor der unbekannten Natur, gar nicht mehr so groß
zu sein brauchte. Die Hölle ist kraft der Aufklärung verschwunden, doch das Korrelatsproblem des ganz und gar durchdringen-
den, des metaphysischen Grauens ist geblieben. Sein Aufenthalt
ist allemal das Jetzt, ein blutiger Spalt im Dunkel des Jetzt und
des in ihm Befindlichen. Daß ein solch unmittelbares Grauen
existiert, daß es von anderer Art ist als die entsetzliche Real-
angst vor wirklich Gewordenem, steht außer Zweifel. Sein
Element ist der *unerträgliche Augenblick,* ein oft, doch nicht immer pathologisches Gebilde, ein fast fällendes Entsetzen an sich
selbst. Epilepsie, in der Aura vor dem Anfall, scheint zu diesem
Unerträglichen besonders genauen Bezug zu haben, Paranoia
liefert davon die dem Angsttraum nächsten Bilder, den Angsttraum am Tag. Büchners Fragment über den wahnsinnig werdenden Dichter Lenz berichtet hierüber unvergeßlich: »Hören Sie
denn nichts?« fragt der irre Dichter, »hören Sie denn nicht die
entsetzliche Stimme, die um den ganzen Horizont schreit, und
die man gewöhnlich die Stille heißt?« Und in Büchners »Woy-
zeck« wird die Angst überall von einem brüllenden Nichts erweckt, vom Wind, vom Abendhimmel, von der Erwartung eines
unbestimmt Negativen unter, über allen Dingen, von jeder Richtung her den armen Teufel bedrohend. Angst erscheint in diesen

sämtlichen, untereinander noch so weit abstehenden Zeugnissen als eine Erwartung nach der unbestimmt-finstersten Seite, nach Seite des würgenden, starrenden Nichts im Real-Möglichen. Bildhaft ist dies Unbildbare gleichfalls notiert, in *Dürers »Melancholia«*, und zwar diesseits wie jenseits der darin enthaltenen astrologischen Beziehungen. Auch jenseits des Saturn, der der Frauengestalt aus den Augen herausscheint, dessen Embleme das Blatt füllen, nur unterbrochen durch das freundlichere Quadrat des Jupiter, an der Wand hinter der Figur. Aber Saturn, der Stern der Grübelei und doch auch Sammlung, erklärt, obwohl er ebenso der Stern des Unglücks ist, nicht den Grund, in den Melancholia blickt. Sammlung ist nur im Auge der Figur, vielleicht in der Kugel des Vordergrunds, vielleicht sogar im schlafend gekrümmten Hund, doch nicht im Ensemble der Gegenstände, noch im Objekt, worauf die Figur blickt. Dieses Objekt selber ist nicht auf dem Bild, doch gerade seine völlig ungesammelte Beschaffenheit ist vom Ensemble angedeutet. Treffend wurde von Dehio aufs Dissolute dieses Interieurs hingewiesen: der Zirkel ruht müßig in der Hand, zerstreutes, gramseliges Licht liegt auf zerstreuten Gegenständen, die Ordnung, welche sonst Gelehrtenstuben des sechzehnten Jahrhunderts auszeichnet, ist völlig fern, kein größerer Gegensatz als zwischen diesem Ensemble und dem aufgeräumten des Blatts »Hieronymus im Gehäus«. Das eben macht: Dürers Blatt »Melancholia« zeichnet, mit astrologischen Hilfsmitteln, die Angst als die Berührung mit einem möglichen Abgrund, der nicht einmal einen Boden hat, auf dem das Fallen zerschellt. Das Blatt zeichnet Stupor, worin eine in dauerndem Jetzt eröffnete Verzweiflung starrt; Dürers »Melancholia« ist so das unschätzbare Dokument *negativen Staunens*, gerade ohne Spuk und Hölle, selbst ohne die Bestimmtheit Saturn. Auch *im Negativen* gibt es also Gestalten der unkonstruierbaren, der absoluten Frage, es gibt unerträgliche Augenblicke des Staunens. Sie sind sinngemäß verwischter als dessen positive Beschaffenheiten, denn sie sind nur darin präzis, daß sie radikal unbestimmtes Grauen bedeuten, am Ort des Abgrunds. Freilich: der Abgrund ist nicht allein vorhanden an diesem Ort, das Gorgonische ist selbst in der Melancholia nicht allein auf der Welt, sondern außer dem Stupor des Staunens gibt es eben eine Hieronymus-Ruhe des Staunens, und diese zeigt intentional den *anderen Ort* des noch Offenen an. Denn der Gesichtertausch, der »Gegensinn der Urworte«, der bereits in allen radikalen Affektzuständen, besonders in den Erwartungsaffekten zu sehen war, fehlt im radikalen Staunen am wenigsten. Daher oft der gleiche Anlaß, welcher das negative Staunen hervorruft, Glück als das *Positivum des Staunens* hervorzurufen vermag. Und auch hier ist der Ort allemal das Jetzt, doch nicht als blutiger Spalt im Dunkel des Jetzt und des in ihm Befindlichen, sondern Hoffnung fängt an zu blühen, beim Einschlag der positiven Symbolintention in dieses Dunkel, rätselhaft an Unscheinbarem bestätigte. Das Element dieses positiven Staunens ist der *ruhemächtige Augenblick,* jener, wo eine sonst ganz gleichgültige Wahrnehmung oder ein Bild das Existierend-Intensive glücklich erschüttert und – stellt. Tolstoi spricht im »Tod des Iwan Iljitsch« von Stauden im Schneesturm, Sturm und Kälte herrschten lebensfeindlich, die Landschaft selber lag in äußerster Verlassenheit; dennoch oder deshalb erschien, in einem unsäglichen Nebenbei, an dieser Landschaft plötzlich Heimkehr und Antwort, zentraler als an jeder Apotheose. Tolstoi verbindet sogar das kleine, fast lächerliche zentrale Nebenbei der Stauden im Schneesturm durchaus mit den seltenen großen Augenblicken, worin Menschen, meist im Moment des Tods, Ein und Alles aufgeht, aufzugehen scheint. Ein Bogen zieht zu dem Erlebnis des tödlich verwundeten Andrej Bolkonskij auf dem Schlachtfeld von Austerlitz, der den Sternhimmel erblickt wie nie zuvor, auch zu dem Einheitserlebnis von Karenin und Wronski am Sterbebett Annas; – aber freilich auch: diese Unio mystica mit Sinn, Ewigkeit, Ganzheit ist wieder viel zu groß und zu bestimmt, viel zu verabredet in ihrem theologischen Gegenstand, um gegen die Bescheidenheit des Abseitigen, nirgends Formulierten anzukommen. Das Haus steht in allen herkömmlich religiösen Erfahrungen als bereits wirklich, gleich als läge es nur an der Blindheit der Menschen, es nicht zu sehen, nur an der Schwäche des Fleischs, nicht einzutreten. Dennoch ist der Bezug zu den unscheinbaren Symbolintentionen unvermeidlich, sie sind in allen diesen Betroffenheiten enthalten wie Keime eines Summum bonum, eines absolut menschlich-adäquaten Da. Das so sich kundgebende Da jedoch steht in bloßer realer Möglichkeit, und sämtliche positiven Symbolintentionen rufen nur sein Zeichen im Menschen hervor, dieses allerdings; sie rufen den verständlich-unverständlichen Namen der guten Existenz, in antizipierter Stille. Und ebenso rufen sie ihn in zentraler Abseitigkeit, dicht neben der Angst-Betroffenheit, mit ebenso jäher, ebenso unentschiedener Konzentration. Utopie des Endes rührt den Menschen in solch objektivem, zugleich objekthaftem Staunen an; wobei ein Inhalt des Grauens durchaus in den des Wunderbaren verwoben sein kann. Als Zeichen der Paradoxie des Wunderbaren oder eben der Noch-Nicht-Bestimmtheit, Noch-Nicht-Entschiedenheit, die dem Endcharakter des Eigentlichen und überhaupt der Tendenz zukommt. Hier überall ist diese Adäquatheit (die Naturalisierung des Menschen, die Humanisierung der Natur) noch offen: nicht nur ihrem erst künftigen Eintritt nach, sondern auch ihrem noch unfixierbaren, durch einen Sprung über jedes bis jetzt Gewonnene hinausliegenden Inhalt nach.

Dergleichen trägt sich im eigenen Jetzt nur zu, weil es am Quell von allem sich zuträgt. Und in dem Quell ist eine Mündung angelegt, ob sie erreicht wird, ist eine andere Frage. Aber die Mündung selber ist als *lebende Frage* allem vorgesetzt, als die nach dem Überhaupt, als die des noch nicht vorhandenen Überhaupt selbst. Unkonstruierbare Frage und ihr Staunen wurden oben definiert als der in sich selbst einschlagende Blitz des letzt Real-Möglichen, den Kern der Latenz betreffend; indem das Real-Mögliche so in sich selbst einschlägt, reicht es sich die Hand zu einem Anhalt, hört es auf, endlos zu sein. Und dieser Anhalt geschieht eben am Treiber des Real-Möglichen selbst: die überhelle Betroffenheit des Staunens vor aufblitzenden Momenten und Signaturen der Adäquation hat daher genauestens Bezug zum Daß des Existierens in der Schlafkammer des gelebten Augenblicks. Wie also das Dunkel des gelebten Augenblicks den einen Pol des antizipierenden Bewußtseins, der antizipatorischen Weltbeschaffenheit selber darstellt, so das Realstaunen mit der offenen Adäquatheit als Inhalt den anderen; und sie ziehen sich heftig an, die Symbolintention des Überhaupt und Omega weist auf das Dunkel des Alpha oder der nächsten Nähe. Es ist der im Dunkel des gelebten Augenblicks immer noch treibende und immer noch verborgene Quell oder Anfang der Welt, der in den Signaturen seiner Mündung sich erstmalig faßt und löst. Nur antizipierend faßt und löst, an ganz schwachen, ganz kleinen Zeichen: der Weltknoten, der nirgends anders als im unmittelbaren Daß des Existierens steckt, wird ebenso nur durch intensivste Nähe zu dieser immanentesten Daß-Intensität, durch *Evidenzen in Nähe* entwirrt. Gerade das dermaßen *allernächst Unscheinbare*, die *feine Signatur* dieser Evidenzen ist das einzige, was von der früheren vermeintlichen Götternähe geblieben ist, ja was in ihr, soweit sie ein Ens perfectissimum zu enthalten schien, allemal den Kern ausgemacht hat. Die großen Vor-Scheine der echten Mystik bleiben als solche in experimentierender Geltung, denn was auch in ihnen als letzte Symbole, als Real-Symbole erschienen war, hatte Anschluß an feine Signatur und nahm sie auf. Hier steht der Vor-Schein des Andante, ja der Idylle als Finale, mit jenem Tao der Welt, das Laotse ohne Geschmack nennt, und das deshalb den durchdringendsten Geschmack hat. Ruhe, Tiefe war allemal in diesem Unscheinbaren fundiert und ist als bezeichenbare geblieben: »Aber nicht, als ob das geheime Fach in jedem Objekt noch große Entrollungen und Dokumente enthalten müßte wie in früheren Zeiten, als eine riesenhafte Emballage noch mit aller Tiefe mitgegeben war und dieser – Götter, Himmel, Mächte, Herrlichkeiten, Throne – als wesentlich gehalten wurden. Sondern schlafend, lautlos kam Odysseus nach Ithaka, gerade nach Ithaka kam er schlafend, jener Odysseus, der Niemand heißt, und in jenes Ithaka, das eben die Art sein kann, wie diese Pfeife daliegt oder wie sich sonst ein Unscheinbarstes plötzlich gibt und das stetig Gemeinte sich endlich anzublicken erscheint. So fest, so sehr unmittelbar evident, daß ein Sprung ins Noch-Nicht-Bewußte, ins tiefer Identische, in die Wahrheit und das Lösewort der Dinge getan ist, der nicht zurückgeht; daß mit der plötzlich letzten Bedeutungsintention des Beschauers am Objekt zugleich das Gesicht eines noch Namenlosen, das Element des Endzustands, allenthalben eingebettet, in der Welt auftaucht und diese nicht mehr verläßt« (Ernst Bloch, Geist der Utopie, 1923, S. 248). Der Donner, der glaubt, daß er noch das Letzte und sein erscheinender Ausdruck sei, ist dekadent geworden; denn das Endgültige ist lautlos und einfach. Daß aber der Endzustand auch im unscheinbarsten Staunen, vor und hinter jedem Vor-Schein, noch nicht gestellt ist, das erwies sich an der ebenso negativen wie positiven Utopie, wie sie an diesem Ende aufgeht und eben in ihrem Letzten noch nicht Wirklichkeit geworden ist, weder als negative des Pessimum und seines Nichts noch als positive des Optimum und seines Alles. Zwischen beiden besteht selbst im unbedingten Staunen noch das gefährliche Ineinander einer letzthin unentschiedenen Alternative, und sie besteht objekthaft im Mündungsproblem der Welt. Doch ebenso freilich – und das ist auch ihrer Aussicht nach das gewaltige Plus der Hoffnungs-Betroffenheit – ebenso hat das Optimum des Zielinhalts die Offenheit des weiterwährenden, bis jetzt keineswegs niedergeschlagenen Geschichtsprozesses für sich: noch ist nicht aller Tage Abend, noch hat jede Nacht einen Morgen. Auch die Niederlage des erwünscht Guten schließt seinen künftig möglichen Sieg solange in sich ein, als in Geschichte und Welt nicht alle Möglichkeiten des Anderswerdens, Besserwerdens erschöpft sind; als eben das Real-Mögliche mit seinem dialektisch-utopischen Prozeß noch nicht zu Ende fixiert ist. Als noch Wunsch, Wille, Plan, Vor-Schein, Symbolintention, Chiffer des Einen-Gemeinten im Prozeß Raum haben, ja im Prozeß virtuelle Paradiese bilden. Und die letzte Symbolintention bleibt eben die heimathafte der unkonstruierbaren Frage des »Verweile doch, du bist so schön« in seinem Optimum. Die Invariante dieser Richtung führt am Schluß, wie jetzt spruchreif wird, auf den einzigen Archetyp, der nichts Archaisches an sich hat. Das ist: auf den *rein utopischen Archetyp, der in der Evidenz der Nähe wohnt, auf den des Summum bonum als ein noch unbekanntes, allüberbietendes.* Der Archetyp: höchstes Gut ist der Invarianzinhalt des glücklichsten Staunens, sein Besitz wäre der, welcher verwandelt im Augenblick und eben als dieser Augenblick, zu seinem völlig gelösten Daß. Der Archetyp des höchsten Guts ist deshalb nicht archaisch, nicht einmal historisch, weil es keine einzige Erscheinung bereits gegeben hat, die ihm sein Bild auch nur annähernd erfüllt hätte. Noch viel weniger kehrt er, mit Platons Anamnesis, zum Unvordenklichen einer Vollkommenheit zurück, um an ihr sein Optimum zu füllen. Wohin dieser Archetyp des unkonstruierbaren

Glücks zurückkehrt, das ist einzig der selber völlig unerschienene Ursprung, in den er einkehrt und den er, durch sein Omega, erst zum Alpha bringt, zur erscheinenden Genesis von Alpha und Omega zugleich. Sämtliche Gestalten der unkonstruierbar-absoluten Frage, in ihrem hellen Teil, umkreisen oder umgeben daher das Optimum dieses Einschlags ins Gelungensein des Omega, worin das Rätsel-Alpha des Daß oder Weltanstoßes als gelöst hervortritt. Summum bonum wäre völlig gelungene Erscheinung des Gelungenen: daher ist es ebenso aus der Erscheinung ausgetreten; daher ist es selber unscheinbar, ein utopisches Summmum jener unscheinbaren Symbolintentionen, an denen jede Erscheinung in die Sache selbst übergeht. Der Inhalt der gründlichsten Wünschbarkeit, den das höchste Gut bezeichnet, ist zwar noch genauso im gärenden Inkognito wie dasjenige in den Menschen, was diesen Inhalt wünscht. Doch sein intendiertes Alles bezeichnete allemal die Spitze der Träume vom besseren Leben, sein utopisches Totum regiert durchgehends die Mündungs-Tendenzen im gut betriebenen Prozeß.

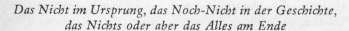

Das Nicht im Ursprung, das Noch-Nicht in der Geschichte, das Nichts oder aber das Alles am Ende

Was an sich und unmittelbar als Jetzt vor sich geht, ist so noch leer. Das Daß im Jetzt ist hohl, ist nur erst unbestimmt, als ein gärend *Nicht*. Als das Nicht, womit alles ansetzt und beginnt, um das jedes Etwas noch gebaut ist. Das Nicht ist nicht da, aber indem es derart das Nicht eines Da ist, ist es nicht einfach Nicht, sondern zugleich das Nicht-Da. Als solches hält es das Nicht bei sich nicht aus, ist vielmehr aufs Da eines Etwas treibend bezogen. Das Nicht ist Mangel an Etwas und ebenso Flucht aus diesem Mangel; so ist es Treiben nach dem, was ihm fehlt. Mit Nicht wird also das Treiben in den Lebewesen abgebildet: als Trieb, Bedürfnis, Streben und primär als Hunger. In diesem aber meldet sich das Nicht eines Da als ein Nicht-Haben, und zwar durchaus als ein Nicht, nicht als ein Nichts. Weil das Nicht Anfang zu jeder Bewegung nach etwas ist, so ist es eben darum keineswegs ein Nichts. Vielmehr: Nicht und Nichts müssen zunächst so weit voneinander gehalten werden wie möglich; das ganze Abenteuer der Bestimmung liegt zwischen ihnen. Das Nicht liegt im Ursprung als das noch Leere, Unbestimmte, Unentschiedene, als Start zum Anfang; das Nichts dagegen ist ein Bestimmtes. Es setzt Bemühungen voraus, lang ausgebrochenen Prozeß, der schließlich vereitelt wird; und der Akt des Nichts ist nicht wie der des Nicht ein Treiben, sondern eine Vernichtung. Auf das *Nicht* bezieht sich das Dunkel des gelebten Augenblicks, auf das *Nichts* erst das negative Staunen, genau wie das positive sich auf das *Alles* bezieht. Das Nicht ist freilich Leere, aber zugleich der Trieb, aus ihr herauszubrechen; im Hunger, in der Entbehrung vermittelt sich die Leere gerade als horror vacui, gerade also als *Abscheu des Nicht vor dem Nichts.* Und auch an diesem Punkt, besonders an diesem, zeigt sich, daß kategoriale Grundbegriffe (Gründlichkeiten) einzig durch die Affektlehre hindurch zugänglich gemacht werden. Denn nur die Affekte, nicht die affektlosen, vielmehr affektlos gemachten Gedanken reichen so tief in die ontische Wurzel, daß an sich so abstrakt scheinende Begriffe wie Nicht, Nichts, Alles samt ihren Unterscheidungen mit Hunger, Verzweiflung (Vernichtung), Zuversicht (Rettung) synonym werden. Diese Begriffe erhellen so die Grundaffekte, wie die Grundaffekte die ontologischen Grundbegriffe, indem sie ihnen den intensiven Stoff kenntlich machen, dem sie entspringen, durch den sie brennen, und den sie erhellen. Ontologische Grundbegriffe: hier werden also das Nicht, das Noch-Nicht, das Nichts oder aber das Alles als diejenigen ausgezeichnet, welche in abgekürztester Terminologie den intensiv sich bewegenden Weltstoff in seinen drei Hauptmomenten kenntlich machen. Darum bezeichnen diese scharf-gedrängten Grundbegriffe Realkategorien, nämlich Gebietskategorien der Realität durchaus; denn ihre konzise Ontologie bildet den objektiven Affektgehalt, also Intensitätsgehalt in den drei Hauptmomenten der Prozeßmaterie aufs Angenähertste ab. Dergestalt aber, daß das *Nicht*, wie es sich nicht bei sich aushält, den intensiven, schließlich interessehaften *Ursprung* (das Daßhaft-Realisierende) von allem charakterisiert. Das *Noch-Nicht* charakterisiert die *Tendenz* im materiellen Prozeß, als des sich herausprozessierenden, zur Manifestierung seines Inhalts tendierenden Ursprungs. Das *Nichts* oder aber das *Alles* charakterisiert die *Latenz* in dieser

Tendenz, als zu uns negative oder positive, vorzüglich am vordersten Frontfeld des materiellen Prozesses. Auch diese Latenz aber bezieht sich wieder nur auf den Inhalt des intensiven Ursprungs, das ist, auf die Füllung des in seinem Hunger Gemeinten, auf die einschlagende Befriedigung dieses Interesses. Weiter, wie bemerkt: im Hunger, in der Entbehrung vermittelt sich die Leere (der Nullpunkt des unmittelbaren Daß des Existierens) gerade als horror vacui. Dieser horror vacui ist der originäre Daß- und Setzungsfaktor, der intensive Verwirklichungsfaktor, der die Welt in Gang bringt und in Gang hält, sie als Experiment der Ausschüttung ihres Daß-Inhalts in Gang hält. Der Start zum Anfang allen Da-Seins liegt hierbei allemal in dem mit sich noch unvermittelten Dunkel selbst, nämlich im Dunkel des Jetzt oder gerade gelebten Augenblicks; das Fiat aller Weltbewegungen geschieht unmittelbarst in diesem Dunkel. Und das Dunkel ist eben kein weit entferntes, kein unvordenkliches am Anfang der Zeiten, als einem längst passierten und mit Fortsetzung oder Kosmos überdeckten Anfang. Sondern konträr: das Dunkel des Ursprungs bleibt als unmittelbares unverändert in der nächsten Nähe oder im währenden Daß jedes Existierens selbst. Dieses Daß ist in jedem Augenblick als noch ungelöst; die Rätselfrage, warum überhaupt etwas ist, wird vom unmittelbaren Existieren selber als seine eigene gestellt. Ihr Ausdruck ist die in und durch jeden Augenblick erneute Schöpfung; die Welt als Prozeß ist das Experiment zur Lösung der immer und überall treibenden Ursprungsfrage. Oben wurde dies Ungelöste als der Weltknoten bezeichnet, der im ungelösten Daß des Existierens steckt; so erschafft sich die Welt in ihrem unmittelbaren Da-Sein jeden Augenblick neu, und diese fortgesetzte Schöpfung erscheint ebenso als Erhaltung der Welt, nämlich des Weltprozesses. Der Start zum Anfang und das Punktuelle des Starts, das Ursprung und Weltgrund heißt, befindet sich in eben jenem Jetzt und Hier, das noch nicht aus sich hervorgetreten ist, also sich überhaupt noch nicht von seiner Stelle bewegt hat. Dieser Ursprung im strengen Sinn ist selbst noch nicht entsprungen, aus sich entsprungen; sein Nicht also ist zwar genau jenes, das die Geschichte letzthin treibt und Geschichtsprozesse zu seiner Bestimmung setzt, aber selber noch nicht geschichtlich geworden ist. Der Ursprung bleibt das durch die Zeiten sich hindurchbewegende und ebenso aus sich noch nicht herausbewegte Inkognito des Kerns. Jeder gelebte Augenblick wäre mithin, wenn er Augen hätte, Zeuge des Weltanfangs, der in ihm immer wieder geschieht; *jeder Augenblick ist, als unhervorgetreten, im Jahr Null des Weltanfangs*. Der Anfang geschieht in ihm so lange immer wieder, bis das unbestimmte Nicht des Daßgrunds durch die experimentellen Bestimmungen des Weltprozesses und seiner Gestalten entweder zum bestimmten Nichts oder zum bestimmten Alles dem Inhalt nach entschieden ist; *jeder Augenblick enthält mithin ebenso, als potentiell, das Datum der Weltvollendung und die Data ihres Inhalts*. Indem das Nicht in seine Was- oder Inhalts-Objektivierungen hineingerät, verändert es sich, soweit es ein vermitteltes wird, allerdings unaufhörlich, denn es steht nun selber im zeiträumlichen Prozeß, den es setzt und in dem es seinen Inhalt experimentell ausschüttet. Die Schöpfung, die es ständig neu setzt, ist nun nicht Erhaltung im Sinn des Gewordenseins, sondern Erhaltung im Sinn des Werdens, das heißt des Experimentierens auf den Inhalt des Daß-Kerns. Und die ständig neue Setzung vermittelt sich historisch zu besonders ausgezeichneten Punkten: zum Durchbruch eines historisch Neuen. Eben indem der gründlichste Inhalt des Existierens, als noch nicht manifestiert, historisch fort und fort herausgetrieben werden muß, entwickelt der Prozeß der Herausbildung immer wieder Fronterscheinungen dieses Ungekommenen, also das Noch-nie-so-Gewesene oder Novum am Horizont, in jenem, wohin er einströmt, wohin er schließlich einsinnig zu münden tendiert. Die ganze mannigfaltige Fülle in dieser Recherche des Kerns nach seiner Frucht ist freilich, samt dem immer wieder möglichen Novum, ebenso fortdauernder Mangel, nämlich an Einem, das noch nicht gefunden ist; weshalb die zeiträumliche Wirkungssphäre mit Scherben und Schalen ohne Zahl, mit wilden, saurierhaften Ausgeburten nicht minder bedeckt ist, wie sich fortschreitende Anstalten zum Einen, Guten, Lösenden zeigen. Derart zeigt sich aber auch das Nicht – in diesem seinem Fortgang genommen – zugleich unweigerlich als *Noch-Nicht*: es geht geschehend-geschichtlich als dieses auf. Das Nicht als *Noch-Nicht* zieht quer durchs Gewordensein und darüber hinaus; der Hunger wird zur Produktionskraft an der immer wieder aufbrechenden Front einer unfertigen Welt. Das Nicht als *prozessuales Noch-Nicht* macht so Utopie zum Realzustand der Unfertigkeit, des erst fragmenthaften Wesens in allen Objekten. Daher ist die Welt als Prozeß selber die riesige Probe aufs Exempel ihrer gesättigten Lösung, das ist, auf das Reich ihrer Sättigung.

Das Nicht äußert sich, wie bemerkt, als Hunger und was sich tätig anschließt. Als Meinen und Intendieren, als Sehnsucht, Wunsch, Wille, Wachtraum, mit allen Ausmalungen des Etwas, das fehlt. Aber das Nicht äußert sich ebenso als die Unzufriedenheit mit dem ihm Gewordenen, daher ist es, wie das Treibende unterhalb alles Werdens, so das Weitertreibende in der Geschichte. Das Nicht erscheint in jeder bisherigen Bestimmung zum Etwas als die unberuhigte Verneinung, welche besagt: dieses Prädikat ist doch nicht die letzthin adäquate Bestimmung seines Subjekts. So eben macht sich das Nicht im Prozeß als aktivutopisches Noch-Nicht kenntlich, als utopisch-dialektisch weitertreibende Negation. Als eine in der positiven Setzung selbst erwachsende Verneinung, und zwar letzthin vom adäquaten Endzustand des Alles her, worin das Nicht einzig zur Ruhe käme, nämlich zum positiven Austrag des in ihm Gemeinten. Derart ist das Noch-Nicht freilich auch zerstörend oder der auflösende Widerspruch in allem Gewordensein, gemäß der materialistischen Dialektik. Und es ist dieser Widerspruch genau deshalb, weil jede Stufe der Bestimmung für das dadurch Bestimmte und Großgezogene wieder zur Schranke werden muß, mit anderen Worten: weil kein Gewordensein in der Tendenz zum Alles bereits ein Gelungensein darstellt. Der Widerspruch zum Gewordensein äußert sich im Subjekt wie im Objekt des Prozesses, als den zwei Seiten der gleichen bewegten Realität. Im bewußten oder Menschensubjekt entsteht der subjektive Widerspruch zur unzureichenden oder hemmend gewordenen Gewordenheit, im Objekt entspricht ihm der objektive Widerspruch, welcher im Gewordenen selbst auftritt, als die herangereifte Tendenz zur nächstfälligen, mit den Produktivkräften vermittelteren Daseinsform. Das Noch-Nicht wird hierbei desto bestimmter, seine Tendenz aufs Erfüllende desto stärker, je mehr die Aufgaben, die es sich stellt, objektiv lösbare geworden sind. Nun aber muß weiterhin festgehalten werden und ist höchst entscheidend: das Nicht als *bloßes Noch-Nicht allein* könnte subjektiv wie objektiv das inadäquate Gewordensein doch nur beunruhigen, es könnte es nicht in der angegebenen Weise immanent sprengen. Sprengung ist Vernichtung: und der Akt des Vernichtens per definitionem wie der Sache nach ist nur vom umgehenden *Nichts* beziehbar. Das Nicht, wie es sein Alles sucht, geht daher – im Stirb und Werde – *ebenso eine Verbindung mit dem Nichts ein, wie es eine mit dem Alles hat.* Bereits Vergehen, wie gar Vernichtung, wird nur dadurch konstituiert, daß im Wechsel des Prozesses und als dieser Wechsel ebenso das *Nichts* umgeht oder die ständig drohende *Vereitlung.* Desgleichen aber geht im Vergehen ein – wie immer noch unzureichendes – *Alles* um, als jenes, welches relative *Gelungenheit,* vor allem in Meisterwerken, möglich macht: sonst gäbe es von der Vergangenheit überhaupt nur Vergessen und nicht auch das partial Gerettete und Rettbare, welches Geschichte und Nachreife heißt. Die Verbindung des Nicht und Noch-Nicht mit dem *Alles* ist eine des Ziels, sie wurde angegeben als diejenige, welche besagt und erkennen läßt: dieses Prädikat ist doch nicht die letzthin adäquate Bestimmung eines Subjekts; oder konkret: die Menschen wie die ganze Welt befinden sich rebus sic stantibus immer noch in der Vorgeschichte, im Exil. Die Verbindung des Nicht und Noch-Nicht mit dem *Nichts* dagegen ist keine des Ziels, wohl aber ist sie eine des *Gebrauchs,* den die dialektische Negation mit dem Nihil der Vernichtung anstellt, nämlich im Sinn der Vernichtung inadäquaten Gewordenseins durch immanente Sprengung. Dieser dialektische Gebrauch des Nichts verdeckt in keiner Weise den angegebenen Grundunterschied zwischen Nicht und Nichts, zwischen dem Start und Horror vacui hier, dem möglichen Definitum der Vernichtung und Mors aeterna dort. Die dialektische Gebrauchbarkeit des Nichts verdeckt auch nicht die gänzlich antihistorische Vor-Erscheinung, welche das Nichts als schlechthinnige Zerstörung hat, als eine in der Geschichte immer wieder aufgehende Mördergrube; denn gewiß ist in dieser Grube gerade ein Stück Geschichte, ein Stück Licht im Aufgang vernichtet. Von der *dezidierten Mächtigkeit,* dezidierten Vor-Erscheinung eines solchen Nichts gibt es keine

Dialektik, das heißt, keine fortschreitende Negation der Negation: Vernichtungen wie der Peloponnesische Krieg, der Dreißigjährige Krieg sind bloß Unglück, nicht dialektische Wendung; die Mortifikationen Neros, Hitlers, alle diese satanisch wirkenden Ausbrüche gehören zum Drachen des letzten Abgrunds, nicht zu den Beförderungen der Geschichte. Anders jedoch wirkt eben die Verbindung des *Gebrauchs,* welche an *nicht so dezidierten Erscheinungen des Nichts, gar an den der Sache immanenten Negationen* statthat, mithin an solchen, worin Geschichte weitergeht. Dann muß das Nichts durchaus zum Besten dienen, und der Akt der Vernichtung wird als Negation, vor allem als Negation der Negation produktiv. Derart besteht Dialektik durch Nichts darin, daß alles noch ungelungen Seiende den Keim seines Vergehens in sich selbst trägt, wodurch eben zugleich der Beharrung im Vorläufigen der jeweils erreichten Gewordenheit der Krieg erklärt wird. Dieser Krieg muß sich der steten Ungenügsamkeit des Noch-Nicht verbinden und ihm zu Diensten sein: Inadäquates wird aus dem Weg zum Alles fortgeräumt, geht aus dem Gewordensein ins Nicht-Mehr-Sein des Orkus. Ja, die Dialektik durch Nichts bezieht sich sogar auf den ungeheuren Komplex des Gewordenseins, der sich *nicht als das Alles, sondern als bloßes All oder Universum* aus dem Prozeß heraushebt, auch in allen rein kosmischen Perspektiven der Philosophie, von Parmenides bis Spinoza, dem Alles sich substituiert. Das All ist das erst astralmythische, dann pantheistische, dann mechanistische Substitut des Alles und steht an seinem Platz als Inbegriff der gegebenen Welt und des Genügens an ihr. Es erscheint so als das Ganze der Bewegung, das sich nicht bewegt, als Harmonie des Gewordenseins, worin die Differenzen des Werdens und das Defizit der Einzelheiten, wie nach dem Gesetz der großen Zahl, sich ausgleichen; eine entronnene, eine positive Stabilität. Aber die Dialektik durch Nichts hat sogar noch Weltvernichtung in sich einbezogen, hat dem Universum Vorläufigkeit testiert, mit Gebrauch des Nichts. Der physikalisch als Kältetod, mythologisch ganz umgekehrt als Weltbrand bezeichnete Orkus hat physikalisch die Geburt eines anderen Alls oder Universums in sich, utopisch sogar die Geburt eines total erfüllenden Alles. Neuer Himmel, neue Erde, die Logik der Apokalypse setzen die dialektische Umfunktionierung des sonst satanisch gewerteten Vernichtungsfeuers voraus; *jeder Advent enthält den Nihilismus als verwendet-besiegten,* den Tod als verschlungen in den Sieg. Die Vereitlung und Vernichtung ist zwar die ständige Gefahr jedes Prozeß-Experiments, der ständige Sarg neben jeder Hoffnung, sie ist aber auch das Mittel, welches inadäquate Statik bricht. Und nicht zuletzt mischt sich Dialektik durch Nichts in sämtliche bedeutende *Positivitäten* ein, hier nicht als ihre Gefahr, sondern als ihre wichtige Folie, als *Erschwerung ihrer Evidenz.* In dieser Erschwerung ist die Schwärze zu Hause, das einbezogene Element von Rauhigkeit, von Nicht-Geheurem, welches auch in höheren Regionen bloßes Rosenrot verhindert. Die Schwärze verhindert Verflachung, soweit sie durch billigen Glanz, durch faule Apotheose erzeugt wird; an deren Stelle wird gerade durch Nicht-Glätte, durch Rauhigkeit das Tiefe wie das Erhabene getroffen. Ist das Schaudern der Menschheit bestes Teil, so ist genau das Nichts zu aller Glätte, zu aller verabredeten Lösung im Schauder der Erhabenheit gedacht und mitverschlungen. So ist das Nihil, wohin Dürers Melancholia blickt, auch ein Gebrauchs- und Bildungselement des positiven Staunens oder der Alles-Perzeption im zuversichtlichen Sinn. Ja, erst wenn mit dem riesig heraufgezogenen Bewußtsein des Nichts in der Welt, gar in der scheinbaren Überwelt Ernst gemacht wird, tritt die *zentrale Unscheinbarkeit* einer Landung, eines Alles hervor, das bisher vom Kosmosjubel oder auch von Thronen, Mächten, Herrlichkeiten verdeckt worden war. Dadurch hat der vorgerückte Zustand des Nichts, der in der Geschichte immer stärker ausbrechende und nicht etwa von ihr steigend zugedeckte, *der Dialektik zum Alles selber konstitutive Macht* gegeben. Utopie dringt vor, im Willen des Subjekts wie in der Tendenz-Latenz der Prozeßwelt; hinter der zersprungenen Ontologie eines angeblich erreichten, gar fertigen Da. So ist der Weg des bewußten Realitätsprozesses gerade steigend einer des Verlustes des fixierten, gar hypostasierten Statik-Seins, ein Weg *des steigend perzipierten Nichts, freilich dadurch auch der Utopie.* Diese erfaßt nun gänzlich das Noch-Nicht wie die Dialektisierung des Nichts in der Welt; sie unterschlägt im Real-Möglichen *aber ebensowenig die offene Alternative zwischen absolutem*

Nichts und absolutem Alles. Utopie ist in ihrer konkreten Gestalt der geprüfte Wille zum Sein des Alles; in ihr also wirkt nun das Seinspathos, das vordem einer vermeintlich bereits fertig gegründeten, gelungen-seienden Weltordnung, gar Überweltordnung zugewandt war. Aber dies Pathos wirkt als eines des Noch-Nicht-Seins und der Hoffnung aufs Summum bonum darin; und: es sieht, nach allem Gebrauch jenes Nichts, in dem die Geschichte noch weitergeht, eben von der Gefahr der Vernichtung, selbst vom immer noch hypothetisch möglichen *Definitivum eines Nichts* nicht weg. Auf die Arbeit des militanten Optimismus kommt es hierbei an: wie ohne sie Proletariat und Bourgeoisie in der gleichen Barbarei untergehen können, so kann ohne sie im Weiteren wie Tieferen immer noch Meer ohne Ufer, Mitternacht ohne Ostpunkt als Definitivum drohen. Diese Art Definitivum bezeichnete dann das schlechthinnige Umsonst des Geschichtsprozesses, und es ist, als noch nicht geschehen, so wenig ausgeschlossen wie, im positiven Sinn, das *Definitivum eines all-erfüllenden Alles.* Zuletzt also bleibt die wendbare Alternative zwischen absolutem Nichts und absolutem Alles: das absolute Nichts ist die besiegelte Vereitlung der Utopie; das absolute Alles – in der Vor-Erscheinung des Reichs der Freiheit – ist die besiegelte Erfüllung der Utopie oder das Sein wie Utopie. Triumph des Nichts am Ende ist mythologisch als Hölle, Triumph des Alles am Ende als Himmel gedacht gewesen: in Wahrheit ist *das Alles selber nichts als Identität des zu sich gekommenen Menschen mit seiner für ihn gelungenen Welt.* Der Daß-Satz: Am Anfang war die Tat, der Alles-Satz: Das Unzulängliche, hier wird's getan – beide unidealistischen Sätze bestimmen den Tendenzbogen der sich qualifizierenden Materie. Unsere Intentions-Invariante darin bleibt: Naturalisierung des Menschen, Humanisierung der Natur – als der mit den Menschen total vermittelten Welt.

Utopie kein dauernder Zustand; also doch: Carpe diem,
aber als echtes an echter Gegenwart

Das Jetzt als nur flüchtiges ist mit alldem nicht richtig, soll nicht so sein. Aber ebensowenig soll ein endlos hinziehendes Träumen sein, worin anwesender Genuß erschwert, gar geflohen wird. Ist doch Utopisches letzthin nichts, wenn es nicht auf das Jetzt hinweist und dessen ausgeschüttete Gegenwart sucht. Als echte Gegenwart, nicht mehr als eine aus Jetzt, gerade Vergangenem und dem Zugleich des umgebenden Raums zusammengestückte. Gewiß, das bloße unmittelbare, vorüberfliegende Jetzt ist zu wenig, es vergeht und weicht dem nächsten, weil noch nichts darin richtig gelungen ist. Daher fühlt Jean Paul Wahres, wenn er sagt: »Gäbe es für das Herz nichts als den Augenblick, so dürftest du sagen, um mich und in mir ist alles leer.« Aber er sagt gegen diese Leere Falsches, wenn er Vergangenheit, selbst Zukunft statt dessen verdinglicht; wenn er sie, auf romantische und idealistische Weise, überhaupt nicht in Gegenwart einrücken lassen will. Wenn er – mit echt gefühltem Dunkel des gelebten Augenblicks, doch ebenso mit verabsolutiertem Aufenthalt in Erinnerung, selbst Hoffnung – nicht nur ein noch unzureichendes, schlecht äußerliches Carpe diem, sondern jedes Präsens folgendermaßen herabsetzt: »Da ihr schöne Tage nie so schön erleben könnt, als sie nachher in der Erinnerung glänzen oder vorher in der Hoffnung: so verlangtet ihr lieber den Tag ohne beide; und da man nur an den beiden Polen des elliptischen Gewölbes der Zeit die leisen Sphärenlaute der Musik vernimmt und in der Mitte der Gegenwart gar nichts; so wollt ihr lieber in der Mitte verharren und aufhorchen, Vergangenheit und Zukunft aber – die beide kein Mensch erleben kann, weil sie nur zwei verschiedene Dichtungsarten unsres Herzens sind, eine Ilias und eine Odyssee, ein verlorenes und wiedergefundenes Milton-Paradies – wollt ihr gar nicht anhören und heranlassen, um nur taubblind in einer tierischen Gegenwart zu nisten.« Selbst wo der Zukunft von dem Idealismus Jean Pauls eine völlige Gegenwart und Wirklichkeit zugegeben wird, zeigt sich Herabsetzung dieser Greifbarkeit, folglich Verdinglichung des Strebens, Verewigung der Utopie: »Wenn hienieden, sag ich, das Dichten Leben würde und unsere Schäferwelt eine Schäferei und jeder Traum ein Tag: so würde das unsere Wünsche nur erhöhen, nicht erfüllen, die höhere Wirklichkeit würde nur eine höhere Dichtkunst gebären und höhere Erinnerungen und Hoffnungen – in Arkadien würden wir nach Utopien schmachten, und auf jeder Sonne würden wir einen tiefen Sternhimmel sich entfernen sehen, und wir würden – seufzen wie hier« (Titan, 45. Zykel, Schluß). Dergleichen ist allerdings nur melancholisch gesagt und nicht mit Zustimmung, auch ergeht in der prophezeiten Endlosigkeit der Sehnsucht eine Warnung gegen jenen Utopismus, der ein Arkadien als gesteigerte Sommerfrische oder auch als resignierte Schäferei für den letzten Wunschinhalt hält. Doch wo von vornherein, wie im Fall Arkadien, nur Flucht- und müder Kontrastwunsch antreiben, läuft die Flucht allerdings leicht weiter – eben aus Arkadien sich wieder heraussehnend, herausseufzend. Womit nun freilich Jean Paul selber, als der mit Goethe und Gottfried Keller größte Meister der Anschaulichkeit in deutscher Sprache und des goldenen Überflusses der Welt, dem verewigt Utopischen schließlich absagt. Auch ist es das Politikum des Demokraten in ihm, das sich, um der »Dämmerungen für Deutschland« willen, von bloßer romantischer Traum-Vergaffung ins Nicht-Jetzt am Ende auch losreißt. Jean Paul selber gibt darum einem Willen zum Präsens, zum utopischen Präsens das letzte Wort: »Die Gegenwart ist an die Vergangenheit gefesselt wie sonst Gefangene an Leichen, und Zukünftiges zerrt am anderen Ende; aber einst wird sie frei.« Nichts widerstrebt derart gerade utopischem Gewissen mehr als Utopie mit unbegrenzter Reise; Unendlichkeit des Strebens ist Schwindel, Hölle. Wie statt der immer wieder vorüberfliegenden Augenblicke oder bloßen Schmeckpunkte ein Anhalt sein soll, so soll auch statt der Utopie Gegenwart sein und in der Utopie wenigstens Gegenwart in spe oder utopisches Präsens; es soll zu guter Letzt, wenn keine Utopie mehr nötig ist, Sein wie Utopie sein. Der wesentliche Inhalt der Hoffnung ist nicht die Hoffnung, sondern indem er eben diese nicht zuschanden werden läßt, ist er abstandslos Da-Sein, Präsens. Utopie arbeitet nur um der zu erreichenden Gegenwart willen, und so ist Gegenwart am Ende, als die schließlich intendierte Abstandslosigkeit, in alle utopischen Abstände eingesprengt. Gerade weil utopisches Gewissen sich mit Schlecht-Vorhandenem nicht abspeisen läßt, gerade weil das weitest reichende Fernrohr notwendig ist, um den wirklichen Stern Erde zu sehen, und das Fernrohr heißt konkrete Utopie: gerade deshalb intendiert Utopie nicht einen ewigen

Abstand von dem Objekt, mit dem sie vielmehr zusammenzufallen wünscht, als mit einem dem Subjekt nicht mehr fremden. Das Daß,weshalb und zu dessen Erhellung die Welt-Odyssee in Fahrt und noch nicht Odyssee des Stilliegens ist, wirft sich nicht ewig in Entwerfen und Prozeß; denn das Intensivum dieses Daß will in seinem Grunde statt endlosem Prozeß einzig knappes Resultat. Ist auch ein stehenbleibendes Anhalten auf dem Unterwegs so schlimm und noch schlimmer als verabsolutiertes Unterwegs selbst, so ist doch jeder Anhalt richtig, in dem das utopische Gegenwartsmoment des Endzustands selber nicht vergessen ist, konträr, in dem es durch Zusammenstimmung des Willens mit dem antizipierten Endzweck (summum bonum) behalten ist. Solche Momente sind in jeder konkreten revolutionären Arbeit, in der Verwirklichung des Proletariats als Aufhebung der Philosophie, in der Aufhebung des Proletariats als Verwirklichung der Philosophie. Sie sind in jeder Artikulierung des unbekannten Selberseins durch künstlerischen Vor-Schein und im Herd aller Artikulierungen der zentralen Frage. Sie sind selbst im Stupor des negativen Staunens,wie erst im Überrieseln des positiven, als einer angeläuteten Landung. Darin ist durchaus utopisches Präsens, eben im Sinn begonnener *Aufhebung des Abstands von Subjekt und Objekt,* also auch des sich aufhebenden utopischen Abstands selbst. *Die Magnetnadel der Intention beginnt sich dann zu senken, denn der Pol ist nahe;* der Abstand zwischen Subjekt und Objekt läßt nach, indem der Einheitspunkt vorbewußt dämmert, wo die beiden Pole des utopischen Bewußtseins. Dunkler Augenblick, offene Adäquatheit (zur Daß-Intention) auf den Punkt geraten,zusammenzufallen. Daran geht Utopie sinngemäß nicht weiter, sie geht vielmehr in den Inhalt dieser Präsenz hinein, das ist, in die Anwesenheit des Daß-Inhalts, zusammen mit seiner nicht mehr entfremdeten, nicht mehr fremden Welt. Das als solche Anwesenheit, als solch manifestierte Identität Intendierbare steht, wie leider nur zu erweisbar, noch nirgends in einer Gewordenheit, aber es steht unabweisbar in der Intention darauf hin, in der nirgends abgerissenen, und steht unverkennbar im Geschichts- und Weltprozeß selber. Für diesen kam erst recht noch kein Abbruch durch ein entschiedenes Umsonst und Nichts. Darum gibt sich die

Identität des zu sich gekommenen Menschen mit seiner für ihn
gelungenen Welt zwar als bloßer Grenzbegriff der Utopie, ja
als das Utopissimum in der Utopie und gerade in der konkreten:
jedoch dieses Allererhoffteste in der Hoffnung, höchstes Gut
genannt, stellt ebenso die Region des Endzwecks dar, an der jede
solide Zwecksetzung im Befreiungskampf der Menschheit teilnimmt. *Das Alles im identifizierenden Sinne ist das Überhaupt
dessen, was die Menschen im Grunde wollen.* So liegt diese Identität allen Wachträumen, Hoffnungen, Utopien selber im dunklen Grund und ist ebenso der Goldgrund, auf den die konkreten
Utopien aufgetragen sind. Jeder solide Tagtraum meint diesen
Doppelgrund als Heimat; er ist die noch ungefundene, die
erfahrene Noch-Nicht-Erfahrung in jeder bisher gewordenen
Erfahrung.

21   TAGTRAUM IN ENTZÜCKENDER GESTALT:
      PAMINA ODER DAS BILD
      ALS EROTISCHES VERSPRECHEN

> Das erhitzt mir nun die Seele, da wird es immer größer;
> und ich breite es immer weiter und heller aus; und das
> Ding wird im Kopf wahrlich fast fertig, wenn es auch
> lang ist, so daß ich's hernach mit einem Blick, gleichsam
> wie ein schönes Bild oder einen hübschen Menschen im
> Geist übersehe und es auch gar nicht nacheinander, wie es
> hernach kommen muß, in der Einbildung höre, sondern
> wie gleich alles zusammen.   *Mozart*

Der zärtliche Morgen

Desto mehr wird geträumt, je weniger bereits erlebt ist. Vor
allem Liebe malt das Ihre stets früher, als sie es hat. Sie stellt sich
die Eine, den Einen vage vor, bevor das dadurch liebenswerte
Geschöpf leibhaftig aufgetreten ist. Ein Blick, ein Umriß, eine
Art zu gehen, wird geträumt, so müßte die Erwählte aussehen,
um eine zu sein. Die geliebten Züge schweben bildhaft vor, und
der äußere Reiz muß ihnen gemäß sein, sonst kann er nicht als

ein zu liebender zünden. Der äußere Reiz wird also hier, damit er zündet, nicht nur hingenommen, etwa als der erste, der vorgekommen ist, sondern er wird aus innerer Neigung, Vorbereitung als zündender ausgewählt. Das dann Gemeinte, die kommenden Züge der Gestalt werden zwar nicht deutlich gesehen, doch deutlich und auslesend erfragt. Ein erfüllender Schein derer schwebt und schreitet vor, die erwartet werden, selber erwarten. Mit diesem Auge, diesem Umriß kommt ein zu Liebendes den Morgen herauf, steht ein Fernes vor der Tür. Sehr früh haben so manches Mädchen, mancher Knabe diese ihre schwärmerische Wahl getroffen, oft wirkt sie dauernd nach. Zuweilen geschah die Wahl zu Hause, an einzelnen Zügen von Vater und Mutter, zuweilen auf der Straße, zuweilen an einem abgebildeten Gesicht. Vieles bleibt hier inwendig, ein Traum von dem, was man nicht kennt oder was noch nicht erreichbar ist. Der Traum mit dem Bild darin wird lange, ja allein geliebt.

Wirkung durchs Porträt

Er drückt sich deutlicher aus, wenn er sich in einem Bild selber ansieht. So glaubten Mädchen vor alters, ihren künftigen Mann in der Andreasnacht zu erblicken. Oder die Mädchen gingen zu einer Hexe, die ihnen, nachdem eine ängstliche Neugier sie trunken gemacht hatte, den Bräutigam im sogenannten Erdspiegel zeigte. Käthchen von Heilbronn und Graf Wetter vom Strahl erscheinen einander über Zeit und Raum in der somnambulischen Silvesternacht, Elsa von Brabant sieht in gleicher Entrückung ihren Ritter. Ein Erdspiegel wiederum ist im Zauberspiegel der Hexenküche aufgestellt, mit dem »schönsten Bild von einem Weibe«; selbst Helena im Kaiserpalast erscheint zunächst als dieser Schemen. Dann aber, mit verweltlichter, weit mehr erfahrbarer Magie, tritt das eigentliche Porträt auf, den Willen, gegebenenfalls auch Nicht-Willen durch Bezauberung erotisch-zwingend. Die Bezauberung reicht vom Schattenriß und der Photographie bis zum stellvertretenden Gemälde der noch nicht gekannten Frau; das Original kann überdies, was die Aura erhöht, von Gefahr umgeben oder selber eine Gefahr sein. Das so entstehende besondere Medium der Liebe wird, wie rechtens, am ehesten durch ein Märchen bezeichnet, durch Grimms Märchen vom treuen Johannes: »Nach meinem Tode«, sprach der alte König zum treuen Johannes, »sollst du meinem Sohn das ganze Schloß zeigen, aber die letzte Kammer in dem langen Gang sollst du ihm nicht zeigen, worin das Bild der Königstochter vom goldenen Dache verborgen steht. Wenn er das Bild erblickt, wird er eine heftige Liebe zu ihr empfinden und wird in Ohnmacht niederfallen und wird ihretwegen in große Gefahren geraten.« Der junge König sieht trotz allem das verbotene Gemälde und scheut keine Gefahr, bis er die Geliebte gewonnen hat und heimführt. So entsteht Bezauberung durchs Porträt, und zwar nicht, wie im Analogiezauber, eine, die das Dargestellte treffen soll, sondern eine, die umgekehrt den Beschauer trifft, vom gemalten Objekt her erotisierend. Der Bann einer fernen Sonne trifft, durchs Brennglas des Gemäldes, den Menschen davor, erregt in ihm utopische Unruhe. Diese Art Liebestrank-Wirkung, überreicht durch gemalte Antizipation, ist ausführlicher als bei Grimm dargestellt in der Geschichte des Prinzen Kalaf und der Prinzessin Turandot, aus Tausendundein Tag. Prinz Kalaf will das Bild der gefährlichen Turandot ohne Erregung betrachten, die sieghaften und mörderischen Züge, hofft sogar, dennoch Fehler darin zu entdecken, aber sogleich verfällt er dem Feuer, das aus dem Vor-Schein ihn anglüht. Das chinesische Motiv gelangte aus dem Orient in die europäische Ritterschaft und in ihre Traumfigur, den Amadis von Gallien. Amadis von Gallien also, das Original der europäischen Traumritter, sah das Bild der Oriana, einer englischen Prinzessin, keiner chinesischen: trotzdem macht Porträtmagie gerade hier aus der Liebe vollen Orient. Treibt in Abenteuer, Hindernisse, Gefahren ohne Zahl, in die ganze damals bekannte Welt, zum Sultan des alten Babylon dazu und in Höllenspuk, bis die Vereinigung gelungen ist und Oriana dem Preis der Ritterschaft in die Arme sinkt. Was Turandot als Bild versprach, hat die Lady des Amadis auf der ganzen Strecke ihrer Gewinnung gehalten und nach der Gewinnung nicht verloren. Schiller hat das Thema der Turandot nur überarbeitet, aber von Amadis allerdings und seinem Minnedienst, vom Weib als Bild und wie ein Bild fiel noch ein voller Strahl in »Maria Stuart«; der erste Auftritt Mortimers vor der Königin steht durchaus in diesem Zeichen:

                                        Eines Tags,
        als ich mich umsah in des Bischofs Wohnung,
        fiel mir ein weiblich Bildnis in die Augen,
        von rührend wundersamem Reiz, gewaltig
        ergriff es mich in meiner tiefsten Seele,
        und des Gefühls nicht mächtig stand ich da.
        Da sagte mir der Bischof: Wohl mit Recht
        mögt Ihr gerührt bei diesem Bilde weilen.
        Die schönste aller Frauen, welche leben,
        ist auch die jammernswürdigste von allen,
        um unsres Glaubens willen duldet sie,
        und Euer Vaterland ist's, wo sie leidet.

So sah Mortimer Marias Porträt in Frankreich, der sinnlich-
übersinnliche Glanz des Katholizismus strahlte daraus und ent-
zündete einen Bildrausch, der den Ritter im selben Zug zur
schottischen Königin wie zur himmlischen Maria trieb. Als
Motiv aber bleibt die Bildnis-Utopie des gotischen und noch des
barocken Ritterromans: Leidenschaft verbindet sich mit from-
mer Bildverehrung, mit einer so stark ausgewechselten und
säkularisierten Anbetung Marias, daß sie den Ritter zu Perseus
macht, der Andromeda befreit, zum Kreuzzugsritter um das
gefangene Weib. Die Fahrten der Ritter sind verschollen, doch
das Barock, das das fernhinschickende Motiv aufnahm, klingt in
wunderbarer und reiner Weise bei Mozart nach, an einer Miniatur, wie sich versteht, wozu das Gemälde geworden ist, im
Lied Taminos: »Dies Bildnis ist bezaubernd schön.« Pamina
gibt die süßeste Gestalt aller Traumgeliebten und durch die
Musik ihres Vor-Scheins die wesentlichste. Die feine Miniatur
Paminas liegt in Taminos Hand und wird von ihr umschlossen,
als zärtlichstem Rahmen, Pamina blickt den Jüngling in den
unirdischen Schönheiten seines Lieds selber an, sie zieht als
Zauberbild wie als Musikgestalt seiner Liebe vor Tamino her.
Mit starker Vergröberung, freilich auch Magnetisierung der
Miniatur aus der »Zauberflöte« kehrt das Turandot-Motiv bei
Wagner wieder, im »Fliegenden Holländer«. Sein Bild hält
Senta in Bann und Hoffnung: als optisch in dem bedenklichen
Konterfei über der Tür, als Musik in der dämonischen Ballade.

Wagners Neu-Barock überhaupt wandelt diesen Bann mit Vorliebe ab; ungemalt in der Lohengrin-Vision Elsas, lange bevor sie ihn sah, gemalt in der, wenn auch indirekten, Vorbereitung Evas in den »Meistersingern«, Stolzing betreffend. »Das eben schuf mir so schnelle Qual, daß ich schon längst ihn im Bilde sah«, im Bild Davids, »wie ihn uns Meister Dürer gemalt.« Bezeichnenderweise hat das immer noch barocke Gebäude der Oper das Turandot-Bild häufiger an seinen Wänden hängen als das Schauspiel.

Solcher Beispiele sind viele, sie reizen alle zum Traum und versprechen. Es ist nicht einmal nötig, daß das Bild, das ihn erregt, selber ein vorzügliches sei. Ja, in der Erfahrung, fern von Märchen und Oper, bietet sich für die utopische Zärtlichkeit sogar die Photographie an. Dostojewskij, im »Idioten«, läßt Myschkin durch Rogoschin von Nastasja Filippowna hören, er sieht ihr Bild, er sieht den leidenden, doch hochmütigen Ausdruck, schnell führt er die Photographie des Mädchens an die Lippen und küßt sie. Das Porträt ist in dieser Dostojewskij-Welt »der gesammelte Widerspruch einer Person, das Menetekel von Schönheit in Leid«; es erregt nicht nur den Willen, diese Frau zu finden, sondern sie durch Liebe von ihrem Gesicht zu befreien, ihr die Sehnsucht nach Kindheit und Unschuld zu erfüllen, die das Bild außer der Schönheit verspricht. Grund genug für den kranken Heiligen oder weisen Toren, in diese Frau durch ihr Bildnis eingeweiht zu sein. Haben doch fast stets die Bezauberten außer der Gefahr, von der die Geliebte umgeben ist, noch das Leid der Geliebten mit gesehen, daß sie selber von dem Geliebten fern ist, an fremdem Ort, fern von der Liebe; dies schafft neben der Schönheit die tiefste Verführung. Selbst hinter dem Gemälde der unselig-spröden Prinzessin Turandot wirkt noch der Archetyp der Andromeda, die sich in der Gewalt eines Drachens befindet. So zuletzt auch dann, wenn das Idol nun bei keinem, selbst nicht bei dem vorzüglichsten Bildwerk stehen bleibt; wenn dieses von der Liebe ganz übermalt, wo nicht im Grunde selber von ihr gemalt ist. Das letztere war schließlich bei allen den angegebenen Porträtzaubern der Fall und kulminiert nur bei der reinsten Traumfrau, die es gibt, und ihrem treuesten Träumer: bei Dulcinea und Don Quichote.

Daher ist und bleibt keine andere als Don Quichotes Dulcinea für all diese Bild-Geliebten die Konzentration, die warnende wie die vollständigst utopische. Ausgeführt bis zur Komik: ein lächerliches Glücksbild in lächerlichem Unglück; verdichtet bis zum Urphänomen aller erotischen bloßen Traumwesen: zu Dulcinea als der femme introuvable. Das Bild der Geliebten schafft aber den ersten starken Wachtraum auch in glücklichen Lebenslagen; Imago ersetzt sowohl, wie sie ins Unbekannte hinausschickt.

Nimbus um Begegnung, Verlobung

Anders wieder, wo die Frau leibhaftig bereits gesehen worden ist, aber flüchtig. Dann rückt gleichfalls ein Bild um das Ereignis, ein aus dem ersten oder dem letzten Eindruck gewonnenes. So kurz der erste Eindruck gewesen sein mag, er hält als solcher an, umreißt und färbt sich. Der Blick auf die Vorübergehende, Verschwindende bleibt stehen, qualvoll, unausgelebt, doch bildhaft entschieden. Oder aber, es kommt zu sehr raschem Abschied bei unerwiderter, erfrorener, erstickter Liebe, zu einem Abschied, worin das kurz Durchlebte schon wieder versinkt, sich freilich auch faßt. Dann bleibt nicht der erste, sondern der letzte Eindruck stehen, wird mit den wenigen Zügen eines versäumten Glücks geschmückt. Der Eindruck erhält sich in beiden Fällen als Erinnerungsbild, das trotzdem nichts zu Ende Gelebtes besitzt, sondern immer noch vor der möglich gewesenen Fülle steht. Wieder kann ungesunde Imago in diesem Nimbus sein, und wieder kann er eine menschlichste Art Liebe mitbezeichnen. Heines Gedicht:

> Ich stand in dunklen Träumen
> und starrte ihr Bildnis an

geht ganz in diese fruchtlose Wehmut ein. Mörikes Peregrina-Lieder halten das gleiche unterbrochene Wesen nicht sentimental, sondern erschütternd fest:

> Ach, gestern in den hellen Kindersaal,
> beim Flimmer zierlich aufgesteckter Kerzen,

> wo ich mein selbst vergaß in Lärm und Scherzen,
> tratst du, o Bildnis mitleid-schöner Qual;
> es war dein Geist, er setzte sich ans Mahl,
> fremd saßen wir mit stumm verhaltnen Schmerzen;
> zuletzt brach ich in lautes Schluchzen aus,
> und Hand in Hand verließen wir das Haus.

In diesem unerfüllten, obzwar leibhaftig gewesenen Wunschbild ist die Qual einer Liebe, die nicht lebt und nicht vergeht, die in ihrem Morgenzwielicht wandert, ewig wiederkehrt und ewig scheidet. Das gleiche Bildmotiv ahasverischer Anfänge wiederholt sich, sehr viel schwächer, doch gerade im Unausgesprochenen ergreifend, in Mörikes Mozart-Novelle; der Dichter Peregrinas erzählt die Begegnung einer jungen Braut (der glücklichen Braut eines anderen) mit Mozart und den Nachglanz dieser Begegnung: »Einige Augenblicke später, als sie durchs große Zimmer oben ging, das eben gereinigt und wieder in Ordnung gebracht worden war, und dessen vorgezogene gründamastene Fenstergardinen nur ein sanftes Dämmerlicht zuließen, stand sie wehmütig vor dem Klaviere still. Durchaus war es ihr wie ein Traum zu denken, wer noch vor wenigen Stunden davorgesessen habe. Lang blickte sie gedankenvoll die Tasten an, die Er zuletzt berührt, dann drückte sie leise den Deckel zu und zog den Schlüssel ab in eifersüchtiger Sorge, daß so bald keine andere Hand wieder öffne.« Hier hat sich eine flüchtige, freilich außerordentlich bedeutsame Wirklichkeit gleichsam gerahmt; wenigstens ihr Gedankenbild, ihr utopisch weiter deutendes, wurde von unerfüllbarer Liebe gewonnen. So ist die Imago der vorübergehenden, der nie wieder gefundenen Frau auch den Wunschbildern aus abgebrochener oder unvollendeter Wirklichkeit radikal beigemischt. Hebbel schrieb derart ein schweres Lied auf die Unbekannte:

> Nun wird mein Auge nimmer dich erkennen,
> wenn du auch einst vorübergehst an mir,
> und hör ich dich von fremder Lippe nennen,
> so sagt dein Name selbst mir nichts von dir.
> Und dennoch wirst du ewig in mir leben,

                    gleichwie ein Ton lebt in der stillen Luft,
                    und kann ich Form dir und Gestalt nicht geben,
                    so reißt auch keine Form dich in die Gruft.

Ja selbst bei gelingender Liebe ist in ihren Anfang ein Bild dieses
Bevorstehenden, Nicht-Bevorstehenden eingesprengt; seltsam,
in feine Fetische gebannt, steht dann der aufgehende Morgen
still. Tolstoi läßt, in der »Kreutzersonate«, den roten Gürtel
eines Mädchens leuchten, hieran entzündet sich Liebe, auch die
spätere asketische Erinnerung hat den Gürtel nicht vergessen.
Mit welch glücklichem Blitz steht gar der Raum um Werthers
Lotte still: sie selber tritt vor, scharf und dauernd bis auf die
blaßroten Schleifen an Arm und Brust und das schwarze Brot in
ihrer Hand, die Kinder um sie her, ihnen die zärtliche Geste des
Brotausteilens zugewendet, so weiblich echt geraten, ein ganzes
vorleuchtendes Schauspiel von Güte. Mitten im schönen Beginn
springt so das Bild heraus, bleibt auch nachher als Gestalt der
heimlichen Verlobung, bewahrt diese in ihrer unberührten Landschaft. Keine Miniatur zieht hier vorher, wie diejenige Paminas,
aber sie bildet sich selber in der Liebe auf den ersten Blick und
macht mit einer in diesem Rahmen so rein affektionierten Weise
»Traum der höchsten Hulden, himmlisch Morgenglühn«, wie
das Quintett der »Meistersinger« singt.

Zuviel Bild, Rettung davor, Nimbus um die Ehe

Ist die gemeinte Frau gewonnen, so ebbt freilich das Fabeln um
sie ab. Jedoch es braucht nicht zu verschwinden, ja zu viel
anfängliches Bild wird ungern Fleisch. Vor allem, wenn das
Traumbild sich mehr von dem Liebhaber nährte, der es hatte,
als vom Geliebten, dem es galt. Sehr romantische, sehr in die
Märchenzeit der jungen Liebe verliebte, dazu wirklichkeits-
schwache Seelen haben sich daher allgemein in Erfüllungsscheu,
speziell in Ehehaß hervorgetan. Hier darf nochmals an Lenau
erinnert werden, gewillt, ewig nur auf wilden Meeren mit dem
Bild der Geliebten zu verkehren. Und an die gedichtete, doch
ebenso greifbare Gestalt kann als Exempel erinnert werden, an
E. Th. A. Hoffmanns Kapellmeister Kreisler, der in der Liebe

nur die Himmelsbilder, in der Ehe nur die zerbrochene Suppenschüssel sah und so die Bilder gegen die Schüssel nicht eintauschen wollte. Dunkel des gelebten Augenblicks und Verdinglichung der trojanischen Helena sind in all dergleichen, wie gesehen ward, romantisch travestiert, aber auch, als pathologisch geschärft, in Darstellung gebracht und kenntlich gemacht. Sogar noch ein naturalistischer Spät- oder Halbromantiker wie Ibsen hat, auf besonders lehrreiche Weise, den bloßen Morgenwert der Liebe, die Liebe als bloßen Morgenwert gefeiert, exaggeriert. Das in der »Komödie der Liebe« ganz bohemehaft-radikal, wo Falk und Schwanhild sich freiwillig verlassen, gerade aus höchster Zuneigung verlassen, damit ihre »Frühlingsliebe« nicht in der Ehe verschwinde, als in der Wirklichkeit, wo die Blätter fallen. Das ist verstiegen, gewiß, doch nicht verstiegener als der hier wiederkehrende und all das umfassende, für all das wieder einschlägige Chock des Menelaos vor seiner ägyptischen Helena. Und nicht verstiegener als eine andere Reaktionsgestalt Ibsens, eine zu ihrer Zeit gar nicht als romantisch, sondern sozusagen als hypermodern verrufene: die »Frau vom Meer«, mit dem gleichen Anfangswertkomplex. Auch diese Frau, Ellida Wangel, verdinglicht einen kaum realisierten Anfang und ruiniert ihre Ehe damit. Freilich ist das Hausfremde, Meerverwandte auch in Ellida Wangel selber, wenn sie stets auf den Ozean hinausblickt und auf den fremden Mann ihrer ersten Liebe, auf die Silhouette, die er fern im Ozean bildet. Aber wesentlich bleibt das grenzenlose Entführungsbild, dezidiert unrealistisch einer Welt entgegen gestellt, die vor ihm ausnahmslos als Fjord-Enge erscheint. Und das abstrakt-utopische Gewerbe in eroticis arbeitet weiter; zuletzt noch hat es Spitteler dargestellt in dem traumbesessenen Helden seines Romans »Imago« und der schönen Theuda, der aus Treue zu ihrem Bild Verschmähten. An einen anderen, den »Statthalter«, verheiratet, ist sie dadurch »ein abgeschnitten Stück Brot«; doch ihr Phantastdichter will das Wirkliche nicht wahrhaben, und nicht eher wird ihm die aus der Welt verrückte Situation wieder gut, als bis er aus dem sinnlich-übersinnlichen Freier wieder in den übersinnlichen sich verwandelt. Theuda-Imago darf nicht wirklich werden, gerade die Muse des Dichters leidet das nicht, wie von

Spitteler angegeben wird; die Wirklichkeit nach soviel Phantasie würde es gleichfalls nicht leiden. »Imago« ist bizarr-exzessiv, doch wahr daran bleibt: allzu himmlische Liebe wird keine irdische, die eine stört die andere. So tönt gerade auch in Liebe-Ehe das so viel allgemeinere Problem der Verwirklichung an, das Decrescendo durchs Dunkel des gelebten Augenblicks und durch seine Auswirkungen. Die Hungerleiderei nach dem reinen Traumbild ante rem kommt dadurch fast in den Zustand, sich unbesehen, ja besonders beim Weltlicht besehen, als das Höhere vorzukommen. Erhalten die mannigfachen Kapellmeister Kreisler doch selbst vom antiromantischen Feind aller Wunschträume scheinbar recht, vom Advokaten der Wirklichkeit: »Mag einer auch noch soviel mit der Welt herumgezankt haben, umhergeschoben worden sein, zuletzt bekommt er meistens doch sein Mädchen und irgendeine Stellung, heiratet und wird ein Philister so gut wie die anderen auch; die Frau steht der Haushaltung vor, Kinder bleiben nicht aus, das angebetete Weib, das erst die Einzige, ein Engel war, nimmt sich ohngefähr ebenso aus wie alle anderen, das Amt gibt Arbeit und Verdrießlichkeiten, die Ehe Hauskreuz, und so ist der ganze Katzenjammer des Übrigen da« (Hegel, Werke X², S. 216 f.). Manches davon mag auch außerhalb dieses biedermeierlichen Philisteriums wahr geblieben sein, eben als die dem Zu-viel-Bildhaften auf dieser Stufe sich anschließende Melancholie der Erfüllung. Es ist diese Melancholie, welche in den Liebestraum vor der Sache oder auch im Anfang der Sache so bedenklich zurücktreibt, ihn als Fernliebe an sich sich einkapseln und verdinglichen läßt. Und zwar gerade deshalb, weil seine Fabel, als eine, die wesentlich nur Fernliebe enthält, in der erblickten Wirklichkeit abebbt; desto sicherer erinnert sich dann abstrakte Utopie. Hier ist ein Quell für die eigentlich utopistische Neurose: nämlich für das Verbleiben im Wachtraum, für die Verfestigung des Bilds im Anfangszeichen, im bloßen Initiale von Wirklichkeit.

Anders jedoch liegt der Fall sogleich, wo sich die Fabel vor dem Kommenden nicht sperrt. Wo das Bild in ihr nicht nur bewahrt, sondern in Fleisch und Blut bewährt sein will. Und das wird der Verlauf der Sache selbst, sobald der Vorschein, statt nur subjektiv in sich zu wuchern, hinreichend vom Gegenstand selber miterregt worden ist. Denn die Imago einer bereits erblickten geliebten Person kann durchaus Züge aufweisen, die im Gegenstand nicht ganz unbegründet sein mögen. Hat doch nicht jedes Liebesobjekt die Kraft, durch Imago in die Phantasie zu greifen, sie auf sich hin zu bewegen, selbst bei noch so empfänglicher Disposition oder bei bloßer Analogie des Originals mit seinem Bild. Bei besonders scharfer Evidenz der lebenden Bildwirkung muß in dem Objekt selber eine Lockung enthalten gewesen sein, nämlich ein fundiertes Wunschbild in ihm selbst, mindestens so zu scheinen, und die Kraft, als dieses wirken zu können. Pamina ist im angetroffenen Zustand ihrer Wirklichkeit vielleicht nicht so, wie sie Tamino im Bild erscheint, doch die utopische Imago, die sie erregte, ist eben ihre eigene. Für Erotik gilt dann besonders, was für jede Imago an Menschen gilt: diejenigen, welche sie zu erregen verstehen, sind poetische Naturen, das ist, solche mit einem starken Anteil objektiver Phantasie in sich. Mit realer Möglichkeit, in gutem Klima das in die Phantasie Greifende zu werden, was sie nicht grundlos zu sein scheinen und als Vorschein ausstrahlen. Liebe, die sich im Genuß oder in der Enttäuschung ihrer Bilder nicht post festum erschöpft, hält daher dem Liebesobjekt die Treue zu dem, was auch im Objekt ein Wunschbild seiner selbst gewesen sein mag, mithin, gegebenenfalls, eine Anlage zum Selbst-Transzendieren übers Angeborene, Gewordene hinaus. So geschieht Bewährung der Imago am Objekt und mittels des Objekts; so findet es Quartier. Fehlt allerdings diese Kraft zum Belichten durch ein Bild oder war gar nur der Liebhaber allein die poetische Natur, in so haltlos überströmender Irrealität, daß ihm wirklich Helena in jedem Weib erscheint: dann ist die Katastrophe des Bilds im ganzen Umfang unvermeidlich. Nicht bloß die Jugend der Liebe zieht dann vor Hegels enthülltem Hauskreuz ab, die unglückliche Ehe kennt überhaupt kein Heilmittel mehr als äußerstenfalls dieses, eine banale zu werden, ein Schatten in der empfindungslosen Vorhölle. Das Geliebte wird in ihr nie wieder das werden, was es zuvor war, zum Unterschied von der *glücklichen* Ehe, worin Raum für ein konstitutiv gewesenes Traumbild bleibt, sich zu bewähren, das heißt, sein Belichtetes zu entwickeln. Und hierbei bewährt sich zugleich ein Frisches, das die ganze gewohnte, allzu gewohnte Alternative zwischen Anfangstraum und Phlegma auf diesem Feld aufzuheben imstande sein kann. Denn gerade Utopisches ist keineswegs, gemäß der romantischen Psychologie, auf das Alpha beschränkt, dergestalt, daß das folgende Alphabet der Dinge bloß problematische Streckung eines schon Bekannten wäre. Vielmehr hat *auch die Ehe ihre spezifische Utopie und einen Nimbus darin,* der mit dem Morgen der Liebe nicht zusammenfällt, daher keineswegs mit ihm vergeht. Diese Utopie entspringt eben der Bewährung der Liebes-Imago, und immer ist ihre Poesie eine der Prosa, allerdings der hintergrundreichsten: des Hauses. Das Haus ist selber ein Symbol, und zwar bei aller Geschlossenheit ein offenes; es hat als Hintergrund die Zielhoffnung des Heimatsymbols, das sich durch die meisten Wunschträume durcherhält und am Ende aller steht. So originär ist diese Hoffnung, daß sie vor den Morgenbildern der Liebe nicht nachgibt; konträr, sie hat sich bereits dem Lotte-Bild mitgeteilt, der Landschaft der heimlichen Verlobung und des vorleuchtenden Schauspiels von Güte zugleich. Das Wunschbild ist hier freilich keines der Leidenschaft, als welche zur Ehe niemals ein Konstituens ist; in der Neigung bereits löst sich der Mensch von der Leidenschaft ab. Das Wunschbild ist erst recht keines der sexuell-sozialen Versorgtheit, der rationalisierten Sexualität, welche die Ehe zur bürgerlichsten Einrichtung im Bürgertum werden ließ. Ebensowenig ist Ehe als Kunstgewerbe visiert, mit Befristung schon am Anfang, als eine innerbürgerliche Revolte gegen das antizipierte Philistertum. Sondern Imago der Ehe setzt genau um zwei Menschen den *Entwicklungsraum* Haus, mit seinen vielen Karrieren über das Philistertum hinaus. Das vor allem in der sozialistischen Gesellschaft, indem sie die Familie nicht mehr als Refugium vor dem Lebenskampf zu setzen nötig hat, sondern als nächste Erscheinung der Solidarität in Gang hält. Mit dem Partner als ständigem Gast im Haus, mit dem Bund einzigartiger Vertrautheit auf dem Grund besonderer Verschiedenheit. Dies Wesen ist voll Spannung, trotzdem ist es nicht dramatisch, sondern episch durchaus; so sagt der mit Glück hier konservative Chesterton mit viel Recht: »Alle die Dinge, die aus der Monogamie einen Erfolg machen, sind ihrer Natur nach undramatische

Dinge, das stille Wachsen eines instinktiven Vertrauens, die gemeinsamen Wunden und Siege, die Ansammlung alter Gewohnheiten, das reiche Reifen alter Scherze; gesunde Ehe ist ein undramatisches Ding.« Und trotzdem ist Ehe so fern von einem bloßen moralischen Nachtrag zur Liebe, daß sie gerade im Vergleich zu ihr ein seltsam Neues darstellt: das Abenteuer erotischer Weisheit. So daß sie das gelingende oder nicht gelingende Experiment einer Kommunion darstellt, die weder in Sexualliebe noch in irgendeiner bisher erschienenen sozialen Gemeinschaft ihresgleichen findet. Derart erscheint Ehe als die Utopie einer der freundlichsten wie strengsten Ausprägungen des menschlichen Lebensgehaltes; derart ist ihre Bewährung nicht nur, ja zuletzt überhaupt nicht mehr, die des gemalten Paminabilds, des jungfräulichen der Begegnung. Vielmehr kommt zur Utopie des Paminabilds in Taminos Hand die Musik der Feuer- und Wasserprobe hinzu; diese bezeichnet und bedeutet nun nicht weiter die Braut, sondern die Ehe, nicht weiter die Leidenschaft, sondern die Freundschaft der Liebe, die eben Ehe heißt. Pamina selber leitet die *Musik der Treue* an oder die Bewährung der Imago weit über die erste bloße Bezauberung durch diese Imago hinaus. Die Ehe eröffnet und besteht die Feuerprobe der Wahrheit im Leben der Gatten, der standhaften Befreundung des Geschlechts im Leben des Alltags. Gast im Haus, ruhende Einheit bei feiner, brennender Andersheit, dieses wird mithin die Imago der Ehe und der Nimbus, den zu gewinnen sie unternimmt. Oft mit falscher Wahl, wie bekannt, mit Resignation als Regel, mit Glück als Ausnahme, fast noch als Zufall. Und selten wird Ehe gar die überbietende Wahrheit des initial Erhofften, mithin tiefer, nicht bloß wirklicher als sämtliche Brautlieder. Dennoch hat sie ihren utopischen Nimbus zu Recht: nur in dieser Form arbeitet das keineswegs einfache, das hintergründige Wunschsymbol des Hauses, ist überhaupt Aussicht auf gute Überraschung und Reife. So tausendmal besser Liebesleid ist als unglückliche Ehe, an der überhaupt nur noch Leid ist und fruchtloses, so zerstreut sind die Landabenteuer der Liebe gegen die große Schiffahrt, die Ehe sein kann, und die mit dem Alter nicht aufhört, nicht einmal mit dem einseitigen Tod.

Das Schiff, das so aufnimmt, wurde doppelt leuchtend gemalt. In irdischer und überirdischer Farbe, zwei mythische Utopien der Ehe bieten sie dar. Die eine kann bezeichnet werden als die des Hohen Paars, sie ist aristokratisch-heidnisch, die andere ordnet die Ehe als Corpus Christi. Die Kategorie *Hohes Paar* wurde bisher wenig beachtet, obwohl sie sogleich nach der mutterrechtlichen Gesellschaft hervorgetreten ist. Bachofen hat sie auffallenderweise umgangen, hat immer nur Weib oder Mann allein auf die jeweilige, entweder mutter- oder vaterrechtliche Höhe gesetzt. Dabei hat das hohe Zwei das eigentümlichste Wunschbild der Ehe entwickelt, auch in den Augen ihrer Beschauer, nicht nur der Partner. Weib und Mann werden hier jeder in sich konzentrisch als Bild vorgestellt, das eine anmutig und gewährend-gut, das andere kraftvoll und herrschend-gut; erst die Verbindung aber wird Segen an sich. Sie erscheint als Einheit von Zartheit und Strenge, von Huld und Macht, ja von Hure und Prophet, das alles hier mit dem alten astral-mythischen Hintergrund von Mond und Sonne, auch Erde und Sonne. Das Weib hat die glitzernde Mondgöttin oder die urweise Erdgöttin für sich, der Mann das strahlende Lichtwesen; beide können oder sollen im Hohen Paar zusammen am menschlichen Himmel wirken und spenden. Der Hohe-PaarNimbus liegt um Perikles und Aspasia, um Salomo und die Königin von Saba, um den »Helios« Antonius und die »Isis« Kleopatra, um Simon Magus und Helena. Die beiden letzten, Simon, der Gnostiker zur Zeit Jesu, Helena, eine Hetäre aus Tyrus, wurden – als »Dynamis« und »Sophia« in Einheit – von ihren Gläubigen besonders verehrt; die Welt erschien ihnen durch das Wiederfinden dieses Urmännlichen, Urweiblichen als erlöst. Lebt doch noch durchs ganze Mittelalter hindurch ein Nachklang dieses Simon-Helena-Kults zur Zeit Christi und hat sich, durch Vertauschung der Personen, im Verhältnis Fausthomerische Helena erhalten. Die Spätantike dagegen lieferte der Kategorie Hohes Paar auch besonders abenteuerliche Beispiele: so hat sich der Kaiser Eleagabal, als Priester des syrischen

Sonnengotts Baal, mit der Priesterin der karthagischen Mondgöttin Tamit vermählt – Tag und Nacht, Baal und Tamit in
einem. Dicht strömte hier noch ein weiterer Astralmythos herein, der babylonische einer »heiligen Hochzeit« in Gott selbst.
Er lebte in der Gnosis, wenn sie ihre herabstrahlenden Bilde-
kräfte mann-weiblich abteilte (»Urgrund und Stille«, »Licht
und Leben«, »Begriff und Sophia«), er hielt sich in der Kabbala.
Das Christentum, mit dem weiblosen Gottvater, ließ keine oder
nur undeutliche Hohe Paare auf Erden zu, das gnostisch-kabba-
listische Judentum dagegen durchaus. So hatte noch der Pseudo-
messias Sabbatai Zewi, um 1650, sein Weib Sara, wie die tyrische
Helena eine Hetäre, als »zweite Person in der Gottheit« neben
sich. Ja, das – aus hellenistischen Quellen stammende – Tamino-
Pamina-Bild, das – von Simon Magus und der tyrischen Helena
her nachwirkende – Faust-Helena-Bild, sie vollziehen poetisch
die uralte Vermählung nach. An zwei Menschen, am erotisch
fixierten Zwei wollte so die Kategorie des Hohen Paares erscheinen lassen, was in den Kulten, am äußeren Firmament nicht
zusammenkam: Mond und Sonne zugleich, mit gleicher Stärke
am Himmel, im Himmel. Ob die misera contribuens plebs je
selber zu diesem Traumbild kam, steht dahin; wahrscheinlich
hat sie sich mit dem Anblick an ihren Halbgöttern begnügt.
Dennoch läuft das Bild solcher Union noch durch den Nimbus
jeder jungen Ehe, wenn sie zwischen wohlgeratenen Menschen
geschieht. Das Bild hat sich im Kitsch wie an dynastischen Paa-
ren (Räuber und Räuberbraut, Erbprinz und seine hohe Gemahlin) ausdrücklich erhalten und gab auch bei verschwundenem aristokratischem Hintergrund, bei verschwundenem
Astralmythos starkes Glanzlicht auf die Ehe. Der equilibrierende
Partner zur schönsten Frau hat die erotische Vollendungsphanta-
sie lange beschäftigt, als perfektes Paarbild aus Anmut und
Kraft. Und hat das Christentum die Hohen Paare theologisch
nicht mehr begründet, so lebt doch eben in der Faust-Helena-
Sage, in der Pamina-Tamino-Union (von Goethe in »Der Zauberflöte zweiter Teil« weiter behandelt) dieser leitbildhafte
Paar-Mythos fort. Ja, als »Bild von unserer Wonne« steht er
sehr hoch im Buch Suleika des »Westöstlichen Divan«, ausdrücklich auf das Zugleich von Mondsichel und Sonnenaufgang

bezogen und darauf, was es bedeute, deren Feinheit und dessen Macht zu vereinen:

> Der Sultan konnt' es, er vermählte
> Das allerhöchste Weltenpaar,
> Um zu bezeichnen Auserwählte,
> Die tapfersten der treuen Schar.

So eigentümlich groß erscheint in alldem die Zweieinigkeit von Sexualität und ruhte nicht, bis sie am Firmament selber ihren Halt zu finden glaubte. Eine Einheit von Menschen, die in vollerem Sinn als Adam und Eva Mann und Weib sind, ein Sakrament von Sonne und Mond. Das Christentum aber hat nicht nur wegen seines weiblosen Gottvaters, sondern vor allem doch als nichtastralmythische Religion dafür keinen Ort mehr. Keinen Ort in einer Welt, worin Mond und Sonne nun gleichmäßig untergehen, als Äußerlichkeiten, mit denen die *kosmische* Utopie der Ehe gleichfalls untergeht.

Dafür aber taucht ihr zweites Gesicht auf, ein inneres, das anders verspricht und bindet. Hingabe und Kraft, Magdliches und Führung sollen nicht welthaft, sondern außerweltlich verbunden und so vollendet werden. Ehe wird Gemeinde in nuce, also das von Frau und Mann *nachgebildete Corpus Christi.* Auch hierin ist ein Bild, das erst mit der Ehe einsetzt und in ihr, als dem Haus, sein erotisches Versprechen hat, mit sinnlich-übersinnlichem Glanz. Millionen haben noch den Glauben daran, als ans Sakrament der Ehe, ihnen wird die Ehe im Himmel geschlossen und bleibt darin, bis zum Tod, trotz möglicher irdischer Armseligkeit oder Katastrophe. Die Ehepartner selbst vollziehen durch Heirat das Sakrament, sie selber treten bereits mit Gott, als dem Schöpfer der Kinderseelen, in Bezug. Jede Ehe, schärfte Pius IX. ein, ist an sich selbst ein Sakrament, wenn auch noch ein leeres; nicht damit die Ehe heilig werde, sondern weil die Ehe heilig ist, ist die Mitwirkung des Priesters erforderlich, im einzigen Sakrament, das die Kirche nicht selber spendet, das sie durch ihre Ratifizierung nur zu einem vollen macht. Dann allerdings, im Sacramentum plenum, soll dem Gläubigen ein ungeheurer Goldgrund in der Ehe vortreten; Gattin und

Gatte stehen in Imago ohnegleichen. Nach der Kirchenlehre treten sie als geweihte Glieder des Leibes Christi zusammen, um sich der Erweiterung dieses Leibes zu widmen, der Ausbreitung des Gottesreichs in der vernünftigen Kreatur. Bild und Vorbild der Ehe bleibt eben der Bund Christi mit seiner Gemeinde: »Denn wir sind Glieder seines Leibs, von seinem Fleisch und von seinem Gebein. Um deswillen wird ein Mensch Vater und Mutter verlassen und seinem Weib anhangen, und werden zwei sein ein Fleisch. Das Geheimnis ist groß: ich sage aber, in Christus und der Gemeinde« (Eph. 5, 30–32). Die Liebe Sulamiths zu Salomon im Hohen Lied, mit Brüsten lieblicher denn Wein, mit dem Freund, der hinabgegangen ist, daß er sich weide unter den Gärten und Rosen breche, dies glühende Hochzeitslied wird klerikal verwandelt und allegorisch dargestellt als Liebesgespräch Christi mit seiner Gemeinde, als Hingabe des Haupts an den Leib, als Reinigung des Leibs durch das Haupt. Trotz Sündenfall sind die Leiber Glieder Christi, Tempel des Heiligen Geists (1. Kor. 6, 16–19), immer dergestalt, daß die Ehe in der Ehe Christi mit der Gemeinde wurzelt und deren Erweiterung und Fortwirkung, deren Organ und Abbild in der vernünftigen Kreatur ist. Sexuelle Kommunion und Treue zu ihr verbinden sich in diesem Ehebild völlig mit religiöser und mit sozialer Kommunion – freilich nur in Form der aufs Jenseits bezogenen christlichen Gemeinde. Die Ehe wird bei Paulus die Verbindung von Jünger und Jüngerin aus Verwandtschaft und Herkommen, um im Bild des neuen Gottes sich zu vermischen, um im neuen Haus ihm anzugehören; die Geschlechtsgenossenschaft wird dem Ideal nach Kultgenossenschaft. Die Kreatur freilich setzte dem Wein dieses Wunders gewaltig Wasser und Unglück zu, erst recht die ganz und gar nicht christförmige Gesellschaft, in der nun, als spätrömischer, feudaler, kapitalistischer, das Corpus Christi« nicht eben vollkommen im Sozialzusammenhang sich ausprägte. Doch wirkte die Utopie vom Weinstock und den Reben immerhin in dem Refugium, als das die Familie innerhalb der Klassengesellschaft sich nicht-antagonistisch halten wollte. Trotz aller stark vaterrechtlich-patriarchalischer Züge und trotz des außerweltlichen Flucht- und Bezugspunkts gab es keine Liebesutopie, die so tief wie diese die Ehe wichtig genommen und ihr Bild verpflichtend gemacht hätte. Der patriarchalische Grundzug, mit dem Mann als »Haupt«, war immerhin in eine Liebesgemeinschaft weiter Ordnung einbezogen, worin keine Herrschaft mehr sein sollte, auch keine Einsamkeit zu zweien. Unus Christianus nullus Christianus, dieses Prinzip eines hintergründigen Kollektivs reflektierte sich hier als Glaube, Liebe, Hoffnung der Ehe.

Nach-Bild der Liebe

Ist ein Traum nun wirklich geworden, so wird er das nicht immer bleiben. Wird nicht er zu Grabe getragen, so der Leib, den er gefunden hat. Der Tod schneidet nicht die Liebe ab, doch dasjenige, was für sie sichtbar und lebendig war. Der Wünschelrute des ersten Eindrucks wurde gefolgt, das Gold war gediegen, seine Zeit ist vorüber. Dann aber stellt sich wieder ein Wachtraum bildhaft her, es bleibt ein *Nach-Bild* von Liebe, als erfüllter und doch wieder nicht erfüllter. Dieses Nach-Bild ist der Peregrina-Vision aus unerfüllter Liebe, der Vision des nie gelingenden Abschieds so fern wie möglich und trotzdem in einem Punkt verwandt. Denn auch die glücklich Geliebte kann durch den Tod Peregrina werden, sofern der Tod fremd an ihr ist, sofern er nur äußerlich unterbricht. Zweifellos gibt es hier weitverbreitete Selbsttäuschung, bis zum Kitsch herab, der sich in der Erinnerung um die oder den sogenannten Seligen ansetzt; von dieser Karikatur ist nirgends die Rede, nicht einmal von verklärender Erinnerung weniger abgeschmackter Art. Sondern kein Nach-Bild der Liebe ist zweifelsfrei, wenn es sich nicht schon bei Lebzeiten des Gegenstands bilden konnte; dann allerdings ist es, gerade in seinem Glanz, untrüglich. Wie bei der Peregrina-Vision geht auch in solchem Fall aus Erinnerung immer wieder Hoffnung auf, und aus dem Nach-Bild ein Versprechen; Theodor Storms Novelle »Viola Tricolor« kreist zweimal um dieses Problem. Denn ungesättigt-erinnerndes Wunschwesen arbeitet hier sowohl im Kind, das das Gemälde der toten Mutter mit Rosen schmückt und über der Stiefmutter die eigene am wenigstens vergißt, wie es in dem Mann arbeitet, der die zweite Ehe einging, und auch er hat seinen langen Nachblick. Er hat ihn auf einsamen Wegen, in seiner einsamen Studierstube mit dem Bild der Verstorbenen über dem Schreibtisch, am Fenster, das in den Garten geht, auf die kleine Hütte, die er so lange nicht mehr betreten hatte. Dort geht der Nachblick hin, dort geht und lebt das Nach-Bild: »Der Himmel war voll Wolken; das Licht des Mondes konnte nicht herabgelangen. Drunten in dem kleinen Garten lag das wuchernde Gesträuch wie eine dunkle Masse; nur dort, wo zwischen schwarzen pyramidenförmigen Koniferen der Steig zur Rohrhütte führte, schimmerte zwischen ihnen der weiße Kies durch. Und aus der Phantasie des Mannes, der in diese Einsamkeit hinabsah, trat eine liebliche Gestalt, die nicht mehr den Lebenden angehörte; er sah sie unten auf dem Steige wandeln, und ihm war, als gehe er an ihrer Seite.« Storms Held unterliegt so der Verführung der Toten, eigentümliche, ganz und gar vertrackte Untreue erscheint: mit einem Schatten bricht er der zweiten Frau die Ehe. Merkwürdigerweise kommt diese sehr beunruhigende Art Nach-Bild in großer Poesie selten vor, gleich wie wenn nur die Hochzeitstafel aus Leichenschmaus, auf Grund eines Verbrechens, ein Problem wäre, für den Rächer Hamlet. Jedoch Shakespeares »Wintermärchen« ist ganz von der Kraft des erotischen Nach-Bilds erfüllt: es wirkt in der schuldhaften Sehnsucht des Königs vor dem Standbild Hermiones; und nur hier, in Shakespeares geheimnisvoll-leichtem Spiel, läßt ein tiefer Scherz wieder zurückwollen, läßt er mit Kraft in die Vergangenheit ziehen und sie wieder zur Gegenwart machen; nur hier wird die Statue eines vergangen-unvergangenen Lebens wieder lebendig. Das ist Märchen-Lösung; überall sonst haben im Leben schwere Verwicklungen ums erotische Nach-Bild Platz, als einem, das daran unruhig ist, bloß Bild von Gewesenem zu sein. Einer anders schönen Liebe werden hier leicht Hexentränke gereicht, die nicht verjüngen, sondern sie nur in einen Zwischenzustand zwischen gespenstischem Frühling und Nachreife reißen. Doch ist zu unterscheiden: das falsch zelebrierte Nach-Bild schließt neues Leben ab und altes in ein unechtes Jetzt ein, mit allem Nachteil dessen, was auch in der seelischen Optik »wiederholte Spiegelung« heißen kann. Das recht bestandene Nach-Bild dagegen, das weder mit Rückkehr durch Nachgeschmack noch mit

Totenkult das Mindeste gemein hat, mag das fruchtbarste sein; denn es strahlt in jene Sphäre, worin auch in der Vergangenheit noch ein Ungewordenes erwartet und entgegenkommt. Die tote Geliebte hat sich aus der bloßen Erinnerung herausbewegt, die Imago läßt nicht fruchtlos zurücksehnen, sondern wirkt wie ein Stern aus der Zukunft her. Epimetheus, in Goethes »Pandora«, sieht das Nach-Bild sogar in Greifbarkeiten der vorhandenen Welt, obzwar transparent; die verschwundene Pandora scheint hindurch:

> Sie steiget hernieder in tausend Gebilden,
> sie schwebet auf Wassern, sie schreitet auf Gefilden,
> nach heiligen Maßen erglänzt sie und schallt,
> und einzig veredelt die Form den Gehalt,
> verleiht ihm, verleiht sich die höchste Gewalt;
> mir erschien sie in Jugend-, in Frauengestalt.

An Dantes Beatrice hat diese Art erotisches Versprechen seine stillste Gewalt gefunden, eine der fortwirkenden Begegnung mit Vollkommenheit, als heiliger. Sancta erhellt im Tod das Drüben, kommt selbst aus dieser Zukunft noch entgegen, erwartet, empfängt, vollendet. Wo immer solch unbegreiflich Trosthaftes entsteht, erweist sich die Geliebte, der das Nach-Bild gilt, als aus Beatrices Geschlecht. So wenig endet das Bild als Versprechen, so sicher pflanzt die fundierte Treue zu ihm Hoffnung auf, nicht nur am Grab, auch in der Vergegenwärtigung.

TAGTRAUM IN SYMBOLISCHER GESTALT: 22 LADE DER PANDORA; DAS GEBLIEBENE GUT

Jeder Traum bleibt dadurch einer, daß ihm noch zu wenig gelungen, fertig geworden ist. Darum kann er das Fehlende nicht vergessen, hält er in allen Dingen die offene Tür. Die mindestens halboffene Tür, wenn sie auf erfreuliche Gegenstände zu gehen scheint, heißt Hoffnung. Wobei, wie gesehen, es keine Hoffnung ohne Angst und keine Angst ohne Hoffnung gibt, sie erhalten sich gegenseitig noch schwebend, so sehr die Hoffnung dem Tapferen, durch den Tapferen überwiegt. Indes auch sie, als möglicherweise trügerische mit Irrlicht, muß eine wissende sein, eine in sich selber voraus-bedachte. Die allemal merkwürdige Pandorasage läßt die Hoffnung den Menschen durch ein Weib bringen, doch in dämonischer Weise. Pandora ist zart wie Pamina, blendend wie Helena, aber böse oder mit böser Absicht geschickt und so doch wie die übliche Schlange im Sündenfallmythos. Sie kommt von Zeus, der durch sie den Raub des Feuers an Prometheus rächen will, ein Lockbild des Schönen schlechthin, aber mit einer verschlossenen Sammlung gefährlicher Geschenke, Prometheus schlägt sie aus, Epimetheus aber, der Nach-Bedenkende, läßt sich verführen, Pandora öffnet so die mitgebrachte Lade. Nun enthielt diese, nach Hesiods Darstellung der Sage, das ganze Heer von Übeln, das seither über die Menschen gekommen ist: Krankheit, Sorge, Hunger, Mißwachs, sie flogen heraus. Erst zuletzt verschloß der angeblich mitleidige Zeus den Deckel, ehe noch die Hoffnung ausfuhr. Es ist das aber eine sehr widerspruchsvolle Sage oder Fassung der Sage; denn die Hoffnung, durch welche Zeus die von Prometheus geschaffenen Menschen doch auch trösten wollte, über ihre Schwäche, liegt hier mitten unter den eindeutigen Übeln. Sie unterscheidet sich in der Hesiodschen Fassung von den anderen Übeln nur dadurch, daß sie im Faß geblieben, also sich unter den Menschen gerade nicht verbreitet hat. Das aber ergibt in der Hesiodschen Überlieferung keinen rechten Verstand, es sei denn eben, daß Hoffnung als Übel sich auf ihr Trügerisches bezieht, auch auf das Kraftlose, das sie für sich allein noch darstellt. So hatten die Alten Elpis abgebildet, zart, voller Schleier und entfliehend, so wollten die Stoiker die Bilder der Hoffnung hinter sich lassen, genau wie die der Angst und Furcht. So wirkt noch die unvergeßliche Spes, die Andrea Pisano auf dem Portal des Florenzer Baptisteriums abgebildet hat: sie sitzt wartend, obwohl sie geflügelt ist, und trotz der Flügel erhebt sie, wie Tantalus, die Arme nach einer unerreichbaren Frucht. Also mag die Hoffnung, so viel besitzloser als die Erinnerung, nach Seite der Ungewißheit ein Übel scheinen, und die täuschende, die unfundierte ist es gewiß. Aber freilich, auch die unfundierte Hoffnung kann unter die üblichen Übel der Welt nicht so einrangiert werden, als sei sie das gleiche wie Krankheit oder Sorge. Erst recht ist die fundierte, das heißt, mit dem real Möglichen vermittelte Hoffnung vom Übel, selbst vom Irrwisch so weit entfernt, daß sie eben die mindestens halboffene Tür darstellt, die auf erfreuliche Gegenstände zu gehen scheint, in einer nicht zum Gefängnis gewordenen, kein Gefängnis seienden Welt.

Die Alten haben sich je länger, je mehr der Hoffnung nicht zu entschlagen gesucht. Eine spätere, hellenistische Fassung (auch Goethes »Pandora« hat sie sich zu eigen gemacht) stellt daher Pandoras Mitgift nicht als Behälter des Unglücks, sondern konträr der Güter dar, letzthin als Mysterienlade. Die Lade der Pandora ist in dieser Fassung Pandora selbst, das heißt: die »Allbegabte«, voller Reize, Geschenke, Glücksgaben. Auch diese sind, nach der hellenistischen Fassung des Mythos, aus der Lade gefahren, doch anders als die Laster sind sie gerade gänzlich entflogen und haben sich nicht unter den Menschen ausgebreitet; als einziges Gut blieb sonach die Hoffnung, immerhin diese, in der Lade. Sie unterhält den Mut zu den fehlenden Gütern, die Standhaftigkeit und Nichtresignation vor den ausbleibenden, und wo sie verschwindet, geht der in der Welt anhängige Prozeß verloren. So ist auf die Dauer die zweite Fassung des Pandoramythos doch die einzig wahre; Hoffnung ist das den Menschen gebliebene, das keineswegs bereits gereifte, aber auch keineswegs vernichtete Gut. Ja, die halbgeöffnete Tür mit adventistischer Dämmerung voraus, wodurch *subjektiv und objektiv* die Hoffnung bezeichnet wird, ist *die Pandora-Lade der unfertigen Welt selbst, samt dem Hohlraum mit Funken (Chiffern, positiven Symbolintentionen), den ihre Latenz darstellt.* Mit einem historischen Symbol, dem freundlichsten, das es gibt, öffnet sich die Lade als die tiefe, warme Stube, die Kajüte an Land, in der das versprechende Licht des Zuhause brennt. Mit einem Landschaftssymbol, dem stärksten, das es gibt, öffnet sich die Lade als das offene Meer, mit schweren Abendwolken im Sturm, mit den goldroten Morgenwolken über dem Horizont, wenn die Sonne nicht mehr fern ist und der Tag beginnt, der auch vor dem Abend zu loben ist. Beide Anblicke sind *ebenso die Perspektive der Philosophie, die endlich auf die Hoffnung materialistisch-offen antwortet und der neuen Erde des Totum verschworen ist.* Dieses Totum oder Alles steht noch im Prozeß und dessen Tendenz, es nähert sich, mit utopischen Elementen des Endzustands, an der Front des Prozesses, in der Latenz. Die Illusionen und ihre ohnehin nie existent gewesenen Güter sind aus der Lade der Pandora weggeflogen, aber die realiter fundierte Hoffnung, worin der Mensch dem Menschen Mensch und die Welt den Menschen Heimat werden kann, ist geblieben. Also versteht sich die konkrete Antizipation aus dem gleichen Grund so auf Aufklärung (Zerstörung der Illusionen), wie sie sich auf echtes Geheimnis (Daßrätsel, utopisches Totum) versteht. So auf ein Maximum von Illusionslosigkeit wie auf ein (entscheidungsträchtiges) Maximum von Optimismus. Und deshalb fällt auch kein Moment der begriffenen Hoffnung aus der Theorie-Praxis des total gehaltenen, des nicht künstlich angehaltenen Marxismus heraus. Der *mechanische* Materialismus, gewiß, er ist wahr als Materialismus, das heißt, als Erklärung der Welt aus sich selbst, aber er ist unwahr, wenn er als bloß mechanischer eine gleichsam dumme, sicher eine halbe und enge Welt lehrt, bewegt ohne Ziel, mit dem alten Kreislauf von Werden und Vergehen, an die Kette immer gleicher Notwendigkeit geschlossen. Das aber ist nicht die Welt, in der die forttreibenden Widersprüche geschehen, in der besseres Leben, Menschwerdung, Ding für uns real möglich sind, in der Entwicklung und Entwickelbarkeit nach vorwärts Platz haben. Die wirkliche offene Welt ist die des *dialektischen* Materialismus, der keine mechanistischen Eierschalen trägt. Von den Idealismen eines Verstands als Erzeuger, eines Geistes als Demiurg, von Pfaffentum und Jenseits-Hypostasen ist er so mächtig weit entfernt wie der mechanische Materialismus, aber auch von der Statik im Einzelnen, vor allem im Ganzen der Welt, dem dieser, zusammen mit dem Idealismus, noch huldigt. Man kann von der Materie nicht gut und groß genug denken; ihre Tage, die ebenso unsere sind, haben weder immer gleiche Zahl und Maß noch gar schon ihr volles Gewicht. *Nicht nur Bewegung und ein scheinbar so »Anthropomorphes« wie Widerspruch (mit der Bewegung selber als erstem Widerspruch) sind ihre Daseinsweisen, sondern auch*

ein scheinbar so viel mehr »Anthropomorphes« wie Antizipa-
tion. Diese ist herausgefühlt und erschlossen durch Hoffnung,
abgebildet durch deren objektiv-positiven Tendenz- und Latenz-
begriff. Und solch Aurorisches bricht nicht nur menschlich-
historisch immer wieder vor, es qualifiziert und umfaßt auch
die Landschaft der physischen Welt, der keineswegs nur quantitativen und kreislaufhaften. Es gibt auch darin, gerade darin,
Chiffern einer Heimatbildung, in Vermittlung mit der mensch-
lich-historischen, auf Grund des bisher so wenig durchreflek-
tierten Morgenlands: objektiv-reale Möglichkeit. Die Stoff-
bildungen der Welt – bis hin zur Entfesselung der intensivsten
Produktivkraft, des wahrhaften Atomkerns: Existere, Quodditas – sind voll von der Tendenz des Noch-Nicht zum Alles, des
Entfremdeten zur Identität, der Umwelt zur vermittelten Heimat. Auch nach und gerade nach dem Bau einer klassenlosen
Gesellschaft arbeiten diese Stoffprobleme (Aufgaben) der Ber-
gung, Humanisierung. Die Hoffnung des Ziels aber ist mit
falscher Sättigung notwendig uneins, mit revolutionärer
Gründlichkeit notwendig eins; – Krummes will gerade werden,
Halbes voll.

DRITTER TEIL

(Übergang)

WUNSCHBILDER IM SPIEGEL

(AUSLAGE, MÄRCHEN, REISE, FILM, SCHAUBÜHNE)

Nicht jeder sieht nach etwas aus. Aber die meisten wollen angenehm auffallen und streben danach. Die äußerlichste Art ist
hierbei die leichteste. Der Matte färbt sich, als ob er glühe. Da
scheint mancher vor anderen, tut sich hervor.

Das Herrichten ist bald gelernt und flüchtig. Die Frau, der
Bewerber zeigen sich, wie man zu sagen pflegt, von der besten
Seite. Soll heißen von jener, die am flottesten verkäuflich ist.
Das Ich wechselt sich in Ware um, in gangbare, auch glänzende.
Es sieht, wie andere sich geben, was andere tragen, was in der
Auslage liegt, und legt sich selber hinein. Freilich kann kein
Mensch aus sich machen, was nicht vorher schon in ihm ange-
fangen hat. Ebenso zieht ihn draußen, an schönen Hüllen, Gebärden und Dingen, nur an, was im eigenen Wünschen lange
schon, wenn auch vage, lebt und sich daher gern verführen läßt.
Stift, Schminke, fremde Federn helfen dem Traum von sich
gleichsam aus der Höhle. Da geht er und posiert, pulvert das
bißchen Vorhandene auf oder fälscht es um. Doch eben nicht so,
als ob einer sich ganz verfälschen könnte; wenigstens sein Wünschen ist echt. In der gestellten Haltung zeigt, ja verrät es sich.
Das Wünschen geht aber nur herkömmlich nach oben, der streb-
same junge Mann dieser Art ist mit dem Zustand unzufrieden,
worin er sich befindet, aber nicht mit dem von reich und arm
überhaupt. So lächelt er zu diesem recht freundlich, so macht er
sich heraus, dem Bild gemäß, das er als seines sieht, vielmehr,
das man ihn als seines sehen läßt. Mehr scheinen als sein, das ist
alles, was ihm derart gestattet wird, im kleinbürgerlichen Drang,
als besserer Herr zu gelten. Mehr sein als scheinen aber, dies
Umgekehrte wird durch kein Herrichten nachgemacht; weshalb
es nirgends so viel Kitsch gibt wie in der Schicht, die sich selber
als unecht erträgt. Das Unsere als lichtecht, es wird außer dem
Schlips noch wenig getragen.

Ich durfte dienen.   *Spruch*

Schlank sein

Keinen Blick auf sich werfen, das ist etwas. Aber für den kleinen angestellten Mann heißt es gewöhnlich nur, zu Ende zu sein. Ist er das noch nicht, und will er nicht dazu kommen, dann muß sich der Bewerber als adrett bewußt sein und als so bekleidet. Zum Ankleiden gehört ein Spiegel, mit den Augen seines Herrn sieht sich der Bedrohte an. Mit den Augen, wie der Boß ihn wünscht, wenn er auf seine Angestellten sich verlassen will. Zwar glaubt der Gespiegelte sich zu sehen, wie er sich selber zu sehen, selber zu sein wünscht, ja, auch der notgedrungen Gespiegelte glaubt das, kurz vor seinem Auftritt unter Menschen, im Geschäft. Das Gesicht legt sich nun so glatt wie möglich, der Angestellte will so schlank, so faltenlos sein wie sein Kleid und hält sich danach. Er setzt sich damit in Vorteil, aber in jenen, den die wirklichen Herrn von dem kleinen Mann haben. Also wirft ihn das Glas nicht einmal zurück, wie er sich selber wünscht, sondern eben wie er gewünscht wird. Dergleichen ist genormt gleich den Handschuhen im Laden, gleich dem Ladenlächeln des Verkäufers, das zum allgemeinen und vorgeschriebenen geworden ist. Unter Angst und Öde lächeln, das ist jetzt das amerikanische Zeichen der Herren, die keine sind. Gewollt ist damit, sie sollen sich gleichen wie ein Ei dem anderen, und lauter Hühner kriechen aus.

Stark im Ducken

Wer sich zum Kauf anbietet, hat zu gefallen. Das Mädchen, wie es sein soll, der junge Mann, wie er sich halten soll, sie werden deshalb auch draußen vorgeführt. Wie die herrschende Schicht das braucht, bei Strafe ihres Untergangs. Das Weibliche an der angestellten Person besteht aus Rosa, das Männliche aus Wachs (muß aber patent sein). Beide ganz dabeizuhalten, dazu also hängt ein Spiegel auch auf der Straße, in jeder Öffentlichkeit, es hängen ihrer viele, auf Schritt und Tritt. Die Auslage spiegelt und vermehrt dadurch, was im Käufer vorgehen sollte, was er kleinbürgerlich sein möchte, damit er kauft. Der übliche Lese- und Filmstoff des Westens liefert viele solche Bilder des erwünschten Wohlverhaltens, des fruchtlosen Scheins. Betrügerische Wegweiser sind hier aufgestellt: zum tanzenden Arbeitstier, zur Reise des Angeketteten, zur Glanzehe des Verschnittenen. Alles in der Art Lüge, die süß und wiederum unmöglich genug sein muß, um zu berauschen und doch im Geschirr zu halten. Ein wirklicher Ausweg aus der Öde scheint der Sport; echte Wünsche fühlen sich hier im Start; Wettbewerb, für kleine Leute fast ausgestorben, hat Zuflucht. Aber das Feld ist schmal, das Vorwärtskommen Spielform, der Ernst bleibt unbewegt. der Schwimmer verbessert Rekorde nur im Wasser, der Boß aber im Profit. Freilich: ganz andere Spitzenleistungen kämen heraus, würde der Erste im Dulden, der Starke im Ducken, der Champion im Herunterschlucken, in guter Miene zum bösen Spiel ausgezeichnet. Hier sind die unbekannten Sieger jenes Lebens, das den Menschen im kapitalistischen Lebensweg noch wirklich geboten wird, ohne Lüge. Der Boxer steht im Ring, gibt Saures, aber der beste Nehmer steht vor den Seilen, als Zuschauer. Ist der wahre Meister im Empfang von Kinnhaken, im Aufstehen, wenn die Glocke tönt. So vor allem gefällt er denen, die das getäuschte Stehaufmännchen bei der Stange halten.

DAS NEUE KLEID, DIE BELEUCHTETE AUSLAGE   25

Ein samtener Kragen putzt.   *Spruch*

Nun kann keiner aus seiner Haut heraus. Aber leicht in eine neue hinein, daher eben ist alles Herrichten Ankleiden. Das frische Hemd liegt ohnehin morgens ausgebreitet wie der junge Tag, ein neuer Mantel deckt dem entlassenen Sträfling alles Vergangene zu. Das wählbare Kleid unterscheidet den Menschen vom Tier, und der Schmuck ist noch älter als dies Kleid, er teilt sich ihm bis heute heraushebend mit. Gar Frauen ziehen mit dem Gewand ein neues Stück ihrer selbst an. Sie ist eine andere im anderen Kleid, im feinen Schaum des weiblichen Putzes. Der Wunsch, sich vielfach zu versuchen, beginnt aber auch bei den meisten übrigen Menschen mit dem ebenso makellosen wie variablen Schein, den ein Schneider spenden kann. Daher ist es alten oder seßhaften Leuten bequem, immer auf gleiche Art angezogen zu sein. Andere fühlen sich sofort ohne Falte, wenn die Hose keine wirft.

Gut aufgebaut

Danach hinaus auf die belebte Straße, selber müßig, schauend. Licht kommt zwischen den Bäumen von den hellen Häusern her, von dem Platz am Ende, und ruft. Was aber hier ruft, ist die glänzend beleuchtete Ware hinter Glas, die Kunden sucht. Zum Schnittmuster kommt also die Auslage hinzu, um elegantes Wunschleben zu erregen. Die Auslage ist erst mit dem offenen kapitalistischen Markt entstanden, und sie trägt, bezeichnenderweise am meisten im Westen, immer noch die Eigenschaft: Bedürfnisse zu erregen, vorab solche mit »persönlicher Note«. Zum Zweck, daß dadurch der Herzenswunsch des Geschäftsmanns selber erfüllt werde: Profit zu machen. Die gute Auslage muß darum suggestiv sein, setzt allemal Teile fürs Ganze und die Teile selbst wieder als bloß andeutende, so wird der Aufenthalt vor Schaufenstern unruhig gemacht. Hier der Feinkostladen, mit Schüsseln, die man nicht umhin kann, appetitlich zu nennen. Kaffee, Tee, Schnäpse stehen am besten vor Delfter Kacheln, auf rotem Lack; holländisch-indische Luft lullt den Käufer ein. Hier ein Porzellangeschäft: in der Mitte der gedeckte Tisch, blütenweiß, kristallen, kerzenbeschienen, auf Gäste wartend, die so vornehm sind wie er selber. Hier eine Damenkonfektion höherer Ordnung: unwahrscheinlich schlank geraffte Kostüme auf der Höhe der Zeit wie wenig anderes auf der Welt und doch eine Art Jenseits: so schreiten keine ird'schen Weiber. Hier ein Schneidersalon für Generaldirektoren und solche, die ihnen ähnlich werden wollen: unnachahmlich hat sich der Ulster über den Chippendalestuhl geworfen, ein weicher Hut wartet daneben, schweinslederne Handschuhe, Schuhe wie aus dem Einband eines altflorentinischen Buchs. Der Wanderer jedoch und wer all dergleichen, wie die meisten, nicht kaufen kann, wird bei noch so erregter Unruhe der Besitzlust doch gerade durch das allzu Hohe nicht aufsässig gemacht. Wem es aber nach mehr gemütlichem Glück zumute sein sollte, der findet es hinter den Scheiben des Möbelgeschäfts. Speisezimmer, Schlafzimmer, Studio, Salon – alles ist vorhanden wie ein gemachtes Bett, und der junge Beamte, der es nicht mehr nötig hat, im Park zu schwärmen, braucht die Braut nur hineinzuwerfen. Er sieht hinter den Scheiben, in Daunen und Lachsfarbe, den legitimsten, aber auch den den wenigsten erfüllbaren bürgerlichen Wunschtraum: das Traumhaus zu zweit von innen. Der Traum vom schönen Haus füllt sich mit den ausgestellten Möbeln, die selber über ihre Verhältnisse leben, mit Fabrikware, die immer wieder Maskerade macht: odaliskenhaft der breite Sessel, kalifornisch der Barschrank, faustisch das Studio. An jeder Ecke formt so das Schaufenster Wunschträume, um den reichen Leuten, die kein Geld haben, es aus der Tasche zu ziehen. Und keiner versteht sich besser auf diese Art Träume als der Dekorateur, der ihre Auslagen ordnet. Er stellt nicht nur Waren aus, sondern das Lockbild, das zwischen Mensch und Ware entsteht; er baut aus Glück und Glas. Und der Passant baut an diesem kapitalistischen Lockbild, wie es dicht neben Slums oder trostlosen Spießerstraßen besteht, diese voraussetzt und vergessen lassen soll, rein menschlich weiter. Unruhig, gewiß, jedoch nicht aufsässig gemacht (denn der Zauber hinter Glas zeigt ja keinen beneidbar sichtbaren Besitzer) bejaht der Kleinbürger gerade vor den ihm unerschwinglichen Auslagen den eleganten und lobenswerten Anblick, zu dem die Herren ihr Leben formen. Es muß die Frau für diese Blumen, für dies Parfüm, es muß des Lebens Überfluß gehen; aber wo ihn finden? Um Weihnachten, wo man nicht sich selbst, sondern andere beschenkt, wird die weltstädtische Ladenstraße geradezu fromm. Doppelt und dreifach glüht die Lichtreklame, die Wünsche hinauf und herunter, wird blau, gelb, rot, grün, gießt Tränke aus, wellt als Tabakrauch, macht aus der Ware allenthalben ein sogenanntes Christkind. Ein putziges Bild, so wie die überfüllten Schaufenster ein täuschendes sind. Den Kaffee, der ins Meer geschüttet wird, braucht man nicht erst auszustellen.

Stets aber braucht die Ware noch einen Zettel dazu, der sie lobt. Der sie im Wettbewerb besonders ansprechend macht und sie nicht nur im Schaufenster glänzen läßt. Die gezeichnete und gesprochene Auslage, die große Glocke ihrer heißt Reklame. Sie besonders verwandelt den Menschen ins Heiligste, was es neben Eigentum gibt, in den Kunden. Auch frühere Zeiten, andere Länder als kapitalistische hatten eine Art Reklame, doch sie war mehr zufriedenes Selbstlob als Mittel im Erwerbskampf. Sie übersprang, sie ironisierte sogar die Ware; so wie sich heute noch ein Kohlengeschäft, fast höhnisch, als »Orkus« anpreisen mag. Bereits im alten Peking gab es folgende Firmenschilder: über einem Korbgeschäft »Die zehn Tugenden«; über einem Opiumladen »Die dreifache Rechtschaffenheit«; über einer Weinhandlung »Nachbarschaft der Hauptschönheit«; über einem Holzkohlenladen »Springbrunnen aller Schönheit«; über einem Steinkohlenladen »Die himmlische Stickerei«; über einem Metzgergeschäft »Hammelladen des Morgenzwielichts«. Doch das sind Gedichte, nicht Kassenmagnete, wenn sie auch als Lockung und sozusagen Übertreibung lange der kapitalistischen Reklame vorhergehen. Noch schöner als der Dekorateur spielt nun der Reklamefachmann auf dem Klavier der Wunschträume, sie im Gereizten unwiderstehlich machend, bis ein Kunde aus ihnen reift. Es entstehen nun atlantische Schlager wie folgende: Frühjahrshüte sind kein Kostenpunkt mehr heutzutage; Call for Philipp Morris; Purity and a big bottle, that's Pepsicola; Modern design is modern design; Buick, der Wagen des erfolgreichen Geschäftsmanns. Erwerb von Damenstrümpfen ruft, nach der Versicherung der New York Times, förmliche Neugeburt hervor: »Van Raalte covers you with Leg Glory from sunrise till dark.« Sparsamkeit, Wunsch zum letzten Schrei und Morgenrot haben ein Rendezvous auch für Herren und in billigerer Preislage: »Howard Clothes, styled with an eye for the world of tomorrow.« Die Reklame macht aus der Ware, auch aus der beiläufigsten, einen Zauber, worin alles und jedes gelöst ist, wenn man sie nur kauft. Die Dame der Zeichnung, die Kölnisch Wasser auf die Schläfen tupft, die von Herren eine Schweizer Schokolade entgegennimmt, ist eben dadurch die Glücklichgewordene schlechthin. Schaufenster und Reklame sind kapitalistisch ausschließlich Leimruten für die angelockten Traumvögel. Die so glänzenden und angepriesenen Waren werden, wie Marx sagt, der Köder, womit man das Wesen des anderen, sein Geld, an sich locken und jedes wirkliche und mögliche Bedürfnis in eine Schwachheit verwandeln will. Das alles vermögen gemalte, gut gesprochene Waren, eine Parade von Christmas-, von Easter-Values durch das ganze Jahr. So werden die Angestellten aufgepulvert, ohne daß sie explodieren, und das viele Licht der mehreren und doch allesamt verrotteten Berlin W dient nur dazu, die Dunkelheit zu vermehren.

SCHÖNE MASKE, KUKLUXKLAN, DIE BUNTEN 26 MAGAZINE

> Ja, ich hab die Schönheit von Mama,
> doch das Geld von Papa.　*Jazzlied*

Noch stärker lockt die Sucht, sich zu verwandeln. Der Mensch zieht dann nicht nur ein neues Gewand an, sondern wird darin unkenntlich. Das Mittel dazu ist nicht das Kleid, sondern die Verkleidung. Es entsteht der Wunsch zur ganz und gar nicht alltäglichen Maske. Die Maske ist zunächst Larve, als solche verbirgt, ja verneint sie das bisherige, das im bisherigen Leben dargestellte Ich. Die Hausfrau, der Kaufmann verschwinden, an die Stelle tritt ein buntes Bild ihrer selbst. Das wird nun auf den Leib aufgetragen, damit bewirtet sich der Träger. Es geschieht jene Verkleidung, die in vielen Fällen gar keine ist, sondern eine kleine Erfüllung. Die Maske ermöglicht dem Bürger nicht nur, so auszusehen, wie er auf Festen zu sein und genommen zu werden wünscht, sie erlaubt ihm auch, recht ausgelassen zu handeln. Ja, sie sitzt ihm, wenn er als Verbrecher, Henker oder Pascha verkleidet ist, oft besser am Leib als sein alltäglicher, sozusagen aufgezwungener Rock. Er wirft damit einen Traum über sich, den Traum vom bunten oder großen Tier. Und man begreift, welche Rolle der Vermummte im Leben spielen möchte, auch könnte, wenn er nicht verhindert wäre. Er ist als Henker, Lustmörder, Prinz gar nicht nur maskiert. Der gut Verkleidete hat sich entkleidet, so sieht er inwendig aus.

Die krummen Wege

Seltener macht es sich, auch draußen ein buntes Tier zu sein. Es überrascht, daß, um reich hervorzustechen, nicht noch mehr Verbrechen geschehen. Alle Verbrecher, auch wenn sie aus der Hefe kommen, sind kleinbürgerlich, nur im Wohlstand lebt sich's angenehm, das wollen sie. Das Verbrechen, so scheint es, macht über Nacht reich, wenn man die Nacht so zu benutzen versteht wie der besitzende Herr seinen Tag. Zweifellos besteht für arme, also verhinderte Ausbeuter ein beständiger Reiz, in die Unterwelt zu gehen, in dieses ihr Schlacht- und Gauklerfest. Dem Reiz des Revolvers wird im Kleinbürgertum nur deshalb verhältnismäßig selten nachgegeben, und er bleibt geplant, weil seine Folge sehr gute Nerven verlangt, auch viele schwarze Freitage hat. So sagt ein alter Spruch, rechtschaffen sei der, welcher von den Verbrechen nur träumt, welche die anderen tun; der Hochstapler ist aber auch außerhalb des Maskenballs dasjenige, was er zu sein wünscht, ein Prinz. Ja, das Gauklerfest hält sich als Berufskleidung oft auch bei kapitaleren Verbrechern: die krumme Straße soll zugleich die farbig-unheimliche sein und bleiben, das Verbrechen selber liebt und hält die anarchische Romantik, die der Kleinbürger darüber legt. So wird verwahrloste Jugend durch das Gangsterbild, das Blutwunschbild verführt; es gibt aber auch wirklich spaßhafte Raubmörder, vor allem Lustmörder, die ihr Gewerbe zu allem übrigen in einer Art Traumspiel, vor allem mit Rächerwünschen, agieren und so komödiantisch vermehren. Sie narren die Polizei in Briefen, die zur Entdeckung führen; die Lust an der Rolle, an der endlich nicht bloß gespielten, ist zu groß. Das als solche Rolle Ersehnte und Gemeinte wird durch Zeugnisse belegt; sie sind überdies auf fürchterliche Art dichterisch. So ein Brief des neunzehnfachen Düsseldorfer Lustmörders Kürten, um 1930, an die Polizei; triefend von Blutdurst, grinsendem, sogar moralisch drapiertem Leid und schmierigem, doch sehr sich auskostendem Verbrecherstil. Der Lustmörder versteht sich auf doppelte Schaurigkeit und schreibt: »Sie interessieren sich wohl für mein Tun. Da mein Anfang in einer anderen Gegend liegt, dürfte Nachfolgendes Ihre besondere Aufmerksamkeit verdienen. In Langenfeld (nördlich von Köln) war der Anfang und, wenn meine Stunde dafür gut ist, dann auch das Ende meiner Not. Dort lebt ein Wesen, das im moralischen Leben und auch im Denken kaum einem Menschenkinde zu vergleichen ist. Daß die mir nicht gehören kann, hat mich zu all dem furchtbaren Tun getrieben. Die muß noch sterben, und wenn es auch mein Leben kostet, vergiften habe ich sie wollen, doch der gänzlich reine Körper hat das Gift überwunden. Jetzt habe ich bessere Zeit, die Meine muß abends von Hilden nach Hause, die Zeichnung des Wegs liegt bei. Sie ist mein nächstes Opfer« – und ein späterer Brief schließt mit Versen wie aus dem Abort der Schlaraffia, doch ihr Inhalt stimmte:

> Am Fuß von Pappendelle
> An der angekreuzten Stelle,
> Wo kein Unkraut wächst,
> Und die mit einem Stein bezeichnet ist,
> Liegt eine Leiche anderthalb Meter tief.

Die Briefe steckten in schwarzgerändertem Trauerkuvert; der Selbstgenuß am ausgeführten, trotzdem noch drapierten Mord ist groß. Ein Teil Nazi meldete sich in alldem an, er nahm später viel spaßhafte Raubmörder, moralische Lustmörder auf. Die krummen Wege sind derart besonders genau mit grausamen Wunschbildern besetzt, einschließlich denen des Hochgerichts am Ende, mit dessen unausdenklicher Grausamkeit sich der christliche Bürger jahrhundertelang das Unglück versüßte, nicht selber rädern, vierteilen, brennen zu dürfen.

Erfolg durch Schrecken

Immer mehrere dergleichen drängten dazu, auch im Leben vermummt zu sein. Fratze und Kapuze sind dem Möchtegern nicht nur auf Bällen, sie sind auch untertags erwünscht. Die Maske hat sich nicht nur bei den altmodischen Privatverbrechern aus dem Kostümfest herausbewegt, sie wurde faschistischer Ernst. Öffentlicher, politisch gemachter, es kam die Nacht der langen Messer und ihr Tag. »Wolfsgebiß« und »Kupeeschrecken«, Scherzartikel, die sich Handlungsreisende anlegten, um Mitreisende zu belustigen, wurden Parteiabzeichen. Eben hatte Papa im Kostümfest des Vereins Frohsinn noch den Richter Lynch dargestellt, und er wurde einstimmig zur gelungensten Maske des Abends erklärt. Nun war er das gleiche auf der Straße, aber wirklich und tadellos; und die Juden mit abgeschnittenen Hosen und mit launigen Tafeln um den Hals, die Judenliebchen mit geschorenen Köpfen im Zug lösten Lachsalven aus, bevor sie andere Salven auslösten. »Regression« brach aus, Apachen, Totenköpfe, Ritter vom feurigen Nachthemd belebten die Straße, Polizei machte sie doppelt unsicher. Alle Wünsche kamen an, die der Kleinbürger im Karneval markiert hatte, jedes Feurio und Mordio, wie sehr erst die Wünsche derer, die als Fememörder, Kukluxer, Kapuzenmänner und dergleichen falsche Revolte in die echte Barbarei getrieben haben. Der faschistische Scharlatan griff zur Werwolfsmaske, er magisierte mit halb-irren Namen, mit Szenerien aus dem Schauerroman, wo dieser in den Kitsch übergeht, aber auch in die gut gebrauchte, nützlich gebaute Schizophrenie des Spießers. Also der Schlaraffia des Ernstfalls, auch sie kommt aus dem goldenen Westen. Tonangebend bleibt hier der amerikanische Kukluxklan, die reaktionäre Untergrundbewegung der amerikanischen Südstaaten nach dem Bürgerkrieg, dann erneut nach dem ersten Weltkrieg. Die Bande trug Dominos mit Kapuze, der Stoff war dunkel und mit weißen Zeichen benäht, die im Fackellicht gespenstisch wirken sollten. Es gab Zeichen in Gestalt eines Bowiemessers, es gab unter ihnen Kugeln, Halbmonde, Kreuze, Schlangen, Sterne, Frösche, Räder, Herzen, Scheren, Vögel, Rinder. Der Klan selbst nannte sich Invisible Empire; das Reich hat einen »Kaiserlichen Zauberer« an der Spitze, ihm folgen der »Große Drache«, der »Große Titan«, der »Große Zyklop«. Es gibt »Klan-Wölfe« und »Klan-Adler«, die Namen der Gemeinen stimmen mit den Figuren auf ihren Dominos überein; auf den Bergen der Versammlung aber brennt ein Feuerkreuz. Extremes Anderssein wird mit dieser Mummerei vorgemacht, barbarisch buntes, wodurch der blutrünstige Babbit aus sich Tabu macht. Im Anschluß an Indianergeschichten und Totems, auch an mittelalterliche Feme, überhaupt ans ausschließlich finstere Mittelalter, wie das amerikanische Magazin es sich vorstellt. Die Masken des Klans waren so die erste faschistische Uniform, und seine Aufrufe kolorierten mit ihren Wunschbildern als erste die »Revolution« von rechts, die Lynchrevolution. Lehrreich hierzu der Start der Bewegung, der vielleicht noch einmal erscheinende, der Aufruf des Arkansas-Klan April 1868, wie folgt:

KKK
Special Order No. 2
Spirit Brothers; Shadows of Martyrs; Phantoms from gory fields; Followers of Brutus!!!

Rally, rally, rally. – When shadows gather, moons grow dim an stars tremble, glide to the Council Hall und wash your hands in tyrant's blood; and gaze upon the list of condemned traitors. The time has arrived. Blood must flow. The true must be saved.

> Work in darkness
> Bury in waters
> Make no sound
> Trust not the air
> Strike high and sure
> Vengeance! Vengeance! Vengeance!

Das klingt ohne weiteres wie des Lustmörders Kürten zitierte Verbrechersprache, doch mit revolutionärer Maskerade. In der wirklichen Primitive drängte der Maskenträger durch seine Vermummung sich in das Wesen ein, das durch die Maske dargestellt ist. Der Wilde mit Löwenmaske wird zum Löwengott selbst, er glaubt, als dieser handeln zu können. Noch der tanzende Derwisch, wenn er sich um seine Achse dreht, fühlt sich als Himmelskörper, der sich um die Sonne dreht; dadurch zieht er in der Einbildung die Kräfte der Sonne auf sich herab. Die zivilisierte Barbarei aber gebraucht die Maske, dieses Falls die des Menschenfressers, gar nicht nur, um an diesem ihrem Wunschidol noch mehr als ohnehin zu partizipieren, sondern vor allem auch, um Entsetzen zu erregen, um durch Schreck zu lähmen. Und die Maske saß wie angegossen, als das Großkapital sie rief, als wirklich »Monde verblichen und Sterne zitterten« und die Kristallnacht auf die Straße kam.

Erfolgsbücher, Geschichten aus Syrup

Doch diese Lust, sich zu verwandeln, muß auch in freundlichere Felder schweifen können. Denn hinter all ihren verbrecherischen Bildern steht eben ein kleinbürgerlich gelecktes, zu ihm flieht der wilde Babbit zuletzt. Es findet sich sowohl prosaisch, in den Erfolgsbüchern, wie in der sozusagen poetisch behandelten Süßigkeit, in der Süßigkeit mit Handlung, kurz in der Magazingeschichte. Die Erfolgsbücher sind solche, die mit und ohne Ellbogen den Weg zum gemachten Glück versprechen. Das können bereits kosmetische sein, sie sind wie jener französische Koch, der aus einem Handschuh ein Beefsteak zu machen verstand. Ihnen schließen sich die Ratgeber im Lebenskampf an, für die verhinderte Schönheitskönigin, für den Glückspilz in spe. Abbildungen (gute Manieren lehrend) unterstützen die Darlegung, zuletzt wird dem Angestellten im Großtableau sein Ziel gezeigt: er sitzt am Eßtisch zwischen der Familie des Chefs, neben ihm die halb gewonnene Tochter; Monogamie, mit Einheirat übersetzt, schließt das Erfolgsbuch ab. Am verbreitetsten blüht diese Gattung in Nordamerika; how to win friends and to influence people, gerade das gehört zum Geschäft. Die Rubriken eines »Popular Guide to desirable living« lauten: »How to live your life; The secrets of health; Love and marriage; How to make money; The way to charm; Success with your children; How to sharpen your memory; Unmarried, but –; Never too old to love; How to make people to like you; How to talk about books, theatre, music, arts.« Kurz, hier ist ein wahrer Pharus im kleinbürgerlichen Wunschmeer, und er führt zum perfekten Babbit, das ist, zum Wunschziel des Babbits mit Kredit. Soviel über rationale Erfolgskurse und ihren Siegerpreis; es gibt aber auch, was am wenigsten erstaunt, irrationale. Sie erwecken »die geheimen Kräfte« im Menschen, sie stellen fest: »Die intensive Inanspruchnahme des heutigen Erwerbslebens bedingt bei vielen Herren eine vorzeitige Abnahme ihrer besten Kraft«, sie machen magnetisch. Sie beheben Schüchternheit im Verkehr mit dem anderen Geschlecht, bilden Salonlöwen und den Mann, dem Damen das Ruder ihres Lebensschiffleins gern übergeben. Zu Erfolgsbüchern gehören sogar die verschiedenen Ratgeber sexueller Gelehrsamkeit, soweit sie nicht purer Ersatz oder für bloße Voyeurs da sind. Der spießbürgerliche Gipfel wurde in van de Veldes »Vollkommener Ehe« erreicht, dem ehrbaren Zotenbuch, dem pedantischen Wegweiser auf dem Umweg zur Lust. Der Privatdruck für Weinhändler, zu dem längst schon die ars amandi geworden, wird nun Muttermilch mit Whisky; zugleich entsteht Ersatz für den klugen, ratgebenden Beichtvater von ehedem. Aber die Liebe vergeht und die Versicherungsgesellschaft bleibt; ihr ist deshalb jedes Erfolgsbuch zuletzt gewidmet oder den Instinkten, die zu ihr hinführen. Das Traumbuch des vollendeten Beischlafs versinkt vor dem bedeutend amerikanischeren der well-to-do-Bilanz, des Schäfleins im Trocknen. Ganz am Ende, wo sonst Torschlußpanik droht, erscheint im Versicherungsprospekt daher ein vornehm zurückgezogenes Haus, mit Wald und See und dem freundlichen Briefträger am Gitter, der dem rosenzüchtenden Hausherrn und der schlummernden Gemahlin gerade die Versicherungsrente bringt. Das alles verspricht der Führer zum Leben und fällt aus der Prosa völlig in Poesie, nämlich in das Rosarot, das es für keinen Möchtegern-Kapitalisten, der zu einem Erfolgsbuch greifen muß, mehr gibt.

Werden alle anspruchsvoll Strebenden enttäuscht, so nicht die, welche ohne Anspruch lesen. Ihnen bietet sich die Magazingeschichte an, sie schummert deutsch aus der Zeit her, wo sie sich allemal kriegen, sie lügt schlechthin amerikanisch. Darin werden vorgetäuschte Lebensläufe in aufsteigender Linie besichtigt, empor zu Geld und Glanz, auf dem Papier. Und der Pfiff, wodurch der Aufstieg gemacht wird, ist immer derselbe, er ist, wie Upton Sinclair einmal sagte, der des unmöglichen

Zufalls. Dienstmädchen heiraten erfolgreiche Goldgräber oder Männer mit einem goldenen Herzen, die bald darauf ein Petroleumlager entdecken. Arme Stenotypistinnen, die sich jede Kalorie für Seidenstrümpfe absparen, begegnen einem Angestellten, Liebe entspinnt sich, der Liebhaber spendet bescheidene Ausflüge, die ihm Gelegenheit geben, das edle Wesen seiner Geliebten zu entdecken, zuletzt aber entdeckt er ihr sich selbst, nämlich als Chef in eigener Person, und führt die Braut heim – sounds like magic, doesn't it? Oder ein so armer wie hübscher Bursche hält ein durchgegangenes Pferd auf, lernt auf diese Weise die reiche Erbin kennen, die dann seine Frau wird – ein goldenes Bett der freien Unternehmung mitten im Monopolkapital. Die Magazingeschichte zeigt, mit unmöglichem Zufall, lauter solch private Umwälzung, nämlich hinauf auf die Höhen der Gesellschaft. Sie vermittelt den Zaunblick, den falsch hoffnungsvollen, in die reichsten Kreise, sie ist, besonders in Amerika, das millionenfach verbreitete Fusel-Epos vom großen Los. Das alles, dieses Falls im Spießer-Deutschland, durchsetzt mit Gemüt, aus der Plüschzeit des vorigen, keineswegs ausgestorbenen Jahrhunderts: »Ich weiß eine Bank, wo der wilde Thymian blüht.« Oder immer noch à la Marlitt: »Und dann ging's kling, kling, mit fröhlichem Schall in die Winterpracht hinein, wie Glücksgeläute klang's in den Herzen der Jugend wider, als künde es nur Frohes und Schönes fürs ganze Leben.« Oder romantischsolid: »Wie mollig es im Gutshaus war! In allen unteren Zimmern brannten die farbig verhüllten Lampen, denn früher noch als gewöhnlich war heute bei dem Schneetreiben die Dämmerung hereingebrochen. Und in allen Öfen knisterte die von kernigen Holzscheiten entfachte Glut, und selbst draußen im großen Vorflur strömte ein großer altmodischer Kachelofen Wärme aus.« Oder romantisch-dämonisch, wieder hinauf, wenn auch mit gleich kerniger Prosa, zum aristokratischen Hochland des Spießer-Respekts, der Verklärung: »Diese alten Schlösser, düster und schweigsam von außen, feenhaft im Innern – mit ihren prunkvollen Brokatwänden, ihren Portieren aus schweren Stoffen. Welch fremdartiges und phantastisches Schauspiel schlägt uns da entgegen! An jeder Tür lauert die Intrige, aber längs der halbdunklen Korridore knüpft die Liebe ihr zartes Band.« Die

Magazingeschichte bleibt derart die ergriffenste in ihren feudalen, die wundergläubigste in ihren kapitalistischen Bildern. Tiefen Frieden mit der Oberschicht atmet sie aus, will ihn lehren, verbreiten, intakt erhalten. Das alles, was den Erfolgstraum angeht, mit ständig offenen Armen des happy-end, eben des kapitalistisch-feudalen; ein anderes Ende gibt es nicht, kann, darf, wird nicht sein. Das Parasitenleben der Oberschicht wird dadurch dargestellt als hoch in Ordnung, Reichtum ist Gnade. Der arme Teufel rebelliert nicht, er fliegt von selber der reichen Erbin in den Schoß. Dies Wohlgefällige, dies Unmögliche, doch keine Spielregel Störende unterscheidet allein schon den Glückskitsch der Magazingeschichte von der weit weniger passiven, daher edlen Spießern verhaßten Kolportage. Insgesamt geschieht in den Spiegeln dieses geschriebenen Kitschtraums nichts als Zufall, und der Segen, den er dem Glückspilz bringt, mehrt im ganzen atlantischen Zauber die billigen Don Quichotes der sinnlosen Hoffnung.

BESSERE LUFTSCHLÖSSER IN JAHRMARKT UND ZIRKUS, IN MÄRCHEN UND KOLPORTAGE

27

> Entchen, Entchen,
> da steht Gretel und Hänsel.
> Kein Steg und keine Brücke,
> nimm uns auf deinen weißen Rücken.   *Hänsel und Gretel*

Dann gingen wir schlafen. Ich schlief aber nicht, sondern ich wachte. Ich sann auf Hilfe. Ich rang nach einem Entschluß. Das Buch, in dem ich gelesen hatte, führte den Titel: »Die Räuberhöhle an der Sierra Morena oder der Engel aller Bedrängten.« Als Vater nach Hause gekommen und dann eingeschlafen war, stieg ich aus dem Bett, schlich mich aus der Kammer und zog mich an. Dann schrieb ich einen Zettel: »Ihr sollt Euch nicht die Hände blutig arbeiten, ich gehe nach Spanien; ich hole Hilfe.« Diesen Zettel legte ich auf den Tisch, steckte ein Stückchen trockenes Brot in die Tasche, dazu einige Groschen von meinem Kegelgeld, stieg die Treppe hinab, öffnete die Tür, atmete da noch einmal tief und schluchzend auf, aber leise, leise, damit ja niemand es höre, und ging dann gedämpften Schritts den Marktplatz hinab und die Niedergasse hinaus, den Lungwitzer Weg, der über Lichtenstein und Zwickau führt, nach Spanien zu, dem Land der edlen Räuber, der Helfer aus der Not.

Karl May, Mein Leben und Streben

Wenn Seemannsgarn zu guten Seemannsweisen
Von Glut und Kälte, Stürmen und Passaten,
Von Schiffen, Inseln, Abenteuerweisen,
Von Ausgesetzten, Schätzen und Piraten,
Kurz all der Zauber alter Heldentaten,
Wie er von je mein ganzes Herz bezwungen,
Berichtet nach der Weise der Janmaaten,
Auch euch noch reizt, ihr neunmalklugen Jungen:
So lauscht mir denn! – Doch war ich zu vermessen,
Will keine Sehnsucht sich mehr offenbaren,
Seid ihr zu nüchtern, habt wohl gar vergessen,
Wer Kingston, Ballantyne und Cooper waren,
Für die ich einst geschwärmt in jungen Jahren:
So sei's. Dann will ich schweigend und bezwungen
Mit meinen Helden in die Grube fahren,
Die sie und ihre Werke längst verschlungen.

Stevenson, Die Schatzinsel,
Widmungsgedicht an den zögernden Käufer

Durch das planlose Umherstreifen, durch die planlosen Streifzüge der Phantasie wird nicht selten das Wild aufgejagt, das die planvolle Philosophie in ihrer wohlgeordneten Haushaltung gebrauchen kann. *Lichtenberg*

Gegen Abend mag am besten erzählt werden. Das gleichgültig Nahe verschwindet, Fernes, das besser und näher scheint, rückt heran. Es war einmal: das bedeutet märchenhaft nicht nur ein Vergangenes, sondern ein bunteres oder leichteres Anderswo. Und die dort Glücklichgewordenen leben, wenn sie nicht gestorben sind, heute noch. Auch im Märchen ist Leid, doch es wendet sich, und zwar auf immer. Das sanfte, übel gehaltene Aschenbrödel geht zum Bäumchen auf seiner Mutter Grab, Bäumchen rüttel dich und schüttel dich, ein Kleid fällt herab, so prächtig und glänzend, wie Aschenbrödel noch keines gehabt, und die Pantoffel sind ganz golden. Das Märchen wird zuletzt immer golden, genug Glück ist da. Gerade die kleinen

Helden und Armen gelangen hier dorthin, wo das Leben gut geworden ist.

Mut des Klugen

Nicht alle sind so sanft, diese Güte nur abzuwarten. Sie ziehen aus, ihr Glück zu finden, klug gegen roh. Mut und List sind ihr Schild, ihr Spieß der Verstand. Denn Mut allein hülfe den Schwachen wenig gegen die dicken Herren, er würfe ihnen nicht den Turm zu Boden. List des Verstandes ist dem Schwachen sein menschlicher Teil. So phantastisch das Märchen ist, so ist es doch, in der Überwindung der Schwierigkeiten, immer klug. Auch reüssieren Mut und List im Märchen ganz anders als im Leben, und nicht nur das: es sind, wie Lenin sagt, allemal die schon vorhandenen revolutionären Elemente, welche hier über die gegebenen Stränge fabeln. Als der Bauer noch in Leibeigenschaft lag, eroberte so der arme Märchenjunge des Königs Tochter. Als die gebildete Christenheit vor Hexen und Teufeln zitterte, betrog der Märchensoldat Hexen und Teufel von Anfang bis Ende (nur das Märchen pointiert den »dummen Teufel«). Gesucht und gespiegelt wird das goldene Zeitalter, wo bis ganz hinten ins Paradies hineinzusehen war. Aber das Märchen läßt sich von den heutigen Paradiesbesitzern nichts vormachen; so ist es aufsässig, gebranntes Kind und helle. Man kann auf einer Bohnenranke in den Himmel klettern und sieht dort, wie die Engel Geld mahlen. Im Märchen »Der Gevatter Tod« bietet sich einem armen Mann der liebe Gott selbst als Gevatter an, aber der arme Mann antwortet: »Ich begehre dich nicht zum Gevatter, denn du gibst dem Reichen und läßt den Armen hungern.« Hier überall, in Mut wie Nüchternheit wie Hoffnung, ist ein Stück Aufklärung, lange bevor es diese gab. Das tapfere Schneiderlein in Grimms Märchen, ein Fliegentöter von Haus aus, zieht in die Welt, weil es meint, die Werkstätte sei zu klein für seine Tapferkeit. Es begegnet einem Riesen, der Riese nimmt einen Stein in die Hand und drückt ihn zusammen, daß das Wasser heraustropft, wirft einen anderen Stein so hoch, daß man ihn kaum noch sehen kann. Doch der Schneider übertrifft den Riesen, indem er statt eines Steins einen Käse zu Brei zerdrückt und einen Vogel so hoch in die Luft wirft, daß er überhaupt nicht wiederkommt. Schließlich, am Ende des Märchens, besiegt der Kluge alle Hindernisse, erringt die Königstochter und die Hälfte des Reichs. So kann im Märchen aus einem Schneider ein König werden, ein König ohne Tabu, der den ganzen feindseligen Mutwillen der Großen abserviert hat. Und wo die Welt noch voller Teufel war, widersteht ein anderer Märchenheld, der Bursche, der auszog, das Fürchten zu lernen, der Angst auf der ganzen Linie, er setzt Leichen ans Feuer, daß sie sich wärmen, kegelt mit Gespenstern im verwunschenen Schloß, nimmt den Obersten der bösen Geister gefangen und erlangt dadurch einen Schatz. Der Teufel selber läßt sich im Märchen betrügen, ein armer Soldat betrügt ihn, indem er ihm die Seele verkauft unter der Bedingung, daß er den Soldatenschuh mit Gold fülle. Aber der Schuh hat ein Loch, der Soldat stellt ihn über eine tiefe Grube, und so muß der Teufel Säcke über Säcke voll Gold beischleppen, bis zum ersten Hahnenschrei, um dann geprellt davonzufahren. Also müssen im Märchen selbst durchlöcherte Schuhe dem, der sich darauf versteht, zum Besten dienen. Leiser Spott über bloßes Wünschen und die märchenhaft einfachen Mittel, ans Ziel zu kommen, fehlt nicht, ebenfalls aufgeklärter, doch er entmutigt nicht. In alten Zeiten, beginnt das Märchen vom Froschkönig, wo das Wünschen noch geholfen hat, – das Märchen gibt sich mithin nicht als Ersatz fürs Tun. Wohl aber übt der kluge August des Märchens die Kunst ein, sich nicht imponieren zu lassen. Die Macht der Riesen wird als eine mit einem Loch gemalt, durch das der Schwache siegreich hindurch kann.

Tischleindeckdich, Geist der Lampe

Auch gute Dinge, wie sie noch nie gesehen waren, stehen hier bei. Vor allem Wunschgeräte der bequemsten Art bieten sich dem Schwachen an, magisch. Am sinnfälligsten wirkt derart Grimms Märchen Tischleindeckdich, Goldesel und Knüppel aus dem Sack: ein Held, ein armer verstoßener Junge; kommt zu einem Schreiner in die Lehre und erhält dort, als seine Zeit um ist, ein Tischlein ohne besonderes Ansehen, aber mit besonderer

Bewandtnis. Spricht man zu ihm »Tischlein deck dich«, so bedeckt es sich augenblicklich mit Speisen so gut, wie kein Wirt sie hätte herbeischaffen können, und ein großes Glas mit rotem Wein steht daneben. Hinzu kommt ein wundertätiger Esel, der speit nach Wunsch Goldstücke aus, hinten und vorn; zuletzt erscheint der Knüppel aus dem Sack oder die magische Waffe, ohne welche der Arme, auch wenn er reich und glücklich geworden, in dieser Welt nicht bestehen kann. Das Tischleindeckdich hat in der Märchen-Wunschmagie viele Brüder: die fliegenden Pantoffel in Hauffs Geschichte von dem kleinen Muck und sein Spazierstöckchen als Wünschelrute; das Stück Holz im Märchen »Saids Schicksale«, unter dem Schiffbrüchigen verwandelt sich das Holz in einen Delphin, der Said pfeilschnell ans Ufer trägt. Grimms Märchen »Bruder Lustig« kennt einen Ranzen, in den der Bruder alles hineinzaubern kann, was er wünscht: gebratene Gänse, acht Teufel, zuletzt, nachdem er den Ranzen in den Himmel geworfen hat, schafft er sich mit ihm selber in den Himmel. Grimms Märchen »Die Wassernixe«, das mit einem ungeheuren Knüppelausdemsack versehen ist, läßt Kinder gegen die böse Nixe eine Bürste, dann einen Kamm, dann einen Spiegel hinter sich werfen. Daraus wird zuerst ein großer Bürstenberg mit Tausenden von Stacheln, dann ein Kammberg mit Zinken, dann ein Spiegelberg, so glatt, daß die Nixe ablassen muß und nicht mehr herüber kann. Spiel und Magie haben im Märchen so insgesamt Freipaß, Wunsch wird Befehl, Mühe der Ausführung fällt weg, auch trennender Raum, trennende Zeit. Bei Andersen bringt ein fliegender Koffer ins Land der Türken, Galoschen des Glücks führen einen Justizrat zurück ins Kopenhagen des fünfzehnten Jahrhunderts. In Tausendundeiner Nacht fliegt das »Zauberpferd«, am Himmel trägt es hin, und ebendort wartet, mit gekreuzten Armen, der stärkste Wunscherfüller: der Geist der Lampe. Höchst bezeichnend ist gerade dies reichste Märchen »Aladin und die Wunderlampe« auf lauter Wunschutensilien zur Erlangung des Nichtzuhandenen aufgebaut. Räucherwerk wird entzündet, der falsche Oheim murmelt geheimnisvolle Worte, und alsbald geht die Höhle auf mit den verborgenen Schätzen, die auf den Namen Aladins gehäuft sind. Ein unterirdischer Garten erscheint, und die Bäume sind mit Edelsteinen bewachsen statt Früchten. Der Sklave des Rings, der Geist der Lampe treten vor – beide halluzinierte Urwünsche nach Macht, nach einer, die nicht auf bestimmte Güter beschränkt ist wie beim Tischleindeckdich, sondern die Lampe bringt ihrem Herrn alles, unbegrenzt alles, was er begehrt. Der Geist der Lampe verleiht Schätze ohne Zahl, Schönheit des Körpers und augenblickliche ritterliche Kunst, Feinheit der Rede wie des Geistes. Er baut über Nacht einen Palast, wie die Erde keinen getragen, mit Schatzkammer, Marställen und Rüsthaus; die Steine sind aus Jaspis und Alabaster; die Fenster aus Juwelen. Ein leichter Befehl: und im Augenblick versetzt die Lampe den Palast von China nach Tunis, dann zurück an die alte Stelle, ohne daß nur der Teppich vor dem Portal sich im Wind bewegt hätte. Nicht übersehbar ist auch die magische Tafel, die dem falschen Oheim fast Allwissenheit über die Vorgänge auf der Erde verleiht: »Nun aber entwarf er an einem Tage unter den Tagen eine Sandtafel, und er streute die Figuren hin und erforschte ihre Folge genau; und alsbald stellte er die Folge der Figuren, der Mütter sowohl wie der Töchter, sicher fest« – es ist dieselbe geomantische Tafel, kraft deren der Zauberer in Tunis von dem fernen Schatz in China erfahren hatte, den Aladin dann hob. Lauter Wunschmittel, lauter via regia, um auf kürzestem Weg (im Märchen) zu erlangen, was die Natur selber, außerhalb des Märchens, dem Menschen verweigert. Überhaupt ist technisch-magische Schatzgräberei das Märchenhafte selber in dieser Art Märchen; denn der gefundene Schatz symbolisiert wie wenig anderes das Wunder der plötzlichen Veränderung, des jähen Glücks. Scharfsinn und Räucherwerk sind im Aladin-Märchen dazu vonnöten, Scharfsinn allein genügt in dem verweltlichten Schatzgräbermärchen Edgar Allan Poes »Der Goldkäfer«, in Stevensons »Schatzinsel«. Aber noch in diesen Halbmärchen (zur Abenteuergeschichte übergehend) macht der Schatz Spannung wie Wende; er selbst ist die Springwurzel, die das Leben aufriegelt und seinen Glanz erwerben läßt. Das technisch-magische Märchen geht derart nur indirekt oder notgedrungen auf Besitz; es geht auf die Verwandlung der Dinge zu jederzeit vorhandenen Gebrauchsgütern. Es malt statt der kurzen Decke, nach der fast jeder Mensch sich strecken muß, ein Lotterbett der Natur. Es intendiert – um das Heimatgebiet aller Tischleindeckdich und auch der Wunderlampe wieder mit einem Märchen zu bezeichnen – es intendiert Schlaraffenland. Die gebratenen Tauben darin: das klingt zudem, als hörte man bereits ein soziales, bereits ein Staatsmärchen, einfacher in seinen Gütern, aber noch nahrhafter als alle anderen.

»Auf Flügeln des Gesanges, Herzliebchen, trag ich dich fort«

Der Bursche, der das Fürchten lernen wollte, träumte nur erst schwach. Auch das tapfere Schneiderlein erlangte die Prinzessin fast absichtslos, weil sie nun einmal auf seinem Wege liegt. Alle Märchenhelden finden ihr Glück, doch nicht alle sind bereits deutlich im Traum von ihm zu ihm hin bewegt. Nur die Helden der späteren, doch deshalb nicht schlechteren Kunstmärchen oder märchenhaften Legenden (mit so verschiedenen Autoren wie Hauff, E. Th. A. Hoffmann, Keller) sind auch psychologisch Märchengestalten, nämlich träumerisch-utopischer Natur. Der kleine Muck bei Hauff: er war ausgezogen, sein Glück zu *suchen*, gerade seinem Traum vom Glück zog er nach. »Wenn er einen Scherben auf der Erde im Sonnenschein glänzen sah, so steckte er ihn gewiß zu sich, im Glauben, daß sich in den schönsten Diamant verwandeln werde; sah er in der Ferne die Kuppel einer Moschee wie Feuer strahlen, sah er einen See wie einen Spiegel blinken, so eilte er voll Freude darauf zu, denn er dachte, in einem Zauberland angekommen zu sein. Aber ach, jene Trugbilder verschwanden in der Nähe, und nur allzubald erinnerten ihn seine Müdigkeit und sein vor Hunger knurrender Magen, daß er noch im Lande der Sterblichen sich befinde.« In eine anders kuriose, doch ebenfalls zum Märchen geborene Gattung gehört der Student Anselmus aus E. Th. A. Hoffmanns »Goldenem Topf«, dem erklärt *romantischen* »Märchen aus der neuen Zeit«. Auch Anselmus hat den Kopf voller Träume, und die Geisterwelt ist ihm nicht verschlossen, eben deshalb ist er im Leben der Ungeschickteste. »Also wie gesagt, der Student Anselmus geriet... in ein träumerisches Hinbrüten, das ihn für jede äußere Berührung des gewöhnlichen Lebens unempfindlich machte. Er fühlte, wie ein unbekanntes Etwas in seinem Innersten sich regte und ihm jenen wonnevollen Schmerz verursachte, der eben die Sehnsucht ist, welche dem Menschen ein anderes, höheres Sein verheißt. Am liebsten war es ihm, wenn er allein durch Wiesen und Wälder schweifen und wie losgelöst von allem, was ihn an sein dürftiges Leben fesselte, nur im Anschauen der mannigfachen Bilder, die aus seinem Innern stiegen, sich gleichsam selbst wiederfinden konnte.« Und so errang Anselmus doch noch die tönende Serpentina, wenn auch mit Kampf gegen die Pechsträhne, die ihn hemmte, gegen feindliche Mächte, die in eben dieses Pech und Schlimmeres sich verkleidet haben. Im blauen Palmbaumzimmer des Archivarius Lindhorst, im starken Dreiklang heller Kristallglocken erscheint Serpentina, und er wird ihrer wert. Anselmus gelangt nach Atlantis, wohin er mit der Tochter des Lichtfürsten auf ein Rittergut zieht, nachdem er so lange schon einen Meierhof dort besessen hatte, einen Meierhof in Träumen, als Besitztum des inneren Sinns. Das ist Anselmus, Student aus dem untergegangenen Deutschland; und neben ihm stehen, wie es sich gehört, alle anderen Wunschnaturen des Kunstmärchens wie der Legende aus Don Quichotes Geschlecht. Besonders wenn sie Quichote nur in der starken Phantasie, nicht aber in der Handlungskraft zugehören.

Der Ritter Zendelwald in Kellers Legende »Die Jungfrau als Ritter« ist der Verträumteste dieser Art. Daher lebte er völlig unentschlossen, wußte fast nichts von den Dingen, die außerhalb vorgehen. Desto besser freilich kannte er die Wunschgedanken, welche er, in seiner einsamen Burg, von Welt und Frauen aufbaute. »Wenn sein Geist und sein Herz sich eines Dinges bemächtigt hatten, was immer vollständig und mit Feuer geschah, so brachte es Zendelwald nicht über sich, den ersten Schritt zu einer Verwirklichung zu tun, da die Sache für ihn abgemacht schien, wenn er inwendig damit im reinen war. Obgleich er sich gerne unterhielt, redete er doch nie ein Wort zur rechten Zeit, welches ihm Glück gebracht hätte. Aber nicht nur seinem Munde, auch seiner Hand waren seine Gedanken so voraus, daß er im Kampfe von seinen Feinden öfters beinahe besiegt wurde, weil er zögerte, den letzten Streich zu tun, den

Gegner schon im voraus zu seinen Füßen sehend.« Da kam zu dem träumerischen Ritter eine Kunde, die, obwohl sie mitten aus der vollen und wirklichen Welt einlief, doch ziemlich mit dem Gegenstand sich deckte, der seine Einbildungskraft gerade erfüllte. Zendelwald hatte nämlich auf einer seiner spärlichen Reisen die Gräfin Bertrade gesehen, eine junge, überaus schöne und reiche Witwe; er war auf ihrer Burg, in schwerer Verliebtheit, doch schweigsam trennte er sich. Während Zendelwald viele Monate hindurch an nichts anderes mehr dachte als an die ferne Herrenfrau, kam nun die Botschaft, daß der Kaiser ein Turnier ausgeschrieben habe und die Gräfin dem Sieger über alle ihre Hand reichen wolle, fest darauf vertrauend, daß die göttliche Jungfrau sich ins Mittel legen und dem Rechten, der ihr gebühre, die Hand zum Siege lenken werde. Der Ritter machte sich endlich auf den Weg, fiel aber bald wieder in sein altes Bild- und Gedankenwesen, antizipierte wunschgemäß und arbeitete sein Traumwerk aus. »Zug für Zug fand jetzt in seiner Vorstellung das Abenteuer statt und verlief auf das beste, ja er hielt bereits tagelang, während er durch das sommergrüne Land ritt, süße Zwiegespräche mit der Geliebten, worin er ihr die schönsten Erfindungen voraussagte, daß ihr Antlitz in holder Freude sich rötete, alles dies in seinen Gedanken.« Da aber Sinnieren den Schritt hemmt, so kam der Ritter erst an, als das Turnier schon vorüber war, und alles wäre für ihn vergebens gewesen, hätte die himmlische Jungfrau den Graben zwischen Wunschträumen und Wirklichkeit nicht ausgefüllt. Denn sie selber hatte das Turnier in Gestalt des Ritters Zendelwald gekämpft, ja mehr: wie der verspätete Träumer, mit höchstem Erstaunen, seine eigene Person als Sieger und Bräutigam neben der schönen Gräfin sah, wie er, von wirrer Eifersucht gepeinigt, durch die Reihen brach, um den Doppelgänger-Nebenbuhler zu sehen, da verschwand im Augenblick das Ebenbild von Bertrades Seite, die Gräfin wandte sich dem wirklichen Zendelwald zu und setzte die Unterhaltung fort, ohne den Wechsel der Person im mindesten bemerkt zu haben. »Allein Zendelwald wußte nicht, wie ihm geschah, als Bertrade ihm wohlbekannte Worte sprach, auf welche er einige Male, ohne sich zu besinnen, Worte erwiderte, die er auch schon irgendwo gesprochen hatte; ja, nach einiger Zeit merkte er, daß sein Vorgänger genau das nämliche Gespräch geführt haben mußte, welches er während der Reisetage phantasierend ausgedacht hatte.« So wurde der Ritter mit der Gräfin glücklich; aus eigenem Traum wie eigenem Märchen ist dieses Glück hervorgetreten und wirklich geworden. Märchenhaft wirklich; die Jungfrau Maria, selber ein gläubiger Traum, half einem Träumer, mit höchst weichem, fast ruinösem wishful thinking, ins Wunderland. Aus ihrer Inwendigkeit traten freilich weder Anselmus noch der schwache Zendelwald heraus, auch dort nicht, wo ihnen die Fee Legende Boden verschaffte.

»Fort nach den Fluren des Ganges, dort weiß ich den schönsten Ort«

Und doch wird der Morgen dieser Art nicht nur von innen her gespeist. Die glänzenden Scherben, die der kleine Muck zu sich steckte, leuchteten ihm auch draußen, auf dem *äußeren Feld,* wo sie lagen, durchaus. Lange bevor das Inwendige von Wunschbildern strömt, werden sie durch märchenhafte Züge der Natur erregt, besonders durch Wolken. In ihnen erscheint zum erstenmal die hohe Ferne, ein getürmtes und wunderbares Ausland, über unseren Köpfen. Kinder halten weiße Kuppelwolken für Eisgebirge, für eine Schweiz am Himmel; auch Burgen finden sich dort, höher als auf der Erde, hinreichend hohe. Die Sehnsucht ist dieser Jugend ohnehin das gewisseste Sein, und das abreisende Abendrot, wohin die Sonne weggeht, verstärkt es noch. Der Junge im Märchen der Lagerlöf: »Reise des kleinen Nils mit den Wildgänsen« zieht mit den Vögeln ihre glänzende und singende Bahn, die Bahn nach Süden, wo die himmlische Burg auf der Erde steht, wo die glückseligen Inseln Wak-Wak im Meer zu Hause sind. Denn auch das erste Bild des Meeres stammt den meisten Menschen vom weiten Himmel und zieht dahin; das heißt: die Wolke ist dem märchenhaften Blick nicht nur Burg oder Eisgebirge, sie ist auch eine Insel im Himmelsmeer oder ein Schiff, und der blaue Himmel, worin sie segelt, spiegelt den Ozean. Ist doch die Ferne über unseren Köpfen, das Luftmeer mit seinen Wolken, nicht einmal auf irdische Küsten begrenzt oder spiegelt sie wider. Also tauchen alle Märchen, in denen das Himmelsblau vorkommt, dieses in ein riesiges oberes Wasser, und die Reise geht unbeschwert zur Küste, die besonders in diese Phantasie greift: zum Morgenstern. In alldem wirken noch astralmythische Reste, bis hin zum Märchen von den Sterntalern; aber sie sind den Märchen, die noch weiter oder höher als die Vögel fortziehen, so wenig nötig wie der christliche Himmel. Auch ohne all das hat es seine wunderlichen Blicke, und sind sie wunderlich, so tragen sie doch den Glanz eines eigenen Gemüts ganz kosmisch hinaus, und alles duftet darin von Poesie. So in dem Märchenwesen, das Gottfried Keller im »Grünen Heinrich« seine Frau Margret mit dem Regenbogenlicht treiben läßt, gleichwie mit einem Boten. Als ein anderer kleiner Muck mit Scherbenglanz und Utopie in einer Unwissenheit, die sich nicht zu schämen braucht, wenn sie Schöneres enthält als die entzauberte Welt, lebt Frau Margret unter dem Strandgut ihres Trödel- und Raritätenladens, Verschollenes dringt an und läßt sich hören, das Tageslicht selber wird illustriert mit Bildern aus fernen Ländern und Heidenbüchern: »Alles war ihr von Bedeutung und belebt; wenn die Sonne in ein Glas Wasser schien und durch dasselbe auf den hell polierten Tisch, so waren die sieben spielenden Farben für sie ein unmittelbarer Abglanz der Herrlichkeiten, welche im Himmel selbst sein sollten. Sie sagte: ›Seht ihr denn nicht die schönen Blumen und Kränze, die grünen Geländer und die roten Seidentücher? diese goldenen Glöcklein und diese silbernen Brunnen?‹ und so oft die Sonne in die Stube schien, machte sie das Experiment, um ein wenig in den Himmel zu sehen, wie sie meinte.« Es ist der *Realist* Keller, der diese Kinderei aufnahm und aufzeichnete; sie setzt, in einem schuldlosen Gemüt, immerhin den Drang zur Sonne fort, der alles Lebende erfüllt, und schmückt ihn aus. Wenn die Ferne in der Muschel wie Meer braust, so mag sie im Prisma wie Hafenlicht aussehen, wie Frau Margrets schrulliges Wunderlicht, und das Märchen hat nichts dagegen. Sogar das ist möglich, daß sein Traum zeichnet, das ist, daß er eine förmliche Karte von seinen Küsten entwirft. Dazu ladet das äußere Feld ohnehin ein, worin er sich bewegt, woraus er hineingelebte Phantasiebilder, märchenhaft geordnet, herausliest und aufnimmt. Kipling, in dem

Traummärchen »The Brushwood Boy«, läßt seinen Knaben ganz genau solch eine Karte entwerfen, er reist auf ihr. Hongkong ist hier eine Insel, mitten im »Ocean of Dreams«, und an seiner Küste liegt Merciful Town, die gnadenvolle Stadt, »wo der Arme seine Bürde niederlegt und der Kranke vergißt zu weinen«. Der Brushwood Boy reitet im Traum seinen Dreißigmeilenritt mit dem Mädchen, das er sich seit seiner Kindheit denkt, er reitet mit dem erträumten Brushwood Girl durch die Dünen und Steppen, durchs Abendlicht seiner Wunschgeographie, durch »die Täler aus Wunder und Unvernunft«. Ja auch vor der Realität Ostasien, in die nun später der erwachsene Mann als Kolonialoffizier gelangt, verschwindet das Traumland nicht; Hongkong ist eine Stadt und bleibt doch eine Insel, die Traumkarte wird nicht ungültig. »Policeman Day« weckt regelmäßig zur schlechten Wirklichkeit auf, die Traumkarte bleicht in der wirklichen Welt trotzdem nicht. Das Wunschbild des Helden mischt sich in diesem Märchen mit bloßen Nachtträumen, doch so, daß er diese zur Versinnlichung des eigentlichen Tagtraums zwingt, zum Wunschland Indien und zur Wunschprinzessin, die aus ihm hervortritt. Auch wird die Geliebte in Kiplings Märchen zuletzt nicht nur das Mädchen, das ein Einsamer sich denkt, das er mit Traumschmuck behängt und in Fata Morgana unterbringt. Sondern das Brushwood Girl existiert gleichfalls, durchaus, ist ihrem Helden im eigenen und identischen Wunschtraum begegnet; so entdecken sich am Ende die beiden Traumsubjekte auch real und finden aneinander, in realer Liebesmystik, ihr Indien wieder. Ein reales Indien höherer Ordnung, eines, zu dem das geträumte ein Versprechen war und der Anlaß, der Phantasiestoff, der unwiderlegte Hintergrund. Ist es doch, außer Wolken, Himmelsblau, Regenbogen, *der Orient überhaupt,* weit um die Ufer des Ganges herum, eine selber fabelhafte Außenwelt, wodurch dem Märchen sein Anschluß an Vorhandenes im äußeren Feld erleichtert wird. Dort ist The Brushwood Boy zu Hause, dort nimmt der Dschungel auf und gibt den Blick auf ein Ausland frei, das im Märchen lauter Inland und Heimat ist. Südmeer, türkisgrüner Himmel, Basargewölbe, das geheimnisvolle Haus – all diese orientalischen Szenerien geben dem Märchenwunsch am wahlverwandtesten nach, nehmen ihn auf. Der Grund dafür ist keineswegs einfach: gewiß – die meisten Märchenstoffe stammen aus dem Orient, besonders aus Indien, und inklinieren dahin wieder zurück, doch auch die Märchennatur, eben die Wolke und Abendburg aus Himmel, ja sogar der deutsche Märchenwald grenzen ans Morgenland. Dort kulminiert zwar nicht die angegebene Aufsässigkeit in so manchem Grimmschen Märchen, wohl aber das Wunderhafte, das Abenteuer und die Landschaft des Magischen; sie machen den archetypischen Glanz von Tausendundeiner Nacht. Der mag auch auf der Insel Hongkong liegen oder in der Imago des Brushwood Girls selbst, der Wunderfrau: das inwendigste Märchen enthält dieses Stück auswendigen Ort. Im indischen Ocean of Dreams, im Bild, das aus der Ferne anläuft und selber auf Fahrt schickt.

Südsee in Jahrmarkt und Zirkus

Die Ferne kann dem Jungen auch ganz sinnenhaft anlaufen und gegenwärtig sein. In Farben und Gestalten, roh wie Fleisch, bunt wie das Fähnchen, das italienische Metzger an dieses stecken. Die *Buden* auf dem Jahrmarkt sind gleichfalls nicht hier gewachsen, so wenig wie der immer wieder abgestaubte, immer wieder frisch enthüllte Zauber, den sie mit sich führen. Er wirkt wie aus abnormer Fremde, ist zweifellos ordinär und voller Schwindel, aber immerhin noch gehaltvoller als der Ärger, den der Spießer an der uralten Jugend- und Volksfreude nimmt. So fahren diese Schiffsbuden auf, getragen von Südsee für das einfache und für das unverdorben komplizierte Gemüt; die Zeltschiffe machen in den staubigen Städten auf kurze Zeit fest. Sind mit blaßgrünen oder blutrünstigen Gemälden tätowiert, in denen Votivbilder für Rettung aus Seenot sich mit Harem kreuzen. Der Motor treibt das Orchestrion mit fremdem, fettem, unmenschlichem, atemlos-trägem Klang, zuweilen ist er mit einem Wachsmädchen verbunden, das neben dem Eingang festgeschraubt tanzt. Und mit wahnsinniger Verrenkung, mit einer, die aus angeschraubtem Wachs zu tanzendem übergeht, von Zeit zu Zeit den Kopf in den Nacken wirft, um gerade in dieser Lage zitternd stillzustehen, dicht hinter dem Ausrufer, der sich selber vor nichts fürchtet. Die Welt, die solcherart angepriesene, hat die Geheimnisse des Brautbetts, auch der Mißgeburt an ihrem einen Rand, die Geheimnisse der Bahre an ihrem anderen. »Die Dame wird ihren herrlich gebauten Oberkörper entblößen, man wird sehen die Geheimnisse der menschlichen Plastik«; aber auch: »Professor Mystos ruft um neun Uhr abends, um die Stunde, wo sie gestorben, eine ägyptische Mumie ins Leben zurück.« Seltene Menschen und ihre Kunst geben sich zur Schau, in lauter Seitenkapellen der Abnormität. Der Schwertschlucker und der Feuerfresser, der Mann mit der unzerreißbaren Zunge und dem eisernen Schädel, der Schlangenbeschwörer und das lebende Aquarium. Kümmeltürken, Kürbismänner, Riesenweiber sind da: »die Natur ist mit dem Stoff ihres Körpers so verschwenderisch umgegangen, daß in der Zeit, wo dieser zur höchsten Vollkommenheit gediehen war, die Masse vierhundert Pfund erreichte«. Und zur abnormen Fremde tritt immer wieder die des Märchens, auch des Schauerromans: orientalischer Irrgarten, Höllenrachen, Geisterschloß. Das ist Jahrmarkt, eine buntbäuerische Phantasie, sie ist in amerikanisierten Großstädten zwar steigend mit Lautsprechern, technizistischen Jux-Etablissements durchsetzt, doch das Wunschland mittelalterlicher Südsee, sozusagen, blieb. Und hält sich, aus dem Mittelalter viel weiter zurückgehend, erst recht im Jahrmarkt *höherer* Ordnung, in der Schauart der *Circenses* ganz ohne Vorhang. Denn kommen die Budenwunder mehrfach unter ein Dach, in einen Ring, und bricht die Menagerie dahin aus, so entsteht nun aus der Südsee Kolosseum oder der *Zirkus*. Das Wachsfigurenkabinetthafte muß freilich fehlen, jeder Scheintod, jede mechanische Orgel, weil hier im Zirkus alles Leben ist. Und zum Unterschied vom Jahrmarkt, der mit Verhüllung arbeitet, mit Bühne, Vitrine, Vorhang, ist der Zirkus völlig offen; die Manege bringt das mit sich. Ja, er ist die einzige ehrliche, bis auf den Grund ehrliche Darbietung, die die Kunst kennt; vor Zuschauern in lauter Kreis ringsum kann nirgends eine Wand gemacht werden. Dennoch geschieht Verfremdung, die Saltos sind das Äußerste, was der menschliche Körper hergibt, aber er gibt sie her, Gaukler treten auf, doch ohne Gaukelei. Gemacht wie von lauter Zigeunern im grünen Wagen, älter als der älteste Leser sich entsinnen kann, vielleicht schon vorgeschichtlich, ist die Zirkuskunst doch eine Art bürgerliche Rechtschaffenheit in der Kunst und das Vorbild dafür. Er ist das Lokal ohne Hinterräume, außer Garderobe und Stall, und der kann in der Pause besichtigt werden, alles geht hellbeleuchtet in der Manege her, auf dem Trapez unter der Decke, und ist trotzdem Zauber, eine eigene Wunschwelt aus Exzentrik und präziser Leichtigkeit. Wenig haben sich die Typen verändert, die gestrengen, komischen und gymnastischen, sie sind verabredet wie die Tierarten, die man zu sehen bekommt: die Elefanten, Löwen, rundum trabende Pferde, der Herr Direktor mit der Peitsche und der Stallmeister im Entreakt, die Schulreiterin, die Seiltänzer und andere Ärialisten, halb Sylphen, halb am Rand des Todes, die Tierbändiger und Kettenbrecher. Daß aber der Zirkus auch das Volksvergnügen ohne Pause ist, dazu helfen die Clowns, die in dieser Pause auftreten. Sie reichen vom glitzernden und gepuderten des elisabethanischen Zeitalters bis zum Tramp mit roter Kugelnase, schwarz-weißem Freudenmaul, bis zur Krone der Armut, dem dummen August. Es sind sämtlich Figuren aus einem freundlich gewordenen Kolosseum, und so sind erst recht die Schaustellungen des zweiten Teils oder Pantomimen. Die Vorstellung wird eingeleitet von der schönsten Musik dieser Art, von Fučiks Gladiatorenmarsch, geschlossen mit dem Marsch Per aspera ad astra. Der Zirkus stellt heute noch die farbigste Massenschau dar oder das Bild der Sensation; er ist arabische Fantasia in der aufgeheitertsten römischen Arena.

Was Bude und Zelt spiegeln, wird selten nochmals gespiegelt. Selbst surrealistisch nicht recht, obwohl der Spaß wenig geheuer sein kann, sein Gesicht abseitig. Obwohl die Wachsfigur in Schreck eintaucht, der Glitzerclown in Unbekanntes überhängt. Nur Meyrink hat das eigene Märchen, die eigene Kolportage aus dieser Welt herausgeholt, witzboldig, wahlverwandt, schlecht geschrieben, unheimlich, alles zusammen. So Mohammed Daraschekohs orientalisches Panoptikum beschreibend: »Der Motor am Eingang schlapfte sein Tempo und trieb ein orgelähnliches Instrument. Eine stolpernde, atemlose Musik spielte – mit Klängen, die laut und dumpf zugleich, etwas Sonderbares, Aufgeweichtes hatten, als tönten sie unter Wasser. Geruch von

Wachs und schwelenden Öllampen lag im Zelt. Die Programmnummer: Fatme, die Perle des Orients, war vorüber, und die Zuschauer strömten hin und her oder sahen durch die Gucklöcher an den mit rotem Tuch bespannten Wänden in ein roh bemaltes Panorama hinein, das die Erstürmung von Delhi darstellte. Stumm standen andere vor einem Glassarg, in dem ein sterbender Turko lag, schweratmend, die entblößte Brust von einer Kanonenkugel durchschossen – die Wundränder brandig und bläulich. Wenn die Wachsfigur die bleifarbenen Augenlider aufschlug, drang das Knistern der Uhrfeder leise durch den Kasten.« Gestelltes, dadurch nicht geringeres Entsetzen wird hier nochmals gestellt, in Impression und zu ihr hin, aber zusammenhängende Traumlichter von Jahrmarkt und Zirkus fehlen gleichfalls nicht. »Der Golem« Meyrinks ist Märchenkolportage vom Jahrmarkt, seine Kolportage »Das grüne Gesicht« desgleichen, mit Schau vom Zirkus eingesprengt. »Der Golem«: er behandelt in seiner Kolportage nicht mehr, doch auch nicht weniger als das Budengeheimnis, zu dem keine Nachzahlung verhilft. Hier ist das Dudeln, das von der Straße hereindringt, der Mondschein am Fußende des Betts, eine bleiche Tafel, die aussieht wie ein Stück Fett, das Zimmer ohne Tür, irgendwo in der Pragerstadt, mit dem Golem als Bewohner, das Gesims aus Stein am Golemzimmer, woran der Gast sich anklammert und sieht und sieht und abstürzt, denn der Stein ist glatt wie ein Stück Fett. Auch eine schöne Mirjam geht um, ein Wachstraum aus Vollendung, und ihr Haus steht im Morgenlicht, unbetretbar wie die Bude zu den Geheimnissen Griechenlands für Besucher unter sechzehn Jahren, wie das siderische Leben. Die seltsame Mischung aus Jakob Böhmischem und Witzmacherei verstimmt, die eben dieser Art Schrifttum eignet, bis in den Surrealismus hinein, aber sie hängt mit dem zweideutigen, zweiköpfigen, durchweg allegorischen Genre zusammen. Die Bilder Dalis, zuweilen selbst Max Ernsts bewegen sich in einer ähnlichen Mischluft aus Spaß und Tiefe, ja Gemütlichkeit und Grauen; das Modell zu alldem gibt die gleichzeitige humoristisch bewegte und medusisch starrende Wachsfigur. Meyrink wie der gesamte Jahrmarktszauber verschiedener Grade sind ein Nonsens, woran Schausteller wie Autor keinen Zweifel lassen, doch eine Sehnsucht wohnt darin, selber nicht unsinnig, obzwar grell und betrügbar, billig und ungeregelt. Es ist die Sehnsucht nach einer aus Abseitigkeiten und Seltsamkeiten bestehenden Figurenbildung in der Welt, nach Kuriosem als objektiver Eigenschaft. Dali und Meyrink zusammen werden freilich übertroffen, was dieses Falls selbstverständlich, ja sie werden, was nicht so selbstverständlich, gerade im schnöden Grauen erledigt, sobald sich ein großer Dichter, der sich aber ebenso aufs Schnurrig-Seltsame, Schlimm-Humoristische versteht und ihm verschworen sein mag, des metaphysischen Schimpfs annimmt. Der Dichter ist Gottfried Keller, und sein »Traumbuch« von 1848 bekundet über das in Rede Stehende, nie ganz zur Rede Kommende folgendes: »Ich trat in ein Wachskabinett; die Gesellschaft des Potentaten sah sehr liederlich und vernachlässigt aus, es war eine erschreckende Einsamkeit, und ich eilte durch sie hin in einen abgeschlossenen Raum, wo eine anatomische Sammlung zu sehen war. Da fand man fast alle Teile des menschlichen Körpers künstlich in Wachs nachgebildet, die meisten in kranken, schreckbaren Zuständen, eine höchst wunderliche Generalversammlung von menschlichen Zuständen, welche eine Adresse an den Schöpfer zu beraten schien. Ein ansehnlicher Teil der ehrenwerten Gesellschaft bestand aus einer langen Reihe Gläser, welche vom kleinsten Embryo an bis zum fertigen Fötus die Gestalten des angehenden Menschen enthielten. Diese waren nicht aus Wachs, sondern Naturgewächs und saßen im Weingeist in sehr tiefsinnigen Positionen. Diese Nachdenklichkeit fiel um so mehr auf, als die Burschen eigentlich die hoffnungsvolle Jugend der Versammlung vorstellten. Plötzlich aber fing in der Seiltänzerhütte nebenan, welche nur durch eine dünne Bretterwand abgeschieden war, eine laute Musik mit Trommeln und Zimbeln zu spielen an, das Seil wurde getreten, die Wand erzitterte, und dahin war die stille Aufmerksamkeit der kleinen Personen, sie begannen zu zittern und zu tanzen nach dem Takte der wilden Polka, die drüben erklang: es trat Anarchie ein, und ich glaube nicht, daß die Adresse zustande kam.« Soweit der junge Keller, und wieder fällt der Humor auf, zusammen mit jener Art von höhnischem Tiefgang, der des Witzes sich hier doppelt spaßhaft bedient. Uralte Volkslust, keineswegs einfache, aber auch keineswegs dekadente, erhält sich im Jahrmarkt, wandert darin aus. Ein Stück Grenzland ist da, zu sehr herabgesetztem Eintrittspreis, aber mit erhaltenen Bedeutungen, mit kuriös-utopischen, konserviert in brutaler Schau, in vulgärer Hintergründigkeit. Es ist eine Welt, die zu wenig auf ihre spezifischen Wunschgegenden untersucht worden ist. Eben »Curiöses«, wie dergleichen zuletzt noch im Barock genannt worden ist, hält sich hier über Wasser, über Land.

Das wilde Märchen: als Kolportage

Auch im Märchen läuft ja nicht alles von vornan sanft dahin. Es gibt darin Riesen und Hexen, sie sperren ab, lassen spinnen die ganze Nacht, führen irre. Und es gibt, gegen das allzu sanfte oder eilige Himmelblau, eine Märchenart, die selten als solche angesehen wird, eine wilde, gleichsam reißende Art. Sie ist überhaupt wenig angesehen, nicht sowohl deshalb, weil sie leicht zum Schund abfällt, als weil die herrschende Klasse tätowierte Hänsel und Gretel nicht liebt. Das reißende Märchen also ist die Abenteuergeschichte, sie lebt am besten heute als *Kolportage* fort. Auf ihrem Gesicht liegt der Ausdruck eines anerkannt unfeinen Wesens, und ist auch öfters so. Doch zeigt die Kolportage durchgehends Märchenzüge; denn ihr Held wartet nicht ab, wie in der Magazingeschichte, bis ihm das Glück in den Schoß fällt, er bückt sich auch nicht, damit er es auffängt wie einen zugeworfenen Beutel. Sondern ihr Held bleibt dem armen Schwartenhals des Volksmärchens verwandt, dem kühnen, setzt Leichen ans Feuer, haut den Teufel übers Ohr. Am Helden der Kolportage ist ein Mut, der, meist wie sein Leser, nichts zu verlieren hat. Und ein bejahtes Stück vom bürgerlichen Tunichtgut dringt an, vom durchgebrannten, doch nicht umgekommenen; er hat, wenn er zurückkommt, Palmen, Messer, die wimmelnden Städte Asiens um sich her. Der Traum der Kolportage ist: nie wieder Alltag; und am Ende steht: Glück, Liebe, Sieg. Der Glanz, auf den die Abenteurergeschichte zugeht, wird nicht wie in der Magazingeschichte durch reiche Heirat und dergleichen gewonnen, sondern durch aktive Ausfahrt in den Orient des Traums. Hat die Magazingeschichte etwas von einer unsäglich verkommenen Legende, so ist die Kolportage der letzte, doch noch erkennbare Schein aus Ritterromanen, aus Amadis von Gallien. Von daher das Ruhmredige, wie es schon aus den ältesten Heldengedichten bekannt ist, so dem Waltharilied, wo der Held zehn Ritter zugleich übermannt, oder aus der Sage vom König Rother und dem starken Asprian, der einen Löwen an die Wand wirft, daß er zerbricht. Von daher aber auch das Pathos gegen die Philister, gegen ein Leben, dessen Grabschrift schon mit zwanzig Jahren feststeht, gegen Ofenwinkel und juste milieu. Es entsteht echte Märchenaura wilder Art; die Aura der Stevenson-Welt »von Glut und Kälte, Stürmen und Passaten, von Schiffen, Inseln, Abenteuerweisen, von Ausgesetzten, Schätzen und Piraten«. Und immer wieder hat die ganze Gruppe, besonders wo sie gleichsam ohne Entschuldigung, also ohne literarische Feinheit auskommt, einen Ludergeruch. Der ist zweideutig, kann auf Kukluxer und Faschisten weisen, ja ihnen ein besonderes Reizmittel sein; doch der Ludergeruch weist eben auch auf das berechtigte Mißtrauen der ruhigen Bourgeoisie gegen zuviel Lagerfeuer des armen Teufels. Jede Abenteuergeschichte bricht die Moral des »Bete und arbeite«; statt des ersten herrscht Fluchen, statt des zweiten erscheint das Piratenschiff, der Schütze, nicht in des Regenten Sold. Die Räuberromantik zeigt so noch ein anderes, ein das arme Volk seit alters ansprechendes Gesicht, und die Kolportage weiß darum. Der Brigant war der mit der Obrigkeit Zerfallene, oft hatte er einen mit dem Volk gemeinsamen Feind, desgleichen besaß er häufig Stützpunkte in der Bauernschaft. Nicht grundlos berichten darum italienische, serbische, vor allem russische Volksüberlieferungen von Räubern mit einer anderen Wertung als die Polizeiberichte: Schillers Räuberstück – mit dem Motto: In tyrannos! – ist nur die sozusagen klassische Erscheinung in einem Schrifttum, worin Brigant und Brutus ihre Gestalten tauschen konnten. Hier ist unreifer, doch ehrlicher Revolutionsersatz, und wo anders drückte er sich aus als in der Kolportage? Wäre Schiller, ihr eigentliches Genie, ihr nur treuer geblieben, diese Gattung wäre eindeutig noch ein anderes geworden als abgesunkener Ritterroman und Schatzgräbergeschichte. Kukluxklan und Faschismus setzen von der Kolportage lediglich die kriminelle

Abkürzung und die Wildnis ins Leben. Dagegen das ungemeine Ziel in der Wildnis: Gefangenschaft und Befreiung, Betäubung des Drachens, Rettung des Mädchens, Klugheit, Durchbruch, Rache – all diese Stücke gehören zur Freiheit und zum Glanz dahinter. Nicht der Faschismus, sondern der revolutionäre Akt in seiner romantischen Zeit ist lebendig gewordenes Volksbuch dieser Art. Daher traten außer Schillers »Räubern« unmittelbar vor und nach 1789 die Rettungsstücke, man kann sagen: die Rettungsmärchen, auf; nach Gefangenen wurde gegraben wie nach Schätzen in der Höhle. Und wichtig: das Textbuch zu »Fidelio«, das Trompetensignal selber wären nicht und nicht so ohne die Kolportage, die sie darstellen. Gerade die Fidelio-Handlung ist schärfste, brisante Kolportage, wie bekannt, und sie gehört der Befreiung zu. Tiefer Kerker, Pistole, Signal, Rettung: Dinge, die im gehobenen Schrifttum neuerer Art keinesfalls oder nie von Haus aus derart vorkommen, ergeben eine der stärksten überhaupt vorhandenen Spannungen: die von Nacht zum Licht. Wonach eine Umwertung dieser Gattung, kraft des höchst legitimen Wunschbilds in ihrem Spiegel, besonders evident ist. Hier überall sind verschollene Bedeutungen frisch, unverschollene wartend, wie im Märchen. Glücklicher Ausgang wird erobert, vom Drachen bleibt kein Rest, außer in Ketten, der Schatzgräber findet sein Traumgeld, die Gatten sind vereint. Märchen wie Kolportage sind Luftschloß par excellence, doch eines in guter Luft und, soweit das bei bloßem Wunschwerk überhaupt zutreffen kann: das Luftschloß ist richtig. Es stammt zu guter Letzt aus dem goldenen Zeitalter und möchte wieder in einem stehen, im Glück, das von Nacht zu Licht dringt. Derart schließlich, daß dem Bourgeois das Lachen vergeht und dem Riesen, der heute Großbank heißt, der Unglaube an die Kraft des Armen.

Ach, in der Berliner Atmosphäre
Wird der Mensch im Juli meistens krank,
Wenn ich doch ein Kassenbote wäre
Bei der Dresdner Bank.

O der dunklen Lust, wie Orgeln brausend,
Wenn das Herz in alle Fernen schreit —
Denn mit Dreimalhunderttausend
Kommt man ziemlich weit.

Heil dem Jüngling, der vom Zwang genesend
Diesen wundersamen Traum gebiert,
Wie ein Mensch den eigenen Steckbrief lesend
Fern im Bad soupiert.

Traurig wisch ich meine stille Zähre,
Unterdrücke diesen schoflen Drang
Schon im Hinblick auf die Aktionäre
Bei der Dresdner Bank.   *Peter Scher*

Da ich jetzt von weitem die Türme und den blauen
Rauch von Nürnberg sah, vermeinte ich schier, nicht
etwa eine einzige Stadt, sondern eine ganze Welt zu
sehen.   *Des Johannes Butzbach Wanderbüchlein*

Dieselben Dinge täglich bringen langsam um. Neu zu begehren,
dazu verhilft die Lust der Reise. Sie frischt die Erwartung nicht
bloß an, bevor die Fahrt angetreten, sondern tut das mitten im
Genuß des Sehens. Wünsche, denen nicht mehr zu helfen ist,
überalterte, altjüngferlich gewordene, fallen fort. Das Stockige
fällt fort, das nicht nur dem immer gleichen Alltag, sondern auch
allzu lange herumgetragenen Wünschen eignen mag. Können
doch Wunschträume derart aus der Zeit geraten sein, die ihnen
angestanden hat, daß sie nie wieder erfüllt werden können. Wer
sich in der Jugend einen Kodak gewünscht hat und ihn nicht
bekam, wird den Kodak seiner Wünsche nie mehr finden, auch
wenn er als Mann imstande ist, sich den besten zu kaufen. Solche
Dinge wurden dem Verlangen nicht zu der Zeit oder in den
Umständen teilhaftig, wo sie das äußerste Vergnügen würden
bereitet haben. Der Hunger danach ist grau geworden, ja fast

jedes Ziel kann, wenn zu lange, zu vergebens oder eben auf zu gewohnte Weise dahin gestartet wird, langweilig werden. Neue Waren dagegen erregen neue Bedürfnisse, neue Eindrücke erst recht.

Schöne Fremde

Jede Reise muß freiwillig sein, um zu vergnügen. Sie braucht dazu eine Lage, die gern, mindestens nicht unlustig, verlassen wird. Das erste Gefühl im Wagen oder Zug, wenn er endlich abfährt, entscheidet über das Kommende. Ist Reisen erzwungen oder Beruf, also nicht abbrechend-glücklich, so ist es keines. Geschieht es aus der Langeweile, weil einem sonst nichts mehr einfällt, so fährt diese mit. Sie ist das Gepäck und Geschick, das mit einem selber in der stählernen Kiste über die Schienen geschleift wird. Der Zug hat dann nicht die vergnügte Eigenschaft, die so selten sonst vorkommt: genau in der Richtung zu fahren, in die man sich wünscht. Auch Geschäftsreisende, Matrosen, Emigranten sind nicht auf Reise, letztere trotz der möglichen Befreiung nicht. Reise ist bei allen diesen erzwungen oder Beruf, Bann hier, Verbannung dort. Ist laufendes Band, wie in Fahrstuhl und Fabrik, nicht ein blaues, das der Frühling wieder flattern läßt durch die Lüfte. Glück der Reise jedenfalls ist und bleibt zeitweiliges Entrinnen ohne Nachforderung von zu Hause, ist durchgreifende Umstellung ohne äußeren Zwang zu ihr. Der Reisende des kapitalistischen Zeitalters muß zudem noch Konsument sein können, nicht Bewerber, er verliert sonst die Welt anziehender Fremdlinge, unter denen er nichts zu tun hat, unter denen er keine Gewohnheit hat. Zwar bleibt wahr: nichts ist in der Fremde exotisch als der Fremde selbst; doch dieser sieht als *bürgerlicher* Enthusiast zunächst gar nicht den Alltag der Fremde, am wenigsten will er das Elend in ihr sehen, das ihm den Wechsel auf Schönheit nicht einlöst; er sieht in der Fremde, mit oft heillosem Subjektivismus, sein persönlich mitgebrachtes Wunschbild von ihr. Und dieses allerdings ist meist exotisch genug, entweder so, daß Enttäuschung erfolgt, etwa deshalb, weil Italien nicht aus Lampions besteht, oder so, daß das alte Wunschbild, wenn es die Sache selbst nicht verfehlt, sondern übersteigert hat, neben dem der gewonnenen Erfahrung stehenbleibt, unbelehrt, doch stellenweise auch unenttäuscht. Indem das Wunschbild unbelehrt bleibt, dringt es nicht richtig ins nüchtern Vorhandene ein; der Durchschnittsreisende, ohnehin durch Hotel, Fremdenführer, Wagenfahrten isoliert, nimmt eben die Armut noch weniger wahr als zu Hause. Andererseits aber ist der gleiche Bürger imstande, kraft der eigenen Verfremdung, die er den Gegenständen gibt, keine Abstumpfung des Alltags zu haben und an den Gegenständen gegebenenfalls Bedeutungen zu sehen, die im Alltag nur ein tüchtiger Maler entdeckt. Verfremdung ist hier das genaue Gegenteil zur Entfremdung; innerhalb der bürgerlich-privaten Welt ist die Reise der Mai, der alles neu macht, der einzige. Und die erfrischende Verfremdung wird unterstützt durch ein anderes Paradox der Reise, durch eines, das nun nicht nur dem bürgerlichen Enthusiasten widerfährt, das vielmehr mit dem sich scheinbar aufblatternden Nebeneinander des Raums auch sachlich zusammenhängt. Daraus entsteht eine Art subjektiver Verzeitlichung von Raum, subjektiver Verräumlichung der Zeit, dann besonders, wenn die Schauplätze rasch einander folgen. Die Reisezeit wird so gefüllt wie sonst nur der Raum, und der Raum wird das Medium der Veränderungen wie sonst nur die Zeit. Es entsteht also eine Umkehrung der gewohnten Wahrnehmungsordnungen, es entsteht *gefüllte* Zeit im *bewegt, verändert* erscheinenden Raum. Die alten Abenteuergeschichten rollten den Raum gänzlich in dieser Weise auf, störten seine mythische Starre; jede Reise lebt noch, selber mutatis mutandis, vom Paradox dieses Wandeltraums.

Das vor allem in der Jugend, und besonders in der zu zweien. Ist die Liebe selber eine Reise, in gänzlich neues Leben, so wird der Wert der Fremde, der gemeinsam erfahrenen, durch sie verdoppelt. Wie die Geliebte bereits die Straße verzaubert, in der sie wohnt, samt den geringsten Merkzeichen in ihrem Quartier, den Fenstern, den Laternen, Bäumen, so geht dieser Zauber erst recht auf das über, was die Liebesfahrt zu sehen bekommt. Frisch eingeschenkte Liebe in ihrem ersten aufbrausenden Schaum entführt ohnehin, und erotische Verwandlung sucht auch Verwandlung des Draußen. Den eigenen Überraschungen verbinden sich die des ungekannten Lands, der fremd-schönen Stadt; noch in den Stumpfsten fällt dann Licht, und die Lebhaften werden voll Figur. Wanderer, Weg und Ziel werden in der Liebesreise wie eines; weshalb auch dem Liebhaber und der Liebhaberin, wenn sie getrennt sind, nichts Schönes erscheint, von dem sie nicht wünschen, daß es der andere zugleich sehe, daß es gemeinsam gesehen werde. Noch die bürgerliche Hochzeitsreise kopiert das, wenn sie auch einen Teil der Aussteuer daraus machte. Erotik macht die Welt eindringlich und überall zu Cythera; alles Schöne wird der Erotik eine Flucht von Wunschträumen, von Entführungen und Eröffnungen. Das indische Liebesbuch Kamasutra rät derart in großer Feinheit, man möge der Geliebten nach dem Liebesakt schöne Gegenstände zeigen und erhabene, besonders ungewohnte, seien es Kunstwerke oder Sternbilder. Ihre erste wahre Liebesreise bleibt den meisten Menschen die traumreichste, die am jugendlichsten, also am stärksten utopisch umwitterte Erinnerung. Der fremde Ort besiegelt alle früheren Wünsche nach Ferne; Verfremdung in Schönheit ist der Abend und die Nacht der Liebesstadt, lebt untertags. Und wie Reise der Erotik verwandt ist, so auf anders verbindende Art den Geschäften der *Muse*. Der glückhaft verwandelte Aufenthalt mag nicht grundlos zu dem Wunsch verpflichten, daß Bedeutendes an diesem ungemeinen Ort zustande gebracht werde. Nichts wirkt stärker auf solche Pläne und Hoffnungen ein als eine von der gewohnten Zerstreuung entfernte, selber vorgeformt wirkende, plastische Umgebung. Am bäurischen Tisch in der Loggia dieses Landhauses, den Wein vor sich, unter alten kräftigen Bögen, durch die römischer Himmel sieht – hier scheint die Arbeit zu gelingen. Blicken gar Objekte großer Natur, großer Geschichte in den Fluß der Sätze, dann entsteht der Anschein, als spiegelten sie sich darin ab, als teilten Vesuv oder Monreale sich ihnen mit. Es ist das ein feiner Aberglaube, und er hat Ungewöhnliches, das zum Glauben berechtigt, zustande gebracht. Aus diesem anders erotischen, produktiven Pathos der Reise heraus schrieb Shelley seinen »Entfesselten Prometheus« in den Büschen des Palatin; in der Vorrede legt er Gewicht darauf, er wolle vor einer majestätischen Vergangenheit verpflichtet sein, er wolle vor ihr bestehen. Auch Gegensatz kann derart wirken: Ibsens »Nora«, in einem normannischen Wachtturm bei

Amalfi entstanden, gar Goethes Hexenküchenszene, gedichtet im Garten der Villa Borghese: am Kontrast des Entstehungsorts zum Ort und Tenor der Handlung gediehen Abgeschlossenheit und sonst nie so komplementär erschienene Gegenlandschaft – des Autors wie des Werks. »Wie man nach Norden weiterkommt, so nehmen Ruß und Hexen zu«: aber der *gestaltbare* Hexenrauch nahm gerade unter Pinien zu, in der Klarheit des Pincio; selbst die Walpurgisnacht wurde im Süden konzipiert. Nichts Heimisches alterierte oder machte, zwischen Werk und zerstreutem Alltag, verwischte Ränder. Die Verfremdung, die jeden bedeutenden Gegenstand noch doppelt erhöht macht, wie eine Bergspitze über Wolken, legt gegebenenfalls, mit oder ohne Komplementärwirkung, die Größe des Werks selber frei. Das sind die Wirkungen der reisenden Verfremdung auf die Hoffnung; mit Eros in beiderlei Gestalt, der der Liebe und der der Schöpfung. Und schließlich zu guter Letzt, mit so häufigem Umschlag, was Verfremdung angeht: eine der Neuerungen der Reise mag sogar sein, daß sie auch das *Gewohnte zu Hause* verfremdet. Der so entstehende Affekt heißt Heimweh; er ist sinngemäß einer der durch Ferne so ausgelösten wie ausgewechselten Sehnsucht. Wird doch Heimweh nicht nur durch die Unlust erregt, die das Nichtvorhandensein gewohnter Gegenstände hervorruft, sondern außer dem Heimweh aus Verlust der gewohnten Merkwelt gibt es das produktive, das die verlassene, längst abgestumpft erfahrene Umgebung selber farbig, ja utopisch macht und ihr neue Seiten abgewinnt. Dann wird das Heimweh so von einem Wunschbild getragen wie die Fremde vor Antritt der Reise und in ihr. Und es wird von der gleichen, oft ungerecht, oft aber auch gerecht vergoldeten Erinnerung getragen, die den Reisegang selber nachher vollendet, und die die utopischen Länder im Exotischen kennzeichnet. Mit dem Unterschied freilich, daß die Vergoldung des Heimwehs bei der Rückkehr verschwindet, während das Reisebild post festum noch exotischer wird, gar eine Verwandlung erlangt, die sich ans gute Wunschland der Kunst und anderer Entführungen anschließt oder anzuschließen vermag. Der übers Meer fährt, sagt zwar Horaz, verändert nur den Himmelsstrich, nicht sich selbst. Aber er verändert wenigstens den Himmelsstrich: im einfachen Fall ist das eine Umstellung der Kulissen, im bedeutenderen erwächst aus dem veränderten Bewußtseinsinhalt eine veränderte Bewußtseinslage, die dem Inhalt angemessen werden will. Weiter bezieht sich der Reisereiz gewiß auf eine über die Hälfte nur subjektive Schönheit, auf eine also, die mit Verfremdung vom bloßen Beschauer her und vom bloßen Wunschbild der hochgesteigerten Sache überzogen ist. In der Fremde ist niemand exotisch als der Fremde selbst, so ist auch die Fremde sich selber keineswegs schön verfremdet, und der dort Einheimische hat außer der eigenen Not, die der bloße reisende Enthusiast nicht sieht, selber den Wunsch nach Fremde. Etwa nach derjenigen, woher der reisende Enthusiast selber kommt; all das aus dem gleichen, dem beiderseits vorhandenen Subjektwunsch nach Entfremdung. So daß man sehen kann, wieviel Subjektivität von Haus aus in jedem Reiseerlebnis als solchem steckt, und wie schwierig sie es letzthin machen kann, zu jener veränderten Bewußtseinslage vorzudringen, die dem erblickten Inhalt nicht nur gerecht werden will, sondern gerecht werden kann. Auch Goethes »Italienische Reise«, die so großartig objektiv gerichtete, gelangt dadurch, daß sie tunlichst nur Pro-Klassik, Anti-Barock zu erblicken sucht, aus dieser Subjektivität erst zur Hälfte des wirklichen Italien. Aber die Reise geht einem Wunschbild des schönen Andersseins wenigstens an diesem fernen Punkt nach und einem, das in der Fremde, mit ihren frisch erblickten Wundern, sich dennoch oft leibhaftig bekleidet. Weshalb eben auch post festum das Reisebild so nahe der Kunst verwandt bleiben mag, ja anderer Verwandlung dazu, nämlich der sammelnden zu einer letzten Reise. Der oft berichtete Erinnerungszug in der Sterbestunde, wohl schon im höheren Alter, hat darum nicht nur Menschen, Figuren, Gegenstände an seinem konzentrierten Weg, die gleichsam an der Wiege oder im eigenen Haus gesungen worden, sondern vorzüglich Reisebilder – auch post festum mit utopischer Festlichkeit nochmals verschönte. Und dies letzte Gewürz war wohl schon beim ersten Anblick ungemeiner Gegenstände am Werk, brennend und überdeckend oder aber den wahren Geschmack der Sache verstärkend. Nicht nur Geschichte, auch Geographie hat so darin das Beste, daß sie Enthusiasmus erregt; freilich als einen, der sich zur desto intensiveren Einsicht in die – zum Gewohnten nicht nur kontrastierenden – Gegenstände an ihrem Ort und ihrer Stelle zusammenfindet und aufmacht.

Fernwunsch und historisierendes Zimmer im
neunzehnten Jahrhundert

> Eine Geschichte aus dem zehnten Jahrhundert? – »Wer reitet so spät durch Nacht und Wind?«
>
> *Scheffel, Vorwort zu »Ekkehard«*

Seit die Reise bequem geworden ist, führt sie nicht mehr so weit. Sie nimmt mehr häuslich Gewohntes mit und dringt in den Landes Brauch noch weniger ein als früher. An Stelle der Wanderschaft, des Ritts, des nie vermeidbaren Abenteuers ist im neunzehnten Jahrhundert Verkehr getreten, ein – verglichen mit den heutigen Fluglinien – verblüffend rasch ausgebautes Eisenbahnnetz. Weniges wurde so kanalisiert wie das Reisen; zwei Weltkriege gehörten dazu, um diesen nützlichen Fortschritt zu stören. Das neunzehnte Jahrhundert hatte es immerhin zustande gebracht, daß der Schnellzug ungestört an einer Stelle vorbeisaust, wo nach alten Reisebüchern sich vordem eine Räuberhöhle befunden hatte, und das gefährliche Leben zu Hause war noch nicht recht aufgeblüht. Dafür aber wurde eben die schöne Fremde zu einem kleinbürgerlichen Ferienschmaus umgefälscht. Es kamen die sogenannten Reisegesellschaften, als Mittel, nicht nur die Reise, sondern auch die ihr zugewandten vormaligen Wunschbilder billig auszuführen. Es begannen die sogenannten Sehenswürdigkeiten, und sie standen innerhalb einer für die Tour zurechtgestellten Welt, einer verabredet-italienischen, verabredet-orientalischen. 1864 organisierte der frühere Bahnbeamte Louis Stangen die erste seiner nachmals so beliebt gewordenen Gesellschaftsreisen; sie eröffneten dem gemäßigten Fernweh nicht nur sein Italien, sondern auch seinen vorderen Orient. Sorrent wurde gegrüßt, die schimmernde Blüte der Wellen, auch die blaue Adria, die Inselperle Korfu, Kairo, die Pforte des Morgenlands, und die gigantischen Pyramiden. Alles garantiert, samt Trinkgeldern, alles am Schnürchen, Erklärer inbegriffen, für eine Pauschalsumme pränumerando. Aber auch der ungegängelte Fremdenverkehr wuchs seit der Mitte des Jahrhunderts mit gemehrtem Wohlstand der Mittelklasse immer rationalisierter an; die Welt wurde für die Besichtigung von acht Tagen, von vierzehn Tagen, von vier bis sechs Wochen katalogisiert. Einzig die Alpinistik lieferte, stellenweise, noch Platz für Ungebahntheit, auch für spezifische Fern-, nämlich Höhenwünsche. Ebenso blieb, ja wuchs die lesende Teilnahme des Publikums an den letzten übriggebliebenen Entdeckungsreisen, an denen ins dunkle Afrika und an den Nordpolfahrten; Nansens Buch »Durch Nacht und Eis«, mit den hocharktischen Photographien und den Farbdrucken: Nordlicht-Krone, Nordlicht-Baldachin, gab breitesten Kreisen noch eine Ahnung von unverkaufter Natur. Die unverkaufte suchte der Normalreisende allerdings auch dort, wo er seine ganze häusliche Komfortzelle (living room) mitnahm, und wo die gleiche Coca-Cola-Welt, die die Touristik begünstigte, immer mehr die erträumte Andersheit, auch Märchenferne der Besuchsorte aufhob. Vor allem aber an der Basis dieser sämtlichen Organisierungen: die Touristik gewann, indem sie Seefahrt machte, den Vorderen Orient bespülte oder zu Hause wenigstens die Bilder »Im Fluge durch die Welt« verbreiten ließ, wachsende propagandistische Bedeutung für die heimischen Weltmarkt-, Weltmachtwünsche. Denn das imperialistische Zeitalter beförderte und umgab die Reisebüros dauernd; zugleich aber hat es die Fremdwelt erst recht deformiert. Sie wurde bestenfalls in Gebiete abseits von der Kapitalstrecke zurückgedrängt, hauptsächlich aber wurde sie ein immobiler Fremdenartikel, so lange, bis sie ein anderer, kolonialer ward; – alles geht unter, mit Ausnahme des Abendlands, das ist von hier aus ein gültiger Satz. Die Beschäftigung mit Volksleben, der Streifzug ins Ungestellte, diese konkrete Wahrnehmung wirklicher Merkwürdigkeiten ist lange dahin. Goethes »Italienische Reise«, noch Viktor Hehns Italien-Buch zeigten diese Sachlichkeit, vor allem auch, was erfahrene Folklore angeht. Der sonst so präzise Baedeker zeigt Folklore nicht mehr oder nur noch mit Beschimpfungen, sofern sie nicht ins genormte Aussichtsfenster paßt. Und der Ferntraum erhielt sich erst recht nur um den Preis, daß *Kontrastwünsche* das Exotische überströmten, freilich auch den immobilen Fremdenartikel nochmals zu einem Artikel gemacht haben, zu einem, der schlechthin die Marke: Nicht-Zuhause trägt. Als wenn die Fremde lediglich das Gegenteil von Krefeld oder auch Minneapolis oder auch Liverpool wäre, als wenn sie nicht ihre eigenen Bedeutsamkeiten, ihre nur mit sich selbst vergleichbaren, mit sich führte. Dem bloßen Kontrastwunsch steht nun so Eigenes wie etwa süditalienische Kirchenfeste oder wie die noch erhaltenen Karawanen, Kamelmärkte und Basare des Orients nicht etwa disparat zur heimischen Welt, auch schließt dies Mittelalter vor den Toren Europas nicht etwa Züge des eigenen gewesenen Mittelalters auf, sondern konträr: genaues Widerspiel zur Heimat des Besuchers wurde gesucht, ein Kontrast, den das Besuchte doch gar nichts angeht. Solche Kontrastwünsche sind freilich älter als das neunzehnte Jahrhundert, wenn auch nicht viel älter als das achtzehnte. Sie leiteten bei Winckelmann, in der Suche nach edler Einfalt, stiller Größe, sie wirkten bei Goethe, soweit dieser nicht italienisches Volk und Landschaft, sondern bestimmte italienische Kunstwerke beurteilt, und machten ihn, der von deutschen »Tabakpfeifensäulen« genug hatte, blind für das so sehr vorhandene, so sehr überwiegende Barock Italiens. Anders hatte Delacroix in seinen Algier- und Marokkobildern Gegensatz gesucht, dieses Falls romantisch. Die Glut seiner Raubtiere, Haremsfrauen, Wüstenszene (»férocité et verve«) ist nicht nur Afrika, sondern Anti-Louis-Philippe, Anti-Bürgerkönigtum. Delacroix hatte sogar, aus lauter Anti-Klassizismus, gepredigt, daß die wahre Antike bei den Arabern zu suchen sei. Aber von diesen früheren Kontrastwünschen unterscheiden sich die des späteren neunzehnten Jahrhunderts nicht bloß durch das gesunkene Niveau ihrer Träger, sondern vor allem auch durch dasjenige der Welt, die sie, wenn auch negiert, zu kontrastieren suchten. Indem Venedig nun einfach den Gegensatz zu dem Krefeldschen oder Liverpoolhaften zu geben hatte, erschien es leicht selber als ein überdonnertes Nicht-Liverpool; woran das wirkliche Venedig doch ganz unbeteiligt ist. Und die sogenannte italienische Nacht ist ein ganz anderes als das Gegenteil zu einem nordeuropäischen Industrietag; es sei denn, daß die Nacht für die Fremden gestellt wird. Aber nur auf diese Art erschien das Nie-Erhörte, Nie-Gesehene, das die Ausfahrt subjektiv, sogar objektiv darbieten sollte. Ein Wonnetraum aus Flucht und Ferne, aus Kontrastbildern mitten im kanalisierten Zierat machte seine Reiseandenken, und Sphinxhaftes, das überall liegt, wartete auf bessere Zeiten. Denn die Wunder der schönen Ferne erschließen sich nur ohne transferierten Maskenball, nur mit dem bedeutenden, gar ahnungsvollen Gegenstand im eigenen Saft, an Ort und Stelle.

Nicht zuletzt sollten nach 1850 die vier häuslichen Wände selber unkenntlich werden. Auch dieses mit fern hergeholtem Schmuck, mit einem, den die eigene dürre Zeit nicht gab. Von allem Weißen, Unverhüllten wandte man sich ab, gleich als ob man daran eines Leichnams gewahr würde. Dem hochkapitalistischen Jahrhundert war verräterisch viel daran gelegen, daß jedes seiner Stücke maskiert sei. Das Biedermeier hatte noch, mit besonderer Liebe, ungetünchte Wände oder solche in schlichtem Grün, seine Möbel waren so ehrlich-klar, hell-schön wie wenige andere vorher. Geraffter Mull ließ das Tageslicht doppelt weiß herein, es fiel auf die Vitrine und den Kirschbaumschrank, auf den reinen Rundtisch mit den schlanken Beinen oder der wohlgestalteten Säule, die ihn trug, auf bescheiden-reiche Lyrastühle, auf das sanftmächtige Kanapee. Und wenn man damals dies ganze Wesen auch neugriechisch nannte, so war es doch völlig bei sich zu Hause, war überall mehr Sein als Scheinen. Mit einem feinen Duft von Märchen, Punsch, von der diesen Zimmern eng verbundenen Kunst E. Th. A. Hoffmanns. Das nun hörte um die Mitte des Jahrhunderts mit einem Schlag auf, kopierter Fernzauber, maschinelle Butzenscheibe begannen. Ein reich werdendes Bürgertum legte sich ins Adelsbett, träumte dort vergangene Stile nach, altdeutsche, französische, italienische, orientalische, lauter Andenken. Eine immer wieder erstaunliche Lust kam auf, gar Kein-Sein in Scheinen zu verwandeln, die alltägliche Wohnung unter anderer Flagge segeln zu lassen. Reise-Ersatz, ja Reise-Überbietung in den eigenen vier Wänden wurde die Parole, teils als historische, teils als exotische. Von daher die Stoff-Drapiersucht der Gründerjahre, die Versammlung von Nippes, neureichem Protzenstil, Samt und Atlas durcheinander. Von daher Büfetts als Ritterburgen, die Hellebarden und der Haremsprunk, die Moscheelampen und die Stierhörner – eine ganz rätselhafte Montage. Und sie lag in schummerigem Licht, durch vielfache Draperien des Fensters fallend, durch tunlichst pseudo-orientalische Vorhänge, um die Straße fernzuhalten, um dem Ensemble seine Maskerade zu hüten. Und in das Ensemble klangen die Salonstücke der höheren Töchter, die mit Schleifchen, Trompetchen, Amoretten verzierten, all das falsche Rokoko der »Cascades«, »Carillons« und »Papillons«, der »Pensées fugitives« und »Cloches du monastère«, die »Souvenirs de Varsovie« nicht zu vergessen. Quer ins Zimmer hing überdies sehr gerne eine polierte Stange mit einem riesigen Kelim, als wäre hier Mast und Segel und das Zimmer kreuze arabisch auf dem Weltmeer oder läge im Hafen vor einer indischen Stadt. Daneben fehlte das Spinnrad nicht und das Reiseandenken aus Venedig: die Perlmuttergondel vor einem himmelhohen Muranospiegel. Zu all dieser Wunschmaske als Einrichtung (in den verschiedensten Preislagen ausgeführt, wie sich von selbst versteht) gab aber letzthin das Atelier des Wiener Malers Makart das Modell: hier war das Original historisch-exotischer Verkleidung. Jeder Kommerzienrat entnahm sich daraus, von Tapezierern beraten, die Anregung zum heimischen Fremdleben, bis auf die Staffelei in der Ecke mit dem soeben beendeten Ölgemälde. Um die noch nie so dagewesene Glanz-Utopie des nouveau riche zu schildern, müßte man selber seinen Pinsel in den Makart tauchen, wo er am tiefsten ist. »Das Atelier an der Gußhausgasse«, schreibt ein Zeitgenosse Makarts 1886, »gewann durch die verschwenderische Pracht und Kunstliebe des Meisters mehr und mehr den Charakter eines malerisch angeordneten Museums, welches der Phantasie Makarts den Apparat seiner Hilfsmittel und Vorbilder zu bequemer Benutzung darbot, in dem sich ihm die eigene Existenz und die glänzende Geselligkeit, mit welcher er sich umgab, in ein farbenschimmerndes Kunstwerk verwandelte.« Farbenschimmernd, Tizian, Venedig und vor allem eben Orient, das war die Traum- und Fluchtparole dieser so tief spießbürgerlichen, gelangweilten und pessimistischen Zeit, der Verdeckungszeit, Dekorationszeit, Maskenzeit par excellence. Verkleidung regierte nicht minder den historischen Roman, altdeutsch bei Scheffel (Ekkehard), römisch-germanisch bei Felix Dahn (Ein Kampf um Rom), ägyptisch bei Georg Ebers (Uarda,

Semiramis); alle im Butzenscheibenlicht, auch an Tiber und Nil. Und es bedurfte dieser historischen Verfremdung, weil die exotische Wohnung doch nicht ganz ausreichte, um den Protzentraum von Ritterburg zu erfüllen, und weil die Geschäftsstraße draußen erst recht nicht mit Spinnrädern versehbar war. Trotz der Mühe, die sich auch die Außenarchitektur, wenn man das so nennen kann, mit Kostümen gegeben hat, mit den romanischen Bahnhöfen und gotischen Postämtern, mit indischen Musikpavillons und maurischen Affenhäusern. Und da der rohe Mechanismus dieser Zeit sich mit alldem doch nicht zudecken ließ, so bezog er noch, damit er ebenfalls, gleichsam mit einer gigantischen Wohnungseinrichtung, dekoriert werde, ein Reiseandenken ganz großer Art: die *Natur*. Der Genießer des neunzehnten Jahrhunderts sah in ihr die Nachbildung einer an sich trostlosen, doch gut drapierten mechanisch-materialistischen Aussicht, eine Art *Simili-Panorama* aus Kraft und Stoff. Die letzteren beiden blieben zwar, wie Ludwig Büchner sagte, »die Rohstoffe, aus denen sich das ganze Weltall mit seinen Wundern und Schönheiten aufbaut«, indes für die Ferien, die sich nicht um ihre Schönheit bringen lassen wollten, wurde die Natur zur Prachtausgabe. Hier gebrauchte sogar der Aufgeklärteste die Wörter »Göttin« und »Tempel«; dergleichen leuchtete wie ein Diorama von Firn und Alpenglühen am häuslichen Fenster. »Die Göttin der Wahrheit wohnt im Tempel der Natur«, sagen Häckels »Welträtsel«, die Stoff und Kraft so sehr koloriert und veredelt haben, »sie wohnt im grünen Walde, auf dem blauen Meere, auf den schneebedeckten Gebirgshöhen.« Ja in dem Maße, wie die Makartwelt um die Jahrhundertwende gegen Böcklin, anders gegen Klinger nachließ, wurde die überfüllte Wohnung wieder klassischer, sozusagen, und der Orient gegen lauter Mittelmeer eingetauscht, ohne daß freilich die Draperie verschwunden wäre. Der Raum legte nur gleichsam Weiß-Gold-Maske an; zur Gasbeleuchtung trat Cäsar Flaischlens »Sonne im Herzen«, zur Architektur des historischen Romans trat Carl Larssons »Haus in der Sonne«, von 1895, als eine Art von kosmisch, nicht mehr bengalisch beleuchteter Lebensform. Das ergab jetzt eine Jugendstil-Erotik neben der der gemalten Sklavinnenmärkte in Kairo, eine »halkyonische« Erotik neben der des Palmbaums im Salon und der deutschen Renaissance auf türkisch. Die spezifische, nur im neunzehnten Jahrhundert vorhanden gewesene Traumschicht, worin der überfüllte Kitsch und alle die angegebenen Seltsamkeiten gestanden haben, historisch-exotisch-utopisch dekorierend, besetzte sich jetzt mit heller Beschworenem, aber immer noch mit Beschworenem. Ein Harems-himmel hatte fast über der ganzen Zimmereinrichtung des neunzehnten Jahrhunderts gestanden, nun wird das orientalische Zypern im eigenen Heim, im eigenen Naturtempel mit einem sezessionistisch-antikischen vertauscht – und bleibt doch Zypern als Genrestück, als Exotik des Schein-Jahrhunderts. So nicht zuletzt in dem Prospekt, den der Häckelianer Wilhelm Bölsche gleich einer Draperie »edler Nacktheit« vom Tempel der Natur gemalt hatte: »Lichte Zukunftswelt eines besseren, auch von seinen Schlacken gereinigten Griechentums; wo Sitte und Nacktheit, reine Weihe der Kunst und heißer Duft des Liebesfrühlings auf gemeinsamer Blumenwiese beieinander lagern können, ohne sich zu stören, während der weiße Tempel mit seinem heiligen Vorhang vor den tiefsten Mysterien des Lebens wie des Denkens still darüber zum Himmelsblau ragte... Wann werden wir aus dem tiefen Schattental unserer Irrungen deine Insel der Seligen erreichen?« Wie ersichtlich, fehlt auch hier der Vorhang nicht, eine Art antiker Portiere, die man sich gern vor dem Eingang des Tempels vorstellt, gleich Reizwäsche vor der Geliebten oder auch gleich dem hängenden Kelim im früheren Salon, nur nicht als Segel gedacht. Solch antiken Tempel mit Vorhang auf Blumenwiesen gab es nicht, er ist gleichfalls geträumtes Kontrastbild aus Reisebildern. Er fand sich, mehr weiße Ölfarbe als Marmor, auf damaligen Ausstellungen, sein Urbild erscheint als Spielwerk, zuweilen in Schloßgärten des späten Rokoko, auch auf klassizistischen Stichen. Überall wirkt hier, noch um die Wende des neunzehnten Jahrhunderts, schöne Fremde dekorativ, nämlich als die besondere Art von angeordneter, von gestellter Utopie. Vor allem über Zimmer- und Bilderwelt der Gründerzeit lag der echte Fluch der Kopie (hergestellt durch Fabriken), der falsche Segen einer Exotik in Plüsch, einer Passage als Wohnung, eines Panoramas als Einrichtung. Die reiche, die korinthische Säule in allen Ehren, aber sie besonders muß die

allerechteste sein; denn ihr Ort ist nicht die Protzerei des kleinbürgerlichen nouveau riche, nicht der zugestellte Mangel an
Phantasie, sondern deren Überfluß.

Aura antiker Möbel, Ruinenzauber, Museum

Das Sammeln ist eine besonders vertrackte Art abzureisen, seit
je. Es zieht zusammen, hält alles bei sich, berührt sich mit Hab-
gier und Geiz, insofern bleibt es ganz eng zu Hause. Es sucht
andererseits das Seine so weit umher wie möglich, durchstreift
alle Winkel nach altem Gerät, macht sich nichts daraus, den davon
Besessenen zu ruinieren, insofern ist es hinlänglich extravertiert.
Das ist widersprüchlich, aber in dem Wunsch einig, sich mit Seltenem zu umgeben, zeitlich oder räumlich Fernes gleichsam als
Kapsel zu haben. Gesammelt werden kann alles: Knöpfe, Wein-
etiketten, Schmetterlinge, besonders häufig Briefmarken. Das
Sammeln antiker Gegenstände, nicht mehr vorhandener oder
exotischer Kunst ist nur die edelste Jagdart unter den übrigen.
Auch die Sucht nach Vollständigkeit findet sich beim Marken-
sammler ebenso wie beim Porzellansammler; der Wunsch, einen
Satz, und der, ein Service komplett zu haben, ist der gleiche. Und
die Seltenheit bestimmt hier wie dort den Preis, handle es sich
um eine abweichende Zähnung oder um eine auch seitlich geschweifte Barockkommode, die die Hälfte mehr kostet als eine nur
vorn, an den Schubladen, geschweifte. Bei allen Sammelobjekten
ist die Arbeit des Händlers, als eines Finders von Raritäten, produktiv (eine der wenigen produktiven im Verteilungsgeschäft);
bei allen reguliert die Konkurrenz der Liebhaber den Preis.
Trotzdem unterscheidet sich Kunstsammeln wesentlich von dem
übrigen, denn das Seltene ist in diesem Feld zugleich das Nicht-
Wiederherzustellende, das Unwiederbringliche. Während Briefmarken und ähnliches heute so ziemlich dasselbe sind wie vor
hundert Jahren, eignet dem alten Möbel, Samt, Porzellan eine
verlorene Güte, ein verschwundenes Handwerk, eine versun-
kene Kultur; und dieses qualifiziert die Seltenheit. Zum Unterschied von der eintönigen und immer eintöniger werdenden
Maschinenware geht ein ungenormter Reichtum im Antiquitätenland auf, ein stets aufs Neue verblüffender. Die einfachsten

Fayenceteller sind bereits verschieden, wenn ihre Herstellungsorte fünf Wegstunden voneinander getrennt waren. Kein Orientteppich, mit Ausnahme der Buchara und Afghan, ist dem anderen gleich; zwischen einem Frankfurter und einem Danziger Schrank, obwohl sie beide barock sind, bestehen Unterschiede wie zwischen Hoftor und Schloßportal. Das alles ist getrennt durch Lokalität, Auftrag, Überlieferung, doch alles ist unwiederholbar geeint im soliden Handwerk, Stück für Stück eigens angefertigt, und alles verband eine geschlossene, langsam gewachsene Kultur. Heutiges Sammeln von Altertümern bedeutet daher Abkehr von der Maschinenware, Hinwendung zu einem unwiederbringlich gewordenen Hausbild, das zugleich das behaglichste und phantasievollste war. Dieser Sammler-Eros wird auch durch die unleugbare Herkunft seiner heutigen Gestalt aus dem vorigen Jahrhundert nicht geschwächt, genauer: aus dessen Dekorationszimmern. Er wird nicht geschwächt, weil sich ja die Antiquitätenfreude auf alles andere eher beziehen will als auf protzig hergerichtete Kopien und die sogenannten Stilmöbel. Sogar die gefälschten Antiquitäten sind selten an die Bedürfnisse und Schmuckwünsche eines neureichen Protzentums adaptiert. Alle echten aber sind Zeugen einer durch den Kapitalismus zerstörten Formgewißheit, erhaltenes Strandgut aus verlorener Schönheit. Mit romantisch-reaktionärem Antikapitalismus hat die Einschiffung nach dem Antiquitätenland gar nichts zu tun, wohl aber mit der Einsicht, daß der späte Kapitalismus der Todfeind der Kunst war, vorzüglich der im Hausgerät. Als ehedem schön gelungenes bildet es weiter sein beglückendes Ensemble, aus dem gleichen Boden stammend, aus der gleichen, phantasievollen Fruchtbarkeit. Auch verstehen sich alle diese guten Stücke untereinander, schließen sich, noch in der Mischung, einander an, wie, um Beispiele aus Architektur zu gebrauchen, aus Würzburg, aus Worms, ein Seitenportal aus reinem Rokoko sich bruchlos an einen romanischen Dom angeschlossen hat.

Es bleibt zwar wahr, der Wunsch abzureisen liegt auch dem Sammeln echter Altsachen zugrunde. Das verbindet in etwas mit dem faulen Fernzauber von ehedem, das kannte der wirklich echte Bewohner wirklich echter Umgebung nicht. Aber er kannte den Wunsch, der heute noch einen wichtigen Teil des antiquarischen Aufenthalts ausmacht: den Wunsch, in mehreren alten Zeiten, fernen Landen *gegenwärtig* zu sein. Es ist der Wunsch des Justizrats aus Andersens »Galoschen des Glücks«, ins gotische Kopenhagen zu gelangen; die vielen Zauberei-Geschichten, die den Adepten ins alte Troja oder an den fernen Ganges versetzen, sind von gleicher Art. Welch ein Traum, einen Tag, nur eine Stunde im Porzellanjahrhundert verweilen zu können, gar im alten Athen, Rom, Byzanz, Memphis, Babylon. Lebend durch die alten Straßen und Häuser gehen zu können, in einer Zeitreise nach rückwärts, gegen den Tod, hinter die eigene Geburt. Der Besucher findet einen Widerschein dieses unnatürlichen, gegen den Lauf der Dinge gestemmten Wunschbildes in Pompeji. Und sicher ist ein Stück Pompeji in jedem alten Weinkrug, lebt im Klang, womit die barocke Schranktür ins mächtige Schloß fällt, im entlegenen Schein der Zinnteller. Am wildesten, auch am meisten voll ineinander gestellter Spiegelungen ist diese Rückwärtsreise mit Wünschen in jedem gut überfüllten Antiquitätenladen. Balzac beschreibt eine so gegebene Wunschserie oder Spiegelmontage ganz unvergeßlich im »Peau de chagrin«. Ein junger Dichter betritt hier das Magazin, »betrunken vom Leben und vielleicht schon vom Tod«, und als solcher Voyeur erfaßt er die Quer-Montage, erfährt er den ineinander gespellten Aufenthalt in Vergangenheit, in Ferne, in Spiegelgalerie. »Er mußte die Gebeine von zwanzig Welten sehen... Krokodile, Affen, ausgestopfte Riesenschlangen grinsten Kirchenfenster an, schienen nach Büsten zu schnappen, Lackkästchen haschen und auf Kronleuchter klettern zu wollen. Eine Sèvresvase, auf die Madame Jacotot Napoleon gemalt hatte, stand neben einer dem Sesostris geweihten Sphinx... Gerätschaften des Todes, Dolche, fremdartige Pistolen und geheime Waffen, waren kunterbunt mit den Gerätschaften des Lebens durcheinandergeworfen: mit porzellanenen Suppentöpfen, Meißner Tellern, durchsichtigen chinesischen Tassen, antiken Salzfässern und feudalen Konfektdosen, ein elfenbeinernes Schiff mit vollen Segeln schwebte auf dem Rücken einer bewegungslosen Schildkröte. Eine Luftpumpe drang in das eine Auge des Kaisers Augustus, der in regloser Majestät verharrte... Auf diesem Kehrichthaufen der Welt fehlte nichts, nicht das Kalumet der Indianer, noch die grüngoldenen Pantoffeln des Harems, nicht der maurische Jatagan noch das Idol der Tataren. Alles gab es bis zum Tabaksbeutel des Soldaten, dem Ziborium des Priesters und dem Federschmuck eines Thronsessels. Dieser Bilder Verwirrung war überdies noch von tausend launenhaften, spielenden Lichtern überflogen, voll eines wilden Durcheinanders von Nuancen und des stärksten Gegensatzes von Helle und Finsternis. Das Ohr meinte, abgebrochene Schreie zu hören, der Verstand holte tausend unbeendete Trauerspiele aus dem Chaos, und das Auge glaubte, kaum verhülltes Leuchten zu gewahren.« Dem jungen Dichter wurde die Verzweiflung gestillt, die ihn in dieses Magazin getrieben hatte, er verwandelte sich in Ritter und Bajaderen, in verschollenes Wachs, Eisen, Sandelholz, rings um ihn komprimierten sich hundert Zeiten und Räume in eine einzige Perspektive. »Bald wurde er zum Seeräuber und umgab sich mit dessen ganzer düsterer Poesie, dann bewunderte er zarte Miniaturen, azurne und goldene Ornamente, die eine kostbare Meßbuch-Handschrift zierten, und vergaß die Erregungen des Meeres wieder. Eingelullt von einem Gedanken voll Frieden, vermählte er sich von neuem der Wissenschaft, lag in den Tiefen einer Zelle und sah durch ihr Spitzbogenfenster über die Wiesen, Wälder und Weinberge seines Klosters hin.« Die so geschilderten Ausschweifungen ergehen sich ersichtlich stets in *Strandgut-Montage*, nicht in den Dekorationszimmern des französischen, gar des deutschen zweiten Kaiserreiches. Balzacs Betroffenheit ist nicht einmal romantisch, sondern sie ist, auf neue Weise, in ihrem Verfallensein ans Trümmerhafte schlechthin barock. Der Antiquitätenladen Balzacs ist ein Schausaal von Vergangenheit und Ferne, Strandgut wird so allegorisch.

Was bedeutet, daß das verschwunden Erhaltene wirkt, als gäbe es nun erst seine letzte Schöne frei. Das Verwitterte erscheint dann, als ein bloßes der Oberfläche, wie schwermütig-heiteres Lichten, wie Lichtung; so entstand manieristisch, bei Balzac noch anklingend, der Kult der *Ruine*. Die Vergänglichkeit, am menschlichen Leib und Glück so beklagt, erlangte, als gestaltete und ebenso eröffnete, damals einen seltsam-figürlichen Wert. »Mit blassen Leichen prangen«, das gab dem Schluß barocker Trauerspiele seinen Schmuck; nicht anders wurden die Trümmer als solche geehrt, welche aus der Antike herüberstarrten (vgl. Benjamin, Ursprung des deutschen Trauerspiels, 1928, S. 176f.). Der gesamte barocke Manierismus reflektierte das Zwielicht, das aus dem Ineinander von aufsteigendem Bürgertum und tonangebendem, prekär-mächtigem Neufeudalismus entstand; wobei freilich die Vergänglichkeit, als eine im Sturz aufgehaltene, durchaus noch Form bildete, also keineswegs in Nihilismus fiel. Die Ruine mußte so ziemlich genau die Mitte halten zwischen dem Zerfall und einer hindurchscheinenden, sozusagen erst integren Linie; diese schwebende, in der Schwebung gleichsam angehaltene Mitte machte sie, im barocken Sinn, malerisch. Die Ruine hatte weiterhin, fürs barocke Christentum, den Blick in die Vergänglichkeit mit dem einer Welt am letzten Tag verbinden lassen; diese Mischung von Vergänglichkeit und Apotheose machte die antiken Trümmer ehrwürdig, nicht nur schön. Also wurde die Ruine – ungebrochenen Zeiten mehr ein Schreck als ein Wunschbild – die Kategorie, unter der die Antiquität zum erstenmal erbaulich wurde. Und mehr als das: ein Abglanz der vielen Märtyrerszenen in den Bildern des Barock fiel auch auf die Trümmer vergangener Schöne. Die Renaissance hatte, wo sie Ruinen antiker Tempel darstellte, diese noch aus lauter herausgelösten und gleichsam vorzeigbaren Mustern bestehen lassen. Aber Bilder und Stiche der zwei nachfolgenden Barockjahrhunderte verwenden die Ruine, um gerade das klassische Muster, als eines des Maßes und der Symmetrie, barock umzuformen. Die Trümmer wurden neue Elemente eines eigenen, entschieden unklassischen Emblems, einer Allegorie der Vergänglichkeit, auf der die Ewigkeit sich niederläßt. So wurden die Reste des Altertums vom barocken Darsteller eher im Zerfallenen überschönt, als ins Intakte restauriert; das selbst bei Piranesi, wie erst bei den Empfindsamen der Antike als Sonnenuntergang. Piranesis »Vedute di Roma« sind sehr genau, sie wollen Anschauung geben und wurden so, im beginnenden Winckelmann-Jahrhundert, empfangen, doch auch hier sind die Torsi als solche, in ihrer elegisch erwünschten Schönheit, durchaus überbetont. Gar die eigentlichen Barockmaler, die der melancholisch-trunkenen Phantasie, haben Trümmer-Antike auch dorthin gesetzt, wo sie an Ort und Stelle überhaupt nicht vorkommt: Chisolfis »Ruinen von Karthago« (Dresden) geben um 1650 ein vorzügliches Exemplar dieser Gattung. Büsche, geborstene Mauern, malerisch herabgerollte und verstreute Säulen machten hier die Herrlichkeit des Altertums durch Vergänglichkeit besonders kostbar. Drückt die gemalte Architektur allemal Wunschträume am zwanglosesten aus, so hier die: christliche Elegie im antiken Hymnus zu haben. Und ein Abklang des Barock war noch die Empfindsamkeit, »wo der Vorwelt Schauer uns umwehen«; daher ist sie von künstlichen Säulenstümpfen bevölkert, nicht nur auf Gräbern, auch von künstlichen Ruinen insgesamt, so im Schloßgarten von Schwetzingen. Zudem traten außer den antiken Trümmern nun auch die der mittelalterlichen Burgen in den Gesichtskreis, sonderlich zum Spuk geeignet, neben der antiquarischen Erbaulichkeit. Ruinen galten seit je, schon in der Antike selbst und in Tausendundeiner Nacht, als guter Aufenthaltsort für Abgeschiedene: also wurde diese Szenerie, besonders als sie sich in heimischen, in gotischen Mondschein verschob, der legitime Ort des mit dem achtzehnten Jahrhundert beginnenden Schauerromans. Wie verschieden wirken diese sentimental gesuchten Ruinen von den entsetzlich wirklichen, die die amerikanischen Terrorangriffe hinterlassen haben. Wie verschieden aber auch war damals schon die Aura, welche bloße Vergänglichkeit und ihre Elegie verliehen, von dem Grauen, das ohne alle Aura (es sei denn der der Sinnlosigkeit) in den öden Fensterhöhlen wohnt. Wie weit aber auch war die damalige Kategorie Antiquität, diese mit Ruinenzauber, ja Ruinenchiffern vermehrte, von den Restaurierungsbegriffen des neunzehnten Jahrhunderts entfernt; wie verschieden ist die Andacht zum Torso vom Trieb zu seiner Ergänzung. Als 1820 die Venus von Milo ausgeackert worden war, wurden die fehlenden Arme, bald nachher und das ganze Jahrhundert hindurch, in mehr als hundert Rekonstruktionen ex ingenio wiederhergestellt; das Barock hätte gerade am Torso seine Erbauung gehabt, eben die der Vergänglichkeit und des Endlichts auf ihr. Aber in wichtigen Bezügen allerdings ist der Ruinenblick auch heute noch geblieben, außerhalb der verklärten facies hippocratica: so im Pathos der Patina, so in dem der Blockeinheit. Das Wunschpathos der Patina reicht von irisierenden Gläsern bis zum Goldton von Pästum, von verwitterten

Dachziegeln (Mönch und Nonne) bis zur edelgrünen Bronze; dies Pathos will die seitdem verflossene Zeit, will sie wie alten Wein oder wie den Abend eines wohlverbrachten Lebens. Anders, ganz unromantisch, aber gleichfalls der Zerstörung nicht undankbar, ehrt Liebe zur Blockeinheit den Einfluß der Zeit, namentlich in plastisch-griechischem Feld: die armlose Venus von Milo erscheint hier als strengere Form, verglichen mit der illusionistischen des kompletten Originals. So kann das kostbare Strandgut überall Bedeutungen herzeigen, die es über seinen ursprünglichen Zustand und ehemaligen, gar alltäglichen, Zusammenhang erhöht macht. Das am stärksten in leeren Zeiten; nicht grundlos stieg das Museum selber, aus der fürstlichen Schatzkammer entstanden, erst im neunzehnten Jahrhundert zu seinem belehrenden, bewundert-mahnenden Glanz. *Antiquität insgesamt:* sie ist großenteils gewiß ein Unwiederbringliches, ein Vineta unter den Wassern der Vergangenheit. Aber sie ist im Zeitalter der Maschinenware und der formalistischen Bauhaus-Impotenz, die die dekorative des neunzehnten Jahrhunderts so stolz abgelöst hat – ebenso ein utopisches Zeichen. Ein mahnend-utopisches Zeichen dessen, was Fülle, was Ornament, was tüchtig umgebende Phantasie war und nicht bloß war, sondern unbeendet ist. Selbst eine wirkliche Neuschöpfung wird und muß – als solche – auch Altertum in sich haben, mit- und fortarbeitendes, wie sich versteht, nicht kopiertes. Der Grad von Neuheit macht ein Werk wichtig, aber der Grad von Altertum macht es kostbar, und beide Bestimmungen gehen im Werk, das ein Kulturerbe so antritt wie selber hinterläßt, Hand in Hand. Die Maschine hat andere Bedingungen geschaffen, als sie die handwerklichen waren, denen alle Antiquitäten entstammen, aber so wenig wie der kapitalistisch erzeugte Maschinenmensch von heute bleibt, so wenig ist eine Maschinenware, die bloß der allgemeinen Mechanei und ihrer Einfallslosigkeit entspricht, das letzte Wort. »Eine Geburtszange muß glatt sein, aber eine Zuckerzange mit nichten« (Geist der Utopie, 1918, S. 22); jeder echte Künstler liebt das Ornament, auch wenn das echte Ornament eine Epoche, die durch Mechanei wie Kitsch so sehr dezimiert worden ist, noch nicht wiederliebt. Die Reinigung von den Greueln des neunzehnten Jahrhunderts ist vorausgesetzt, dies allerdings als conditio sine qua non, doch jenseits dieser Reinigung steht als Aufgabe eine Ausdruckswelt, die die Fülle des zur Antiquität Gewordenen fortsetzt, nicht vernichtet. Ein heftiger, wenn auch keineswegs schon gesegneter oder gar vom Epigonentum des Epigonentums befreiter Farben-, Formen-, Ornament-Wille geht durch die von der Mechanei befreite Welt. Er erweist, daß das Licht, das die ganze Geschichte hindurch bis zum Einbruch der Maschinenware geschienen hat und alle unsere Museen erfüllt, nicht im Bauhaus und ähnlichem Leerjubel erloschen ist. Je drastischer der architektonische Pseudo-Fortschritt, nämlich ins Nichts, desto mehr werden Antiquitäten im alten Wunschbild ein neues Vergißmeinnicht, ein nicht romantisches. Die jetzt im Lauf befindliche Realität hat genug Vor-Schein, um – gegen allen Lombard beim neunzehnten Jahrhundert – Gebilde von bisher unbekanntem Menschen-Ausdruck hervorbringen zu können. Es ist das Zeichen eines schlecht Gebauten, also der meisten neuen Geräte und Straßen, daß es nicht alt werden kann, sondern im Lauf der Jahre nur verrottet. Und ebenso ist es das Zeichen einer geborenen Kostbarkeit, daß sie nach angemessener Zeit ans große alte Erbe sich anschließt und seiner wert ist.

Schloßgarten und die Bauten Arkadiens

> Hier ist's jetzt unendlich schön, mich hat's gestern abend, wie wir durch die Seen, Kanäle und Wäldchen schlichen, sehr gerührt, wie die Götter dem Fürsten erlaubt haben, einen Traum um sich herum zu schaffen. Es ist, wenn man so durchzieht, wie ein Märchen, das einem vorgetragen wird, und hat ganz den Charakter der elysischen Felder . . .   *Goethe*
> *1778 an Ch. v. Stein über den englischen Park bei Dessau*

Kein heiteres Haus, das nicht im Grünen steht oder dahin blikken möchte. Dies Freie gehört zu ihm, vor allem das nach eigenen Wünschen gestaltete: der Garten. Er sammelt und ordnet die Blumen, zähmt Fels und Wasser, gibt Wände, die sich von selber öffnen. Der Garten gehört zum Lustwandel und nimmt ihn auf, er gehört zur Frau und zu Cythera. Nicht grundlos schloß sich der *arabische* Garten dem Harem an, eine Landschaft von Liebe, Überraschung und Friede. Zu diesem Ende war er von Kühle und Versteck belebt, von Wasserspielen und Kiosken, Seltsamkeiten fehlten nicht. Der Park der Bagdader Kalifen enthielt Bäche aus Zinn, einen Teich, der mit Quecksilber gefüllt war, ringsum hingen Goldkäfige mit geblendeten Nachtigallen, die auch am Tage sangen, Äolsharfen klangen in den Bäumen. Die Wand der Liebespavillone war durchbrochen wie Filigran aus Elfenbein, durch sie schien der türkisgrüne, morgenländische Himmel. Irrgänge waren beliebt, Spiegelwirkungen, die die Liebesfreude vermehrten (die berühmtesten waren in den Schloßgärten des arabischen Palermo, auch Rom hatte solche Künste bereits aus dem alten Orient geholt). Und wie die Schöne mit Silberspangen und Schmuckketten behängt ist, so der orientalische Garten mit Metallarbeit, Glasblumen, Jade aus China – ein feiner Lusttraum von Natur selber, von Natur als Weib. Die zweite Blüte des Gartens nun kam im *Barock;* das Interesse des abendländischen Absolutismus am orientalischen Despotismus ließ hier zugleich in die arabische Phantasie greifen. So vor allem in den Schloßgärten des siebzehnten und achtzehnten Jahrhunderts, trotz des neuen, vordringlich gewordenen Elements der Repräsentation. Dies neue Element nun siegte in der zweiten Glanzzeit aller Gartenkunst, in der barocken, doch es siegte nie ganz. Der Barockpark wurde der gemessene, geometrisch ausgemessene Schauplatz für zeremonielle Feste, aber auch für eine Natur, die überall chargiert. Sie hatte sich als Randzone des Hofs zu verhalten, halb mathematisches Wesen, halb gebändigte Ausschweifung; sie war Panorama. Es zeigten sich hierbei barbarisch-komische Exzesse, die dem Barockwunsch nach Emblembildung aus allem und jedem entsprachen: Adam und Eva in Taxus, St. Georg in Buchs, ein Drache mit Schwanz aus kriechendem Efeu, hervorragende Dichter in Lorbeer. Doch ebenso schuf der Barockgarten das Nonplusultra dessen, was sich die damalige Gesellschaft unter einer Natur »sans la barbe limoneuse«, obzwar mit Allongeperücke, wünschte und vorstellte. Das aber war Nachahmung der Oper. Es war überdies noch illuminierte Natur nicht nur gestellte Kulisse, im Sinn eines damaligen Edelmanns, der sagte, er liebe die Natur; denn sie sei eine so vollkommene als rationale Verblüffung, große Veduta, als Mischung aus antiken Verhältnissen und orientalischen Launen, kurz als Ensemble aus Reglement und Wunderlichkeit zugleich. Das Rokoko brachte die in alldem wirkende Repräsentation zum Verschwinden, es entfernte von der Natur auch noch die Allongeperücke, doch die orientalische Laune blieb selbst in arkadischem Gewand. Neu kamen marmorne Wunschbilder hinzu, deren Allegorie sich zur sogenannten Tändelei entspannt hat: Amor und Grazien, ziegenfüßige Pane, welche Nymphen umarmen, schwelgerischer Mädchenraub. Alles in verkleinerter, an Porzellan und Kindlichkeit erinnernder Form, unter grünem Laubdach, neben einem träumerisch rieselnden Quell, zur Nachahmung einladend, ein Jardin Eden auf amouröse Weise, in stille Boskette versteckt. Wirklich trat hier ja, wie im orientalischen Garten, der Harem ins Freie, durch außerordentliches, nur katholisch erreichbares Raffinement vermehrt. Und im Barockpark ist sentimentalischer Orient auch ohne sein Raffinement erkennbar, wenigstens dann, wenn diese Wunschwelt nochmals konzentriert, nämlich gemalt wird. Durch die hochantikische Barockgartenwelt, als die Claude Lorrain und der heroische Poussin die südliche Landschaft dargestellt haben, blickt ein durchaus östlich-antikes Mittelmeer; es blickt im hellgoldenen Licht hinter glänzenden Gebüschen, es blickt noch in den Säulentempeln und Ruinen, die allesamt wie Palmyra erscheinen, nicht wie Rom. Veduta herrscht auch im Barockgarten durchaus, échappée de vue ins Unendliche, doch ebenso in Versteck und Fülle. Natur erscheint als vorgeordnetes Abenteuer von Repräsentation und Lust, mit einem Zauberschloß in der Mitte.

Also wurden Häuser aufs reizvollste mit einem Grün vermehrt, das von selber nirgends so wuchs. Auch die scheinbare Abkehr vom künstlichen Wesen, das ein künstlerisches war, hat den Garten dieser Art nicht aufgehoben. Die Abkehr vom französischen Garten geschah um 1750, auf Grund der immer stärker vordringenden bürgerlichen Lebensform; der *englische,* der sozusagen *natürliche Stil* begann. Aber auch die englische Anlage pflegte ihre Wildnis als eine sehr kultivierte, und sie behielt den Menschen in der Landschaft, die Landschaft für den Menschen. Zwar entfernt sich der englische Park, auch der im Rokoko mit dem französischen noch oft gemischte, scheinbar vom Schloß, auch soll er keine Grenze gegen die freie Natur mehr haben. Auch wurde dem Mittelgebirgsgarten wieder Vorzug gegeben vor dem künstlich in der Ebene angelegten: Romantik kündete sich an, die Heidelberger Landschaft begann entdeckt zu werden, der Zürchersee, die angebliche Garten-Natur für sich selbst, scheinbar ohne menschlichen Eingriff. Aber was so entstand, war wiederum nicht gegebene, sondern Wunschnatur durchaus, diejenige Addisons und Popes, dann vor allem Rousseaus, die eines sentimentalisch gewordenen Arkadien, und der englische Park war seine Einleitung. Er entfernt sich nur insofern vom Schloß oder Haus, als er in Wiesen und Gehölz, in Trauerweiden, Schilfseen und Urnen ein neues Parterre bildete, nämlich eines zum Empfindungsbau oder Romantikhaus der ganzen Welt. Daß die Natur in ihrem ursprünglichen, vollkommenen Zustand ein Garten war: diese biblische Vorstellung wurde nun die heidnische, sie durchzog einen elysischen Traum. Selbst die Einöde, der scheinbar äußerste Gegenpol zur Mensch- und Pflanzenwelt, wurde so in Rousseauismus einbezogen, wenn auch erst auf dem Umweg der Romantik. »Der Garten«, sagt derart Friedrich Schlegel, »in diesem symbolisch-künstlerischen Sinn ist schon ein erhöhter, schön gewordener und verklärter Zustand; in der Einöde aber ist es die wirkliche Natur selbst, deren Gefühl mit jener tiefen Trauer erfüllt, die zugleich ein so wunderbar Anziehendes hat« – das Anziehende der Versunkenheit, ja Abgeschiedenheit, die sich selber lebend genießt. Allmählich hatten auch Wüsten und Eisgebirge darin Platz, bereits seit Hallers Gedicht über die Alpen. Sie waren mit Unheimlichkeit versehen, sie lagen an den Rändern, wo Natur zum alten Chaos abfällt, doch auch, wo sie sich über die bewohnten Grenzen ins einsam Erhabene erstreckt. Der englische Garten als architektonisches Gebilde konnte dergleichen selbstverständlich nicht mehr andeuten, aber seine Anlage liebte solche Verdämmerungen oder Abbrüche der Gewohnheiten, er baute noch die Kuriositäten, die er vom Barock übernahm, in Einsamkeit, Entlegenheit. Besonders lehrreich und gleichsam enzyklopädisch wirkt hier ein Garten im Übergang vom Rokoko zur englischen Anlage: der schönste, der Schwetzinger Schloßgarten. Neben

Schilfseen und Urnen wollte hier das Gedächtniswürdige der Welt in Attrappen und Fassaden zusammengetragen werden, ein grüner Schausaal. Aber ein Schausaal, der wiederum nur geäußerte Stimmungen und Wunschbilder zeigte, eine natürliche Schatzkammer aus lauter künstlichen und sentimentalischen Schätzen. Grüner Taxus und weiße Götter, Volière und verschwiegenes Badehaus, Apollotempel und Moschee – all diese Wunschbauten frühester Montage sind vereinigt. Es findet sich ein Tempel des Merkur, einer der Minerva (mit unterirdischer Kammer, als Kultraum der »Weisheit«), eine künstliche Ruine, ein Tempel der Botanik und ein römisches Wasserkastell – alle aus dem Theater des Barock oder Rokoko in den offenen Park übertragen. Das war der Lustgarten großer Herren, der Raum höfischer Naturfeste und Promenaden, doch ebenso liegt bleibend der Hauch einer phantastischen Entführung und Entlegenheit darüber. Die Arie der Susanne aus »Figaros Hochzeit« wohnt genau in dieser Gegend, der Adel Mozartscher Musik klingt in solchen Gärten dicht neben einer Extravaganz, die aus Geschichte, Mythologie, fremden Zonen ihr sentimentalisches und kuriöses Panorama macht. Selbst Voltaire schrieb 1768 an Collini über den schönsten dieser Parks: »Ich will, bevor ich sterbe, noch einer Pflicht genügen und einen Trost genießen: ich will Schwetzingen wiedersehen, dieser Gedanke beherrscht meine ganze Seele.« Und unter all den Baumasken, mit denen solche Gärten versehen waren, fehlte ständig eine einzige, die der Kirche. Statt dessen eben sollte Arkadien versinnlicht oder versinnbildlicht sein: im Barockgarten ein Arkadien mit Kuriosität, im englischen Garten eines mit Zephyr, Mondsichel und Nocturno.

Tolles Wetter, Apollo bei Nacht

Es gibt auch eine Art, sich die Dinge lesend zu verfremden. Und zwar in eben die Gegend hin, wo es weht und raunt und ahnungsvoll hergeht. Dergleichen liegt von der feinen Abendempfindung des englischen Gartens freilich weit weg, hat aber vergröbert, bisweilen sogar vertieft noch das Empfindsame in sich. Dieses ist nun eine völlig bürgerliche Lust geworden, sie wird lesend zu sich genommen, kann also auf dem Lehnstuhl geschehen, besonders leicht sogar. Nicht nur das vorige Jahrhundert leistete Erkleckliches im Lesegenuß von Schauern bei behaglicher Lampe. Die warme Stube machte für tolles Wetter draußen doppelt empfänglich und für die gelesenen Vorgänge, zu denen dieses Wetter pfiff. Rauher Wind bewirkte die Entführung des Lesers in Umstände, die merkwürdig zum Anti-Kaminfeuer gänzlicher Fremde gehören. Diese Entführung geschieht meist schon zu Beginn solcher Geschichten; das öde Haus, »schauriges Zwielicht« sind dazu erwünscht. Am besten bieten sich sogar, erstaunlicherweise, unfreundliche Welt an sich selber, Novembernächte, Schreie, wirre, auch spukhafte Vorgänge zur Wärme des Ausblicks an. Hier landen – obzwar zu einem, gegebenenfalls, noch so herabgesetzten Preis – Wünsche, die jenen nicht ganz unähnlich sind, die einmal zur Ossianwelt getrieben haben, zu Sturmwind, Heide, Nebel, verwehtem Ächzen. Hier wirkt am sichersten der Schuß Chok und Rauhnacht, ja Angstwunsch in den Wünschen, von dem oben gehandelt wurde (vgl. S. 95), der »Gegensinn der Urworte«, der immer dialektische. Ohne diesen, ohne den Mischaffekt, ja Mischgegenstand, der im Schaudern wirkt, wären die Requisiten des Nachtgrauens nicht so voll verhängter Lust. Denn von ihnen ist auch die Verfremdung erfüllt, die das völlig sensationelle Behagen des Grauens ausmacht: der *Schauerroman*. Gerade sein schlechtes Wetter beginnt in der Ossianzeit, es meldet sich zuerst in Horace Walpoles »Castle of Otranto« 1764, läuft weiter zu E. Th. A. Hoffmann, wo stets Geisterstunde ist. Aber auch zu Jean Paul, dessen »Titan« mit Flackerlicht und Hades ebenso reichlich schaltet wie mit Sonne, Alpen und Rom. Edgar Allan Poe wäre erst recht nicht denkbar ohne solchen Aufenthalt im letzten Schein des Abendlichts und in der hereingesunkenen Nacht. Reisebilder dieser Art wohnen in einer Grotte, gleichsam in der Meeresgrotte, worin nach der nordischen Sage Salz gemahlen wird, nicht attisches, aber gotisches. Die Landschaft wird von bitterem Wasser und Nacht durchströmt, die Szenerie wird möbliertes Niflheim. Dunkler Gang und Treppe, Nacht, Friedhof, Eulen, Uhren, unbestimmtes Licht, rätselhaftes Geräusch, Falltüren, gotische Zimmer, Versteck schlechthin, unheimliche Gemälde mit allzu lebhaften Augen:

dies Ensemble füllt vor allem den Schauerroman, wesenhaft. Und geistig-wesentlich bleibt ihm, immer wieder, das sonderbare Wunschglück im Grauen: »Es war wirklich eine sturmrasende, aber doch sehr schöne Nacht, eine Nacht, die grausig seltsam war in Schrecken und in Pracht. Ganz in unserer Nachbarschaft mußte sich ein Wirbelwind erhoben haben, denn die Windstöße änderten häufig ihre Richtung. Die ungewöhnliche Dichtigkeit der Wolken, die so tief hingen, als lasteten sie auf den Türmen des Hauses, verhinderte nicht die Wahrnehmung, daß sie wie mit bewußter Hast aus allen Richtungen herbeijagten und ineinander stürzten – ohne aber weiterzuziehen. Selbst ihre ungewöhnliche Dichtigkeit verhinderte nicht, dies wahrzunehmen, dennoch erblickten wir keinen Schimmer von Mond oder von den Sternen, ebensowenig aber einen Blitzstrahl. Doch die unteren Flächen der jagenden Wolkenmassen und alle uns umgebenden Dinge draußen im Freien glühten im unnatürlichen Licht eines schwach leuchtenden und deutlich sichtbaren gasartigen Dunstes, der das Haus umgab und einhüllte« (Poe, Der Untergang des Hauses Usher). So akklimatisiert wie nirgends ragen auch die Atavismen der Geisterwelt in den Schauerroman herein, mit bleichem oder rußigem Feuer, mit Schlürfen und Klopfen, mit billig-preziösem und jedenfalls disparatem Zauber. Der wunderlichste Spiegel ist hier aufgetan, aber wie immer er phosphoresziert, er zeigt ein Nicht-Geheures der Erfahrung dazu. Gerade dieser Blick, bei Hoffmann mitten in der genausten Beschreibung seiner Biedermeierwelt am Werk, macht den eigentümlichen Realismus Hoffmanns aus. Als einen, der so eindringlich den Abstand zwischen der mittleren Daseinsmisere und den Hoffnungsbildern zeigt, der aber auch, wenn er diese Misere dämonisiert und die Hoffnungsbilder lokalisiert, eine Dimension in der wirklichen Welt aufschließt, die den Schauerroman wie die Hoffnungsbilder darin hier nicht nur als soziologischen Realismus, mit Unterhaltungsfasson darum herum, eingrenzen läßt. Vielmehr: vergessene Grenzsituationen gehen in der gedrückten Reinlichkeit, dem heißen Punsch der biedermeierlichen auf; Hoffmann rapportiert, mit Humor belichtend, was alles noch aus den verlassenen Sektoren hereinreichen, den Alltag durchsetzen mag. Mitternacht ist für diesen Hoffmann zu

jeder Tageszeit, aber zugleich sind die Menschen dem sogenannten Graus der Geisterwelt weder hilflos verfallen, noch behält
gar deren Bann das letzte Wort. Sondern noch das tollste Ge-
zeuge erweckt wie im Märchen kluge Gegenkräfte; sie kehren
die Entlegenheit zum Hellen um, zu dem in seiner Nachtfolie
besonders blau erscheinenden Äther, zum Humanismus. Also
wirft der Justitiar im »Majorat«, einer echten Schauergeschichte,
den abgeschiedenen Daniel ins Wesenlose zurück, also besiegt
der Archivarius Lindhorst, im »Goldenen Topf«, die Hekate
Apfelweib und treibt die Verfremdung fort bis in das Licht eines
wolkenlosen Atlantis. Das ist objektiver Gegensinn zum Grauen
in der Antiquitätenreise des Schauerromans.

29   WUNSCHBILD IM TANZ, DIE PANTOMIME
              UND DAS FILMLAND

                              Nunc pede libero pulsanda tellus.   *Horaz*

              Hippolyta: Doch diese ganze Nachtbegebenheit
                          Und ihrer aller Sinn, zugleich verwandelt,
                          Bezeugen mehr als Spiel der Einbildung.
                          Es wird daraus ein Ganzes voll Bestand,
                          Doch seltsam immer noch und wundervoll.

                              Shakespeare, Ein Sommernachtstraum

Auch was tanzt, will anders werden und dahin abreisen. Das
Fahrzeug sind wir selbst, verbunden mit dem Partner oder der
Gruppe. Der Leib bewegt sich in einem Takt, der leicht betäubt
und zugleich in ein Maß bringt. Werben und Fliehen vor allem,
eine Bewegung, die allemal auch die sexuelle anklingen läßt, das
macht einen Grundzug des gesellschaftlichen Tanzes aus, und je
verrohter dieser ist, desto deutlicher. Aber er ist damit nicht erschöpft, auch ein anderer Schritt oder Wirbel wird nachgeahmt,
in Form gebracht, der zierliche, der gemessene und, in vielen,
besonders russisch erhaltenen Volkstänzen, der der Freude nach
getaner Arbeit. Doch auch im sexuellen Tanz ist ein Gehobenes,
Abgehobenes, das sich sichtlich fühlbar macht, gefühlt sichtbar

wird. Der Tanz läßt völlig anders bewegen als am Tag, mindestens am Alltag, er ahmt etwas nach, das dieser verloren oder auch nie besessen hat. Er schreitet den Wunsch nach schöner bewegtem Sein aus, faßt es ins Auge, Ohr, den ganzen Leib und so, als wäre es schon jetzt. Leicht, beschwingt oder streng, in jedem Fall tritt hier der Leib anders an, in anderes ein. Wobei ein Trieb besteht, immer stärker darin fortzufahren.

Neuer Tanz und alter

Wo freilich alles zerfällt, verrenkt sich auch der Körper mühelos mit. Roheres, Gemeineres, Dümmeres als die Jazztänze seit 1930 ward noch nicht gesehen. Jitterbug, Boogie-Woogie, das ist außer Rand und Band geratener Stumpfsinn, mit einem ihm entsprechenden Gejaule, das die sozusagen tönende Begleitung macht. Solch amerikanische Bewegung erschüttert die westlichen Länder, nicht als Tanz, sondern als Erbrechen. Der Mensch soll besudelt werden und das Gehirn entleert; desto weniger weiß er unter seinen Ausbeutern, woran er ist, für wen er schuftet, für was er zum Sterben verschickt wird. Um aber vom wirklichen Tanz zu sprechen, so kam aus dem gleichen Zerfall, der in breiten Kreisen den amerikanischen Unflat hochbrachte, in bedeutend engeren eine Art Reinigungsbewegung auf. Sie richtete sich freilich nicht gegen den Jazz, schon aus dem Grund nicht, weil sie schon vor dem ersten Weltkrieg begann. Sie richtete sich, im Zusammenhang mit der gleichzeitigen Reform des Kunstgewerbes, gegen den linderen Zerfall, gegen die Verhäßlichungen des neunzehnten Jahrhunderts, denen der Jazz dann erst die beendete Scheußlichkeit aufsetzte. Die neuen Tanzschulen, von der Isidora Duncan, dann von Dalcroze her, suchten ein schöneres Menschenbild im Fleische vorzuzeigen; wobei sie allerdings den Bau vom hohen Dach her begannen, folglich äußerst »weltanschaulich« sein mußten. Als eine von vielen sei die Loheland-Schule erinnert, und zwar deshalb, weil sie die natürliche sein wollte. Sie sah auf die schönen Tiere mit dem in sich gut eingehängten, kerngesunden Gang. Sie ging darauf aus, die zweckhaft verborgene oder eingefrorene Haltung, die das Herr-Knecht-Verhältnis mit sich brachte, von oben herab aufzulösen. Die Glieder wurden in Kursen, die nichts mehr mit Anstandslehre, nicht einmal etwas mit den ritterlichen Haltungen gemeinhaben wollten, zu unverkrampfter Bewegung angehalten, »um die Leibmitte spielend«. Unter den Zuschauern haben Frauen wie auch Männer, besonders nach dem ersten Weltkrieg und in Deutschland, entzückt auf den Spiegel gesehen, wovor und worin so studierte Tänzer sich bewegten. Eine neuartige Boheme, eine sozusagen natürlich-stilvolle, schlank-fechterhafte, wurde damals dekorative Mode; sie hat mindestens einen neuen Frauen- und Schauspieler-Typ gebracht. Formen wurden angenommen und vorgeführt, mittels deren der Mensch als in Freiheit dressiert erschien. Wobei das Beste, was allda so künstlich gesucht wurde, jederzeit dort hätte gefunden werden können, wo die Menschen sich einzig naturhaft bewegten – im Volkstanz. Er allein steht wirklich auf dem Boden, den der immer weiter verkommende bürgerliche Erholungstanz verloren hat. Und er braucht kein Kunstgewerbe, um sich der sogenannten Leibmitte zu erinnern, um gut in den Leib eingehängt zu sein. Die bäuerlichen Gebiete haben diesen Tanz, auch nach der kapitalistischen Vernichtung der Trachten, der Verwüstung der Festbräuche, noch lange erhalten; eine neue sozialistische Heimatliebe belebt ihn wieder und macht ihn wahr. Der Volkstanz ist überall national gefärbt und so überhaupt nicht, wenn er echt bleibt, übertragbar. Es sei denn als Zeuge und Maß jedes unverdorbenen, gruppenhaft gelingenden Ausdrucks von Trieb- und Wunschbildern. Ob deutscher Ländler, spanischer Bolero, polnischer Krakowiak oder russischer Hopak: die Form ist genau und verständlich, der bedeutete Inhalt ist Freude jenseits des Lasttags. Die Gelassenheit wie die Ausgelassenheit besagen: Hier bin ich Mensch, hier darf ich's sein. Und zwar Mensch mit Menschen in der Gruppe, eine rhythmisch bewegte Formfolge unisono. Einzelne Burschen und Mädchen treten durchaus und jederzeit vor, ganze Tänze können der Darstellung herausgehobener Sagenhelden dienen, so der grusinische vom Bergadler, aber wesenhaft bleibt auch dann die Gruppe, die Bewegungen wieder auffangend, abschließend. Jeder Volkstanz ist so Übereinstimmung, die Zeit der Gemeinwiesen, des Gemeinackers ist noch darin erinnert, mitsamt uralten pantomimischen Formen.

Hier macht überall der ganze Körper mit, gibt sich dem Fluß hin. Aber auch Tanz, der nur auf künstliche Haltung gestellt war, starb zu gleicher Zeit nicht aus. Er lebt im exakten Ballett, höfischer Herkunft, dem Volkstanz ursprünglich höchst fern, aber auch unvereinbar mit dem Kunstgewerbe des neuen Tanzes, das sich auf entspannte Bewegung so viel zugute getan hatte. Welcher Gegensatz zu dem Leib um seine Mitte spielend, in der Loheland-Schule und zu allem Ähnlichen, was als eine Art künstliche Natur wogen mochte. Das Ballett hat keinerlei Sehnsucht danach, wohl aber eine nach der graziös oder erlaucht beherrschten Haltung, die einmal zu Rokoko und noch Empire gestimmt hatte, vorab zu feinen Leiden und kühlem Jubel. Beider Ausdruck geht lautlos auf Fußspitzen, in einer Wolke von Gaze und Puder. Dem bloßen Kreisen um die eigene Leibesmitte stellt das klassische Ballett ein recht spiritualisiertes Handwerk zur Seite oder besser entgegen. Denn es zeichnet eine menschliche Landschaft vor, der wie der leibliche Schwerpunkt, so auch die Schwere fehlen soll; noch der Boden wird verneint. Hier trifft es sich merkwürdig, daß das Leicht-Exakte, wie es diesen völlig künstlichen Tanz auszeichnet, mit dem Mechanischen sich berührt; Kleists Versuch über das Marionettentheater grenzt in diesem Punkt bedeutend ans Ballett. Zwar versetzt sich nach Kleist der Maschinist durchaus in den Schwerpunkt seiner Marionetten und läßt die Kurven ihrer Bewegung darum spielen, und doch »haben diese Puppen den Vorteil, daß sie antigrav sind«. Das gelingt hier noch vollendeter als in der erstrebten Elfengeisterweise des Balletts, wenn es den Boden verneint: »Die Puppen brauchen den Boden nur, wie die Elfen, um ihn zu *streifen* und den Schwung ihrer Glieder durch die augenblickliche Hemmung neu zu beleben; wir brauchen ihn, um darauf zu *ruhen* und uns von der Anstrengung des Tanzes zu erholen: ein Moment, der offensichtlich selber kein Tanz ist und mit dem sich weiter nichts anfangen läßt, als ihn möglichst verschwinden zu machen.« Kleist läßt den Vorsprung der Marionette weiter darin begründet sein, daß das Bewußtsein, das ihr fehlt, viel Unordnung in der natürlichen Grazie des Menschen angerichtet habe. Und er zielt damit keineswegs etwa auf irrationale Vorurteile, sondern eben auf das Mechanische, dem die Marionette zugehört, und das ihr mit der Exaktheit zugleich die Grazie gibt. Wobei diese vollendete Grazie dem Menschen erst auf der anderen Seite der Erkenntnis, nach völliger Durchmessung des Bewußtseins und der Erkenntnis, wieder zufallen soll. Nun, so weit auch das Ballett von der Art einer solchen Durchmessung entfernt ist, seine völlige Ratio zeigt das hier Darzustellende, Abzubildende in der Tat mit jener Grazie, die die Schwere, gleich den Marionetten, aufgehoben zu haben scheint. Elegante Lösung, das ist zwar kein mechanischer, wohl aber ein mathematischer Begriff, vielmehr Ehrenpunkt; die gekühlte Ratio des Balletts ist derart anmutig und präzis in einem. So bedachte, was das Ausdrucksvoll-Wesentliche im Exakten angeht, der »Sterbende Schwan« der Pawlowa ein Weißes, Reines, Hinfälliges in der Erscheinung, und im japanischen Ballett wird selbst eine Schlacht nur durch einige sparsam bezeichnende Bewegungsfiguren des Fächers ausgedrückt. Das Ballett ist die Schule jedes durchdachten Tanzes; kein Zufall, daß es in der Sowjetunion mit dem Volkstanz, dieser anderen, buntbäurischen Echtheit, zusammen blüht. Und zwar so, nach dem Wort des praktischen Theoretikers Moissejew, daß ohne diesen Volkstanz das sowjetische Ballett im heutigen Ausdruck gar nicht möglich wäre. Auch können der Volkstanz (mit seinen pantomimisch-dramatischen Mitteln) und das allemal nicht dramatische Ballett je nach den Wunschaffekten und der Handlungsfolge nacheinander, im gleichen »Tanzpoem« verwendet werden. Das sowjetische Ballett (denn das Balletthafte bleibt auch in der Mischform leitend) zeigt deshalb doch keinen Stilbruch. Der gebärdenhaft-reiche Ausdruck des Volkstanzes und der sparsam-präzise des Balletts einen sich realistisch in der abzubildenden Handlung.

Neuer Tanz als ehemals expressionistischer, Exotik

Wo alles zerfällt, fehlt oder fehlte auch der Weg ins Fremde nicht. Er war sogar in der Loheland-Schule schwach eingeschlagen, hin zu den schönen, gut eingehängten Tieren, mit dem kerngesunden Gang. Aber die Spiele um die Leibmitte und ähnliches reichten nicht aus, wo die erstrebte »Haltung« eines großen Teils der bürgerlichen Jugend zu verwildern begann. Wo ein Aufruhr gegen das Menschenbild Bourgeois gar keiner war, auch dort nicht, wo der scheinbare Aufruhr nicht sein faschistisches Gegenteil wurde. Es gab hier, im Reflex des Tanzes, merkwürdige Bildungen, flach- und gewiß auch mißverständlich-irrationale, in denen ein Rapport mit unkontrolliertem Anderssein, mit unzivilisierter Fremde gesucht wurde. Noch spießig wirkte das bei der Impekoven, wenn sie unkenntlich aufgeputzte Genrebilder tanzte. Banalverrückt wurde das gleiche bei der sogenannten Eurhythmie, einer anthroposophischen Tanzschule voller Derwische und Derwischinnen aus der guten Stube, doch sehr kosmisch, wie das Modewort lautete. Hier sollte in den Tanzenden der sogenannte Ätherleib entwickelt werden, überdies das Sonnengeflecht und die Verflechtung mit den sogenannten kosmischen Werdekräften. Zu diesem Zweck wurden auf mehr als wörtliche Weise Gedichte getanzt, derart, daß jedem Vokal sozusagen symbolische Bewegung entsprach, – eine astrologische Übung der abgeschmacktesten Art, doch eben, mitsamt der ganzen Anthroposophie, banal-irrational wirksam. Fremde im geographischen Sinn, aber zugleich archaische zeigte die Tanzlandschaft, die bei der Sent M'ahesa geboten wurde. Diese war völkerkundlich und vor allem kunstgewerblich-mythisch dekoriert, grundfalsch, doch dem Wunsch nach Exotik gemäß in indianischen, siamesischen, indischen Kopie-Tänzen. Bleibt die Mary Wigman oder echter Expressionismus im Tanzbild, mit dem Bisherigen, als irrationalem Spießertum, unvergleichbar. Die Aussage-Grenzen des Tanzes hat die Wigman am meisten vorgerückt, vieles an diesem vorgerückten Tanz und seinen imaginären Szenen war bloß andeutend, doch weniges war abstrakt, nichts war leer. Die Landschaft, die sich im Gongschlag um den neuen Tanz dehnt, schien hier mit einem bezeichnenden Ineinander von Niflheim und Bagdad gefüllt, darin bewegte sich, wie man sagen kann, eine durch Chagall gesehene Hoffmannswelt. Sie war selbst dann darin, wenn die Wigman Bizets Arlésienne tanzte, und höchst verbesserte Hoffmann das Genrebild von Saint-Saëns' Danse macabre. Dazu nahm allerdings auch die Wigman mit ihrer Schule, mit ihrem Nebel-Flamme-Wesen, an der Nachtseite des Expressionismus teil, die er – so gebannt wie geflogen, so geflogen wie gebannt – neben seiner utopischen Grelle oder Helle aufwies. Und die ganze Tanzheit – im Original selber, nicht bloß in seinen Nachahmungen – war einem Dionysischen im mehrdeutigen Sinn zugehörig; wie es denn ohne Nietzsche nie zu dieser Art neuer Tanz gekommen wäre. Da ist der Dionysos, der nach unten hin zum Tanz der Mörder rief, und für den am Ende selbst die Negerplastik nur ein Umweg zur blonden Bestie war. Da ist der andere Dionysos, der den Tanz gegen den Geist der Schwere pries, der in freilich vagerem Dithyrambus den Lebensgott pries, gegen die Mechanei der Verkleinerung und Denaturierung: »Meine weise Sehnsucht schrie und lachte also aus mir, die auf Bergen geboren ist, eine wilde Weisheit wahrlich! – meine große flügelbrausende Sehnsucht.« Auch diese Art Flügelbrausen ließ teilweise, an seinem sehr kurzen Ende, nicht zu fernen Meeren, sondern in den nahen Blutsee des Faschismus tragen; als welchem solche Art Flügelbrausen bereits an seinen imperialistischen Prämissen gesungen war. Dennoch steckt Mehrdeutigkeit im Dionysos und so auch im expressionistischen, selbst exotisierenden Tanz, der ohne das Pathos dieses Lebensgottes auch nicht in Ekstase geraten wäre. Nicht in die dekorative und noch weniger in die echte, welche mit Schleichen, Keuchen, Kauern ebenso das unterdrückte Leben wie mit Flügelbrausen das befreite darstellen wollte. So ist die Wigman-Welt, als freilich einzige und echteste aus der expressionistischen Tanzzeit, noch in ihrer Nachtseite frei von Blut und eine Figurenbildung gewesen, die aus dem ihr zugefügten wie ihrem eigenen Dunkel phantasiereich ins Helle strebte. An originalen Tanzschöpfungen dieses Typs ist ein Erbe antretbar, das sie nochmals, anders auf die Füße stellt, auf diejenigen, welche wissen, wohin zu gehen.

Kulttanz, Derwische, seliger Reigen

Der Tanz war stets die erste und leibhaftigste Form, auszufahren. An einen anderen Ort als den gewohnten, wo man sich als Gewohnter befindet. Und zwar fühlt sich der primitive Tänzer durchgängig, mit Haut und Haaren verzaubert. Sein Tanz beginnt orgiastisch, soll aber auch ein weithin vertragendes Werkzeug sein. Denn gerät der Besessene außer sich, so hofft er sich zugleich in die Kräfte zu verwandeln, die außerhalb seiner, außerhalb des Stamms und seiner Hütten im Busch, in der Wüste, am Himmel hausen. Mit der Maske, welche die Dämonen abbildet, macht er diese sichtbar gegenwärtig, wird er der Baumgeist, Leopardgeist, Regengott; zugleich aber will der Tänzer, indem er in diesen Göttern zu stecken meint, ihre Kräfte zu den Menschen hinüberziehen. Vom geweihten Platz, auf dem der Kulttanz vor sich geht, sollen Saat, Ernte, Krieg vor ihren bösen Dämonen geschützt, mit ihren günstigen oder günstig gestimmten umgeben werden. Trommelschlag, Klatschen der Hände, eintönig rasender Gesang verstärken die Trance, worin das Entsetzen selber helfen soll und eingemeindet wird. Und wichtig ist nicht die Maske allein, sondern eben der Tanz, der sie bewegt, in dessen Sprüngen sie sich schüttelt und Prozession macht. Nichts hierbei ist willkürlich, jeder Schritt ist geschult und vorgeschrieben, doch nicht anders, wie Krämpfe nicht willkürlich sind, und der Besessene keinen Gestus frei hat. Magischer Tanz ist Einschulung in diese Krämpfe, er ist durchaus dämonisch und will es sein. Seine Träger sind auf überlegte Art bewußtlos und auf geregelte wild.

Es geht dem Tanz immer wieder nach, daß er zur Nacht gehört und mit ihr begann. Die Griechen, gewiß, sie haben das Maß erfunden, das Rasende scheint nicht nur unter, auch hinter ihnen zu liegen. Aber auch bei ihnen kam es in dem Haufen bacchantischer Weiber wieder, die im Frühjahr fast rätselhaft ausschwärmten. Fast rätselhaft in einer Kultur, deren Sichtbares wie Geheimes gerade in der Bewegung ganz anders beschaffen ist, dem Willen zum Maß nach genau so beschaffen ist, wie es Goethe sieht oder ersehnt:

Wenn zu den Reihen der Nymphen, versammelt in heiliger Mondnacht,
Sich die Grazien heimlich herab vom Olympus gesellen;
Hier belauscht sie der Dichter und hört die schönen Gesänge,
Sieht verschwiegener Tänze geheimnisvolle Bewegung.

Die Mänaden aber, weit hinter den Nymphen zu Hause, zeigten von alldem nur verschwiegener Tänze *unheimliche, dionysische* Bewegung. Die Arme der Mänaden waren mit Schlangen umwunden, und ihr Gang beschwor den unterirdischen Bacchus mit dem doppelten Geschlecht und dem Stierkopf. Doch verschwand freilich die abbildliche Bewegung um die Nacht-, Fruchtbarkeits-, Abgrundgötter im gleichen Grad wie der dionysische Abgrund überbaut wurde. Und das nicht nur in Griechenland, auch in den Ländern Vorderasiens mit ihren gleichfalls, ja erst recht orgiastischen Tanzriten, Nachtkulten. Der Abgrund wurde zweifach überbaut, mutterrechtlich und vaterrechtlich; das ergab neue und untereinander verschiedene magische Tänze, doch sie waren in der *versuchten Abkehr vom nur Orgiastischen* geeint. Mutterrechtlich-chthonisch waren die phrygischen Tänze um den Lebensbaum beschaffen, sie leben sogar noch in den Maitänzen fort, den über die ganze Erde verbreitet gewesenen. Die Paare hatten in ihnen lange bunte, um den Maibaum geknüpfte Bänder, die Bänder verflechten und entflechten sich in der Bewegung des Tanzes, die so die Verschlingung von Werden, Vergehen, neuem Werden abbilden soll. Die Paare nehmen mit ihrem Bändertanz an diesem *chthonischen Weben* teil, am glückhaft gedachten oder so gewünschten. Vaterrechtlich-uranisch aber waren die Tempeltänze Babylons beschaffen, sie gaben ein Aufsteigen auf den sieben Planetenstufen des Himmels wieder, zugleich ein Abstreifen der sieben »Schleier« dieser Sphären, damit die Seele rein zum höchsten Gott komme. Eine Erinnerung an diese nicht mehr chthonische, sondern *kosmische Pantomimik* hat sich im Islam erhalten, und zwar im Tanz der Derwische. Die Trance gilt hier als Vorbereitung, als das sich Umkleiden der Seele gewissermaßen, um am Reigen der Huri, ja der Engel teilnehmen zu können. Die Huri aber wurden in diesem Orden nicht nur als die Himmelsmädchen, sondern eben als die Sterngeister angesehen, die – ganz babylonisch, ganz chaldäisch – die menschlichen Geschicke lenken. Indem sich der Derwisch in die Drehung der Huri abbildend hineindrängt, sucht er folglich den Gestirnen konform zu werden, ihre Drehung in den eigenen Tanzfiguren motorisch widerzuspiegeln, sucht er den Erguß des primum agens aufzunehmen, um das die Sterne selber kreisen. Ibn Tofail erläuterte das im zwölften Jahrhundert so, daß die Derwische, deren Orden um die gleiche Zeit begann, die »himmlischen Kreisbewegungen als Pflicht über sich nehmen«. Dadurch glaubten sie, am Ende einen Abglanz der göttlichen Bewegung auf sich herabzuziehen, nicht mehr dämonisch, aber siderisch, dem äußeren Himmel zugetan, der Astrologie. So deutlich ist in alldem, mutterrechtlich wie vaterrechtlich, erdmythisch wie astralmythisch, die uralte orgiastische Trance zu überformen versucht. So sichtbar freilich auch hielt in diesen außerchristlichen Kulten immer noch Schamanisches dem Gesetz des Tags die Waage.

Schwieriger allerdings ließ sich der Tanz an, als der Leib selber nicht mehr dreinsprechen sollte. Das Christentum hat der Absicht nach nicht nur den sinnlichen, auch den religiösen Tanz zurückgedrängt. Bedenken gegen ihn, wenigstens als trancehaften, beginnen bereits bei den Juden: Tanz gehört zu den Baalpriestern. Diese schäumen, diese hinken um den Altar (1. Kön. 18, 26), diese haben ihre Derwische, und auch noch die jüdischen »Prophetenhaufen« zur Zeit Sauls traten wie Derwische auf, Pauken schlagend und ekstatisch (1. Sam. 10, 5); eben deshalb wurden sie verachtet. Und eben deshalb wurde verwundert gefragt: »Ist Saul auch unter den Propheten?« (1. Sam. 10, 12); letztere also galten damals noch als heidnisch besessen. Wird daneben oder darüber, mit hoher Ehrung, der Tanz Davids vor der Bundeslade berichtet, so empfand nicht nur Michal, sein Weib, das als eine Erniedrigung, sondern David selber gab ihr die Erniedrigung zu (2. Sam. 6, 22), obzwar mit umgekehrten heiligen Vorzeichen, als Trance vor Jahwe. Diese Heiligung aber blieb sowohl im frühen Christentum wie in der Kirche aus; der Tanz blühte im Mittelalter als höfischer und als Volkstanz, doch nicht liturgisch. »Es ist keinem gestattet«, so bestimmt ein Konzil von 680, »Spiele und Tänze aufzuführen, welche, vom Teufel eingegeben, die Heiden erfunden haben«; – die Gesten des Leibs sind der transzendierenden seelischen Bewegung nicht mehr der Ort, worin sie sich einheimisch macht. Die vorgeschriebenen Schritte der katholischen Priester vor dem Altar enthalten zwar vielleicht noch eine Erinnerung an römische Tempeltänze, aber sie ist auf sparsamste symbolische Andeutungen reduziert, und die Prozession hat einen steifen Schritt. Ekstatischer Tanz bricht nur noch irregulär aus, so bei den Geißlern zur Zeit des schwarzen Tods, und ist dann konvulsivisch. Drüben aber ist seliger Reigen, so wie ihn Fra Angelico gemalt; als ein Wunsch-sein von Bewegung, für das der irdische Körper gewogen und zu schwer befunden wird. Die Bewegungen der Seligen und der Engel wurden vor allem so definiert, daß sie nicht im Raum geschehen, sondern ihren Bewegungsraum mit sich tragen, ja erst bilden. Der Ort, sagt Thomas mit solcher, höchst merkwürdiger Bewegungsutopie (perfectio motus), wird vom Engel, nicht der Engel vom Ort umschlossen, die Engel sind auf virtuelle, nicht auf körperliche Weise ausgedehnt. Der himmlische Tanz wurde daher als einer ohne Schritte und Entfernungen gedacht, als Flug, der seine Strecke nicht kontinuierlich zu durchmessen braucht, und der, als immateriell, überhaupt keine Mühe und keinen trennenden Raum mehr kennt. Aber dergleichen ist nicht für Menschen gebaut; der einzig christliche Tanz war als himmlischer, nicht als irdischer imaginiert. Das Wunschbild eines solchen Tanzes bestand, konnte jedoch – anders als die Tänze der participation magique – nicht menschliche Bewegung hervorrufen oder werden. Es lebte noch im Barock, ja hier besonders eindringlich, wenn es seine jubelnd schwebenden Engel an die Wölbung malte; doch dieses kanonische Schweben ist für die im Fleische wandelnden, die unbeflügelten Menschen kaum im Traum vollziehbar. Nicht grundlos also ist auch jeder neuere Versuch einer Tanzkunst unchristlich gehalten oder aber: das schwerelose Flugwesen derer, die im Fleische wandeln, nimmt, im Ballett, Verwandtschaften mit einem so gänzlich Unspirituellen auf und an, wie es die – Marionette darstellt. So wirkt die weiter bleibende durchaus unabgeschlossene Tanzkunst allemal als eine, die den höchst irdisch verwandelten Leib bejaht; sei es, daß sie aus der Folklore schöpft oder aus der Überlieferung höfischer Tänze, deren letzte das Ballett ist. Wobei wahre neue Tanzkunst nur entstehen kann, wenn ein begründeter, vom Zuschauer geteilter Anlaß zur Freude da ist, zum »nunc pede libero pulsanda tellus«. Die substanziierteste Freude entsteht mit der Erstürmung der Bastille und ihren Folgen, dem freien Volk auf freiem Grund; sie war nicht vor dieser Erstürmung und wird nicht ohne sie sein.

Der Tanz braucht keine Worte, er will auch nicht singen. Was er in die Luft, in die unbekannte Gegend zeichnet, liegt unter der Sprache oder ist ihr entlegen. Liegt er unter der Sprache, dann entsteht, wo immer der Tanz, besonders auch in Gruppen, auf Mitteilung angelegt ist, die übliche Pantomime. Sie wirkt wie taubstumm, ist seit langem so beschaffen, als ob sich die übrigen Glieder nur als *Ersatz* der Zunge abmühten. Das beginnt schon bei so graziösen Gestalten wie Pierrot und Colombine, es kulminiert aber, sobald keine Gebärde mehr sagen kann als: »Ich liebe dich« oder: »Ich hasse dich« oder äußerstenfalls: »Ich bin von Eifersucht verzehrt.« Im antiken Mimus, dem erstaunlich ausführlich und schlagkräftig gewesenen, war diese Gestik bedeutend ausdrucksvoller und vielsagender, erst recht im ostasiatischen. Das kommt nicht davon, daß man hier noch einer angeblich primitiveren Gebärdensprache nahegestanden hätte, die der Lautsprache vorhergegangen wäre. Die Lautsprache, als Grundlage des Denkens, entwickelt mit dem Geistigen erst die Fähigkeit, sich auch wortlos-mimisch auszudrücken. Sich mindestens so viel reicher, variierender, vor allem mehr im Mimus eines Zusammenhangs ausdrücken zu können als die sprachlosen Tiere. Der Grund also für den überragenden Mimus der Mittelmeervölker, verglichen mit dem des Nordens, liegt in der hier erhaltenen Wechselwirkung zwischen Lautsprache und Gebärdensprache. Und die Gebärdensprache, die nach der Lautsprache erst menschlich-geistig ausgebildete, konnte hier deshalb einen Ausdruck außerhalb der Sprache kultivieren, weil im Süden einmal die plastische Verleiblichung stärker ist und weil zum anderen der Affekt-Ausdruck – mindestens in der Mittelschicht, von der Unterschicht zu schweigen – nicht verknappt, verkümmert wurde. »Jede seelische Erregung hat von Natur aus ihre Miene und Geste (quendam vultum et gestum)«, sagt darum Cicero recht südländisch in seinem Buch vom Redner. Und obwohl die Griechen die Pantomime nicht sonderlich pflegten, war ihnen doch die seelische Erregung so eng mit körperlicher Darbietung verbunden, daß Aristoteles die Affekte, bezeichnenderweise, nicht so sehr in seiner Schrift von der Seele als in der über

Rhetorik behandelt hat. Denn wie heute noch bei den Mittelmeervölkern sind es die Affekte, die sich vorzugsweise in der oratorischen Mimik ausdrückten, ja erläutern. Auch das Barock hat von seinem überwiegend italienischen Ursprung her die Gebärdensprache nicht ausgetilgt, sondern sie ganz im Gegenteil outriert; so brachte das Barock die Pantomime besonders groß heraus. Die Italiener, aber auch die Franzosen haben damals, Gesten und Attitüden betreffend, ein ganzes sogenanntes Wörterbuch der Natur ausgebildet; wobei noch Batteux, in seiner sonst so rationalistischen Kunstlehre, betonte, daß die Gebärdensprache auch ungesitteten Völkern, selbst Tieren ohne weiteres verständlich sei. Der dergestalt ausgebildete Kanon stand in Wechselwirkung mit dem der Barockplastik, die ja gleichfalls in ausdrucksvollen Attitüden sich überbot. Auch die Statuen standen damals wie auf der Bühne, und der Mime auf der Bühne profitierte von dem höchst ausgebildeten Expressivo der barokken Statue. Gerade hier freilich zeigte sich, wie sehr jede kompliziertere Gestik, samt Batteux's »naturel dictionnaire de la nature«, die ausgebildete Sprache voraussetzt, obwohl sie sie ausläßt und suo modo lakonisiert. Der über ein Unrecht Empörte, das er nicht zu ändern vermag, wendet den Blick nach oben, den rächenden Blitzstrahl herabrufend: diese und ähnliche Attitüden waren ungesitteten Völkern, auch Tieren keineswegs verständlich, ja sie enthielten so wenig »Natur«, daß sie außerhalb des barocken Idioms, des barocken Katholizismus und des durch ihn gesehenen Blitz-Zeus kaum vorkommen. Dennoch war die so beschaffene Pantomimik nirgends wie taubstumm, konträr, sie wirkte damals beredter als jede Interjektion und auch Tirade. Noch im achtzehnten Jahrhundert ging eine Pantomime »Medea und Jason«, mit reichem Gefühls- und Handlungsstoff, über die Londoner Szene und erlangte europäischen Ruhm. Terpsichore, die Muse des Tanzes, hat sich hier überall mit Polyhymnia, der tönenden Muse der Mimik, verbunden; die Skala des Ausdrucks, besonders des pathetischen, war offenbar groß.

Sie ist seitdem auffallend viel kleiner geworden, hat aber ihre Sprossen nicht ganz verloren. Noch im Niedergang hielt sich ein Rest des Bedeutens, mindestens des eigenartigen Anklangs, den das Spiel ohne Worte erregt. Kommt doch ohnehin das verständliche Schweigen bei vollendener Bewegung dauernd im Traum vor, in dessen sonst so verschiedener Gestalt: der nächtlichen und der des Wachzustands. Auch im Nachttraum werden weit mehr Gestalten, Geschehnisse, Handlungen gesehen als Stimmen gehört; und die Geschehnisse sprechen für sich selbst. Erst recht im Wachtraum laufen ganze lange Spiel- und Wunschreihen stumm ab; denn das optische Vorstellen bedarf bei den meisten Menschen weniger Anstrengung als das akustische. Stumme Bilder steigen fast automatisch aus dem Reich der Wachtraumstimmung, dagegen Rede und Gegenrede müssen meistens erst erfunden werden. Und von diesem überwiegend optischen Wesen, sei es unter dem Schlafwasser oder im Rauch des Wachtraums, gibt die bedeutende Pantomime einen Spiegel. Ja, der wortlose Grund, der die Pantomime sprechend macht, erstreckt sich über den Traum hinaus ebenso in die terra firma des nicht immer gesprächigen Lebens. Auch der Coitus ist unberedt, auch der erbitterte Kampf, auch der feierliche Empfang, zusammen mit langen Strecken jedes Zeremoniells, und als archetypische Erinnerung bleibt: die Ur-Pantomime, lange vor dem antiken Mimus und außerhalb seiner, war, gleich dem Tanz, mit dem sie zusammenfiel, wortlos-magisch. Sie wollte die gleichfalls wortlosen Kräfte der Natur befördern: Feuer wird bei den Navajos umtanzt in der Richtung des Sonnenlaufs, das Bild der Sonne wird schweigend hochgezogen. Bei den Azteken wurde beim Frühlingsfest selbst der Kampf der alten und neuen Dämonen pantomimisch dargestellt, in Japan führten Priesterinnen die Kagura-Tänze auf, den Hervortritt der Sonne mit allen mythisch überlieferten Einzelheiten nachahmend. Kurz, es gibt keinen Kult, worin gerade Pantomime fehlte; der Gemeinde sollte sie in der Sprache der Gebärde sagen, was in Worten so nicht auszudrücken war. Und eben der Traum hat dies lautlos-ausdrucksvolle Spiel, den Lauf und Ablauf von Gestalten bewahrt; der Tagtraum setzt, in seiner bewegten Ausmalung erwünschter Vorgänge, diese stumme Prozession bewußt, aus Eigenem fort. Daher also wurde auch die geformte und überlegte Pantomime nie ganz vergessen, daher wollte und konnte sie, nach dem Tiefstand im vorigen Jahrhundert, als die Skala des schweigenden Ausdrucks auf ein halbes Dutzend grober oder komisch-outrierter Konventionen zusammengeschrumpft war, expressiv erneuert werden. Nichts ermunterte mehr dazu als die merkwürdige Neuform der Pantomime im Film; sie kam sehr bald, nachdem die verschränkten Arme, die ausgestreckten Zeigefinger von dessen Bildfläche verschwunden waren. Indem Asta Nielsen, die erste große Filmschauspielerin, die Kunst besaß, mit einem Zucken des Augenlids, einer Hebung der Schulter mehr auszudrücken als hundert mittlere Dichter zusammen, war das Schweigen noch nicht dumm geworden. Ebenso wurde vom expressionistischen Tanz her eine Erneuerung der Pantomime versucht, so in der bedeutsamen rhythmischen Allegorie, die der Dichter Paul Claudel in den zwanziger Jahren mit dem schwedischen Ballett hergestellt hat; diese Pantomime führt den klaren Wachtraumtitel: »Der Mensch und seine Sehnsucht«. Erinnerung und Sehnsucht umspielen hier den Menschen, er erhebt sich vom Schlaf, tanzt seinen eigenen Willen und den aller Geschöpfe. Claudel erläutert das so: »Alle Tiere, alle Geräusche des unendlichen Walds lösen sich los, kommen herbei, ihn anzusehen... So taumeln in langen Nächten Fiebernde, die von Schlaflosigkeit gepeinigt sind, so werfen sich gefangene Tiere wieder und wieder und noch einmal gegen Eisenstäbe, die nicht zu durchbrechen sind.« Eine Frau erscheint, dreht sich wie gebannt um den Menschen, er ergreift einen Zipfel ihres Schleiers, »sie aber dreht ihn immer weiter um ihn, wickelt dabei den Schleier von sich ab, bis er wie eine Schmetterlingspuppe ihn einhüllt, sie aber fast nackt ist« (vgl. Blaß, Das Wesen der neuen Tanzkunst, 1922, S. 77). Blaß nannte diese allegorische Tanzfolge allzu georgisch einen bewegten Teppich des Lebens, das ist Literatur, aber er konnte sie auch aus ihr selbst erläutern, »als die unendlich wiederkehrende, nicht zu beruhigende Menschenbewegung, wie sie zuletzt aus allen kunsthaften Verkleidungen und Vollendungen unvollendet und als sie selbst sich wieder erhebt«. In der Tat erzeugte dergleichen nicht unbedeutende Pantomime und eine, die sich ohne die früheren mythologischen Stoffe mit menschlicher Sehnsucht und ihren Wachtraumgestalten beschäftigt. Wie erst, wenn nicht der allgemeine Mensch und seine noch allgemeiner geschweifte Sehnsucht tanzen, sondern endlich Konkretheit aufzieht, abgezielte. Das geschieht in Asafjews Ballett-Pantomime »Die Flamme von Paris«, den Sturm

auf die Tuilerien wä̲h̲r̲e̲n̲d̲ ̲e̲i̲n̲e̲s̲ Fests Ludwigs XVI. betreffend.
Im Gegensatz zwischen dem Schrittmaterial der Hoftänze und
dem Ça ira der Revolution entsteht eine völlig unabständliche
Handlung, fast ein Drama ohne Worte. Das alles wird möglich,
sobald der Sinn der Fabel in Gebärden des Schweigens sich vermittelt, in der eigentümlich offenen Aura um wortloses Zeigen
und Handeln. »Saltare fabulam«: dieser Ruhm des alten Mimus
ist der Pantomime also nicht versunken oder unzugänglich geworden. Ja, auch die Hälfte des gesprochenen Schauspiels geschieht noch im Gestus und macht so eigentlich erst Schauspiel,
Schau im Spiel.

Neuer Mimus durch die Kamera

Auffallend nun, wie die Geste gerade filmhaft so reich werden
konnte. Denn hier flimmerte sie in den Anfängen besonders arm
und grob, schien Kitsch zu bleiben. Der Freier auf Knien, die
wogende Angebetete, sie waren der Clou des Kintopps. Aber
bald gab der einigermaßen entwickelte Film selber der verkommenen Pantomime einen erstaunlichen Zuschuß. Insgesamt
wurde durch das Glück, daß der Film als stummer, nicht als Tonfilm begann, eine mimische Kraft ohnegleichen entdeckt, ein bislang unbekannter Schatz deutlichster Gebärden. Die Quellen
dieser Kraft liegen keineswegs klar zutage, so unbestreitbar auch
ihr Effekt ist, verglichen mit dem der üblichen Pantomime, aber
selbst des Theatergestus, im stummen Spiel. Einiges mag im
Film ohne weiteres als ungespreizt erscheinen, weil die gestie-
renden Filmmenschen sich ohne Rahmen, aber auch ohne betonten Abstand von uns bewegen. Die Kamera nimmt das Auge mit,
wechselt dauernd die Gesichtspunkte des Beschauers, die die der
Akteure selber werden, nicht mehr die des Beschauers im Parkett. Seit gar Griffith zum erstenmal die Köpfe der Menschen
in die Handlung hineingeschnitten hat, seit dieser Verwendung
der Großaufnahme erscheint auch das Muskelspiel der Gesichter
wie aufgeschlagenes Leiden, Freuden, Hoffen. Der Zuschauer
erfährt nun an der Großaufnahme eines riesig isolierten Kopfs
weit sichtbarer als an dem des sprechenden Schauspielers auf der
ganzen Bühne, wie fleischgewordener Affekt selber aussieht.

Aber all dies Kamera-Leben wäre nichts ohne besondere Schauspieler, die – im noch stummen Film – die Gebärde zu konzentrierter Feinheit oder Vielseitigkeit geschärft haben. Der Weg ging hierbei gerade von der Nuance aus, also von einer in der früheren Halbkunst Film besonders überraschenden Vornehmheit. Asta Nielsen hat, wie gesehen, zuerst jenes Kammerspiel in die Gebärde gebracht, das den Film von der üblich gewordenen, arg verkommenen Pantomime so weit entfernt hat. Erst mit solchem Kammerspiel war es überhaupt möglich, zu vergrößern, ohne zu vergröbern, Zwischentöne oder scheinbar Nebensächliches ins Blickzentrum zu stellen, Übergänge rascher oder flüchtiger Art (wie das Reichen eines Löffels, das Spiel der Augenbraue bei hoffnungsloser Liebe und so fort) wesentlich zu machen, ja zu einem Ecce homo. Der Film ist gefüllt mit lauter gespiegeltem Auf und Ab von Wunschtraumbewegung oder – jenseits der immer schwindelhafter gewordenen »Traumfabrik« – mit erwünscht-realen Tendenzbewegungen der Zeit, aber damit dieses auf Filmweise an Gestalten und ihrer Handlung nahegebracht werden kann, dazu bedarf es eines mikrologisch ausgeformten Tonfalls – nicht des Worts, sondern der Gebärde. Solcher Tonfall ist auf der Sprechbühne am Wort selbstverständlich, und seine Wirkungen sind erstaunlich: »Gebt mir den Helm«, ist der erste Satz der Jungfrau von Orleans, wird das »gebt« betont, auch leicht gezogen, nicht das »mir«, dann hört das ganze Hoftheater des neunzehnten Jahrhunderts auf, und die scheu Besessene steht da. Der gute Film hat diese Umbetonung oder Sichtbarmachung auf den Leib und die Bewegung bezogen, offensichtlich belehrt vom *neuen Tanz;* wonach dieser also das Rätsel lösen mag, wie die Geste gerade filmhaft so reich werden konnte. Beispiele für die Mikrologie des Nebenbei, das keines ist, sind tausendfach; mit mimischen Instanzen aus dem Unterbewußten wie Geahnten ist bereits jeder gute Spannungsfilm geladen, wie erst – ganz ohne Panoptikum und Attrappe – der kritische Gesellschafts- und der Revolutionsfilm. Ja nicht nur auf Menschen dehnte sich der merkwürdige neue Mimus aus, selbst auf die Dinge, die natürlich stummen, aber auch, wenn der Regisseur es kann, unnatürlich beredten. Hierher gehören die mit dem Schiff schwingenden Kochtöpfe in Eisensteins »Potemkin« oder ebenda die isoliert dargebotenen großen, rohen, zertretenden Stiefel auf der Treppe in Odessa. Der Film »Zehn Tage, die die Welt erschütterten« zeigt im Petersburger Winterpalais nicht die wankenden Verteidiger, er zeigt einen riesigen Kronleuchter, dessen Kristalle leise und immer stärker zittern – wegen der Einschläge, wie sich versteht, mit Übersinn, wie sich erst recht versteht. Aber auch diese Pantomime der Film-*Dinge* ist erst von der der Film-*Menschen* gelernt; alle Künste der Kamera hätten nichts dergleichen zu zeigen, wenn vorher kein Wimperzucken der Asta Nielsen oder kein Handschlag in Großaufnahme das Ihre gegeben hätten. Vor allem die Gegenstände des neunzehnten Jahrhunderts sprechen im Film ihre vertrackte Lächerlichkeit oder ihr unheimliches Versteckspiel aus; so in René Clairs Meisterstück »Chapeau de paille« (1927), so in dem Tonfilm »Gaslight« (1943). Und der Tonfilm, als Form selber, sah nur in seiner ersten Zeit, als er Theaterersatz photographierte, danach aus, als ob die Pantomime, die durch den stummen Film erneuerte, nun zum zweitenmal sterben sollte. Jedoch auch der Tonfilm ist noch überall pantomimisch, wo der Dialog schweigt, es gibt sogar ein besonderes, nur durch den Tonfilm erlangtes Plus pantomimischer Art. Denn die Dinge gewinnen hier dadurch, daß sie auch akustisch aufgenommen werden, eine ganze eigene Schicht von Mimik hinzu. Ja man kann sagen: der Tonfilm brachte das Paradox einer sozusagen hörbaren Pantomime zustande, nämlich einer auf Geräusche bezogenen. Das Mikrophon macht das Schneiden einer Schere durch Leinwand hörbar, durch Wolle, durch Seide, und das recht verschiedene Geräusch, das dadurch entsteht; Anschlagen der Regentropfen ans Fenster, der Fall eines silbernen Löffels auf Steinfußboden, knarrende Möbel gelangen in eine mikrologische Merk- und Äußerungswelt. Überhaupt wird die Kulisse nicht nur beweglich wie im stummen Film, sondern eine Schallkulisse, und ihr Laut verwandelt sich in dinghafte Gebärden. Bisher Unbeachtetes wird belauschbar, auch das leiseste Flüstern, eben so, daß es durchs Mikrophon immer noch ein Flüstern bleibt, ein heimliches, ein verräterisches, eines, das der Geste und dem Zeichen nahe steht. Insgesamt also gehört der Film, indem er durch Photographie und Mikrophon das ganze Erlebniswirkliche in einen flußhaften

Mimus aufzunehmen fähig ist, zu den stärksten Spiegel-, auch Verzerrungs-, aber auch Konzentrierungs-Bildern, die dem Wunsch der Lebensfülle als Ersatz und Glanzbetrug, aber auch als bilderreiche Information aufgestellt werden. Hollywood ist Fälschung ohnegleichen geworden, dagegen der realistische Film in seinen antikapitalistischen, nicht mehr kapitalistischen Spitzenleistungen kann als kritischer, als typisierender und als Hoffnungsspiegel durchaus den Mimus der Tage darstellen, die die Welt verändern. Das Pantomimische des Films ist letzthin das der Gesellschaft, sowohl in den Weisen, wie es sich ausdrückt, als vor allem in den abschreckenden oder anfeuernden, verheißungsvollen Inhalten, die hervorgestellt werden.

Traumfabrik im verrotteten und im transparenten Sinn

Je grauer der Alltag, desto Bunteres wird gelesen. Aber ein Buch verlangt Hocken in der Stube, man kann mit ihm nicht ausgehen. Auch wird gelesenes Wunschleben nur insoweit anschaulich, als es der Leser aus seiner Umwelt, wie ausdeutend immer, schon kennt. Die Liebe hat jeder in sich, doch bereits eine noble Abendgesellschaft ist nicht jedem gegeben, also nicht jedem ganz vorstellbar. Weit täuschender als die Bühne führt der Film dergleichen Begebnisse vor, mit der wandernden Kamera als dem Auge des hindurchschauenden Gast-Beschauers selber. Erst recht brauchen die meisten die Leinwand, um Wüste und Hochgebirge zu sehen, Monte Carlo und Tibet, das Kasino von innen. Im neunzehnten Jahrhundert gab es für solche Fernsicht eigene optische Etablissements, sie hatten bereits großen Zulauf. Es gab die sogenannten Kaiserpanoramen: der Besucher saß vor einem der stereoskopischen Operngläser, die in einer Rotunde eingeschraubt waren, und hinter dem Glas zogen gefärbte Photos aus aller Herren Länder ruckweise, nach einem Klingelzeichen, an ihm vorüber. Es gab vor allem die großen Rundpanoramen, 1883 wurde das erste in Berlin eröffnet, es stellte die Schlacht von Sedan dar, vielmehr: es führte den Beschauer unmittelbar in sie hinein, als wäre er ein Augenzeuge. Wachsfiguren, echter Erdboden, echte Kanonen, gemalter Rundhorizont machten den Besucher bei einem historischen Moment gleichsam gegenwärtig;

das Gebilde war seines Schöpfers würdig, des Hof- und Uniformmalers Anton von Werner. Damals wurde freilich darüber gestritten, ob solche Zusammenstellung auf ebener Erde eine Kunst sei, fast so, wie man heute beim Kino darüber gestritten hat; aber das »Panoramische« wurde mit derselben sehr ästhetischen Miene diskutiert wie heute das »Filmische«. Die Verächter nannten Anton von Werners Gebilde zu »naturalistisch«, die Bewunderer wiesen umgekehrt auf ganz ähnliche Mischkunst im Barock hin, auf die barocken Weihnachtskrippen, auf die Stationen des Kalvarienbergs. Das Moderne im Jahr 1883, bei der Wachs-, Waffen- und Öl-Pantomime Sedan, bei diesem Ersatz fürs Nicht-Dabeigewesensein, war immerhin ein Triumph der Technik, den die Dabeigewesenen von 1870 noch nicht gekannt hatten; denn für die Abende verhieß der Führer »electrische Glühlichtbeleuchtung« sowie eine »Electrofontaine aus Bogenlicht« (vgl. Sternberger, Panorama, 1938, S. 21). Der Film braucht das nicht mehr, er ist selber neue Technik durchaus, mitsamt den echten Kunstfragen, die aus neuer Technik, neuem Material entspringen; und seine Zugehörigkeit zur Kunst ist entschieden durch seine Zugehörigkeit zur echten Pantomime. Trotzdem hat sich auch das Kino, gerade dieses, nicht ungestraft im Zeitalter des Lebensersatzes entwickelt, in einer Gesellschaft, die ihre Angestellten ablenken oder durch ideologische »Electrofontainen« täuschen muß. Lenin nannte den Film eine der wichtigsten Kunstarten, und in der Sowjetunion hat er sich mindestens als wichtigstes Mittel zur politischen Erziehung der Massen ausgebildet. Von solcher Aufklärungsarbeit ist er in Hollywood bekanntlich so weit entfernt, daß er die Roheit und Verlogenheit der Magazingeschichten fast überbietet; der Film ist durch Amerika die geschändetste Kunstart geworden. Das Hollywood-Kino liefert nicht nur den alten Kitsch: die Saugkuß-Romanze, den Nervenbrecher, wo zwischen Enthusiasmus und Katastrophe kein Unterschied mehr ist, das happy-end innerhalb einer völlig unveränderten Welt; es benutzt diesen Kitsch auch ausnahmslos zur ideologischen Verdummung und faschistischen Aufhetzung. Und selbst die Sozialkritik, die früher hie und da in einigen Amerika-Filmen vorkam: sie war damals schon, dem Kapitalismus gegenüber, wenig mehr als das Raffinement einer kritischen Apologie; sie ist seit der Faschisierung der Liberty gänzlich verschwunden, mit Stacheln nur noch gegen die Wahrheit. Ilja Ehrenburg nannte in den zwanziger Jahren Hollywood eine Traumfabrik und bezog sich damit auf die bloßen Ablenkungsfilme, mit verrottetem Glanzlicht. Seitdem aber ist die Traumfabrik eine Giftfabrik geworden, zum Zweck, daß hier nicht mehr nur Flucht-Utopie verabreicht wird (»there is a goldmine in the sky far away«), sondern eben weißgardistische Propaganda. Das Kino-Panorama zeigt – in der vom Faschismus wunschgesteuerten Phantasie – das Morgenrot als Nacht und den Moloch als Kinderfreund, Volksfreund. So verkommen ist das kapitalistische Kino geworden, das zur Technik des Angriffskriegs geschlagene. Eine *gute* Traumfabrik, eine Kamera der kritisch anfeuernden, planhumanistisch überholenden Träume, hätte, hatte und hat zweifellos andere Möglichkeiten – und das innerhalb der Wirklichkeit selbst.

Denn bezeichnend bleibt, was alles im Film immer wieder an Rechtem auftaucht. Unter so viel Nieten, so viel Opium, so raschem Umsatz, so wenig Muße. Die technischen Gründe, die den Film retten, wurden angegeben: kein Abstand, kein Guckkasten, sondern Mitwandeln des Beschauers; Kammermusik-Pantomime, selbst in der Massenware nicht ganz verlorengegangen, in guten Filmen vorwiegend; Aufgang der weiten Welt, gerade in der Nähe, im Nebenbei, im pantomimischen Detail. Hinzu kommt die durch die Filmtechnik ermöglichte und dem Wachtraum so verwandte Verschiebbarkeit des Details, der fest gewordenen Gruppierungen selbst. Was nun bei so gutem, wenn auch durchkreuztem technischem Wie das Was des Films angeht, nämlich seine ihm *spezifischen Stoffe*, so wirkte hier die Zeit, in die die Ausbildung des Filmes fällt, nicht nur kapitalistisch verheerend, sondern in begrenztem Sinn zugleich – sage man: ironisch verwertbar ein. Denn sie ist als bürgerliche Zerfallszeit auch eine der gesprungenen Oberfläche, der zerfallenden bisherigen Gruppierungen und Zusammengehörigkeiten; sie ist folglich, wie in der Malerei, so im Film, die Zeit einer nicht nur subjektiv, sondern objektiv möglichen Montage. Indem diese objektiv möglich wurde, ist sie also keineswegs notwendig willkürlich und ausgemacht irreal (im Hinblick auf die objektiven

Vorgänge); sie ist vielmehr imstande, Veränderungen im äußeren Bezug von Erscheinung und Wesen selbst zu entsprechen. Hier ist das Feld neuer Fingerzeige und dinglicher Instanzen, das Feld entdeckt-realer Trennungen zwischen bisher ganz benachbart erscheinenden Objekten, entdeckt-realer Verbundenheit zwischen scheinbar, in der bürgerlichen Bezugsordnung, ganz entfernten; der gute Film machte dementsprechend von solch realistisch möglich gewordener Verschiebbarkeit auch an Stoffen stets Gebrauch. Derart ging der sowjetische Regisseur Pudowkin (»Sturm über Asien«, 1928) so weit, zu behaupten: »Der Film versammelt die Elemente des Wirklichen, um mit ihnen eine andere Wirklichkeit zu zeigen; die Maße von Raum und Zeit, die in der Bühne feststehen, sind im Film gänzlich verändert.« Der Zauber verbindet sich mit jener photographierbaren Transparenz, die der Sowjetfilm des öfteren gezeigt hat, historisch wie modern, und die besagt, daß eine andere Gesellschaft, ja Welt in der gegenwärtigen ebenso verhindert ist wie umgeht. Das ist das Rechte und Beste, was aus dem Film herauskommt, nicht zuletzt durch die völlig neue Form erleichtert, worin das »Transitorische« hier gezeigt werden kann. Die Kunst des Filmscheins, obwohl sie weder Malerei noch Dichtung ist, auch nicht in ihren besten Exemplaren, gibt doch ein *Bild*, welches *Bewegung* erlaubt, und eine *Erzählung*, welche gegebenenfalls den beschreibenden *Stillstand* einer Großaufnahme verlangt. Das Kino wird dadurch kein Mischgebilde, von der Art, wie, in so viel höheren Gebieten, Lessings »Laokoon« erzählende Malerei, beschreibende Dichtung definiert hat. In höheren Gebieten mögen erzählende Malerei, beschreibende Dichtung abgeschmackt sein; Lessing weist der Malerei einzig Handlungen durch Körper, der Dichtung einzig Körper durch Handlungen zu. Dagegen die Filmtechnik zeigt Handlungen durch ganz andere Körper als die der Malerei, nämlich durch bewegte, nicht stillstehende; wodurch die Grenzen zwischen beschreibender Raumform, erzählender Zeitform hinfallen. Eine Soi-disant-Malerei – denn der Film ist dadurch, daß er sämtliche Gegenstände darzustellen vermag, zum Unterschied vom Bühnenbild, wenigstens so weit geworden wie Malerei, und das Bild ist auch im Tonfilm allemal das Primäre – eine Soi-disant-Malerei also ist nun selber Handlungs-Nacheinander geworden, eine Soi-disant-Poesie selber Körper-Nebeneinander: und der Laokoon des Films, zum Unterschied von dem der Statue, schreit. Er kann schreien, ohne erstarrte Grimasse, weil der Film auch im Stillstand der Großaufnahme diesen Stillstand nur als übergehenden, nicht als erstarrten zeigt. Jeder Hintergrund dreht sich hier nach dem Vordergrund, und die dem Film so wesentliche Wunschhandlung oder Wunschlandschaft steigt, obzwar nur photographiert, ins Parterre.

30

DIE SCHAUBÜHNE,
ALS PARADIGMATISCHE ANSTALT BETRACHTET,
UND DIE ENTSCHEIDUNG IN IHR

> Sie sitzen schon, mit hohen Augenbrauen,
> gelassen da und möchten gern erstaunen.
>
> *Der Direktor im »Faust«*

Der Vorhang geht auf

Seit alters kommen hier sonderlich gespannte Leute zusammen. Die Antriebe, die sie an die Kasse und in den fensterlosen Raum geführt haben, sind verschieden. Ein Teil ist gelangweilt und will sich nur in einen Abend einkaufen, wo man schlecht oder recht zerstreut wird. Ein besserer, sich heute mehrender, werktätiger Teil will keine Zeit totschlagen, sondern sie füllen. Auch diese Besucher wollen in der Vorstellung unterhalten, also gelöst und frei werden, aber nicht ohne weiteres oder lediglich frei von etwas, sondern frei zu etwas. Bei allen aber treibt, was man mimisches Bedürfnis nennen kann. Dieses Bedürfnis ist weiter verbreitet als das poetische, es hängt positiv mit der nicht nur willfährigen oder heuchelnden, sondern versucherischen Lust, sich zu verwandeln, zusammen. Es teilt mit dem Schauspieler selber diese Lust, sucht sie durch ihn, das heißt in allen besseren Fällen durch das, was er jeweils vorstellt, zu befriedigen. Weiter aber, vor allem will der Zuschauer nicht sehen, was der Schauspieler mimisch vorstellt, sondern was er und die ganze Gruppe der Spieler als sinnlich farbige, sprechend bewegte Vorstellung von etwas geben. Wird der Zuschauer in das Leben der Bühne hineingezogen, so wird er damit keineswegs wie der Freund bloßer Zerstreuung aus dem vorhergehenden Alltag schlechthin herausgezogen. Das auch dann nicht, wenn die Bühne sogenannte leichte Kost verabreicht, wenn anders diese von Kitsch, der nicht einmal zerstreut, sondern verblödet, unterschieden ist. Der Vorhang geht auf, die vierte Wand fehlt, an ihrer Stelle ist der offene Bühnenrahmen und hinter dieser Schauseite hat es auf gefallende, auf unterhaltende Art bedeutend, das ist, Etwas bedeutend herzugehen. Vom gehabten Leben verschwindet die Enge, in die es so oft geraten ist; merkwürdige und entschiedene Menschen, ein weiterer Schauplatz, kräftige Geschicke ziehen nun auf. Der Zuschauer ist ebenso erwartend wie miterfahrend der Dinge gewärtig, die da kommen sollen.

Die Probe aufs Exempel

Aber er bleibt nicht nur gewärtig, die leibhaftig packenden Spieler reizen zu mehr auf. Sie verlangen vom Zuschauer, sich zu entscheiden, sich mindestens über sein Gefallen an der Darbietung als solcher zu entscheiden. Und dargeboten wird ein objektives Stück, so daß sich das Klatschen oder Pfeifen, worin die Entscheidung sich äußert, auf das Stück ausdehnen muß, das dem Schauspieler doch erst seine Rolle gibt. Wie erst dann, wenn der Zuschauer, der kein Backfisch und kein Starkult ist, den Mimen überhaupt nicht anders vernimmt denn als Medium der dramatischen Person innerhalb einer ebensolchen Handlung. Das Mißfallen, das hier geäußert, der Beifall, der hier gezollt wird, zuweilen in die offene Szene hinein: sie sind von der lautlosen oder auch noch so temperamentvollen Stellungnahme zu gelesener Literatur recht verschieden. Denn erst, indem der Zuschauer auf der Bühne wirklich sieht, was er zu sehen wünscht oder auch, was er nicht zu sehen wünscht, wird er üblicherweise zu einer Stellungnahme gebracht, die über die Entscheidung des bloßen Geschmacksurteils erheblich hinausgeht. Nicht zuletzt ist dafür auch wichtig, daß sich in jedem Theater eine förmliche

Versammlung von Stimmfähigen befindet, während sich vor dem Buch in der Regel immer nur ein einzelner Leser befindet. Sehr interessant wird diese Entscheidung bei Brecht zum Hauptpunkt gemacht und eben dadurch, daß sie sich von dem bloß »kulinarischen« Geschmacksurteil reichlich loslöst. Auch dadurch, daß sie die dargestellten Menschen, Begegnungen, Handlungen nicht nur wertet, »wie sie sind, sondern auch, wie sie sein könnten«; daß der theaterhafte Aufbau eines Menschen »nicht von ihm, sondern auf ihn ausgeht«. Zu diesem Zweck wird bei Brecht die Entscheidung so scharf und so bedacht aufgezeigt, in Regie und Handlungsführung, daß sie sich allemal über den Theaterabend hinaus zu erstrecken hat. Und zwar auf aktiviert-belehrte Weise, ins besser zu tätigende Leben hinein, also wirklich in die Dinge hinein, *die in des Worts verwegenerer Bedeutung kommen sollen.*

Das *erstens,* indem der Zuschauer sich nicht mehr in das Spiel bloß einfühlt. Er bleibt wachen Sinns und versetzt sich in die Handlung und ihre Spieler, während er sich ihr ebenso gegenübersetzt. Richtig ist so einzig »die Haltung des Rauchend-Beobachtens« (Anmerkung zur Dreigroschenoper), nicht die des gebannten Manns, der seine Gefühle schwelgend abreagiert, statt daß er sich *Gedanken* macht und sie vergnügt, erheitert erlernt. Vergnügen am Spiel muß sein, mehr als je, der tierische Ernst ist hier falscher als irgendwo, ja, »das Theater muß etwas Überflüssiges bleiben können« (Brecht, Kleines Organon für das Theater § 3), doch der gehabte Genuß hat den Zuschauer nicht zu schmelzen, sondern er macht ihn unterwiesen und aktiv. *Zweitens* wird der Schauspieler selber sich nie ganz mit der Figur und ihrer Handlung verschmelzen, die er nachahmt. »Er bleibt immer nur der Zeigende, der nicht selbst Verwickelte«, er steht neben der Stückfigur, sogar als ihr Kritiker oder Lober, und seine Gebärden sind nicht die des unmittelbaren Affekts, sondern machen die Affekte eines anderen mittelbar kenntlich. Durch dieses mehr epische als dynamische Theaterspielen soll die Vorstellung – von aller Exhibition der Schauspielerseelen oder des sogenannten Theaterbluts befreit – nicht weniger, sondern mehr Lebendigkeit, Wärme, Eindringlichkeit erhalten. Wonach Brecht gerade im Hinblick auf die Publikumswirkung des epischen Mimenstils betont: »Es ist nicht der Fall – wiewohl es mitunter vorgebracht wurde –, daß episches Theater, das übrigens – wie ebenfalls mitunter vorgebracht – nicht etwa einfach undramatisches Theater ist, den Kampfruf hie Vernunft – hie Emotion (Gefühl) erschallen läßt. Es verzichtet in keiner Weise auf Emotionen. Schon gar nicht auf das Gerechtigkeitsgefühl, den Freiheitsdrang und den gerechten Zorn: es verzichtet so wenig darauf, daß es sich sogar nicht auf ihr Vorhandensein verläßt, sondern sie zu verstärken oder zu schaffen sucht. Die ›kritische Haltung‹, in die es sein Publikum zu bringen trachtet, kann ihm nicht leidenschaftlich genug sein« (Brecht, Theater-arbeit, 1952, S. 254). Dem Objektivwerden des Schauspielers entspricht aber jenes Kunstmittel des objektiven Heraushebens einer Szene insgesamt, das Brecht *Verfremdung* nennt. Das bedeutet: »Bestimmte Vorgänge des Stückes sollten – durch Inschriften, Geräusch- und Musikkulissen und die Spielweise der Schauspieler – als in sich geschlossene Szenen aus dem Bezirk des Alltäglichen, Selbstverständlichen, Erwarteten gehoben (verfremdet) werden« (Brecht, Stücke VI, 1957, Seite 221). Der Effekt soll dann der sein, daß Verwundern eintritt, also jenes wissenschaftliche Stutzen, philosophische Staunen, womit das gedankenlose Hinnehmen von Erscheinungen, auch Spiel-Erscheinungen aufhört und Fragestellung, erkennenwollendes Verhalten entspringt. Der »Rat der Spieler«, die sich auf den Verfremdungseffekt verstehen, heißt demgemäß in einem Brecht-schen Lehrstück (recht mit Staunen als Anfang des Nachdenkens):

Ihr saht das Übliche, das immerfort Vorkommende.
Wir bitten euch aber:
Was nicht fremd ist, findet befremdlich!
Was gewöhnlich ist, findet unerklärlich!
Was da üblich ist, das soll euch erstaunen.
Was die Regel ist, das erkennt als Mißbrauch
Und wo ihr den Mißbrauch erkannt habt
Da schafft Abhilfe!

        Epilog zu »Die Ausnahme und die Regel«

Und zum Unterschied von der folgenlosen Literatur macht die Verfremdung einen besonders heftigen Aufruf zur Nachdenklichkeit mit antizipierenden Folgen. Da das lange nicht Geänderte leicht als unänderbar erscheint, geschieht die Verfremdung des im Theater abgebildeten Lebens letzthin also dazu, »den gesellschaftlich beeinflußbaren Vorgängen den Stempel des Vertrauten wegzunehmen, der sie heute vor dem Eingriff bewahrt« (Kleines Organon für das Theater, § 43). Damit nun ist *drittens* und letztens das Hauptanliegen dieser Regie erreicht: nämlich das Theater als *Probe aufs Exempel*. Die Haltungen und Vorgänge sollen daraufhin durchgeformt, spielhaft durchexperimentiert werden, ob sie zum Verändern des Lebens taugen oder nicht. Man kann derart sagen: Das Brechtsche Theater beabsichtigt, eine Art von variierenden Herstellungsversuchen des richtigen Verhaltens zu sein. Oder was das gleiche heißt: Ein Laboratorium von richtiger Theorie-Praxis im kleinen, in Spielform, gleichsam im Bühnenfall zu sein, der dem Ernstfall experimentierend unterlegt wird. Als Experiment in re und doch ante rem, das heißt, ohne die realen Fehlfolgen einer gleichsam undurchprobten Konzeption (vgl. das Lehrstück »Die Maßnahme«) und mit der Pädagogik, solche Fehlfolgen dramatisch vorzuführen. Auch mögliche Alternativen werden derart versuchend dargestellt, mit dem auf der Bühne ausgetragenen Ende jeder dieser Alternativen (vgl. die entgegengesetzten Lehrstücke »Der Jasager«, »Der Neinsager«). Ein ähnlicher Duktus zeigt sich nicht zuletzt in Brechts reifem Galilei-Drama, wo die Frage durchexekutiert sein mag, ob es sich mit Galileis Widerruf, um des noch zu schreibenden Hauptwerks willen, richtig verhält. Mit alldem wird »Parabeldramatik« erstrebt, an konstruiert verschärften, auch oft vereinfachten Beispielen und Entscheidungen. Und das Brechtische warf, was die zu erfolgende Auskunft angeht, immer mehr, immer weiser die Abstraktheit ab. Nirgends findet sich Vereinfachung in jener wahrhaft schrecklichen Gestalt, die Schematismus heißt, weil er das ihm zugängliche Gebiet mit fünf bis sechs Formeln oder Hurra-Abschlüssen schon auswendig gelernt hat; weshalb er auch das Brechtische haßt. Brechts Theater sucht eine Handlungsweise, in der einzig kommunistische, also immer wieder frisch zu erprobende Schlüssigkeit des Tuns steckt und führt, zum Ziel der zu bewirkenden Herstellung des wirklich Nützlichen und seiner Vernunft.

Weiteres zur Probe aufs zu suchende Exempel

Es ist zweifellos ungewohnt, daß Stücke lehren, indem sie selber erst lernen. Daß ihre Menschen und deren Handlungen fragend-untersuchend gewendet und auch umgewendet werden. Trotzdem kommt eine offene Form in allen Dramen schon vor, wo ein Mensch, eine Lage gerade in ihrem während Widerspruch gezeigt werden. Nur wo eine Hauptfigur – als Charakter oder als soziale Funktion – einsinnig-unvermeidlich handelt, dort gibt es keine derartigen Variabilitäten. Othellos Eifersucht wankt nicht und kann nicht anders gedacht werden, in all ihren Konsequenzen und Situationen Schlag auf Schlag; ebensowenig wanken Antigones mutterrechtlich überkommene und durchgehaltene »Pietät«, Kreons gesellschaftlich siegreich gewordene »Staatsräson«. Die Konflikte sind hier unausweichlich, das Experiment eines Anders-Seinkönnens, Anders-Handelnkönnens, Anders-Endenkönnens wäre hier selbst in bloßen Andeutungen einer Interpretation und ihrer Regie grotesk. Aber gibt es nicht in einer großen Reihe von Dramen mehrseitige Naturen und solche mit mehrfach möglichen Wegen vor sich? Gibt es nicht Hamlet oder, in so viel kleinerem, unbedeutenderem, abgestempeltem Alternativwesen, den zwischen Republik und Monarchie schwankenden Monolog Fiescos? Gab es nicht stets schon Dramen mit mehreren möglichen Fassungen, Wertungen des Verlaufs, des Ausgangs? – Goethes »Stella«, Tasso im Verhältnis zum Ur-Tasso? »Stella« wurde von Goethe 1776 versöhnungsvoll, 1805 tragisch geschlossen, »Tasso« zeigte in der Urfassung den Prosaiker Antonio verneint, den schwärmerischen Dichter bejaht, in der zweiten Fassung wird das fast umgekehrt. Allerdings gab es keine bisherige Dramatik – und die groß ausgeformte am wenigsten – mit einem eigenen Theorie-Praxis-Verhältnis, gar mit dem Drama als einem sich immer wieder berichtigenden (tableauhaft unterbrechenden) Lehrgang. Doch selbst die unabänderlichen Dramen: waren sie keine Proben aufs zu suchende Exempel, so doch Exempel eines zu

Ende geführten Wegs, eines guten oder schlechten, eines zu suchenden oder zu fliehenden, mit der empfohlenen Devise: exempla docent. Das vor allem dort, wo die Schaubühne, mit oder ohne lehrhaftes Pochen darauf, mit einer moralischen Anstalt begabt worden ist. Ja, das Unerwartete geschieht, daß Brecht weit weniger moralisch-pädagogisch sein will als etwa Schiller. Gerade der Verfasser von Lehrstücken und Schulopern lehnt, als freundlicher Materialist, ein Theater ab, das nur moralisierte und so gar keines wäre: »Keineswegs könnte man es in einen höheren Stand erheben, wenn man es zum Beispiel zu einem Markt der Moral machte; es müßte dann eher zusehen, daß es nicht gerade erniedrigt würde, was sofort geschähe, wenn es nicht das Moralische vergnüglich, und zwar den Sinnen vergnüglich machte – wovon das Moralische allerdings nur gewinnen kann« (Kleines Organon, § 3). Doch hindert diese Ablehnung der Waschzettel und Leitartikel, des »Sichtwerbung«-Kitschs auf der Bühne das alte Brechtprogramm nicht: das Programm des bewußtseinsbildenden, Entscheidung schulenden Theaters. So will dies Programm »das Theater so nahe an die Lehr- und die Publikationsstätten rücken, wie es ihm möglich ist«. Das Theater, wie sich von selbst versteht, als gekonnte Unterhaltungsstätte, deren Einfluß durch Dichtung geht, nicht durch Leitartikel und Hurra-Konformismus. Gerade letzterer hätte ja gar keine Proben aufs Exempel nötig, weil er ohnehin schon alles weiß und weil er das Wort Exempel mit Musterknabe übersetzt. Gemeint ist statt dessen moralische Anstalt mit Beglückung, wobei die Tiefe der bewirkten Aufklärungen und Impulse direkt proportional zur Tiefe des Genusses zu sein pflegt. Nicht ohne Grund ließe sich hier gerade auf den sinnlich lustvollsten Theaterschein, den der Oper, hinweisen: progressive Meisterwerke ihrer, wie die »Zauberflöte«, »Figaros Hochzeit«, geben im nobelsten Genuß gleichzeitig das aktivierendste humane Wunschbild. Und wie die Mittel, so ist der Inhalt der durchs progressive Theater vermittelten Belehrung (Medizin und Unterweisung) einer der Freude; als solcher wirkt er im Spiel als der kämpfend herzustellende oder als hergestellt voraufscheinende. »So ist die Wahl des Standpunkts ein anderes Hauptteil der Schauspielkunst, und er muß außerhalb des Theaters gewählt werden. Wie die Umgestaltung der Natur, so ist die Umgestaltung der Gesellschaft ein Befreiungsakt, und es sind die Freuden der Befreiung, welche das Theater eines wissenschaftlichen Zeitalters vermitteln sollte« (Kleines Organon, § 56). Soviel hier über das Theater, wenn es als Haus der entscheidenden Handlungen erscheint, über die und zwischen denen entschieden wird. Sobald Probe aufs Exempel gespielt wird, ist das Ziel deutlich sichtbar, aber die Bühne als experimentelle (Vorschau-Bühne) traktiert die Verhaltungsweisen aus, es zu erreichen.

Lektüre, Sprachmimik und Szene

Oben wurde gesagt, alle rechten Stücke seien besser zu sehen als zu lesen. Weil vor der Bühne weit weniger geschmackshaft, weit gemeinsamer entschieden werden kann als vor dem Buch. Aber in beklagenswerten Fällen erscheint es dennoch denkbar, das gespielte Stück ebenso gut, gar besser zu lesen als zu sehen. Dann nämlich, wenn sich die Schauspieler vor ihre Rolle stellen, wenn es etwa den »Intriganten« Müller statt des Jago zu sehen und zu hören gibt. Es wird noch unerfreulicher, wenn ein Star Dichtungen als Vorwand benutzt, um seine ach so persönliche Leiblichkeit und Sprachmanier nochmals zu verkörpern. Hinzu kommt, auch bei weniger großspurigen Darbietungen, daß wegen sogenanntem Temperament oder auch wegen Zeitmangel auf der Bühne in der Regel viel zu schnell gesprochen wird, vor allem, wenn Verse zu erledigen sind oder auch kunstvolle Perioden. Wieviel Kostbares geht bei dieser Abspulung verloren, wie übel wird zu einem Hindernisrennen, was bei der verweilenden Lektüre eine sich immer reicher erschließende Landschaft war. Aber das Theater hat sich doch allemal als ein Plus gegenüber der Lektüre zu bewähren, ganz gleich, wie lebhaft Ohr und Auge beim Lesen schon genossen haben. Und es muß so sehr ein Plus sein, daß selbst das best erfaßte Lesedrama sich zu dem aufgeführten so verhält wie die Schatten aus der Odyssee, die nach dem Blut drängen, um wirklich Rede und Antwort stehen zu können. Sind es doch selten gute und niemals werkgerechte Dramen, die unaufgeführt die schöneren sind, wann immer die

Aufführung selber werkgerecht geschieht. Es sind bestenfalls Lyrismen mit Hin- und Widerrede, denen Handlungen Schlag auf Schlag, Knotenbildungen, Auftritt, Abgang, dicke Luft, gleichsam die edle, nicht nur Schillersche, auch Shakespearesche Kolportage des zur Bühne Drängenden fehlen. Es gibt keine Welt im Drama ohne den sichtbaren Platz für Figuren und Wechselszenen, welchen die Akteure, vor allem die Regisseure herausstellen. Und auch große Lyrik, sofern sie in Handlung, also in Drama steht, wird erst in der Szene auf die Bewegung der Stimmung oder der Reflexion, kurz auf das Drama in intravertierter Gestalt abgebildet, zu der sie gehört. Gerade deshalb – und nicht, wie sich hier von selbst versteht, Innenwelt des Leseverses, als Theaterflucht – ist der Satz Brechts so bedeutend-wahr:

> Über die abendliche Heide schrieb
> uns der Elisabethaner Verse,
> die kein Beleuchter erreicht, noch
> die Heide selber!

und der Satz ist wahr, der Beleuchter erreicht die Verse nicht, weil die abendliche Heide des Elisabethaners bis zu ihrem wahrsten Wesen poetisch fortgetrieben ist, doch innerhalb des *Theaters,* innerhalb der Lear-, der Macbeth-Szenen, für die Shakespeare alle diese Verse geschrieben hat. Das Erreichen, das Übertreffen, das Aufschließen der abendlichen Heide durch große Dichtung geschieht unzweifelhaft durch die Schlüsselgewalt solcher Dichtung über die Natur (vgl. S. 248), doch das Theater zeigt eben die gedichtete Heide als den Boden, auf dem *selbst ihr eigenes Stück endlich gespielt wird.* Nicht zuletzt auch realisiert ein dermaßen vollkommenes Theater erst die bedeutende Pause, die im Drama nicht sowohl zwischen den Zeilen als zwischen den Worten, Sätzen stehen mag und zwischen den Auftritten. Horchen, Klopfen, Achtung auf ferne Rufe, ein Erwartendes mithin wohnt vorzüglich in solchen Pausen, samt dem Ablauf oder Faltenwurf bedeutender Gebräuche. Noch der wundervolle Trompetensatz in Verdis Othello, die Gesandtschaft des Dogen ankündigend, stammt diesseits oder jenseits der Oper aus der der Shakespeare-Pause immanenten Form. Also ist das Theater, zum Unterschied von seinem Buch, die sinnliche Erlebniswirklichkeit, worin Ungehörtes öffentlich gehört wird, worin das der Erlebniswirklichkeit Entlegene plastisch publik wird, worin das Gedichtet-Verdichtete, das Voll-endete wirklich auftritt, als wäre es im Fleisch. Und es ist allemal Mimik, durch welche die Dichtung auf die Ebene des Theaters sich abbildet; es ist *Sprachmimik plus Gestusmimik* plus der *Aura-Mimik* der vom Bühnenbildner geschaffenen Szenerie. Der Bühnenrahmen wird hier wie ein Fenster, durch das sich die Welt bis zur Kenntlichkeit verändert, sieht und hört. So ist das Theater die Institution einer neuen, nirgends mehr unmittelbaren Erlebniswirklichkeit, freigelegt durch die darauf bezogene dramatische Dichtung.

Alles hängt hierbei ab von dem Ton, mit dem eine Rolle versehen wird. Ja, man kann sagen, der gespielte Mensch ist eine Klangfigur, als dieser wird er für die Bühne geboren. Am Anfang steht daher die Sprechform, das heißt, die schwierige Kunst, welche den Tonfall moduliert, modelliert. Der Grundton nun, auf den solche *Sprachmimik* gestellt ist (der vorzügliche Ausdruck stammt von Schleiermacher, Prediger und Philosoph dazu), ist nicht etwa mit dem abstrakten Umriß einer Figur gegeben, gar mit dem Klischee, das sich aus ihm gebildet hat. Der wahre Grundton stammt einzig aus der Anlage, der Bindung und dem Zielbild der Figur, mithin aus der durch ihren Charakter samt ihren Umständen eröffneten Möglichkeit, zu handeln, zu sein. Das meint nicht einen Charakter im statischen Sinn des Eingegrabenen, Eingemeißelten, sondern der Charakter bezeichnet hier die Bestimmung zu einer sich erst bildenden Handlung. Nur in dieser Richtung kommt wahrheitsgemäß eine dramatische Klangfigur zustande, nur von der Destination her wird sie variiert. Als Beispiel führt der große Regisseur Stanislawskij Hamlet an, dergestalt, daß man im Hamlet etwa die Aufgabe entdecke: ich will meinen Vater rächen. Man könne aber auch eine höhere Aufgabe entdecken: ich will die Geheimnisse des Seins entdecken. Man könne aber auch eine noch höhere Aufgabe entdecken: ich will die Menschheit retten (vgl. Trepte, Leben und Werk Stanislawskijs, S. 78 f.). Stanislawskijs Regie entwickelte die Figur Hamlets, mitsamt allen Hemmungen, nach dieser letzten »Grundformel«. Schwieriger allerdings wird der gezielte Duktus in der Sprachmimik, sobald diese bereits durch eine gewisse abstrakte, ja unwahr-pathetische Höhenlage traditionell festgelegt ist. Das ist immer noch angesichts Schillers der Fall, als Problem, Schillerverse auch kühl, auch gänzlich unsonor sprechen zu können; das ist in der Gesangsmimik und nicht minder in der des Orchesters angesichts Wagners der Fall. Der zäh haftende Hoftheaterton, sein schmachtendes oder rollendes Pathos ist im Sprechen selbst Wallensteins rätselhaft schwer durchbrechbar. Ebenso rätselhaft schwer (obwohl es im neuen Bayreuth nicht ohne Glück versucht zu werden scheint) ist das Plüschheroinen-, dann Siegesallee-Barock vom Tonfall des Nibelungenrings entfernbar. Diese Verjährtheiten haben gewiß auch im originalen Schiller und Wagner einen Teil ihres Ursprungs: den Ursprung aus einer Rhetorik in allzu gleicher, also oft nur gewaltsam haltbaren Höhenlage. Doch liegt ebenso in der scharf logischen Sprachkraft Schillers, in der scharf kontrapunktischen Ausdruckskraft Wagners das Gegengewicht; und die restitutio Schillers und Wagners bedeutet bei Schiller, das in ihm sprechbare Piano des Nachdenklichen, bei Wagner, das in ihm singbare Bel canto der unendlichen Melodie darzustellen. Bei Richard Wagner ist, als mehr von Haus aus, mehr von seiner eigenen Zeit her im Überdonner steckend, der gleichsam fälligere Fall der restitutio in integrum: vollziehbar zunächst von der Gesangsmimik her und damit auf den ganzen Aufbau übergreifend. Desto wichtiger ist die Aufgabe, die Aufführung Wagners genau von dieser Seite her, dem Blühenden und Scharfen, dem Gewaltigen und jäh Tiefen des Werks endlich gemäß zu machen. Die Gestusmimik samt Szenerie, nicht mehr verschwült und ranzig, nicht mehr mit Donnerhall, Schwertgeklirr und Wogenprall, folgt dann unverstockt nach. *Gestusmimik nun selber*, sie setzt die durch Worte vermittelte dramatische Handlung an den Leibern der Schauspieler, aber auch am Leib, sozusagen, der hingestellten Dinge in Szene. Diese Szene kann karg sein, wie bei Brecht, wie im altenglischen und altspanischen Theater, sie kann üppig sein wie in einigen guten Beispielen der ehemaligen Meininger und den Ausstattungen Max Reinhardts,

sie kaum um allem die Dichtung selber sich im Bühnenbild aurahaft ausbreiten und widerschlagen lassen wie in der Kunst
Stanislawskijs. Von dem mit Recht gesagt wurde, daß er die
Schlüssel zu allen Türen und Wohnungen besaß, ja daß er mit
gleicher hausherrlicher Gewalt im Ibsenzimmer des Doktor
Stockmann, in der Höhle des Nachtasyls, in den riesigen Ge-
mächern des Zaren Berendij zu schalten verstand. Der Gestusmimik nahe verwandt entsteht so die angegebene *Auramimik*
der vom Bühnenbildner geschaffenen Szenerie. Die Calderon-,
gar die Shakespeare-Bühne übte dergleichen zwar nicht, doch
bei aller Kargheit, eine Höhle, einen Wald, einen Prunksaal bloß
durch Beschriftung andeutend, fehlten keineswegs der Dolch
oder die Strickleiter als die nötigen Requisiten, und: das allegorische Bühnenbild wird die Weiterung dieser Requisiten,
gleichsam deren Abdruck und Ausdruck im Raum. Etwas zu-
gespitzt, doch nicht minder aurahaft ausgedehnt, drückt Stanislawskijs Mitarbeiter Nemirowitsch-Dantschenko diese Gestusmimik samt Szenerie so aus: »Eine Inszenierung ist nur dann
gut zu nennen, wenn man die Aufführung von einem beliebigen
Zeitpunkt an ohne Worte weiterlaufen lassen kann und der
Zuschauer trotzdem versteht, was auf der Bühne vorgeht.« In
der Tat ist auch bei Calderon der Dolch in einem Eifersuchts-
drama, bei Shakespeare die Strickleiter in einem Liebesdrama
mimisch schlechthin. Ja, der Dolch ist bei Calderon die Eifersucht selber in ihrer äußeren Gestalt, und das Frühlicht zwischen
Nachtigall und Lerche ist bei Shakespeare nicht mehr die Äußerlichkeit, sondern die Auswendigkeit der Romeo-Julia-Liebe und
ihres Tods. Dergleichen lenkt selbst als hochgetrieben nicht von
der Handlung ab, sondern die homogen gewordene Ding-Aura
lenkt in die Handlung hinein, sofern, wie Shakespeare seinen
Hamlet zu den Schauspielern sagen läßt, »zu gleicher Zeit
irgendein notwendiger Punkt des Stückes zu erwägen ist«. Wie
sich von selbst versteht, bleibt die gesprochene Sprache auch bei
der noch so gelungenen Gestusmimik und ihrer Szenerie allerdings das Alpha und Omega. So daß sich nicht etwa eine Pantomime verselbständigt oder auch nur vordringlich macht, sondern
noch die gelungenste Pantomimik in Nemirowitsch-Dantschen-
kos Sinn dem Dichtwerk dient. Aber von der Mimik her gesehen

ist das Theater aufs Beste die Plastik der Dichtung und eine,
worin auch die stärkste Bewegtheit, als eine zur Mimik hin, die
Plastik nicht aufhebt.

Illusion, aufrichtiger Schein, moralische Anstalt

Die alte Frage ist, zu was und zu welchem Ende die Bühne
wirklich aufhebt. Sie arbeitet mit Schminke und auch sonst
überwiegend mit Mitteln und Lichtern, die überlegt vorspie-
geln. Die Bühne ist deshalb mehr Schein als jede andere Kunst-
weise und eben deshalb, weil sie ihren Schein, trotz des ab-
trennenden Rahmens, erlebniswirklich werden läßt. Das gibt
dem Theater zwar seine gleichzeitig entzückende und illusio-
nistische Macht, unterstreicht aber den Schein so stark wie keine
einzige reine Kunst. Ja, der Bühnenschein kann für einen un-
freundlichen Blick – und er hat ihn öfter gefunden, nicht nur
unter Muckern – mehr dem höchst unedlen einer Wachsfigur
nahestehen als dem vornehm durchscheinenden, in nichts erlebniswirklichen eines Bilds. Dazu kommt das sozusagen Sich-
Verstellende der Theaterhelden oder auch Theatermärtyrer;
auf reale Heuchelei übertragen stammt der Begriff Komödiant
von hierher. Doch lag freilich der Unterschied zwischen moralischem Schein und theaterhaftem auch damals schon auf der
Hand, als die Schauspielerei noch kein »ehrliches Gewerbe«
war. Der Komödiant heuchelt, während der Schauspieler sich
verwandelt oder besser, die Rolle, die er spielt, leibhaftig kenntlich macht. Und indem die Bühne sich kraft der gespielten
Dichtung ebenso als Statthalterin eines nicht Erlebniswirklichen
in diesem gibt, fehlt doch wieder jeder Zusammenhang mit der
Wachsfigur oder auch mit sogenannten lebenden Bildern, überhaupt mit Blendwerk. Trotzdem bleibt nun, auf der angemessen
gewordenen Ebene, die Frage: ist das Theater, wenn nicht
Blendung, so immerhin nichts als *Illusion?* Im bürgerlich-ästhe-
tischen Gebrauch fehlt diesem Begriff zwar jedes Herabsetzende,
indes bezieht er sich auch dann auf ein Etwas, das kein äußerlich
reales ist, das als pure-, obzwar gleichsam anständiger Schein
mit irgendwelchem Vor-Schein nichts gemein hat. Dieser Art
wurde Illusion auf alle, auch auf die sogenannt reinen Künste

ausgedehnt, allerdings stets mit Nachklang vom Theaterschein her. E. v. Hartmann etwa statuiert in seiner dreiviertel spießig-trivialen, einviertel resümierenden »Philosophie des Schönen« die Illusion als Kunstcharakter schlechthin und definiert sie als »subjektives Korrelat zum objektiven ästhetischen Schein«. Aber real an diesem Schein wirkt dann gar nichts; dergleichen ist seit Kant-Schillers Definition des Schönen: als der Freiheit von realer Erscheinung, bei fast allen davon herkommenden Ästhetikern ausgemacht. Die Erscheinung wird auch als zweckgemäße erst schön, »sobald sie von der Realität, welche sie hervorgerufen hat, und damit auch von der *Realität* des Zweckes, dem dieselbe dient, abgelöst und zum reinen ästhetischen Schein verklärt ist« (E. v. Hartmann, Philosophie des Schönen, 1887, S. 174). Doch die Überraschung freilich, nicht bei E. v. Hartmann, wohl aber bei Schiller, der der beste Kantianer in der Ästhetik war, folgt auf dem Fuße. Denn wenn wirklich Freiheit von der *Realität* des Zwecks das objektive Korrelat zur subjektiven Illusion sein soll, dann ist nicht einmal der Theaterschein eine Illusion, ja dieser am wenigsten, wie man gleich sehen wird. Und wenn ihn auch Schiller selber eine »wohltätige Illusion« nennt, so hebt doch gerade dieses hier betonte Wohltätige seinen Illusions-charakter entscheidend, ein für allemal, auf. »Die Schaubühne, als eine moralische Anstalt betrachtet«, sagt dieses Sinns: »Wir werden uns selbst wiedergegeben, unsere Empfindung erwacht, heilsame Leidenschaften erschüttern unsere schlummernde Natur und treiben das Blut in frischeren Wallungen«; – item, gerade die angebliche bloße Illusion setzt in Realität, erfrischt sie und weist selber zu einer stärkeren, entbindbaren. Die genannte Schillersche Auslassung belebt seine Frühschrift mit dem so wenig der Illusion verhafteten Programm einer Schaubühne, die eben als moralische, folglich keinesfalls realitätsfreie Anstalt betrachtet wird. Wenn aber und indem die Schaubühne eine solche Anstalt ist, so ist jeder Illusionscharakter mit ihr unver-einbar; denn keine Illusion aktiviert den realisierenden Willen und den Willen zur Realität. Einer Bourgeoisie, die Wirklich-keit einerseits, Kunst und Ideal völlig auseinanderriß, weit über Kant hinaus, mußte auch das Theater als Illusion gewiß entspre-chen. Wahr aber ist: Kunst als Illusion wäre und bliebe auf der ganzen Strecke Lüge, im moralischen wie außermoralischen Sinne genommen. Das heißt, sowohl in der Absicht zu täuschen wie in Ansehung der Unmöglichkeiten, die eine solche Kunst entwickelt. Der vorhandene Schein des Theaters dagegen ist nirgends illusionärer Schein, sondern *schlechthin aufrichtiger*, auch er »in einer Verlängerungslinie des Gewordenen, in seiner gestaltet-gemäßeren Ausprägung« (vgl. Seite 248). Sein Spiel quiesziert nicht, vermag vielmehr gerade den Willen von dieser Welt, in ihren realen Möglichkeiten zu beeinflussen – als paradigmatische Anstalt.

Nun aber darf an dieser, damit sie wirksam sei, der schöne Schein nicht vergessen werden. Die Bühne ist zwar nicht illusionär, doch in ihrem Wappen steht auch nicht der erhobene Zeigefinger. Wo er auftauchte, war viel bürgerlich-puritanischer Kunsthaß, war mindestens Fremdheit zur Kunst am Werk. Nicht zu selten leider wurde diese Fremdheit auch von Sozialisten betätigt, gleich als wäre das Theater kein Vergnügen, sondern eine Sonntagsschule (mit nichts als Bösewichtern und Musterknaben). Oben wurde gezeigt, wie gerade Brecht vom Theater als Abrichtung zurückrief, der gleiche Autor, der zuerst, statt der bloß kulinarischen, die bewußtseinsbildende Bühne pries. Aber das Theater sollte bei Brecht keine *ungeschmückte* moralische Anstalt sein und jedenfalls keine aufdringliche. Konträr: die Moral geht auch hier durchs Vergnügen, als die »nobelste Funktion, die wir für ›Theater‹ gefunden haben«. Aber das Gottschedsche Schulmeistertum im deutschen Gesicht der moralischen Anstalt stirbt so leicht nicht aus; weshalb immer wieder Toleranz für das Licht mit Glück erbeten werden muß. Weshalb Goethe, im Aufsatz »Deutsches Theater«, folgendes Bekenntnis zum schön-heiteren Schein zu setzen hat: »Aus rohen und doch schwachen, fast puppenspielhaften Anfängen hätte sich das deutsche Theater nach und nach durch verschiedene Epochen zum Kräftigen und Rechten vielleicht durchgearbeitet, wäre es im südlichen Deutschland, wo es eigentlich zu Hause war, zu einem ruhigen Fortschritt und zur Entwicklung gekommen; allein der erste Schritt, nicht zu seiner Besserung, sondern zu seiner sogenannten Verbesserung, geschah im nördlichen Deutschland von schalen und aller Produktion unfähigen Menschen.« Und nachdem Goethe die Gottschedsche Reform dermaßen reserviert beurteilt, nachdem er gar den Hamburger Streit für und wider, ob ein Geistlicher das Theater besuchen dürfe, ventilieren muß, fährt er, nicht ganz ohne Erinnerung an den Titel von Schillers Jugendarbeit, fort: »Dieser Streit, der von beiden Seiten mit vieler Lebhaftigkeit geführt wurde, nötigte leider die Freunde der Bühne, diese der höheren Sinnlichkeit eigentlich nur gewidmete Anstalt für eine sittliche auszugeben ... Die Schriftsteller selbst, gute, wackere Männer aus dem bürgerlichen Stande, ließen sich's gefallen und arbeiteten mit deutscher Biederkeit und gradem Verstande auf diesen Zweck los, ohne zu bemerken, daß sie die Gottschedsche Mittelmäßigkeit durchaus fortsetzten.« Diesem scharfen Plädoyer entsprechend wollte Goethe ja auch, daß man die berühmte Aristotelische Katharsis nicht auf die Zuschauer beziehe und in sie verlege, sondern auf die Personen des Dramas. Zweifellos wirkt mit alldem bei Goethe nicht sowohl eine aristokratische Reaktion gegen die Gemeinnützigkeit der deutschen bürgerlichen Aufklärung, als die Abneigung gegen das säkularisierte Muckertum, das selbst an die moralische Anstalt sich gehängt hat, an eine schließlich minus-Theater. Item, Apollo ohne Musen und Minerva ohne Epikur passen noch weit schlechter zum Materialismus in der Kunst, als sie zu ihrem Idealismus gepaßt haben. Was aber Schiller mit seiner moralischen Anstalt meinte, war statt Gottschedscher Hausbackenheit blühendes Theater und dadurch erst moralische Zweckmäßigkeit, war Szene und dadurch erst Tribunal. Dann erst, durch den Reichtum der Szene hindurch, kann das Theater der Moral dienen, wie so oft in der Kunst, gerade als höchster, geschehen. Die isolierte Vollendung dessen steht in der Hamletszene, wo das Schauspiel den königlichen Mörder zur Entlarvung zwingt; die sozialrevolutionäre moralische Anstalt steht in »Kabale und Liebe« und »Wilhelm Tell«, im »Egmont«, sie ist mit lauter Brutus-Musik versehen im »Fidelio«. Und diese moralische Anstalt ist nicht nur ein Tribunal, denn über dem gerichteten, selbst über dem triumphierenden und dadurch gerade Entsetzen erregenden Lasterbild auf der Bühne erscheinen die Wege der Rettung, mindestens die Zeichen ihres Lichts. Die deutsche Klassik insgesamt war der Versuch, aus der klassenmäßig zerstückelten Gesellschaft den ganzen, unzerstückelten Menschen zu entwickeln. Dieser Versuch – rein auf den Glauben an ästhetische Erziehung gebaut – war selbstverständlich ein abstrakter, doch er stellte ebenso unzweifelhaft bemerkenswerte Leitbilder auf die Bühne. Und unter ihnen sind solche, die heute erst ihren richtigen Auftrag finden, ganz ohne Abstraktion oder gar überschwengliche Misere um sie herum. Der aufrichtige Schein der Bühne ist also am wenigsten, gleich der Illusion, von der *Realität* des Zwecks abgelöst; er ist vielmehr deren Beförderung durch Lustbarkeit.

Falsche und echte Aktualisierung

Die guten Stücke kehren aufgeführt wieder, doch nie als dieselben. Für jedes neue Geschlecht muß darum auch neu inszeniert werden, und das mehrmals. Der Wechsel der Darbietung wird besonders scharf, wenn eine andere Klasse im Parkett Platz zu nehmen beginnt. Aber bleibt die Bühne dann auch nicht unverändert, folglich plunderhaft, so ist sie ebenso keine Garderobe, an deren Haken immer neue Kleider aufgehängt werden können. Soll heißen: die Menschen und Schauplätze eines alten Stücks können nicht gänzlich und radikal »modernisiert« werden. Auf jeden Fall bleibt das Kostüm der Zeit, worin das gegebene Stück spielt. Dem widerspricht durchaus nicht, daß das Barock seine antiken Helden à la mode eingekleidet hat und sie ebenso agieren ließ. Denn das Barock spielte zwar antike Helden, doch eben keine antiken Dramen, sondern selbstgeschriebene; so entstellte es auch keine antiken Dramen, wenn es deren Stoff in die eigenen bürgerlich-höfischen Figuren und Konflikte versetzte. Aus weit weniger schöpferischem, doch noch überlegterem Grund tragen etwa Cocteaus Orpheus und Euridike, in den zwanziger Jahren unseres Jahrhunderts verfaßt, Polohemd und Hornbrille; das ebenfalls ohne jeden Anstoß. Jedoch gibt es nicht leicht einen abgeschmackteren Unsinn, als Hamlet im Frack zu spielen oder, mit bescheidenerem Beispiel, den ersten Akt von »Hoffmanns Erzählungen« in eine Chromnickel-Bar zu legen. Oder auch Schillers Räubern Proletenkluft anzulegen und Spiegelberg eine Trotzky-Maske. All das ist ein snobistischer, mindestens übertriebener Rückschlag gegen die ohnehin längst abgelaufene historisierende Theaterspieler i Richtig ist nur das Selbstverständliche, daß jedes Theater dasjenige seiner Zeit ist und weder ein getreuer Maskenball noch ein pedantischer Philologenspaß. Darum braucht die Szene zu ihrer Erfrischung zwar einen überall neuen und neu in sie eingearbeiteten Blick, jedoch so, daß das Zeitaroma der Dichtung und ihres Bühnenbilds nirgends verfliegt. Denn gerade die neue Parteilichkeit des Blicks braucht die Personen und Handlungen am Ort ihrer durch die Dichtung gegebenen Ideologie, wenn anders Haß und Liebe, Abschaum und Vorbild den vom Dichter gezeigten Gegenstand haben sollen. Das Bühnenbild, auf das hin der Autor komponiert hat, muß also, statt weggeworfen, zur Kenntlichkeit verändert werden, zur Kenntlichkeit etwa der in ihm sich zutragenden, jetzt erst spruchreif gewordenen Klassenkonflikte. So erst wird das Theater nicht aktuell stilisiert, sondern wirklich aktualisiert, und das, wie im Bühnenbild, so noch viel genauer in der erfrischten Belichtung, Modellierung des *Bühnentextes*. Hier gibt es außer den altbekannten Strichen sogar die Umarbeitung eines Stückes, sofern dieses in mehreren Stellen verstaubt oder auch ungereift und unbeendet vorliegt, und sofern – als conditio sine qua non – der Neubearbeiter oder auch Ergänzer dem Autor verwandt und ebenbürtig ist. So hat Karl Kraus nicht nur Offenbach-Texte, sondern den ganzen Diamant dieser Musik aus dem Schlendrian gerettet, wohin er gefallen war. So hat Brecht den »Hofmeister« von Lenz als eine Menschenpflanze besichtigt, die aus der feudalen Misere des achtzehnten Jahrhunderts in die kapitalistische des zwanzigsten weiterwächst. Aber die Sache wird auch hier sofort prekär, wenn freche Regisseure, verhinderte Autoren oder kummervolle Epigonen Altes als Krücke und Produktionsersatz benutzen wollen. Die Epigonal-Ergänzer (Modell: Abschluß des Schillerschen »Demetrius«) sind in der Literatur, was die entsetzlichen Burg- und Schloß-Restauratoren des vorigen Jahrhunderts in dem waren, was man damals Architektur nannte. Sie sind gleich letzteren seltener geworden, dagegen forsche Regisseure übertragen immer wieder eine unsägliche Aktualisierung in den Dramentext, auf Grund vulgärpolitischer »Auffassung« desselben. Alles zum Zweck, eine – sei sie noch so löbliche – Tendenz außerhalb des Werkspiegels sicht-

bar zu machen, statt in ihm. Es braucht nicht erst – bei höchst
unlöblicher, nämlich vorfaschistischer Tendenz – an einen »Wilhelm Tell« erinnert zu werden, wo Geßler, unter Dämpfung
und Retusche der Freiheitsmänner, als »interessanteste« Figur
in die Mitte gerückt wurde. Oder gar, wo das Lustspiel »Der
Kaufmann von Venedig« zu einem antisemitischen Radaustück
herhalten mußte. Denn auch bei richtigster Tendenz fährt die
vulgärpolitische Aktualisierung auf ein werkfremdes Feld, *mit
Verlust des gegebenen Dramas*. So etwa, wenn »Maria Stuart«
dermaßen in Mißszene gesetzt und aus den Maßen gerückt
wird, daß das Stück kein Trauerspiel mehr abgibt, sondern den
bejubelten Triumph der Elisabeth. Weil sie nämlich – kraft eines
dramaturgischen Neubaus ohnegleichen – den aufsteigenden
Kapitalismus gegenüber der französisch-katholisch-neufeudalen
Maria repräsentieren soll. Das ist historisch zwar nicht unrichtig, fürs gegebene Drama jedoch (letzter Akt) noch schlimmer,
vor allem weit überflüssiger als eine Schloß-Restaurierung im
Geschmack der achtziger Jahre. Nur bei einer in der Dichtung
selber mehrdeutigen Figur, an der Spitze Hamlet, ist die Outrierung einer ihrer Züge, ihrer gegebenenfalls bisher übersehenen,
allenfalls zu rechtfertigen; indes müssen auch diese Züge bei
Shakespeare belichtet gewesen sein, und der Regisseur hat sie
nur zu entwickeln. Nur als diese Art Entwicklung und Nachreife
geschieht Erneuerung auf dem Theater, und nur zu diesem Ende
werden Meisterwerke, mit einem wie immer glücklichen Zerfall
ihres »Galerietons«, Museumswerts, auf die Bretter zitiert. Auch
Richard der Dritte, er spielt nicht, als wäre er Hitler, sondern er
versinnlicht heute einen Teil des Hitlerischen desto klarer, je
mehr er durch Shakespeare seine eigene Haut und die seiner Zeit
darstellt. Verwandtes gilt im gleichen Stück, wenigstens was das
Allegorische der Rettung angeht, von Richmond und dem schönen Tag von morgen um ihn. Vielsagend allerdings muß diese
Darstellung sein und kein geschichtliches Panoptikum mit »Zeitlosem«, mit »Allgemein-Menschlichem« darin. Aber Vielsagendes bedeutet hier: das klassische Drama muß so gesprochen und
dargestellt werden, daß nicht die Gegenwart dem Drama aufgepreßt wird, sondern das Drama die Gegenwart mitbedeutet.
Und das auf Grund seiner temporär nie erschöpften Konflikte,

Konfliktsinhalte und Lösungen, vielmehr: jedes klassisch große Drama zeigt an diesen seinen Konflikten und Lösungen ein gleichsam überholendes, das Temporäre *übergreifendes Anliegen.* Ja selbst die in der Gegenwart verfaßten Stücke besitzen nur dann dramatisch aktuelle Bedeutung (im Sinne von Hinweis wie Erhellung), wenn sie sich auf solch übergreifendes Anliegen verstehen. Es gibt einen gesellschaftlichen Prozeß (zwischen Individuum und Gemeinschaft, zwischen kontrastierenden Gemeinschaftsformen selber), der von den griechischen Anfängen des Dramas in die Zukunft reicht, bis in die Gesellschaft der nicht mehr antagonistischen, doch selbstverständlich nicht verschwundenen Widersprüche. Dieser Prozeß, dramatisch zwischen typischen Trägern konzentriert, macht jedes große Drama ebendeshalb groß, weil es neuer Aktualität fähig ist, und macht es ebendeshalb aktuell, weil es zur künftigen Aufgabe: optimistische Tragödie transparent ist. In »Rameaus Neffe« läßt Diderot sagen: »Der Säulen standen viele am Weg, und die aufgehende Sonne schien auf alle, aber nur Memnons Säule klang.« Diese Säule bedeutet Genie zum Unterschied von Mediokrität, aber reiner sachlich bedeutet sie die dauernde Klangkraft und Aktualität großer Dramen in Richtung Tagesanbruch. Die aktuelle Inszenierung wird also dann am besten einrichten, wenn sie sich nach dieser Richtung richtet. Sie ist den wahrsten Dramen, vom »Gefesselten Prometheus« bis »Faust«, immanent; sie braucht keine an- und zugefügte Sichtwerbung, sondern eben Sichtbarmachung.

Weitere echte Aktualisierung:
Nicht Furcht und Mitleid, sondern Trotz und Hoffnung

Das Maß für diese Frische muß jedoch immer wieder frisch erarbeitet werden. Es gewinnt sich am sichersten aus dem Dasein bedeutender neuer Stücke und aus dem Verständnis für sie. Es gewinnt sich nicht zuletzt aus dem großen Unterschied, worin sich das Wunschbild in einer sozialistischen Zeit gegen die frühere befindet. Greifbar wird dieser Unterschied an dem, was Schiller den »Grund des Vergnügens an tragischen Gegenständen« nannte. Noch Schiller kommt in dem so bezeichneten Auf-

satz und deutlicher in dem nachfolgenden »Über die tragische
Kunst« von der Aristotelischen Definition der Tragödie scheinbar
nicht los. Wobei er überdies zwischen Trauerspiel und Tragödie
nicht zu trennen beabsichtigt, indem beide den Zuschauer zu rüh-
ren hätten. Und *Rührung* ist es auch, von der her Aristoteles zu
seiner berühmten Zwecklehre der Tragödie gelangt: sie habe
die Affekte der Furcht und des Mitleids zu erregen. Schiller akzentuiert daran nur das Mitleid, doch auch im Aristotelischen
Original zeigt uns die Tragödie Menschen, vorab ihre Helden,
in einem Zustand des Leidens. Und die dramatisch bewirkte
Hochsteigerung der Furcht vor dem Leiden, des Mitleids mit
ihm, soll den Zuschauer bekanntermaßen von diesen Affekten
befreien. Das heißt, die Affekte sollen durch die tragische Steigerung wieder zu ihrer normalen Höhe im Leben abreagiert
werden. Das ist der Sinn der Aristotelischen Katharsis oder Reinigung, als einer solchen, die immer eben Rührung durch dramatisch erfahrenes Leiden einschließt. Erst Euripides freilich hat
die Rührung in die Tragödie gebracht, weshalb ja auch Aristoteles dem Euripides die stärkste dramatische Wirkung im angegebenen Sinn zuschrieb. Vorausgesetzt ist hierbei aber nicht
nur das spezifische Drama, von dem Rührung ausgeht, sondern
vor allem doch auch ein Verhalten, das weniger das Aufbegeh-
ren gegen das Schicksal als das – wie immer standhaft ertragene –
Leiden an ihm, das Unterliegen vor ihm pointiert. Die gesamte
antike Sklavenhaltergesellschaft nahm ein tragisch Aufsässiges
im Leiden, nahm Prometheus als tragischen Grundhelden nicht
wahr oder wollte ihn mindestens nicht voll wahrhaben. Das
trotz der Prometheus-Trilogie des Äschylos und trotz des Wissens, daß die tragischen Helden besser sind als die Götter, gar
als das Schicksal. Und nun ist es gerade für das *Maß der Erfrischung des dramatischen Aspekts* lehrreich, wie vor allem die
Furcht-, dann die Mitleid-Reinigung der uns fremdest gewordene tragische Effekt ist. Einzuräumen bleibt, daß ihn, wie
gesehen, noch Schiller liebte (allerdings mit ausschließlicher Be-
tonung des Mitleids); daß ihn vorher Lessing in der »Hambur-
gischen Dramaturgie« verteidigte oder nochmals reinigte (allerdings gleichfalls mit Reduktion der Furcht, die das auf uns selbst
bezogene Mitleid sein soll). Aber bereits die unternehmerische,

dynamische bürgerliche Gesellschaft verstand den antiken Grund des Vergnügens an tragischen Gegenständen nur noch mit Mißverständnissen; bereits ihr wird mit dem tragischen Helden, auch dem der griechischen Tragödie, ein ganz anderes Wunschbild Theater aktualisiert als dasjenige, welches die bloß passiven Affekte Furcht und Mitleid mit sich führt. Der Furchtaffekt ist mit der Schicksalstragödie ohnehin gefallen, und das Mitleid? Diese Art Rührung ist am Äschyleischen Prometheus und dem, was damit zusammenhängt, weit geringer als die *Bewunderung*. Ja es läßt sich noch weit mehr, noch ganz anderes in der dermaßen eingetretenen Affektverschiebung feststellen, in dieser wesentlichsten Art von Aktualisierung. Denn ist der tragisch erregte Grund nicht mehr Furcht und Mitleid, so bleibt er auch nicht nur Bewunderung. Er ist vielmehr – und nun als solcher auch *in den tragischen Personen selber* gesehen – *Trotz und Hoffnung*. Das erst sind die beiden tragischen Affekte im revolutionären Verhältnis, und sie kapitulieren nicht vor dem sogenannten Schicksal. Der Trotz schwindet zwar an und in den *Helfend*-Siegreichen, als den Helden der sozialistischen Gesellschaft und Dramatik; den nicht mehr antagonistischen Widersprüchen, der substanziellen Solidarität entsprechend. Desto wichtiger aber ist er an und in den *Scheiternd*-Siegreichen, als den Helden der klassisch überlieferten Dramatik, die – nach Hebbels Wort – an den großen Schlaf der Welt gerührt haben. Und die spezifische Hoffnung, als eine, die in diesem Scheitern allemal ihr sachgemäßes Paradox trieb und die den besten Grund des Vergnügens an tragischen Gegenständen bildet, kommt im sozialistischen Theater überhaupt erst ohne Paradox nach Hause. (Dergestalt daß hier allerdings, im Sinn der letzten Stücke [»Romanzen«] Shakespeares, des Goethischen Faust, das Tragische aufgehoben sein mag.) Insgesamt erhellt sich so das Theater in seiner moralischen, seiner paradigmatischen Anstalt als eine heiter-antizipierende. Darum ist es heiter auch in der Tragödie, nicht nur in der kritischen Komödie, nicht nur im Lustspiel. Darum spannt sich gerade um die tragischen Helden, ja noch um die echte Rührung, nämlich um die edlen Untergänge des Trauerspiels der Rundhorizont Morgen. Wenn Schiller sagt: »Was sich nie und nirgend hat begeben, das allein veraltet nie«, so ist dieser Satz zweifellos, sage man, übertrieben; und doch steckt in ihm, unter so viel pessimistischer und idealistischer Resignation, ein materieller Kern. Nur muß der Satz lauten: Was sich *noch nie und nirgends ganz* begeben hat, doch als *menschenwürdiges Begebnis bevorsteht und die Aufgabe bildet,* gerade das veraltet nie. Der wirkende Anteil Zukunft gibt also das eigentliche Maß für Frische, auch in der Komödie, die die Gegenwart kritisiert, im Lustspiel, das sie behaglich ausgehen läßt, wie sehr erst in der Erhabenheit der tragischen Welt. Weil an der hoffnungsreichen Wirkung ihrer Helden klar wird, daß deren Untergang nicht ganz stimmt, daß das Element Zukunft darin erhebt.

31 VERSPOTTETE UND GEHASSTE WUNSCHBILDER, FREIWILLIG HUMORISTISCHE

> Wenn nächstens jemand ein Kapital von hundert Millionen darauf verwendet, alle Neger mit weißer Ölfarbe anzustreichen oder Afrika viereckig zu machen, mich soll's nicht wundern.   *G. Freytag, Die Journalisten*

Das Wörtchen Wenn

Über vieles wird sich schief gelacht, was nicht heiter ist. Über jeden, der Pech hat, liebt man zu schmunzeln, und ist er klug, so tut er selber mit. Eine besonders schale, doch auffallende Art von Spaß hat hier Platz. Wie lustig, daß einer seinen Schlüssel verloren hat und deshalb zu spät kommt. Daß man seinen Schnupfen nicht los wird, wird gemeinhin erzählt und quittiert wie ein guter Witz. Das Lachen dient hier dazu, die Sache klein zu machen, nebensächlich und fast so, als wäre sie nicht da. Andererseits macht es Spaß, ist auch selber spaßhaft, die Dinge, die einem nicht passen, oder die man als nichtpassende an andern gewohnt ist, so für sich allein umstellen zu können, mit einem kleinen, nur innerlichen Finger sozusagen. Schön, wenn es so ginge, doch daß es nicht so geht, erregt ebenfalls Gelächter.

Daher das Sprichwort: Wenn das Wörtchen Wenn nicht wär',
wär' gar mancher Millionär. Oder: Wenn die Wünsche Pferde
wären, würden alle Bettler reiten. Dieser Spott ist richtig, trotzdem bleibt vieles darin merkwürdig, noch mehr wird bald bedenklich. Denn liebend gern verbreitet sich ein so fröhlicher Ton
dorthin, wo er nur noch grinst und höhnt. Er verbreitet sich auf
Kosten des Vorwegnehmens überhaupt, des ungewohnten. So
mag schon der Urmensch gelacht haben, als ihm ein Träumer
vormachen wollte, Fleisch könne und werde einmal gebraten
verzehrt werden. Die Auswüchse sind es, sie haben immer die
Lacher gegen ihre Seite. Die Sache ist Wind und wird zu Wasser werden wie jeder Wind. Das tut zwar nicht jeder Wind,
doch der Spießer hört es gern.

»Die neumodischen Dinge taugen alle nichts«

Von hierher wird das Neue am leichtesten, auch innigsten verspottet. Seine Bringer stören, denn angeblich gewöhnt sich der
Mensch an alles, auch ans Schlechte. Ungewohntes bleibt dem
Kleinbürger eine Fundgrube von Spaß und Abneigung; das
hängt mit seiner unsicheren Selbstzufriedenheit zusammen. Der
Komiker sagt es frei heraus, die neuen Damenhüte sind ein
Graus; nach diesem Rezept wird nun der Ulk der Zukunft ausgekocht und angerichtet. Aber freilich, es kommt hinzu, daß der
so beschaffene Witz auch Wurzeln in ganz anderer Klasse und
in sehr alten Zeiten aufweist. Davon lebt er, lebt die Abneigung
des Spießers, ohne es zu wissen, und nur die Hämischkeit ist dessen eigenes Gewächs. Auch der Bauer frißt nicht, was er nicht
kennt, er hatte dazu, solange ihm das Neue vom Gutsherrn kam
und von der Stadt, die den Bauern ausplünderten, guten Grund.
Das hat sich bei dem Bauern, als eine erworbene Eigenschaft,
lange erhalten, das ließ ihn, von ganz anderer Basis her, mit dem
Kleinbürger in den Ruf einstimmen: Die neumodischen Dinge
taugen alle nichts. Und ein anderer Grund liegt sogar in einer
sehr alten, fast archetypisch nachwirkenden Neuerungsscheu:
im Aberglauben als dem Restbestand aus längst vergangener
magischer Zeit. Nachdem die ersten eisernen Pflüge in Polen
eingeführt waren und schlechte Ernte folgte, schrieben die

Bauern das dem Eisen zu und kehrten zum Holzpflug zurück. Das macht: in der guten alten Zeit, in der Holz-, Stein-, Bronzezeit war Eisen nicht dabei, so taugt das spätere Material nicht zu den hier überkommenen Bräuchen. Ebenso: die Beschneidung wird bei allen Stämmen, die sie als letzten Rest des primitiven Menschenopfers pflegen, mit einem Holz- oder Steinmesser ausgeführt; die Tempel der uralten Erdgötter durften nicht mit eisernen Werkzeugen gebaut oder repariert werden. Dem verwandt ist, vom alten Steinmesser auf die Priesterkaste übertragen: in Rom haben die Plebejer als letztes das Amt des sacerdos erlangt, das bis dahin einzig den Patriziern archaisch vorbehalten. Und der römisch-katholische Gott wiederum versteht nur Latein; eine deutsche Messe wäre hier, was das Eisen für die alte Erdmutter bei den alten polnischen Bauern war: Herausforderung, Greuel. So tragen für den Aberglauben alle Neuerungen das Zeichen: es ist kein Segen daran. Ein Rest der alten Angst wird von zurückgebliebenen wie von ungleichzeitigen Schichten analog auch gegen die Zukunft verwendet, die ihnen nicht paßt. Ungewohntes ist hier in jeder Weise landfremd, so wird es, mit auffallendem Gegenschlag gegen den Wunsch nach Überraschung, verspottet.

Le Néant; Un autre monde

Kühner wird der Witz, wenn er Neues selber schnöde vormacht. Wenn er gar mit dem Dunkeln darin spielt und es in ein *prickelndes* Grauen auflöst. Das Prickelnde darin bezeichnet allemal das Vergnügen daran, daß etwas nun nicht mehr mit rechten, das heißt gewohnten Dingen zugeht. Sehr früh flickte das Zaubertheater der Magie am Zeug, nicht sowohl, um sie zu entzaubern, als um dem Publikum einen kuriosen, einen komischen Schatten auch über das technisch Wunderhafte fallen zu lassen. Das Wunschbild, über die alten Grenzen zu steigen, wird damit, unter anderem, zum Sensationsspaß verkleinert; ein Komödiant kann einen Erfinder lehren. Hierher gehören Feuertricks: die Kunst, auf glühenden Kohlen zu gehen, der Flammenesser, Flammenspeier. Powel the Fire-Eater briet 1762 ein Beefsteak auf seiner Zunge, indem er eine glühende Kohle darunter legte; die

Zunge war mit einem unbekannten Schutzmittel gesalbt. Hierher gehören die optischen Illusionen, vor allem die Arbeit mit Spiegelreflexen, die seit dem sechzehnten Jahrhundert bezeugt sind. Benvenuto Cellini berichtet von Phantomen, die, während einer Vorstellung im Kolosseum, auf Rauch projiziert wurden; die dazu gebrauchten Spiegel wurden vom Hof der Tatarenchane nach Rom eingeführt. Erhalten hat sich davon der Trick, lebende Personen durch Spiegelwirkung verschwinden und wieder erscheinen zu lassen: »Le Néant«, auf Montparnasse, ist eine Bude, die noch heute Menschen, auch Dinge, die eben noch auf der Bühne standen, spurlos aus dem Gesicht bringt und aus dem Nichts ins Da-Sein zurückkehren läßt. 1865 konstruierten Tobin und Pepper »The Cabinet of Proteus«, worin Männer und Frauen verwandelt wiedererschienen: nackt im Liebesbett oder mit Büßerhemd auf dem Scheiterhaufen. »Le Néant« auf Montparnasse aber, wirkt er nicht, als wollte er so lange vor Sartre schon entwerten und spotten: Aller Fortschritt ist einer ins – Nichts.

Dergleichen fehlt erst recht nicht, wo in Bildern Neues übertrieben wird. Witzblätter ziehen seit hundert Jahren Stoff daraus, wie der Mensch in hundert Jahren aussehen wird. Der Spott wird desto stärker, je sonderbarer der Spötter selber von seinen voraus gemalten Fratzen betroffen ist. Dann kann sich freilich die Karikatur auf eine Höhe schwingen, die dem Witzblatt notwendig fehlen mag. Bedeutend hierfür ist ein Grotesk-Bilderbuch mit Text aus dem neunzehnten Jahrhundert auf der romantisch-technischen Kippe: Grandvilles »Un autre monde« (1844); der Autor starb drei Jahre später im Irrenhaus. Umgestiegen wird hier aus der alten Welt in eine neue, und die Sittenschilderung des Umstiegs mischt sich mit freundlichen Genreszenen der Hölle. Auf dem Titelblatt werden verheißen: »Transformations, Visions, Incarnations, Ascensions, Locomotions..., Metamorphoses, Zoomorphoses, Lithomorphoses, Métempsychoses, Apothéoses et autres choses.« Gehalten wird von diesen Versprechungen nicht alles, immerhin rollt der Vorhang auf vor einer vertrackt-utopischen Zucht. Da sind umgebaute Menschen, Doppelliluwer vorn und hinten tragen sie Kopfgebisse und greifen zu. Werkzeuge haben sich längst verselbständigt, sie sind riesige Insekten aus Eisen, ihre Gliedmaßen Zangen oder

Hebebalken, ihr Kopf ein Schmiedehammer, der nietet, indem er nickt. Ein »Concert à la vapeur« zischt, rasselt, klirrt menschenlos und präzis herauf: alle Instrumente werden durch Dampf betrieben, fast sind sie selber Dampfmaschinen geworden; eine oszillierende Kolbenstange, mit Hand daran, gibt den Dirigenten ab. Auch die »Mystères de l'infini« werden vertechnisiert: Jupiter, Saturn, Erde, Mars sind durch eine Eisenbrücke verbunden; die Brücke zeigt sich durch Gaslampen beleuchtet, so groß wie ein kleiner Mond. Baudelaire sagte von Grandville und seinen Zeichnungen: »Es ist ein krankhaftes literarisches Gehirn, stets auf illegitime Kreuzungen versessen ... Dieser Mensch hat mit übermenschlichem Mut sein Leben damit zugebracht, die Schöpfung zu verbessern.« Aber eher und einzig richtig war er das Talent, technische Gargantuas auszubilden und mit diesem Scherz sein Entsetzen zu treiben. Jedes dieser Bilder karikiert, überzerrt die Mittel, die Menschen durch Technik glücklich zu machen. Auf dem Justizpalast der Zukunft steht als Axiom: »Les crimes sont abolis, il n'y a plus que des passions« – ein ernster Gipfel im aufgebäumten Spott utopischen Unsinns. Soweit Grandville und sein Orakel; ein schizophrener Kleinbürger, ein bedeutendes Grauen technischer Phantasie hat hier zuviel von Proteus oder auch Prometheus gegessen, davon ward ihm übel. Wobei ohnehin jede Seltsamkeit, wie gesehen, ein Stück Witz mit sich führt (vgl. S. 114), als ihre Kehrseite; was ja auch an manchen Produkten des Surrealismus bemerkbar wurde. Außerhalb des Surrealismus ist das am besten erweisbar an den Höllenmontagen, den »paradisi voluptatis« Hieronymus Boschs, deren Misch-Nouveautés vom spanischen Hof einzig um der Belustigung willen gesammelt worden waren. Und nicht ganz unverwandt erscheint das eigentümliche Witzgrauen auch in der übertriebenen Prothesen-Familie Grandvilles, als einer, worin Irrsinn und Spaß zugleich ausbrechen. Schwer, dem beizukommen; Heiterkeit rettet, selber frivol, vor jener dämonisch werdenden Entlegenheit, zu der der Mensch und später die Maschine die Welt umstellen können Witz rettet vor der äußersten Künstlichkeit oder Ungesundheit abstrakter und doch darstellbarer Mischfiguren, vor dem Schattenreich technischer Unzucht, *schwarzer Utopie*. Zugleich aber ist Witz objektiv in ihr:

als ein Anfang des »Grotesken«, das sprachlich wie sachlich aus der »Grotte« oder Unterwelt stammt, als Vater oder Bruder eines Gelächters, das gerade der Hölle nicht fehlen darf. Einiges davon erscheint in den angegebenen Karikaturen, den Furcht-karikaturen der Technik und ihrer Prothesen. Mit hämischem oder höhnischem Angsttraum, voll Schreck vor der technischen Herausforderung und dem, was sie ruft. Riesige Schlitzaugen öffnen sich auf einem Bild Grandvilles am Himmel; die Groß-bomber der Zukunft freilich und die Atombombe wurden vom schrecklichsten Hohn nicht vorgesehen.

Die »Vögel« des Aristophanes und das Wolkenkuckucksheim

Der Spott übers Neue macht sich ganz groß, wo ein Auftrag vorliegt. Ein Auftrag der herrschenden Klasse gegen um sich greifende Unzufriedenheiten und ihre Bilder. Dann werden Lobredner der alten Zeit gesucht, und lange bevor sie das Neue romantisch wegbliesen, hieben sie satirisch darauf ein. An sich liegt die politische Satire der unterdrückten Klasse zweifellos näher als der besitzenden, der es im Alten wohlgeht und die sich darin erhalten will. So lebte der Spott des sizilischen Mimus durchaus im Volk, und auch die altattischen Komödienschreiber sahen dem Volk nicht nur aufs Maul, auch ins Herz, wenn sie über hergebrachten Schlendrian lachen machten. Aber die Reak-tion während und nach dem unglücklichen peloponnesischen Krieg bewirkte, daß der Spott sich immer mehr gegen Besser-wissenwollen selber kehrte und durchaus nicht gegen Über-altertes. Wobei mit überlegenen Mitteln auch der Haß des Spießbürgers im Demos mobilisiert wurde, eben der Haß gegen Ungewohntes und seine Art. Die erste politische Satire war demgemäß reaktionär, war genau gegen Utopien gerichtet; ihr Meister: Aristophanes machte etliche seiner besten Komödien auf Kosten revolutionärer Hoffnung. »Ekklesiazusen« heißt die eine Komödie, sie verspottet den Plan des Frauenstimmrechts und der Gütergemeinschaft; die andere heißt »Vögel« und ver-spottet sozialistische Utopie schlechthin. Sogar der Spitzname »Wolkenkuckucksheim« (Nephelokokkygia) geht wörtlich auf die »Vögel« zurück, ebenso die Mehrzahl humoristischer Genrebilder, womit der sogenannte Zukunftsstaat seitdem bedacht worden ist. Zwei Athener suggerieren den Vögeln, eine Stadt in den Wolken zu gründen, nicht ohne Absicht, selber dahin zu fliegen. Der eine: Peisthetairos (Rätefreund) hält Finken, Meisen, Schwalben eine »Hetzrede«, er belehrt sie, daß sie einstmals die Welt statt der Götter beherrscht haben und wieder beherrschen sollen. Der andere: Euelpides (Hoffegut) glaubt dumm und treu an die Stadtgründung in der Luft, an Nephelokokkygia hoch droben, zwischen Erde und Himmel, beide kontrollierend. Der Vogelstaat soll das Reich der Freiheit werden: Zucht und Sitte sind dort verbannt, es herrscht »Natur«. Ganz im Sinn des Vorrangs der »Natur« vor der »Satzung«, wie die sophistische Aufklärung ihn gelehrt hatte, wendet sich der Chorführer an die Zuschauer:

> Wer von euch mit uns, den Vögeln,
> Seine Tage fernerhin
> Fröhlich lebend will verbringen,
> Diesen lad ich freundlich ein.
> Alles, was Gesetz verbietet
> Dort bei euch als frevelvoll,
> Ist bei uns im Reich der Vögel
> Durchaus schön und tugendhaft.

Wie schön und tugendhaft aber dies Natürliche ist, geht daraus hervor, daß Aristophanes einen Genossen einfügt, der alles beschmutzt, was ihm in den Weg kommt. Und ein Gesetz wird erwogen, in der vollendeten Bosheit, der genialischen Verleumdungs-Strategie dieser Komödie, »wonach es Ruhm bringt, wenn man den Vater henkt und beißt«. So erscheint hier der gesamte soziale Wunschtraum als Gemisch aus Verbrechen und Posse; seine »Natur« selber hat keinen Boden, außer dem des Wolkendunsts. Sonderbar nur, daß die schöne Stadt in den Wolken, dieser Reflex aller fernen Glücksinseln, zuerst durch das Medium des Spotts literarisch erschien.

Seit alters wird vom besseren Leben so erzählt, als wäre es irgendwo schon da. Auch fremdartige Dinge können als ein Besseres erscheinen, indem sie mindestens andersartig sind und unerhört. Die Form, worin von dergleichen berichtet wird, ist das Reisebuch oder aber Erzählungen in der Art Sindbads. Auch Staatsmärchen haben sehr oft diese Form gewählt; liegt doch das Glücksland bezeichnenderweise weit weg. Auf ferner Insel, in einer Südsee; die davon berichteten Wunder sind gewollt unkontrollierbar. Der heiterste Spott über diese Art Lüge ist Lukians »Vera historia«, auch ein Modell Münchhausens ist darin. Gottfried Bürger entnahm von hier einige Geschichten fast wörtlich, und Thomas Morus, der Lukians Dialoge übersetzt hat, ließ sich nicht abhalten, seine Utopia gleichfalls mit Seemannsgarn anzuspinnen. Auch Rabelais' wunderbare Riesenbilder (die Welt in Pantagruels Mund, bestehend aus fünfundzwanzig bewohnten Königreichen, die Wüsten und ein breiter Meerstrich nicht mitgerechnet) haben aus der »Vera historia« großen Nutzen gezogen; und Rabelais ist der einzige, der Lukian in solcher Groteske übertraf, nämlich mit Renaissance-Dimension. Dem bloßen Spötter Lukian, in absteigender, skeptisch zerstörender Gesellschaft, fehlte Größe des utopischen Spotts durchaus; doch machte ihn seine Skepsis nun gerade dem liederlichen Element verschworen, das an Wunderkunden als einziges aufging. Nicht ohne daß, wie es bei Ironie recht oft der Fall, die Fabelei so lange verspottet wurde, bis der Spott sie nachmachte und übertraf. Derart gab Lukian eine ausgesuchte, fast selber utopische Phantasterei über Unvorhandenes, ganz leicht, ganz sorglos, wie ein Bewohner der glücklichen Inseln selber. Er will, wie die ehrgeizige Einleitung sagt, den großen Lügnern nachfolgen, dem Odysseus an der Spitze, aber auch Dichtern, Philosophen, Geschichtsschreibern und vor allem der legendären Geographie. Er verspottet besonders Fabulantes von der Art des Antonios Diogenes, der in nicht weniger als 24 Büchern die »Wunder jenseits Thules« behandelt hatte. Über diese Vorgänge sagt Lukian: »Ich werfe ihnen ihre Lügenhaftigkeit nicht vor; was mich aber überrascht, ist, daß sie keine Entdeckung fürchteten. Indem ich wünsche, an der Welt der Schriftsteller und Lügner teilzunehmen, und außerstande, Tatsachen berichten zu können (indem mir nichts von Bedeutung zustieß), sage ich im voraus das einzig Wahre, nämlich daß ich Lügen erzählen werde. So beginne ich also mit dem, was ich weder sah noch hörte, und, was mehr ist, ich schreibe über Dinge, die nie geschahen und je geschehen könnten.« Dergestalt segelt Lukian, selbst noch die Möglichkeit seiner eigenen Phantasieländer verlachend, mit fünfzig anderen Lügnern über die Säulen des Herkules. Die bekannte Welt bleibt zurück (soweit sie nicht im Mond, einem aufgehängten Erdspiegel, von Zeit zu Zeit reflektiert wird). Und in der unbekannten gibt es alles, was Tantalus begehrt und Zeus vorenthält. Lukian hat Motive aus seiner syrischen Heimat verwendet, die sich später in Tausendundeiner Nacht wiederfinden, so in den Geschichten Sindbads des Seefahrers. Es gibt eine Art Vogel Rok, es gibt einen Riesenfisch, der Lukians Schiff verschluckt, und anderen Gruselglanz mehr. Dazu finden sich alkoholische Motive, »Vinland«-Motive, wie sie erst in mittelalterlichen Reiselegenden, Entdeckungsbildern wieder auftauchen. Denn auf der Insel jenseits der Säulen des Herkules sieht der Reisende riesige Fußspuren, die des Herkules und des Dionysos. Und letzteren folgend erreicht er einen Fluß, der Wein führt, mit Fischen, die Rausch erzeugen, mit Frauen am Flußufer, die teilweise zu Weinstöcken verwandelt sind und so doppelt trunken machen. Andererseits weist Lukian den Mondbewohnern flüssige Luft als Getränk an, 1700 Jahre vor deren Herstellung, während (damit Unsinn trotzdem recht behalte) kolossale Spinnen den Raum zwischen Mond und Morgenstern mit einem gangbaren Gewebe überziehen. Aber weit sonderbarer ist dieses: das Lügenschiff auf seiner Fahrt in den Atlantik ist nämlich unterwegs, um zu erfahren, wörtlich: um zu erfahren, »was die Grenze des Ozeans sei und welche Menschen auf seinem entgegengesetzten Ufer wohnen«. Das ist deutlicher als die berühmte Prophezeiung des Seneca, daß einst der Gürtel des Ozeans zerreißen werde, aber die Vorhersage der entgegengesetzten Ufer des Atlantik steht in einer Spottschrift über Lug und Phantasterei. Freilich: erreicht dann der wahrhaftige Erzähler eine Wunderstadt, so stellt er sie wieder dar als abgeschmackt vor lauter Zauber, und das Wunderland besteht überhaupt nur noch aus Unmöglichkeit. Insofern gibt Lukianisches sogar ein ganz gutes, nämlich lustiges Antidoton gegen die Dichter, die lügen, gar gegen die Münchhausens, die utopisieren. Jedoch es bleibt ein anderes, ob ein Münchhausen gelegentlich, um des erhöhten Jägerlateins willen, auch utopisiert, oder ob ein Utopist Reisewunder beizieht, um seine glückliche Insel recht stark zu kolorieren. Die Absichten bei beiden sind grundverschieden, so wie die Windbeuteleien Münchhausens und die Glücksmärchen eines Thomas Morus methodisch verschieden sind. Selbst der abstrakteste Utopist hatte nichts Unmögliches, sondern lauter Möglichkeiten im Sinn, auch wenn deren wahre Geschichte noch so im sehr argen lag und ausstand. Es gibt keinen Fluß, der Wein führt, aber ein Überfluß für alle, den es gleichfalls nicht gibt, geht aus der heiteren Lüge sogleich in die heiterste Aufgabe über.

Freiwillig-humoristische Wunschbilder

Zuletzt gibt es voreilende Träume, die an Neues glauben und doch darüber lachen. Sie tun es freiwillig, brauchen keinen Spötter von außenher, sie werden bereits humoristisch geboren. Und eben deshalb, weil sich Vorhandenes in ihnen *verblüffend* verschiebt, mit Zukunft allerorten und nicht als wahr geglaubter. Sonderlich lustig bietet sich für solches Spiel die Bildung ausgewechselter Lebewesen an. Mit dem Messer besorgte das Maurice Renard im Schauerroman »Docteur Lerne«, die Vertauschung von Gehirnen betreffend. Ein Arzt setzt Kalbsgehirne in Löwenköpfe ein, Affengehirne in Menschenköpfe und umgekehrt. So verändert und mischt er die Arten, sein eigener Neffe tobt in einem Stier, in den er das Gehirn dieses Neffen eingesetzt hat. Längst vorher hat der verbrecherische Arzt sich selbst ermordet und sein Gehirn dem Kopf seines großen Lehrers einplantiert, in dessen Leib und Würden er nun lebt. Ist das chirurgischer Wunschspott, so wird er elektrisch-erotisch bei Villiers de l'Ile Adam im Edison-Roman »L'Eve future«, einer Art Jahrmarktsbude mit mechanischen Meermädchen, doch wirklich lebendig. Erzählt wird hier die Erschaffung (Umschaffung) einer Frau durch Edison, den amerikanischen Wundermenschen selber. Der Erfinder steilt für Lord Ewald eine kostbare Nachahmung Alicias her, der sehr schönen Geliebten des Lords, noch schöner durch die technisch hinzugefügte Seele eines höheren weiblichen Wesens. Reines Metall, parfümiertes Fleisch, die neuen Rätsel des Mikrophons, Phonographen, elektrischen Stroms (»L'Eve future« erschien 1886) vereinen sich zum »Automate-electro-humain«. Was die Automatenkünstler des Rokoko, was Spallanzani in »Hoffmanns Erzählungen« begonnen, wird hier sozusagen vollendet; denn die neue Olympia ist keine Puppe mehr, sondern faktisch Ideal von Weib. Trotz Edison ist die Linie freilich nicht modern, der Plan selber: die virgo optime perfecta ist sogar antik. Magisch ist sie im Pygmalion-Mythos gedacht, und Aphrodite war dem Bildhauer gnädig, indem sie die makellose, von keinem organischen Verdruß gestörte Statue belebte. Und weiter, wieder ins Komische gehend: In einem erhaltenen Fragment des römischen Gelehrtenspaßes, in M. Terentius Varros »Befreiter Prometheus« eröffnet der Titan nach seiner Befreiung eine Menschenfabrik, von der Goldschuh, ein Reicher, sich ein Mädchen bestellt »aus Milch und feinstem Wachs, wie die milesischen Bienen es sammeln«. Der Witz ist allerdings der gleiche wie im Edison-Roman, und sein Ziel bleibt der alte Homunculus, der nur sogleich als synthetische Jungfrau gezüchtet wird. Eine eigentlich neue Bahn im elektrisch-utopischen Humorfeld, sogar Paradoxfeld betrat erst H. G. Wells mit seiner »Time-Machine«. Diese Maschine ist auch hinsichtlich ihrer Erzählung viel besser gelungen als Wells' spätere limonadenhaft-liberale Staatsmärchen. Die Zeitmaschine fährt nicht nach rechts noch nach links, sondern einzig auf der Zeitlinie vor und zurück, als nicht mehr imaginärer Raumachse. Der Erfinder schwingt sich im Laboratorium auf das unerhörte Fahrzeug, stellt den Hebel in die Zukunft. Um ihn wird es Nacht, nämlich die kommende, wird es Tag von morgen, wird es in einer Stunde die nächste Woche, wird es künftiger Winter und Sommer, mit wachsender Tourenzahl der Maschine nur noch als Reflex von Weiß und Grün erscheinend. Jahrzehnte werden durchrast, Jahrhunderte. Endlich stellt der Fahrer den Motor in der Landschaft ab, die – auf der gleichen Raumstelle wie sein Zimmer – im Jahre 802 701 sein wird. Dort trifft er völlig harmlose, auf der Kinderstufe stehengebliebene Menschen, singend, tanzend, Blumen flechtend; unter der Erde aber hausen die Morlaken, klebig schwärzliche Geschöpfe von weit höherer Intelligenz. Es sind die Proletarier von ehemals, und die Blumenmenschen sind die im Müßiggang verblödeten Reichen, sie werden jetzt von den Morlaken als Viehherde gehalten, als lebender Fleischvorrat. Der Zeitfahrer kehrt nach mancherlei Gefahren aus dem Jahr 802 701 zu seinen gegenwärtigen Freunden zurück, eine Blume in der Hand, die auf der ganzen jetzigen Erde nicht vorkommt. Er verspricht, das Geheimnis der Maschine zu enträtseln, sobald er mit ihr auch die andere Richtung der Zeit, die vergangene, erprobt habe. Doch von dieser Reise, versichert Wells, kam der Fahrer nicht mehr zurück, sei es, daß er sich im Diluvium angesiedelt, sei es, daß er, noch tiefer in die Vergangenheit geraten, einem Ichthyosaurus zum Opfer gefallen sei. Soweit dieser interessante Spaß, er spielt virtuos auf dem populären Zeitbegriff, er spielt weniger virtuos auf dem populären Spießerbegriff, wonach es, »da der Mensch sich nicht ändert«, auch in Jahrhunderttausenden noch Klassen geben wird. Die Klasse der Müßiggänger droben, wenn auch eßbar geworden, der Arbeiter drunten, wenn auch mit der einzig übriggebliebenen Intelligenz, der von Kanalgeschöpfen. Ganz reaktionär aber endet das letzte, das totale Morlaken-Gemälde, das über Wells hinaus Aldous Huxley noch geliefert hat, mit dem ironischen Shakespeare-Titel: »Brave New World«. Einzig Reflexmenschen bewohnen darin die Zukunft, sauber, gefühllos, unsentimental in die Reflexgruppen der Roboter und der Führer eingeteilt. Individuen sind abgeschafft, die Gesellschaft funktioniert als Schaltwerk, und das idiotische Wunschbild, das Huxley als eines der Kommunisten oder der Faschisten hinstellt, ihm angeblich gleichviel, ist sozusagen schreiend komisch. Es erbricht sich dermaßen vor Lachen, daß es nicht einmal Monopolkapitalismus von Vergesellschaftung der Produktionsmittel zu unterscheiden weiß. So ist die liberale Bourgeoisie zu utopischem Humor unfähig geworden; sein Spiel endet in Grausen und Dummheit. Ist, wie der Individual-Agitator Huxley zeigt, nur noch zu Hoffnungsmord und Anti-Utopie fähig. Halte man sich statt dessen an »L'Eve future«, besonders an die »Time-Machine«, soweit sie technisch bleibt, und an verwandte Humoresken. Gerade der Sozialismus hat Platz für freiwillig-humoristische Wunschbilder echter, künftiger Art; ja sie werden in ihm eine eigene heitere Schriftgattung bilden können, die der *moussierenden Projekte*. Wenn einmal ein kleines goldenes Zeitalter anfängt zu beginnen, dann wird manches Wunschbild übertreibbar, doch keines mehr karikierbar sein.

32 HAPPY-END,
DURCHSCHAUT UND TROTZDEM VERTEIDIGT

> Ich möchte einen Cancan tanzen,
> So frech wie die Pompadour,
> Denn wir Pariser Pflanzen
> Denken nur l'amour, l'amour.
>
> *Offenbach, Pariser Leben*

> Der Kommis hat auch Stunden, wo er sich auf ein Zukkerfaß lehnt und in süße Träumereien versinkt; da fällt es ihm dann wie ein Fünfundzwanzig Pfund aufs Herz, daß er von Jugend auf ans Gewölb gefesselt war wie ein Hund an die Hütten. Wenn man nur aus unkompletten Makulaturbüchern etwas vom Weltleben weiß, wenn man den Sonnenuntergang nur vom Bodenfenster, die Abendröte nur aus Erzählungen von Kundschaften kennt: da bleibt eine Leere im Innern, die alle Ölfässer des Südens, alle Heringsfässer des Nordens nicht ausfüllen, die alle Muskatblüt' Indiens nicht würzen kann.
>
> *Nestroy, Einen Jux will er sich machen*

Man weiß zu gut, die Menschen wollen betrogen werden. Doch dieses nicht nur, weil die Dummen in der Mehrzahl sind. Sondern weil die Menschen, zur Freude geboren, keine haben, weil sie schreien nach Freude. Das erst macht auch die klügeren zeitweise einsinnig, einfältig, sie fallen auf Glanz herein, und es ist nicht einmal nötig, daß der Glanz Gold verspricht, hier kann bereits genügen, daß er glänzt. Schaden macht klug, doch binnen kurzem arbeitet die Sucht wieder und hofft, daß man sie diesmal nicht betrügt. Sie hält sich für den Ernstfall frisch und will ihn

nicht verräumen; unterdessen aber wachsen immer neue, unge-
brannte Kinder laufen immer neue Betrüger haken in eine
Schwäche ein, die ebenso eine Stärke sein könnte. Denn immerhin hat sie eine Schwäche fürs Glück, fürs Lachen zuletzt und ist
nicht der verprügelten Meinung, selten käme etwas Dürreres
nach. Die Benutzung der Schwäche braucht nicht durch Schwindler zu geschehen, kleinen wie großen Stils. Schönfärben wird
überall gesucht, schlechte Bücher sind voll davon. Aber bezeichnenderweise mehrt sich der Zucker gegen das Ende, er steigt
sozusagen an oder auf. Das Leben ist bedenklich, doch per saldo
soll es sich rentieren. Auch der sonst Gewitzigte wird derart vom
Ende gut, alles gut beeindruckt.

Viel steht dafür, den Schein am Ende schlechthin zu verurtei-
len. Im Anblick des Unheils, das er angerichtet hat, heute, in
steigender Weise, anrichtet. Wo die Arbeit gar keine Freude
mehr macht, muß die Kunst dazu herhalten, Spaß zu sein, fröhlicher Schwindel, aufgesetztes happy-end. Das hält die Hörer
bei der Stange; am Ende der faschistischen Volksgemeinschaft
oder des American way of life wird jeder etwas kriegen, und
zwar ohne daß das Geringste an der vorliegenden Wirklichkeit
geändert werden müßte. Die Besucher der Kinos und die Leser
der Magazingeschichten erblicken rosenrote Aufstiege, als wären
sie in der gegenwärtigen Gesellschaft die Regel, und nur der Zufall hätte sie für den zufälligen Beschauer verhindert. Ja, das
happy-end wird kapitalistisch desto unumgänglicher, je geringer die Aufstiegschancen in der heutigen bestehenden Gesellschaft geworden sind, je weniger Hoffnung diese bieten kann.
Dazu kommt die »moralische« Dosierung des guten Ausgangs;
denn nicht jeder wird reich und glücklich, so viel Zucker ist selbst
in der Magazinwelt nicht da. Sondern nur dem Tugendhaften
wird ein Bankkonto, dem Bösen, und nur ihm, ist das Elend vorbehalten; derart findet eine der frechsten Umkehrungen des
wirklichen Zustands statt. Das Hotel zum Reichen Mann ist
allerorten von Guten bewohnt; das viele Schlechte aber, Hunger,
Slums, Gefängnisse, das die herrschende Gesellschaft nicht ab-
schaffen und nicht einmal wegleugnen kann, wird zweckgemäß
auf die sittlich Schlechten verteilt. Es sind die alten Sonntags-
predigten der gerissenen Erbaulichkeit, nun gänzlich zur Heu-

chelei geworden, zur Schminkindustrie dazu. »Wenn das Geld«, sagt Marx, »mit natürlichen Blutflecken auf einer Backe zur Welt kommt, so das Kapital von Kopf bis Zeh, aus allen Poren blut- und schmutztriefend«; also braucht es, je länger, je mehr, Maske für den Ausgang, Glück der Bravheit am Ausgang. Das happy-end ist aber nicht nur verlogen, es ist auch flach geworden wie noch zu keiner Zeit, es beschränkt sich auf das Lächeln der Auto- und Parfümreklame. Gepflegte Herren und Damen zeigen das High-Life einer untergehenden Gesellschaft, ohne daß sich in dieses Ende Süßigkeit des Lebens zusammendrängte wie im Rokoko. Das Glück des bürgerlichen Reichtums ist selber so plump wie leer geworden, sein happiness grenzt in Wahrheit mehr ans Nichts als selbst die Toten. Trotzdem betrügt dies vor-gelogene, vorgeschriebene happy-end Millionen, denen es die Jenseits-Vertröstung der Kirche ersetzt, und nur um des Betrugs willen ist es vorgeschrieben. Mit immer neu erwärmter Einbil-dung soll der arme Teufel, der in goldenen Träumen sich her-aufspielt, des Glaubens bleiben, diese Träume seien im Kapita-lismus, mindestens in Kapitalismus plus Geduld und etwas Wartezeit sicher erfüllbar. Doch für den kleinen Mann gibt es keinen Börsengewinn des Lebens, jedes Rosenrot endet für ihn als schwarzer Freitag. Es gibt sehr geschicktes kapitalistisches Feuerwerk, nicht nur in optischer Beziehung, dem gegenüber die sozialistische Welt kaum mitkommt. Aber nach all den Blitz-schlangen und Sternkästen, venezianischen Prachtbomben und der Königin der Nacht folgt die gewaltige Kanonenschlagbombe, und das ist der Clou wie der Abschluß der Sache. Was immer der Kapitalismus mit happy-end aufzieht, Geschäft wie nie, Großdeutschland, America first, selbst keep smiling, führt in den Tod. Auf platteste Weise wird das Schöne in der Welt der übertünchten Gräber zu des Schrecklichen Anfang.

Und trotzdem ist das nur die eine Seite des Scheins, die selber falsche. Ein unüberhörbarer Trieb arbeitet in der Richtung des guten Endes, er ist nicht nur auf die Leichtgläubigkeit be-schränkt. Daß Betrüger sich diesen Trieb zunutze machen, wider-legt ihn au fond fast so wenig, wie der »Sozialist« Hitler den Sozialismus widerlegte. Die Betrügbarkeit des happy-end-Triebs besagt nur etwas gegen den Stand seiner Vernunft; dieser aber ist so belehrbar wie verbesserbar. Der Betrug stellt das gute Ende dar, als sei es in einem unveränderten Heute der Gesellschaft erreichbar oder gar schon das Heute selbst. Doch indem Erkenntnis den faulen Optimismus zuschanden macht, macht sie nicht auch die dringende Hoffnung aufs gute Ende zuschanden. Denn diese Hoffnung ist zu schwer zerstörbar im menschlichen Glückstrieb begründet, und zu deutlich war sie allemal ein Motor der Geschichte. Sie war es als Erwartung und Aufreizung eines positiv sichtbaren Ziels, um das zu kämpfen wichtig ist und das in die öde fortlaufende Zeit ein Vorwärts schickt. Mehr als einmal hat die Fiktion eines happy-end, wenn sie den Willen ergriff, wenn der Wille sowohl durch Schaden wie eben durch Hoffnung klug geworden war, und wenn die Wirklichkeit in keinem zu harten Widerspruch dagegen stand, ein Stück Welt umgebildet; das heißt: eine anfängliche Fiktion wurde wirklich gemacht. Zuweilen gelang sogar, bei kräftigem Glauben, ein Paradox: der Sieg des Dringlichen über den mächtigen Feind, des Heiteren über das übel Wahrscheinliche. Fehlt der Willensinhalt des Ziels, dann bleibt selbst das gut Wahrscheinliche ungetan; bleibt aber das Ziel, dann kann selbst das Unwahrscheinliche getan werden oder mindestens, für später, wahrscheinlicher gemacht. Nicht einmal das Zerreißen der Kette an ihrem schwächsten Glied gelang und gelingt, wenn den Zerreißenden nicht das Positivum: Anti-Kette gänzlich im Gemüt steht. Die Menschen verkleinern sich, wenn ihr Zweck verkleinert wird, dagegen als großer und heiterer macht er sich in einer Welt unvermeidlich, die nur noch die Wahl zwischen Sumpf oder energischem Neubau vor sich hat.

So steht es der roten Farbe nirgends an, freiwillig schüchtern zu sein. Bereits jede Schranke, wenn sie als solche gefühlt wird, ist zugleich überschritten. Denn schon das Anstoßen an ihr setzt eine über sie hinausgehende Bewegung voraus und enthält sie keimhaft. Das ist das einfachste dialektische Zugleich im objektiven Faktor, vorab, wenn er das Bewußtsein der Schranke vervollständigt und aktiviert. Dann gelangt das Bewußtsein vermittelt auf die andere Seite, in den Kampf ums happy-end, wie es im Ungenügen am Vorhandenen sich schon verspürt, fast meldet. Der Unzufriedene sieht dann in Einem, wie schlecht die kapitalistischen Verhältnisse sind und wie dringend ihn die sozialistischen Anfänge ·brauchen, wie gut deren Folge sein kann und wird. Dergleichen macht die Schranke zur Staffel, vorausgesetzt, daß die andere Seite, das Glück des Ziels, stets auf dem Weg anwesend bleibt. Und die unabdingbare Einsicht in die ökonomischen Gesetzmäßigkeiten beglaubigt: diese Gesetze haben, als erkannte und verwendete, das Zeug in sich, zu einem guten Ende zu leiten. Also braucht der Sozialismus auch keine Anleihen bei anderen Farben, Gebräuchen, Mächten, gleich als ob seine eigene Farbe nicht ausreichte. Er braucht das vor allem nicht, wenn diese Farben oder Stellagen so sehr diesseits der überschrittenen Schranke liegen und schon so ganz anderes gestellt haben, daß sie nicht leicht, auch nicht unmißverständlich umfunktioniert werden können. Der Sozialismus, der seinen Weg zum happy-end als eigenen besitzt und hält, ist gerade auch als Kulturerbe eines aus eigener Schöpferkraft, eigenem Fülle-Ziel, ohne Plüsch, ohne geistige Schüchternheit. Das neureiche Bürgertum der zweiten Hälfte des vorigen Jahrhunderts kam nicht mit Eigenem aus; so trieb es Putz und Ersatz mit Schleifchen, Deckchen, maskierten Häusern und Bildern, unverstandenen Ornamenten, hochherrschaftlichen Fassaden, Historismen; und der Ersatz war danach. Dem Sozialismus, der nie mit fremdem Kalbe pflügt, der die Maskerade wie das Protzentum gesellschaftskritisch entlarvt, ästhetisch verdammt, liegt das alles meilenfern. Gründerzeiten sind hier Fremdkörper, im Sozialismus besonders merkbare; auch zum Kulturerbe geht ihm kein Weg durch die gute Stube. Politisch grenzt das revolutionäre Proletariat nirgends ans Kleinbürgertum, wie sollte es das kulturell? Tatsächlich wird ja auch dergleichen nie praktiziert; denn eine Praxis, die keine realistische Theorie hinter ihr und für sich hat, wäre keine, ist im Sozialismus unmöglich. Ja, auch noch das echte Kulturerbe nimmt der Sozialismus nicht so auf, daß er damit beginnt und dann auf ihm, als wäre es eine fertige Bel-Etage, weiterbaut, sozusagen. Sondern der Bautrieb ist hier, zum ersten Mal in der Geschichte der Kultur, moralisch, ist der Bau einer Welt ohne Ausbeutung und ihre Ideologie. Weder Kahlheit noch Epigonentum bezeichnen des weiteren dieses Werk, sondern der Farbenakkord Rot und Gold, ein offenbar herrlich-kühner. Im Rot aber steckt zugleich das Gold, das dem Besten aus der Tradition wahlverwandt macht und ihr Klassisches ausmacht – als wachsenden Gehalt, nicht als ehemalige Lokalform. Darum: frische Luft und große Weite gehören zu diesem Ausgang, als demjenigen, worin auch kein happy-end aus Plüsch mehr hängt und keines aus dem Lorbeerschema des Historismus. Es gibt genug fröhliche Umschlagplätze am Strom zum wahren happy-end; denn dieser fließt einzig durch den Sozialismus. Wie bemerkt, jede Schranke, wenn sie als solche gefühlt wird, ist bereits überschritten. Doch ebenso: keine Schranke wird tätig überschritten, ohne daß gemeintes Ziel in echten Bildern und Begriffen vorherzieht und in dergestalt bedeutende Verhältnisse versetzt.

Sieh den Ausgang der Dinge als freundlich an, das also ist nicht immer leichtsinnig oder dumm. Der dumme Trieb zum guten Ende kann ein kluger werden, der passive Glaube ein kundiger und aufrufender. Insofern kann zu einer Verteidigung des alten fröhlichen Kehraus geschritten werden, denn er ladet, streckenweise, zum Essen ein, nicht nur zur Betrachtung. Und dies Essenwollen hat zuweilen gegen die Sperre erst empfindlich gemacht, die sich – in Gestalt der vorhandenen Gesellschaft – zwischen Vorstellung und Lustgelag schiebt. Wogegen Menschen, die überhaupt an kein happy-end glauben, die Weltveränderung fast ebenso hemmen wie die süßen Schwindler, die Heiratsschwindler, die Charlatane der Apotheose. Bedingungsloser Pessimismus also befördert nicht viel weniger die Geschäfte der Reaktion als künstlich bedingter Optimismus; letzterer ist immerhin nicht so dumm, daß er an gar nichts glaubt. Er verewigt nicht das Geschleppe des kleinen Lebens, gibt der Menschheit nicht das Gesicht eines chloroformierten Grabsteins. Er gibt der Welt nicht den todtraurigen Hintergrund, vor dem sich überhaupt nichts zu tun lohnt. Zum Unterschied von einem Pessimismus, der selber zur Fäulnis gehört und ihr dienen mag, verneint ein geprüfter Optimismus, wenn die Schuppen von den Augen fallen, nicht den Zielglauben überhaupt; konträr, nun heißt es, den richtigen zu finden, zu bewähren. Deshalb ist selbst über einen bekehrten Nazi mehr mögliche Freude als an sämtlichen Zynikern und Nihilisten. Deshalb ist der sturste Feind des Sozialismus nicht nur, wie verständlich, das große Kapital, sondern ebenso die Menge der Gleichgültigkeit, Hoffnungslosigkeit; sonst stünde ja das große Kapital allein. Sonst gäbe es ja, trotz aller Fehler in der Propaganda, nicht die Verzögerungen, bis der Sozialismus in der ungeheuren Majorität zündet, deren Interessen zu ihm gehören, ohne daß sie es weiß. Also ist der Pessimismus die Lähmung schlechthin, während selbst der verrottetste Optimismus noch die Betäubung sein kann, aus der es ein Aufwachen gibt. Noch die Zufriedenheit mit dem Existenzminimum, solange es da ist, die Kurzsichtigkeit im täglichen Kampf ums Brot und die armseligen Triumphe in diesem Kampf stammen letzthin aus dem Unglauben ans Ziel; in ihn daher gilt es, primär einzubrechen. Nicht grundlos hat das Kapital außer dem falschen happy-end seinen echten eigenen Nihilismus zu verbreiten gestrebt. Denn er ist die stärkere Gefahr und kann, zum Unterschied vom happy-end, überhaupt nicht berichtigt werden, außer durch seinen eigenen Untergang. Die Wahrheit ist sein Untergang, als enteignende wie als befreiende, hin zu einer endlich gesellschaftlich möglichen Humanität. So ist denn die Wahrheit, als wegräumende, als Anweisung zum Bau, keineswegs Grämen noch Eis. Konträr, ihre Haltung ist, wird, bleibt kritisch-militanter Optimismus, und dieser orientiert sich im Gewordenen allemal aufs Noch-Nicht-Gewordene, auf betreibbare Möglichkeiten des Lichts. Er macht die unausgesetzte und tendenzkundige Bereitschaft, den Einsatz ins noch Ungelungene zu wagen. Solange kein absolutes Umsonst (Triumph des Bösen) erschienen ist, ist darum das happy-end des rechten Sinns und Wegs nicht nur unser Vergnügen, sondern unsere Pflicht. Wo die Toten ihre Toten begraben, mag das Grämen mit Recht stattfinden und das Scheitern der existenzielle Zustand sein. Wo Snobs als Verräter sich so lange an der Revolution beteiligten, bis sie ausbrach, mag in der Tat nur mehr zu beten sein: Unsere tägliche Illusion gib uns heute. Wo die kapitalistische Rechnung nirgends mehr aufgeht, mag der Bankrotteur in der Tat veranlaßt sein, einen Tintenklecks über das Heft des ganzen Daseins zu gießen und auszubreiten, damit die Welt insgesamt kohlschwarz aussehe und kein Prüfer den Nachtmacher zur Rechenschaft ziehe. All das eben ist eine noch schlimmere

Täuschung als die der strahlenden Fassaden, die man nicht mehr halten kann. Die Arbeit dagegen, womit die Geschichte weitergeht, ja längst weitergegangen ist, führt zu der gutseinkönnenden Sache, nicht als Abgrund, sondern als Berg in die Zukunft. Die Menschen wie die Welt tragen genug gute Zukunft; kein Plan ist selber gut ohne diesen gründlichen Glauben in ihm.

Ernst Bloch
im Suhrkamp Verlag

Gesamtausgabe in 16 Bänden. Leinen
Band 1: Spuren
Band 2: Thomas Münzer als Theologe der Revolution
Band 3: Geist der Utopie. Bearbeitete Neuauflage der zweiten
Fassung von 1923
Band 4: Erbschaft dieser Zeit. Erweiterte Ausgabe
Band 5: Das Prinzip Hoffnung. In fünf Teilen. Zwei Bände
Band 6: Naturrecht und menschliche Würde
Band 7: Das Materialismusproblem, seine Geschichte und Substanz
Band 8: Subjekt – Objekt. Erläuterungen zu Hegel
Band 9: Literarische Aufsätze
Band 10: Philosophische Aufsätze zur objektiven Phantasie
Band 11: Politische Messungen, Pestzeit, Vormärz
Band 12: Zwischenwelten in der Philosophiegeschichte. Aus Leipziger Vorlesungen
Band 13: Tübinger Einleitung in die Philosophie
Band 14: Atheismus im Christentum. Zur Religion des Exodus und des Reichs
Band 15: Experimentum Mundi. Frage, Kategorien des Herausbringens, Praxis
Band 16: Geist der Utopie. Erste Fassung (1918). Faksimileausgabe
Ergänzungsband zur Gesamtausgabe: Tendenz – Latenz – Utopie
Werkausgabe in 16 Bänden und Ergänzungsband. Text- und seitenidentisch mit der Gesamtausgabe. stw 550–566
(alle Bände auch einzeln lieferbar)

Einzelausgaben:
– Abschied von der Utopie? Vorträge. es 1046
– Ästhetik des Vorscheins I. Herausgegeben von Gert Ueding. es 726
– Ästhetik des Vorscheins II. Herausgegeben von Gert Ueding. es 732
– Atheismus im Christentum. Zur Religion des Exodus und des Reichs. stw 254
– Briefe 1903-1975. Herausgegeben und kommentiert von Karola Bloch, Jan Robert Bloch, Anne Frommann, Hanna Gekle, Inge Jens, Martin Korol, Inka Mülder, Arno Münster, Uwe Opolka und Burkhart Schmidt. Leinen

17/2/2.85

Ernst Bloch
im Suhrkamp Verlag